DER KORAN

VOLLSTÄNDIGE AUSGABE

*Mit einem Vorwort
von Thomas Schweer*

WILHELM HEYNE VERLAG
MÜNCHEN

HEYNE SACHBUCH
Nr. 19/185

Die für diesen Band verwendete Übersetzung entstand unter der
Leitung von Hazrat Mirza Tahir Ahmad, Imam und Oberhaupt der
Ahmadiyya Muslim Jamaat.

17. Auflage

ISBN 3-453-05220-X

VORWORT

Die Terroranschläge auf das World Trade Center rückten erneut den gewalttätigen Aspekt des Islam in den Mittelpunkt der öffentlichen Aufmerksamkeit. Fassungslos stand die westliche Welt am 11. September 2001 vor der Tatsache, daß eine Religion in der Lage war, ihre Anhänger zu einer Attacke zu motivieren, die auch das Leben Unschuldiger nicht verschonte. Der Dschihad, der »Heilige Krieg«, den fanatische Islamisten den USA erklärt hatten, schien sich in den Augen mancher zu einem Kulturkampf zwischen dem Islam und dem Abendland auszuweiten. Der Begriff des Dschihad war spätestens seit der Machtübernahme der Mullahs im Iran im Jahre 1979 in den Medien aufgetaucht. Auch die afghanischen »Gotteskrieger«, die Mudschaheddin, führten (zehn Jahre) einen Heiligen Krieg gegen die sowjetische Besatzung. Obwohl diese Ereignisse weniger religiöse als vielmehr soziale, machtpolitische oder wirtschaftliche Gründe hatten, bestätigten sie doch altbekannte Vorurteile gegen den Islam und dessen angebliche Radikalität.

Es ist keine neuzeitliche Erscheinung, daß der Islam in Europa häufig als etwas Bedrohliches empfunden wird. Schon sehr bald nach Mohammeds Tod (632 n. Chr.) haben beduinische Reiterstämme die neue Religion über Arabien, Nordafrika und Persien ausgebreitet. Im Jahre 711 drangen muslimische Truppen in Spanien ein, eroberten das Land innerhalb von drei Jahren und standen 728 in Frankreich. Erst die verlorene Schlacht bei Poitiers (732) gegen die Franken Karl Martell stoppte den weiteren Siegeszug. Fast gleichzeitig erfolgte der Vorstoß in Richtung Osten bis nach Indien hinein. Durch die Bekehrung der Türken und Mongolen zum Islam und durch zahlreiche Feldzüge hatte das islamische Reich um 1500 eine Ausdehnung von der afrikanischen Westküste bis zum Golf von Bengalen und von Südindien bis nach Zentralasien. Das christliche Abendland stand zwangsläufig immer wieder einer enormen militärischen, wirtschaftlichen und kulturellen Herausforderung gegenüber.

Obwohl muslimische Gelehrte zwischen dem 8. und dem 13. Jahrhundert auf den Gebieten der Naturwissenschaften, der Medizin und der Philosophie entscheidende Beiträge leisteten und den europäischen Forschern weit voraus waren, herrschte ein Zerrbild vom Islam als einer blutrünstigen, grausamen und fanatischen Religion vor. Auch heute überwiegt die Vorstellung, der Islam sei auf dem »Weg zurück ins Mittelalter« und werde von »religiösen Schwärmern« bestimmt. Hervorgerufen wird dieser Eindruck vor allem durch die Aktualität des sogenannten islamischen Fundamentalismus. Darunter wird, vereinfacht gesagt, eine radikale Rückbesinnung auf traditionelle Werte des Islam verstanden. Die Ursache dieser Rückbesinnung liegt in erster Linie in dem Streben nach nationaler Selbstbehauptung. Staaten, die jahrzehntelang Kolonien waren und noch heute auf vielen Gebieten zu einem nicht unerheblichen Teil vom Westen abhängig sind, suchen nach einer eigenen Identität. Sie wollen sich von fremder Beeinflussung befreien, weil sie sie als Bevormundung empfinden und weil sie ihr Selbstwertgefühl herabsetzt. Zu diesem Zweck knüpfen sie an die Zeiten an, als der Islam in kultureller Blüte stand und politisch eine Weltmacht war. Der islamische Fundamentalismus wird keineswegs nur von der einfachen Bevölkerung getragen, sondern stellt auch für viele Intellektuelle ein Mittel zur Selbstfindung und zur Kritik an herrschenden Strukturen dar.

Weil sich die Berichte über aufbegehrende Massen in Algerien, Pakistan oder einigen der selbständig gewordenen Staaten der ehemaligen Sowjetunion in vielem gleichen, treten die Unterschiede zwischen den einzelnen islamischen Gemeinschaften kaum ins Bewußtsein. Aber der Islam ist kein einheitliches Ganzes. Schon früh bildeten sich verschiedene Lehrmeinungen und Schulrichtungen heraus, rivalisierende Herrscher sammelten eine Anhängerschaft um sich und schufen eigene Machtzentren, und es kam zu Abspaltungen.

Mohammed wurde um 570 n. Chr. in Mekka geboren. Da er seine Eltern früh verlor, wuchs er unter der Obhut eines Onkels auf. Im Alter von 25 Jahren heiratete er eine reiche Kaufmannswitwe, mit der er drei Söhne und vier Töchter hatte. Zur damaligen Zeit lag Mekka abseits der großen Handelsrouten und kam mit fremden Kulturen kaum in Berührung. Dominierend waren arabische Stammesreligionen, die eine Vielzahl von Göttern und Göttinnen kannten. Es gab zwar schon den Ausdruck »Allah« (*al-lah*, »der Gott«), der eine Art Oberbegriff für die zahlreichen Einzelgötter war, aber das tägliche Leben bestimmte nicht ein einzelner Gott, sondern viele Gottheiten. Mohammed war sowohl mit den Glaubensvorstellungen seiner arabischen Umwelt vertraut als auch zum Teil mit den Lehren der Juden und Christen.

Warum er sich nicht damit begnügte, dem überlieferten Glauben treu zu bleiben oder sich wie manche seiner Landsleute dem Judentum oder dem Christentum anzuschließen, bleibt im dunkeln. Wichtig ist, daß er im Jahre 610 in einer Höhle des Berges Hira ein Berufungserlebnis hatte. Der Engel Gabriel forderte ihn auf: »Lies im Namen deines Herrn!« (Sure 96, die als die erste Offenbarung gilt.) In der Folgezeit betrachtete Mohammed es als seine Aufgabe, eine neue Botschaft zu verkünden. Die anfangs recht kurzen und später immer länger werdenden Eingebungen, die er vortrug, handeln in der Mehrzahl von Allahs Güte und Allmacht, vom Jüngsten Gericht, von Ereignissen der Heilsgeschichte, von Ermahnungen und Anleitungen für das Alltagsleben und von Rechtsfragen. Alle Texte zusammen bilden die 114 Suren des Koran.

Die jetzige Fassung des Koran ist nicht chronologisch. Als die heiligen Texte um die Mitte des 7. Jahrhunderts vereinheitlicht und geordnet wurden, wählte man eine absteigende Folge und setzte, mit Ausnahme der ersten, kurzen Sure, die das meistrezitierte Gebet des Islam ist, die längsten Suren an den Anfang. Zu Beginn jeder Sure wird angegeben, ob sie in Mekka oder in Medina offenbart wurde, dann folgt die immer gleiche Eröffnungsformel: »Im Namen Allahs, des Gnädigen, des Barmherzigen.« Der Koran wird von allen Muslimen ausnahmslos als direktes göttliches Wort und als absolut unfehlbar angesehen. Deshalb spielt auch die Sprache, in der er offenbart wurde, eine große Rolle: Der Koran wird von allen Gläubigen in Arabisch gelesen. Zum Zweck des Gebetes dürfen Übersetzungen des Korans in andere Sprachen nicht herangezogen werden, weil es für Muslime undenkbar ist, daß Menschen nach eigenem Ermessen in die Worte Allahs eingreifen.

In seiner Heimatstadt stieß Mohammed mit seiner neuen Botschaft auf Skepsis. Die Mekkaner verübelten ihm, daß er den Glauben der Väter als »Vielgötterei« brandmarkte und nur noch Allah als den einzig wahren Gott gelten ließ. Aus den rhetorischen Auseinandersetzungen entwickelte sich eine regelrechte Verfolgung der Anhänger Mohammeds, was den Propheten schließlich im Jahre 622 zwang, in das ca. 300 Kilometer nördlich gelegene Medina zu fliehen. Diese Flucht ist die berühmte *Hidschra,* die zugleich den Beginn der islamischen Zeitrechnung darstellt. Die weniger gefestigten lokalpolitischen Verhältnisse in Medina erleichterten Mohammed die Verbreitung seiner Lehre. Durch die rasch wachsende Anzahl seiner Anhänger ergab sich die Notwendigkeit einer organisierten Führung. Mohammed geriet so in die Rolle eines weltlichen Oberhauptes, das für das Wohlergehen der Gemeinschaft verantwortlich war. In diesem Zusammenhang sind auch die Raubzüge gegen mekkanische Karawanen zu sehen. Seit alters her mußten die beduinischen Wüstenstämme um ihr Überleben kämpfen, und dies geschah oft durch gegenseitige Angriffe. Erst allmählich wurden diese Überfälle zu einer Art Glaubenskrieg, der immer größere Ausmaße annahm. Es kam zu mehreren Schlachten zwischen Mekka und Medina, bis Mohammed 630 endgültig die Oberhand gewann und siegreich in Mekka einzog. Viele Einwohner seiner Geburtsstadt bekehrten sich daraufhin zum islamischen Glauben. Da Mohammed das alte Heiligtum der *Kaaba* als Wallfahrtsort beibehielt, war der Glaubenswechsel für viele gar nicht so tiefgreifend. Die *Kaaba,* in deren Zentrum sich ein schwarzer Stein befindet, war schon in vorislamischer Zeit das Ziel von Wallfahrten. Mohammed verlieh ihr eine neue Bedeutung, indem er Abraham zum Begründer des Heiligtums erklärte (Sure 2, 125 ff.). Damit konnte er einerseits einen für die Mekkaner wichtigen Ort religiöser Verehrung in den Islam einbeziehen, ohne sich dem Vorwurf einer Rückkehr zu den alten Göttern auszusetzen. Andererseits hatte er den Juden und Christen gegenüber das Argument, der biblische Stammvater Abraham sei in Wirklichkeit ein gläubiger Anhänger des Islam gewesen, weshalb dieser den zeitlichen Vorrang habe, das heißt dem Judentum und Christentum im Grunde als »Urreligion« vorausgehe.

Ursprünglich war Mohammed davon ausgegangen, daß Juden und Christen, die in Medina zahlreich vertreten waren, seine Botschaft freudig aufnehmen würden. Denn er sah sich nicht im Widerspruch zu ihnen, sondern betrachtete den Islam als Fortsetzung und Vollendung der jüdischen und christlichen Lehre. So wie er selbst den Glauben der Juden und Christen gelten ließ, erwartete er andererseits eine Anerkennung als Gesandter Allahs an die Araber. Jerusalem war sogar vermutlich für einige Zeit die vorgeschriebene Gebetsrichtung für die Muslime. Doch nachdem Mohammed feststellen mußte, daß die Juden bis auf wenige Ausnahmen keineswegs bereit waren, ihn zu akzeptieren, wandte er sich enttäuscht von ihnen ab und bestimmte Mekka als Gebetsrichtung. Seine Einstellung den Juden gegenüber änderte sich. Sie waren nun in erster Linie ein Machtfaktor, der ihm irgendwann gefährlich werden konnte und den er auszuschalten versuchte. Die Christen behandelte er wohlwollender, unter anderem deshalb, weil sie aufgrund ihrer geringen Anzahl in Medina ohne bedeutenden Einfluß waren und weil er ihre Schriften nur in Bruchstücken kannte. Die Gottessohnschaft Jesu lehnte er jedoch strikt ab. Trotzdem behielt er eine Reihe von Elementen aus dem Alten wie dem Neuen Testament bei, das heißt soweit sie ihm zugänglich waren und seiner Auffassung nicht widersprachen.

Das Auftauchen biblischer Gestalten und Erzählungen im Koran darf nicht als bloße Übernahme gedeutet werden. Mohammed hatte großen Respekt vor den »Schriftbesitzern«, und er sah seine eigene Botschaft eher als Abschluß der Heilsgeschichte denn als vollständige Neuerung. Er begriff seine Eingebungen als »Uroffenbarung«, an der auch Juden und Christen Anteil hatten, die sie aber nicht in ihrer Ganzheit wiedergeben konnten, weil sie bis dato noch nicht vollendet war. Für die Muslime ist Mohammed daher das »Siegel der Propheten«, der letzte Offenbarer in der langen Reihe der Propheten von Abraham bis Jesus. Seiner Natur nach ist er jedoch nicht göttlich, denn Allah steht so weit jenseits aller menschlichen Fassungskraft, daß er mit nichts verglichen werden kann. Dies ist auch der Grund, weshalb Jesus zwar als Prophet anerkannt wird, nicht jedoch als der Sohn Gottes. Bei der Einzigartigkeit und Allmacht Allahs ist es undenkbar, daß er jemals menschliche Gestalt angenommen haben könnte, um hernach am Kreuz zu leiden und zu sterben. Es ist deshalb auch falsch, von »Mohammedanern« zu sprechen, denn Mohammed wird lediglich als Vermittler des göttlichen Wortes angesehen und steht nicht im Mittelpunkt der Verehrung. In Sure 19, 36 heißt es: »Es ziemt Allah nicht, Sich einen Sohn zuzugesellen. Heilig ist Er! Wenn Er ein Ding beschließt, so spricht Er nur zu ihm: ›Sei!‹, und es ist.« Die Bezeichnung »Muslim« dagegen ist eine Ableitung vom arabischen Wort *aslama,* was soviel wie »vollständig hingeben« bedeutet. Der Begriff »Islam« hat die gleiche Wurzel und meint »völlige Gottergebenheit«.

Indem Mohammed biblische Ereignisse aus seiner eigenen Zeit heraus interpretierte, verlieh er ihnen eine neue Bedeutung. Der Islam konnte somit tatsächlich an das Ende der langen Abfolge von der Entstehung des Judentums bis zum Wirken Jesu gestellt werden. Die Integration und Neudeutung früherer religiöser Formen und Inhalte ist charakteristisch für alle neuen Religionen (auch für das Christentum) und kann nicht als Beleg dafür dienen, daß der Koran lediglich ein Plagiat von Thora und Neuem Testament sei. Religionswissenschaftlich entscheidend ist nicht die Tatsache, daß Mohammed Elemente anderer Religionen übernommen hat, sondern allein die Art und Weise, wie er diese zu etwas Neuem zusammenfügte.

Mohammeds religionsschöpferische Leistung ist nicht einfach dadurch zu erklären, daß er sich fremde Stoffe angeeignet und sie seiner damaligen Zeit gemäß neu formuliert hat oder daß er sogar bewußt bestimmte Koranpassagen erfand, um sich vor seinen Gegnern zu behaupten und eigene Ziele besser durchsetzen zu können. Schon die Mekkaner hatten den Verdacht geäußert, Mohammed reproduziere nur, was er von jüdischer oder christlicher Seite erfahren hatte. Diese Kritik war Mohammed bekannt, und er hat sich damit in mehreren Suren auseinandergesetzt (z. B. Sure 25, 4 ff.; 16, 104). Für ihn war jedoch ohne große Bedeutung, woher seine Informationen stammten. Ausschlaggebend war in seinen Augen, daß die letztgültige Offenbarung alles in einem anderen Licht erscheinen ließ und völlig neue Glaubenswahrheiten verkündete. Auch eine rein psychologische Deutung des Islam greift zu kurz und kann deshalb kein Entscheidungskriterium für die Echtheit religiöser Erfahrungen sein. Mohammed war nicht frei von Zweifel und rechnete sogar mit der Möglichkeit von Selbsttäuschungen. Insgesamt aber gibt der Koran keinen Anhaltspunkt dafür, daß die subjektive Überzeugung und die Redlichkeit Mohammeds in Frage zu stellen wären.

Als Mohammed im Jahre 632 starb, war die Gemeinschaft seiner Anhänger bereits so weit gefestigt, daß sie selbständig existieren konnte. Jetzt begann die Zeit der Kalifen, die die Vormachtstellung des Islam auf der arabischen Halbinsel konsolidierten und seinen Einflußbereich weit über die Grenzen Arabiens hinaus ausdehnten. Doch schon bald kam es zu Streitigkeiten über die rechtmäßige Nachfolge des Propheten. Als der vierte Kalif Ali, ein Schwiegersohn Mohammeds, im Jahre 661 ermordet wurde, spalteten sich die Muslime in zwei Lager. Fortan standen sich *Sunniten* und *Schiiten* gegenüber. Während die Sunniten (von *sunna,* »Gewohnheit des Propheten«) ihren Führungsanspruch von der Befolgung religiöser Prinzipien und der anerkannten Tradition ableiteten, beriefen sich die Schiiten (von *schiat Ali,* »die Partei Alis«) auf die persönliche Erblinie. Am Ende setzten sich die Sunniten durch, dennoch zählen sich heute immerhin noch 10 bis 15 Prozent der muslimischen Weltbevölkerung zu den Schiiten. Einer ihrer geographischen Schwerpunkte ist der Iran. Bezüglich der Lehre unterscheiden sie sich von den Sunniten besonders durch den Glauben an einen Imam. Ein Imam ist ein göttlich inspirierter, fehlerloser Leiter, der den Koran nicht nur der äußeren Form nach kennt, sondern darüber hinaus auch über ein geheimes religiöses Wissen verfügt, das er vor seinem Tod persönlich an seinen Nachfolger weitergibt. Von den verschiedenen schiitischen Gemeinschaften ist die sogenannte Zwölferschia die bedeutendste. Nach ihrer Lehre starb der elfte Imam (der letzte in der Reihe der direkten Nachkommen Mohammeds) im Jahre 874. Seitdem wird die Wiederkehr des zwölften, des *Mahdi,* erwartet.

Dem Glauben zufolge hat er sein Wissen noch vom elften Imam erhalten und lebt nun im Verborgenen, bis er sich eines Tages zeigt und die Gläubigen erlöst. In seiner heutigen Bedeutung bezeichnet der Begriff Imam einen »obersten religiösen Lehrer«, der die Geschicke der Gemeinde sozusagen als Stellvertreter des Mahdi lenkt. Auch Khomeini wurde als ein solcher Stellvertreter betrachtet.

Abgesehen von den unterschiedlichen theologischen Lehrmeinungen gelten für jeden Muslim fünf Hauptpflichten:

1. *Das Glaubensbekenntnis (Sahada):* »Es gibt keinen Gott außer Allah, und Mohammed ist der Gesandte Allahs.« Dieses Glaubensbekenntnis bildet die zentrale Aussage des Islam und stellt gleichzeitig dessen monotheistischen Charakter ausdrücklich heraus. Formal genügt es, dieses Credo öffentlich auszusprechen, um zum Islam überzutreten.

2. *Das Gebet (Salat),* das der Gläubige fünfmal täglich, eine Stunde vor Sonnenaufgang, mittags, nachmittags, bei Sonnenuntergang und am Abend, nach einem festgelegten Ritus und in Richtung Mekka gewandt, sprechen muß. Das gemeinsame Freitagsgebet in der Moschee wird von einem Vorbeter vollzogen und bisweilen auch zu politischen Aussagen genutzt.

3. *Die Almosen- oder Armensteuer (Zakat).* Im Laufe der Zeit wurde diese Steuer genau geregelt. Sie diente früher dem gerechten sozialen Ausgleich zwischen reichen und armen Bevölkerungsschichten.

4. *Das Fasten (Saum)* im Ramadan, dem neunten Monat im islamischen Mondjahr. Jeder, der dazu körperlich in der Lage ist (Ausnahmen gelten etwa für Kranke oder schwangere Frauen), muß zwischen Sonnenaufgang und Sonnenuntergang fasten. Der Überlieferung gemäß wurde Mohammed am 27. Tag des Ramadan der Koran offenbart.

5. *Die Pilgerfahrt (Hadsch)* nach Mekka, als Höhepunkt des islamischen Kultus im letzten Mondmonat. Wenigstens einmal im Leben sollte jeder Muslim daran teilnehmen. Durch den Nachvollzug der Pilgerfahrt in der gleichen Art, wie sie von Mohammed überliefert wird, wendet sich der Gläubige zu den Ursprüngen seiner Religion zurück.

Die für die Muslime maßgebenden Vorschriften und Wertordnungen lassen sich nicht ausschließlich auf den Koran zurückführen. Außer den Offenbarungen Mohammeds wurden auch seine Aussprüche und Verhaltensweisen *(Sunna)* aufgezeichnet. Die Sammlung dieser Texte wird als *Hadith* bezeichnet. Später entschieden muslimische Theologen, welche Teile des Hadith als authentisch gelten sollten (ein Verfahren, das ja auch christliche Gelehrte bei der Auswahl biblischer Schriften anwandten). Als Beispiel wäre die Beschneidung zu nennen, die an keiner Stelle des Korans erwähnt wird, aber als typisches Merkmal eines muslimischen Mannes gilt. Dieses Ritual wird ebenso durch die Sunna begründet wie die Festlegung zahlreicher Feiertage oder die korrekte Handhaltung beim Gebet.

Ein weiterer wichtiger Eckpfeiler der muslimischen Gesellschaft ist die *Scharia,* das Gesetz. Ihre Quellen sind der Koran und die Sunna. Während der Koran die Richtlinien der Rechtsprechung bestimmt, präzisiert die Sunna allgemein gehaltene Aussagen des Korans und regelt die Auslegung im Einzelfall. Nur dann, wenn weder Koran noch Sunna zur Klärung eines Sachverhalts herangezogen werden können, darf mittels Übereinstimmung (d. h. eines in der Gemeinde herbeigeführten Konsensus) oder Analogieschluß (Anlehnung an frühere, ähnliche Rechtsfälle) entschieden werden. Die Scharia legt sowohl die Pflichten des einzelnen fest (etwa in bezug auf die fünf Hauptgebote) als auch die der Gemeinschaft (wie das Freitagsgebet oder den Heiligen Krieg). Die Scharia kann von ihrer Konzeption her als das vollständigste Rechtssystem der Welt betrachtet werden. Im Westen wird sie zumeist in Verbindung mit dem teilweise drakonischen Strafrecht erwähnt. Andererseits läßt sie aber auch Raum für neue Entwicklungen. Denn prinzipiell gilt, daß alles, was dem Koran oder der Sunna nicht widerspricht, in die Scharia aufgenommen werden kann.

Im Zusammenhang mit der islamischen Revolution und dem Golfkrieg fiel häufig der Begriff *Dschihad,* des »Heiligen Krieges«. Es entstand der Eindruck, daß der Koran den Dschihad als Mittel zur Bekämpfung der »Ungläubigen« sanktioniere. Doch dies ist ebenso irreführend wie die weitverbreitete Ansicht, der Islam habe sich seinen Weg mit Feuer und Schwert gebahnt.

Wenn es in Sure 9, 29 heißt: »Kämpfet wider diejenigen aus dem Volk der Schrift, die nicht an Allah und an den Jüngsten Tag glauben und die nicht als unerlaubt erachten, was Allah und Sein Gesandter als unerlaubt erklärt haben, und die nicht dem wahren Bekenntnis folgen, bis sie aus freien Stücken den Tribut entrichten und ihre Unterwerfung anerkennen«, so ist damit nicht die willkürliche Tötung von Juden und Christen gemeint. Der Aufruf zur Kampfbereitschaft gründet vielmehr auf der Einteilung der Welt in islamische und nichtislamische Gebiete. Von seinem Selbstverständnis her ist der Islam eine Religion für die gesamte Menschheit. Daher befindet er sich automatisch in einer ständigen – auch kriegerischen – Auseinandersetzung mit seinen Gegnern. Diese müssen jedoch nicht zwangsweise zum Islam übertreten, sondern können sich durch die Entrichtung einer Steuer gewissermaßen freikaufen. Ihnen steht dann sogar der Schutz durch die muslimische Obrigkeit zu. Dies gilt allerdings nicht für Angehörige von schriftlosen Religionen. Sie haben nur die Wahl zwischen Konversion und Krieg. Außerdem bedeutet Dschihad nicht einfach Krieg, sondern, wörtlich übersetzt, »sich anstrengen«. Im Kontext der entsprechenden Suren ist damit in der Regel »das Sichabmühen auf dem Weg Gottes« gemeint, wozu gegebenenfalls auch die Anwendung von Gewalt gehören kann.

Natürlich kann man fragen, warum Mohammed überhaupt ein gewaltsames Vorgehen gutgeheißen hat. Dazu ist zweierlei zu bemerken. Erstens war er als Angehöriger eines arabischen Stammes den ungeschriebenen Gesetzen des Kollektivs verpflichtet, wozu auch die fraglos akzeptierte Gewaltanwendung gehörte. Zweitens hatte er gar keine andere Wahl, als sich und seine Gemeinschaft mit den damals üblichen Mitteln zu verteidigen, wenn er nicht riskieren wollte, daß seine Botschaft sofort wieder unterging.

Der Koran rechtfertigt nicht den Krieg um seiner selbst willen, aber er akzeptiert ihn als gelegentlich notwendiges Erfordernis. Ein Vergleich mit den Lehren Jesu ist an dieser Stelle verfehlt. Denn in Mekka war die Religion nicht von der staatlichen Macht getrennt wie in der Welt des Urchristentums. Man konnte nicht »dem Kaiser geben, was des Kaisers ist« und in einem Winkel der Beschaulichkeit leben, es sei denn um den Preis einer unbeachteten Randexistenz. Eine derartige Haltung war mit dem Sendungsbewußtsein Mohammeds jedoch unvereinbar. Und auch das Christentum konnte sich schließlich erst als Weltreligion etablieren, nachdem es durch besondere Umstände die Protektion des Römischen Reiches erhalten hatte.

Staat und Religion gehören nach islamischem Selbstverständnis also seit jeher untrennbar zusammen. Allah umfaßt alles, und nichts kann außerhalb von ihm oder neben ihm sein. Diese Grundvoraussetzung sollte man sich stets vergegenwärtigen, wenn man den Glauben und das Denken der Muslime verstehen will.

Thomas Schweer, M. A.

VERZEICHNIS DER SUREN

1. Eröffnung des Korans (Al-Fatiha) 21
2. Die Kuh (Al-Bakarah) 22
3. Die Familie Amrans (Al-Imran) 57
4. Die Weiber (Al-Nisa) 78
5. Der Tisch (Al-Maida) 99
6. Das Vieh (Al-Anam) 115
7. Die Zwischenmauer (Al-Araf) 133
8. Die Beute (Al-Anfal) 153
9. Die Buße (Al-Tauba) 161
10. Jonas (Yunus) 176
11. Hud (Hud) 187
12. Joseph (Yusuf) 199
13. Der Donner (Al-Rad) 210
14. Abraham (Ibrahim) 215
15. Al Hedscher (Al-Hidschr) 220
16. Die Bienen (Al-Nahl) 225
17. Die Nachtreise (Bani-Israil) 237
18. Die Höhle (Al-Kahf) 247
19. Maria (Maryam) 257
20. TH (Ta-Ha) 264
21. Die Propheten (Al-Anbiya) 274
22. Die Wallfahrt (Al-Hadsch) 282
23. Die Gläubigen (Al-Mominun) 290
24. Das Licht (Al-Nur) 298
25. Die Erlösung (Al-Furkan) 306
26. Die Dichter (Al-Schuara) 312
27. Die Ameise (Al-Naml) 322
28. Die Geschichte (Al-Kasas) 329
29. Die Spinne (Al-Ankabut) 338
30. Die Römer (Al-Rum) 345

31. Lokman (Lukman) 350
32. Die Anbetung (Al-Sadschdah) 354
33. Die Verbündeten (Al-Ahzab) 357
34. Saba (Saba) 365
35. Die Engel (Al-Fatir) 371
36. YS (Ya-Sin) 376
37. Die sich Reihenden (Al-Saffat) 381
38. Die Wahrheit (Sad) 389
39. Die Scharen (Al-Zumar) 395
40. Der Gläubige (Al-Momin) 403
41. Die deutlich Erklärten (Ha-Mim-Sadschdah) . . . 411
42. Die Beratung (Al-Schura) 416
43. Der Goldpunkt (Al-Zuchruf) 422
44. Der Rauch (Al-Duchan) 428
45. Das Knien (Al-Dschathiyah) 431
46. Das Tal des Sandes (Al-Ahkaf) 434
47. Mohammed (Mohammad) 438
48. Der Sieg (Al-Fath) 442
49. Die inneren Zimmer (Al-Hudschurat) 446
50. K (Kaf) 448
51. Die Zerstreuenden (Al-Dhariyat) 451
52. Der Berg (Al-Tur) 454
53. Der Stern (Al-Nadschm) 457
54. Der Mond (Al-Kamar) 460
55. Der Allbarmherzige (Al-Rahman) 463
56. Der Unvermeidliche (Al-Wakiah) 467
57. Das Eisen (Al-Hadid) 471
58. Die Streitende (Al-Mudschadilah) 475
59. Die Auswanderung (Al-Hadschr) 478
60. Die Geprüfte (Al-Mumtahanah) 481
61. Die Schlachtordnung (Al-Saff) 484
62. Die Versammlung (Al-Dschumuah) 486
63. Die Heuchler (Al-Munafikun) 487

64. Der gegenseitige Betrug (Al-Taghabun) 489
65. Die Ehescheidung (Al-Talak) 491
66. Das Verbot (Al-Tahrim) 493
67. Das Reich (Al-Mulk) 495
68. Die Feder (Al-Kalam) 498
69. Der Unfehlbare (Al-Hakkah) 501
70. Die Stufen (Al-Maaridsch) 504
71. Noah (Nuh) 506
72. Die Dschinnen (Al-Dschinn) 508
73. Die Verhüllte (Al-Muzzammil) 510
74. Der Bedeckte (Al-Muddassir) 512
75. Die Auferstehung (Al-Kiyamah) 514
76. Der Mensch (Al-Dahr) 516
77. Die, welche gesandt sind (Al-Mursalat) 518
78. Die Verkündigung (Al-Naba) 520
79. Die Entreißenden (Al-Naziat) 522
80. Er runzelt mürrisch die Stirn (Abasa) 524
81. Die Zusammenfaltung (Al-Takwir) 526
82. Die Zerspaltung (Al-Infitar) 527
83. Die unrichtig Messenden (Al-Tatfif) 528
84. Die Zerreißung (Al-Inschikak) 530
85. Die Türme (Al-Burudsch) 531
86. Der Nachtstern (Al-Tarik) 532
87. Der Allerhöchste (Al-Ala) 533
88. Der Bedeckende (Al-Ghaschiyah) 534
89. Die Morgendämmerung (Al-Fadschr) 535
90. Die Landschaft (Al-Balad) 536
91. Die Sonne (Al-Schams) 537
92. Die Nacht (Al-Lail) 538
93. Der helle Tag (Al-Duha) 539
94. Die Aufschließung (Al-Inschirah) 539
95. Die Feige (Al-Tin) 540
96. Das geronnene Blut (Al-Alak) 541

97. Nacht des Schicksals (Al-Kadr) 542
98. Der deutliche Beweis (Al-Bayyinah) 542
99. Das Erdbeben (Al-Zilzal) 543
100. Die schnelleilenden Rosse (Al-Adiyat) 543
101. Das Verhängnis (Al-Kariah) 544
102. Das Streben nach Mehrung (Al-Takathur) 544
103. Der Nachmittag (Al-Asr) 545
104. Der Verleumder (Al-Humazah) 545
105. Der Elefant (Al-Fil) 545
106. Die Koreischiten (Al-Kuraisch) 546
107. Die Zuflucht (Al-Maun) 546
108. Der Überfluß (Al-Kauthar) 546
109. Die Ungläubigen (Al-Kafirun) 547
110. Die Hilfe (Al-Nasr) 547
111. Abu Laheb (Abu-Lahab) 547
112. Bekenntnis zur Einheit Allahs (Al-Ichlas) 548
113. Die Morgenröte (Al-Falak) 548
114. Die Menschen (Al-Nas) 548

1. Im Namen Allahs, des Gnädigen, des Barmherzigen.[1]
2. Aller Preis gehört Allah, dem Herrn der Welten,
3. Dem Gnädigen, dem Barmherzigen,
4. Dem Meister des Gerichtstages,
5. Dir allein dienen wir, und zu Dir allein flehen wir um Hilfe.
6. Führe uns auf den geraden Weg,
7. Den Weg derer, denen Du Gnade erwiesen hast, die nicht (Dein) Mißfallen erregt haben und die nicht irregegangen sind.[2]

1. Im Namen Allahs, des Gnädigen, des Barmherzigen.

2. Alif Lām Mīm*.

3. Dies ist ein vollkommenes Buch; es ist kein Zweifel darin: eine Richtschnur für die Rechtschaffenen;

4. Die da glauben an das Ungesehene und das Gebet verrichten und spenden von dem, was Wir ihnen gegeben haben;

5. Und die glauben an das, was dir offenbart worden, und an das, was vor dir offenbart ward, und fest auf das bauen, was kommen wird.

6. Sie sind es, die der Führung ihres Herrn folgen, und sie werden Erfolg haben.

7. Die nicht geglaubt haben – und denen es gleich ist, ob du sie warnst oder nicht warnst –, sie werden nicht glauben.

8. Versiegelt hat Allah ihre Herzen und ihre Ohren, und über ihren Augen liegt eine Hülle, und ihnen wird schwere Strafe.

9. Unter den Leuten sind solche, die sagen: »Wir glauben an Allah und an den Jüngsten Tag«, und sind gar nicht Gläubige.

10. Sie möchten Allah betrügen und diejenigen, die gläubig sind; doch sie betrügen nur sich selbst; allein sie begreifen es nicht.

11. In ihren Herzen war Krankheit, und Allah hat ihre Krankheit vermehrt; und eine qualvolle Strafe wird ihnen, weil sie logen.

12. Und wenn ihnen gesagt wird: »Stiftet kein Unheil auf Erden«, antworten sie: »Wir sind nur Förderer des Friedens.«

13. Höret! gewiß sind sie es, die Unheil stiften; allein sie begreifen es nicht.

14. Und wenn ihnen gesagt wird: »Glaubet, wie andere geglaubt haben«, so sprechen sie: »Sollen wir glauben, wie die Toren glaubten?« Höret! sie sind die Toren, allein sie wissen es nicht.

15. Und wenn sie mit denen zusammentreffen, die glauben, sagen sie: »Wir glauben«; sind sie jedoch allein mit ihren Bonzen, sagen sie: »Gewiß sind wir mit euch; wir treiben nur Spott.«

16. Allah wird sie Spott lehren und wird sie in ihren Freveln verharren lassen, daß sie verblendet irregehen.

17. Sie sind es, die Irregehen eingetauscht haben gegen Füh-

---

* Ich bin Allah, der Allwissende.

rung; doch brachte ihr Handel keinen Gewinn, noch sind sie rechtgeleitet.

18. Sie sind jenem Manne vergleichbar, der ein Feuer anzündete; und als es alles um ihn erhellte, nahm Allah ihr Licht hinweg und ließ sie in Finsternissen; sie sehen nicht.

19. Taub, stumm, blind: also werden sie nicht zurückkehren.

20. Oder: wie schwerer Wolkenregen, worin Finsternisse und Donner und Blitz; sie stecken ihre Finger in die Ohren, in Todesfurcht vor den Donnerschlägen, während Allah die Ungläubigen umringt.

21. Der Blitz benimmt ihnen fast das Augenlicht; wann immer er auf sie zündet, wandeln sie darin*, und wenn es über ihnen dunkel wird, stehen sie still. Und wäre es Allahs Wille, Er hätte ihr Gehör und ihr Gesicht fortgenommen. Allah hat die Macht, alles zu tun, was Er will.

22. O ihr Menschen, dienet eurem Herrn, Der euch erschuf und die, die vor euch waren, auf daß ihr beschirmt seid;

23. Der die Erde gemacht hat zu einem Bette für euch, und den Himmel zu einem Dach, und Wasser hat niederregnen lassen von den Wolken und damit Früchte für euren Unterhalt hervorgebracht hat. Stellt Allah daher keine Götter zur Seite, denn ihr wißt es doch.

24. Und wenn ihr im Zweifel seid über das, was Wir hinabgesandt haben zu Unserem Diener, dann bringt eine Sure hervor wie diesen (Koran) und ruft eure Helfer auf außer Allah, wenn ihr wahrhaft seid.

25. Doch wenn ihr es nicht tut – und nie werdet ihr es vermögen –, dann hütet euch vor dem Feuer, dessen Nahrung Menschen und Steine** sind, bereitet für die Ungläubigen.

26. Und bringe frohe Botschaft denen, die glauben und gute Werke tun, daß Gärten für sie sind, durch die Ströme fließen. Wann immer ihnen von den Früchten daraus gegeben wird, werden sie sprechen: »Das ist, was uns zuvor gegeben wurde«, und (Gaben) gleicher Art sollen ihnen gebracht werden. Und sie werden darin Gefährten und Gefährtinnen haben von vollkommener Reinheit, und darin werden sie weilen.

---

* In seinem Licht; ** Götzenbilder, auch Kohle.

27. Allah verschmäht nicht, über ein Ding zu sprechen, das klein ist wie eine Mücke oder gar noch kleiner. Die da glauben, wissen, daß es die Wahrheit von ihrem Herrn ist, dieweil die Ungläubigen sprechen: »Was meint Allah mit solcher Rede?« Damit erklärt Er viele zu Irrenden, und vielen weist Er damit den Weg; aber nur die Ungehorsamen erklärt Er damit zu Irrenden,

28. Die den Bund Allahs brechen, nachdem (sie) ihn aufgerichtet, und zerschneiden, was Allah zu verbinden gebot, und Unfrieden auf Erden stiften: diese sind die Verlierenden.

29. Wie könnt Ihr Allah verleugnen? Ihr waret doch ohne Leben, und Er gab euch Leben, und dann wird Er euch sterben lassen, dann euch dem Leben wiedergeben, und ihr kehrt dann zu Ihm zurück.

30. Er ist es, Der alles für euch erschuf, was auf Erden ist; dann wandte Er Sich nach dem Himmel; Er vollendete deren sieben Himmel, und Er weiß alle Dinge wohl.

31. Und als dein Herr zu den Engeln sprach: »Ich will einen Statthalter auf Erden einsetzen«, sagten sie: »Willst Du denn dort solche Wesen haben, die darauf Unfrieden stiften und Blut vergießen? – und wir loben und preisen Dich und rühmen Deine Heiligkeit.« Er antwortete: »Ich weiß, was ihr nicht wißt.«

32. Und Er lehrte Adam alle Namen; dann stellte Er (die Benannten) vor die Engel hin und sprach: »Nennt Mir ihre Namen, wenn ihr im Recht seid.«

33. Sie sprachen: »Heilig bist Du! Wir haben kein Wissen außer dem, was Du uns gelehrt hast; wahrlich, Du allein bist der Allwissende, der Allweise.«

34. Er sprach: »O Adam, nenne ihnen ihre Namen«; und als er ihnen ihre Namen genannt hatte, sprach Er: »Habe Ich euch nicht gesagt: Ich weiß die Geheimnisse der Himmel und der Erde, und Ich weiß, was ihr offenbart und was ihr verhehlt?«

35. Und (gedenke der Zeit) da Wir zu den Engeln sprachen: »Gehorchet Adam«, und sie alle gehorchten; nur Iblis[3] nicht. Er weigerte sich und war zu stolz, denn er war der Ungläubigen einer.

36. Und Wir sprachen: »O Adam, weile du und dein Weib in dem Garten, und esset reichlich von dem Seinigen, wo immer

ihr wollt; nur nahet nicht diesem Baume, auf daß ihr nicht Frevler seiet.«

37. Doch Satan ließ beide daran straucheln und trieb sie von dort, worin sie waren. Und Wir sprachen: »Gehet hinweg, einige von euch sind Feinde der andern, und für euch ist eine Wohnstatt auf Erden und ein Nießbrauch für eine Weile.«

38. Dann empfing Adam von seinem Herrn gewisse Worte (des Gebets). So kehrte Er Sich gnädig zu ihm; wahrlich, Er ist der oft gnädig Sich Wendende, der Barmherzige.

39. Wir sprachen: »Gehet hinaus, ihr alle, von hier. Und wer, wenn zu euch Weisung von Mir kommt, dann Meiner Weisung folgt, auf die soll keine Furcht kommen, noch sollen sie trauern.«

40. Die aber ungläubig sind und Unsere Zeichen leugnen, die sollen Bewohner des Feuers sein; darin müssen sie bleiben.

41. O ihr Kinder Israels! gedenkt Meiner Gnade, die Ich euch erwiesen, und erfüllet euren Bund mit Mir, so will Ich erfüllen Meinen Bund mit euch, und Mich allein sollt ihr fürchten.

42. Und glaubet an das, was Ich hinabsandte, Bestätigung dessen, was bei euch ist, und seid nicht die ersten, ihm den Glauben zu versagen, und verhandelt nicht Meine Zeichen für einen armseligen Preis, und suchet Schutz bei Mir allein.

43. Und vermenget nicht Wahr mit Falsch noch verhehlet die Wahrheit wissentlich.

44. Und verrichtet das Gebet und zahlet die Zakāt[4], und beugt euch mit denen, die sich beugen.[5]

45. Wollt ihr andere ermahnen, das Rechte zu tun, und euer Selbst vergessen, obwohl ihr das Buch (Thora) leset? Wollt ihr denn nicht verstehen?

46. Und sucht Hilfe in Geduld und Gebet; und das ist freilich schwer, es sei denn für die Demütigen im Geiste,

47. Die für gewiß wissen, daß sie ihrem Herrn begegnen und daß sie zu Ihm wiederkehren werden.

48. O ihr Kinder Israels! gedenket Meiner Gnade, die Ich euch erwiesen, und daß Ich euch erhob über die Völker.

49. Und fürchtet den Tag, da keine Seele als Stellvertreterin wird dienen dürfen für eine andere Seele, da keine Fürbitte für

sie gelten und kein Lösegeld von ihr genommen werden wird; und es wird ihnen nicht geholfen werden.

50. Und (gedenket der Zeit) da Wir euch erretteten von Pharaos Volk, das euch mit schlimmer Pein heimsuchte; sie erschlugen eure Söhne und schonten eurer Frauen; und darin war eine schwere Prüfung für euch von eurem Herrn.

51. Und (gedenket der Zeit) da Wir das Meer teilten für euch und euch erretteten und das Volk Pharaos vor eurem Angesicht ertränkten.

52. Und (gedenket der Zeit) da Wir Moses ein Versprechen gaben für vierzig Nächte; ihr aber nahmet euch das Kalb in seiner Abwesenheit, und ihr verginget euch.

53. Danach vergaben Wir euch, daß ihr möchtet dankbar sein.

54. Und (gedenket der Zeit) da Wir Moses die Schrift* gaben und das Entscheidende**, daß ihr möchtet rechtgleitet sein.

55. Und (gedenket der Zeit) da Moses zu seinem Volke sprach: »O mein Volk, du hast dich wahrlich an dir selbst versündigt, als du dir das Kalb nahmest; kehre dich denn zu deinem Schöpfer und töte dich selbst[6]; das ist am besten für dich vor deinem Schöpfer.« Da kehrte Er Sich wieder gnädig zu euch. Wahrlich, Er ist der oft gnädig Sich Wendende, der Barmherzige.

56. Und (gedenket der Zeit) da ihr sprachet: »O Moses, wir wollen dir auf keine Weise glauben, ehe wir nicht Allah von Angesicht zu Angesicht schauen«; da ereilte euch der Donnerschlag, dieweil ihr schautet.

57. Dann richteten Wir euch auf nach eurem Tode, daß ihr möchtet dankbar sein.

58. Und Wir ließen die Wolken euch überschatten und sandten euch Manna und Salwa[7] hernieder: »Esset von den guten Dingen, die Wir euch beschert haben.« Und sie schädigten nicht Uns, sondern sich selbst haben sie Schaden getan.

59. Und (gedenket der Zeit) da Wir sprachen: »Tretet ein in diese Stadt und esset reichlich von dem Ihren – wo immer ihr wollt – und tretet unterwürfig ein durch das Tor und sprechet:

---

* Thora.
** Wunder.

»Vergebung!« Wir werden euch eure Sünden vergeben, und Wir werden jene mehren, die Gutes tun.«

60. Die Ungerechten vertauschten das Wort, das zu ihnen gesprochen ward, mit einem andern. So sandten Wir auf die Ungerechten eine Strafe vom Himmel, weil sie ungehorsam waren.

61. Und (gedenket der Zeit) da Moses um Wasser betete für sein Volk und Wir sprachen: »Schlage an den Felsen mit deinem Stab«, und zwölf Quellen brachen aus ihm hervor; jeder Stamm kannte seinen Trinkplatz. »Esset und trinket von Allahs Gaben und verübt nicht Unheil auf Erden, indem ihr Unfrieden stiftet.«

62. Und (gedenket der Zeit) da ihr sprachet: »O Moses, gewiß, wir werden uns nicht zufriedengeben mit einerlei Speise; bitte also deinen Herrn für uns, daß Er für uns hervorbringe von dem, was die Erde wachsen läßt – von ihren Kräutern und ihren Gurken und ihrem Weizen und ihren Linsen und ihren Zwiebeln.« Er sprach: »Wollet ihr das Geringere in Tausch nehmen für das Bessere?« Geht in irgendeine Stadt, und ihr werdet finden, was ihr verlangt.« Und sie wurden mit Schande und Elend geschlagen, und sie luden Allahs Zorn auf sich; dies, weil sie die Zeichen Allahs verwarfen und die Propheten zu Unrecht töten wollten; das war, weil sie widerspenstig waren und frevelten.

63. Wahrlich, die Gläubigen und die Juden und die Christen und die Sabäer – wer immer (unter diesen) wahrhaft an Allah glaubt und an den Jüngsten Tag und gute Werke tut –, sie sollen ihren Lohn empfangen von ihrem Herrn, und keine Furcht soll über sie kommen, noch sollen sie trauern.

64. Und (gedenket der Zeit) da Wir einen Bund schlossen mit euch und den Berg hoch über euch ragen ließen (und sprachen): »Haltet fest, was Wir euch gegeben haben, und bewahret in eurem Sinn, was darinnen ist, auf daß ihr errettet werdet.«

65. Danach aber kehrtet ihr euch ab; und wäre nicht Allahs Huld und Seine Gnade für euch gewesen, ihr wäret gewiß unter den Verlierern.

66. Und sicherlich habt ihr Kenntnis von (dem Ende) derer unter euch, die das Sabbatgebot übertraten. So sprachen Wir zu ihnen: »Seid denn Affen, Verachtete.«

67. Also machten Wir dies zu einem warnenden Beispiel für die,

die damals waren, und für die, die nachher kamen, und zu einer
Lehre für die Gottesfürchtigen.

68. Und (denket daran) als Moses zu seinem Volke sprach:
»Allah befiehlt euch, eine Kuh zu schlachten«; da sagten sie:
»Treibst du Spott mit uns?« Er sprach: »Ich suche Zuflucht bei
Allah, daß ich nicht sei der Unwissenden einer.«

69. Sie sprachen: »Bitte deinen Herrn für uns, daß Er uns deutlich mache, was sie ist.« Er antwortete: »Er spricht, es ist eine
Kuh, weder alt noch jung, voll erwachsen, zwischen beidem;
nun tut, wie euch geboten.«

70. Sie sprachen: »Bitte deinen Herrn für uns, daß Er uns deutlich mache, welches ihre Farbe ist.« Er antwortete: »Er spricht,
es ist eine Kuh von hellgelber Farbe, rein und reich im Ton; eine
Lust den Beschauern.«

71. Sie sprachen: »Bitte deinen Herrn für uns, daß Er uns deutlich mache, welche es ist; denn (alle solchen) Kühe scheinen uns
gleich; und wenn es Allah gefällt, werden wir rechtgeleitet
sein.«

72. Er antwortete: »Er spricht, es ist eine Kuh, nicht gebeugt
unter das Joch, das Land zu pflügen oder den Acker zu wässern;
eine ohne Tadel; von einerlei Farbe.« Sie sprachen: »Nun hast
du die Wahrheit gebracht.« Dann schlachteten sie sie, ob sie es
gleich ungern taten.

73. Und (gedenket der Zeit) da ihr einen Menschen erschluget
und darüber uneinig waret; und Allah würde ans Licht bringen,
was ihr verhehltet.

74. Da sprachen Wir: »Schlagt das zu Ähnlichem.« So gibt Allah
Leben den Toten und weist euch Seine Zeichen, daß ihr begreifen möget.

75. Danach aber wurden eure Herzen verhärtet, bis sie wie
Steine waren oder noch härter; denn unter den Steinen sind ja
solche, aus denen Ströme hervorbrechen, und solche, aus denen
Wasser fließt, wenn sie sich spalten. Und gewiß sind unter ihnen
manche, die sich demütigen in der Furcht Allahs; und Allah ist
nicht achtlos eures Tuns.

76. Erwartet ihr, daß sie (die Juden) euch glauben, wenn ein
Teil von ihnen das Wort Allahs hört, es dann verdreht, nachdem
sie es begriffen, und sie kennen (die Folgen) davon?

77. Und wenn sie den Gläubigen begegnen, sagen sie: »Wir glauben«, und wenn sie einander heimlich begegnen, dann sagen sie: »Wolltet ihr jenen mitteilen, was Allah euch enthüllt hat, daß sie deswegen mit euch streiten vor eurem Herrn? Begreift ihr das denn nicht?«

78. Wissen sie nicht, daß Allah weiß, was sie verbergen und was sie kundtun?

79. Und einige unter ihnen sind Analphabeten; sie kennen das Buch nicht, nur eitle Wünsche, und sie meinen bloß.

80. Wehe darum denen, die das Buch schreiben mit ihren eigenen Händen und dann sprechen: »Dies ist von Allah«, daß sie dafür einen armseligen Preis nehmen möchten! Wehe ihnen also um dessentwillen, was ihre Hände geschrieben, und wehe ihnen um dessentwillen, was sie verdienen!

81. Und sie sprechen: »Das Feuer wird uns nicht berühren, es sei denn für eine geringe Zahl von Tagen.« Sprich: »Habt ihr ein Versprechen von Allah empfangen? Dann freilich wird Allah nimmer Sein Versprechen brechen. Oder sagt ihr von Allah, was ihr nicht wißt?«

82. Wahrlich, wer da übel tut und verstrickt ist in seinen Sünden – diese sind die Bewohner des Feuers; darin müssen sie bleiben.

83. Die aber glauben und gute Werke tun – diese sind die Bewohner des Himmels; darin sollen sie bleiben.

84. Und (gedenket der Zeit) da Wir einen Bund schlossen mit den Kindern Israels: »Ihr sollt nichts anbeten denn Allah; und Güte (erzeigen) den Eltern und den Verwandten und den Waisen und den Armen; und redet Gutes zu den Menschen und verrichtet das Gebet und zahlet die Zakāt.« Ihr aber kehrtet euch späterhin ab in Widerwillen, bis auf einige wenige von euch.

85. Und (gedenket der Zeit) da Wir einen Bund schlossen mit euch: »Ihr sollt nicht das Blut der Eurigen vergießen oder sie austreiben aus euren Häusern«; damals bekräftigtet ihr (es); und ihr habt es selber bezeugt.

86. Dennoch seid ihr Leute, die ihr einander erschlagt und einen Teil der Eurigen aus ihren Häusern treibt, einer den andern stützend gegen sie mit Sünde und Missetat. Und wenn sie als Gefangene zu euch kommen, kauft ihr sie los, obwohl ihre Austreibung selbst für euch ungesetzlich war. Glaubt ihr denn nur

an einen Teil des Buches und verwerft den andern? Es gibt darum keinen Lohn für jene unter euch, die also tun, denn Schande in diesem Leben; und am Tage der Auferstehung sollen sie der schwersten Strafe überantwortet werden; und Allah ist nicht achtlos eures Tuns.

87. Diese sind es, die das jetzige Leben dem künftigen vorgezogen haben. Ihre Strafe soll darum nicht gemildert noch soll ihnen sonst Beistand werden.

88. Wir gaben Moses fürwahr das Buch und ließen Gesandte folgen in seinen Fußstapfen; und Jesus, dem Sohn der Maria, gaben Wir offenkundige Zeichen und stärkten ihn mit dem Geiste der Heiligkeit. Wollt ihr denn, jedesmal da ein Bote zu euch kommt mit dem, was ihr selbst nicht wünschet, hoffärtig sein und einige als Lügner behandeln und andere erschlagen?

89. Sie sprechen: »Unsere Herzen sind in Hüllen gewickelt.« Nein, Allah hat sie verflucht um ihres Unglaubens willen. Gering ist also, was sie glauben.

90. Und als ihnen ein Buch von Allah zukam, bestätigend das, was sie haben – und sie hatten zuvor um Sieg gefleht über die Ungläubigen –, dennoch, als ihnen zukam, was sie doch kannten, da verwarfen sie es. Darum Allahs Fluch auf die Ungläubigen!

91. Übel ist das, wofür sie ihre Seelen verkauft haben: daß sie verwerfen sollten, was Allah offenbart hat, aus Wut, weil Allah Seine Huld herabsendet auf wen immer Seiner Diener, der Ihm gefällt. So luden sie (auf sich) Zorn über Zorn; und eine demütigende Strafe wartet der Ungläubigen.

92. Und wenn ihnen gesagt wird: »Glaubet an das, was Allah niedersandte«, sagen sie: »Wir glauben an das, was auf uns niedergesandt ward«; sie glauben aber nicht an das hernach (Gesandte), obwohl es die Wahrheit ist und das bekräftigt, was sie haben. Sprich: »Warum habt ihr denn immer gewollt, die Propheten Allahs zu erschlagen, wenn ihr Gläubige waret?«

93. Und Moses kam zu euch mit offenbaren Zeichen, ihr aber nahmt euch das Kalb in seiner Abwesenheit, und ihr waret Frevler.

94. Und (gedenket der Zeit) da Wir einen Bund schlossen mit euch und hoch über euch den Berg erhoben (und sprachen):

»Haltet fest an dem, was Wir euch gegeben, und höret«; sie aber sprachen: »Wir hören und wir gehorchen nicht«; und ihre Herzen waren erfüllt vom Kalb, um ihres Unglaubens willen. Sprich: »Schlimm ist das, was euch euer Glaube auferlegt, wenn ihr überhaupt Glauben habt!«

95. Sprich: »Wenn die Wohnstatt im Jenseits bei Allah nur für euch ist, unter Ausschluß der anderen Menschen, dann wünschet den Tod, wenn ihr wahrhaft seid.«

96. Nie aber werden sie ihn wünschen um dessentwillen, was ihre Hände vorausgeschickt haben; und Allah kennt die Frevler wohl.

97. Und unter allen Menschen wirst du sie und einige Götzendiener gewiß am gierigsten nach Leben finden. Jeder einzelne von ihnen wünscht, es möchten ihm tausend Jahre Leben gewährt werden, allein selbst die Gewährung (solchen) Lebens hielte die Strafe nicht von ihm fern; und Allah sieht alles, was sie tun.

98. Sprich: »Wer immer Gabriels Feind ist – denn er ist es, der es auf Geheiß Allahs hat herabkommen lassen auf dein Herz, Erfüllung dessen, was vordem war, und Führung und frohe Botschaft den Gläubigen –,

99. Wer immer ein Feind Allahs ist und Seiner Engel, und Seiner Gesandten, und Gabriels, und Michaels, gewiß ist Allah feind (solchen) Ungläubigen.«

100. Wahrlich, Wir haben offenbare Zeichen zu dir hinabgesandt, und niemand versagt ihnen Glauben als die Ungehorsamen.

101. Wie! sooft sie einen Bund schlossen, verwarf ihn ein Teil von ihnen! Nein, die meisten von ihnen haben keinen Glauben.

102. Und da ein Gesandter Allahs zu ihnen gekommen ist, bestätigend das, was bei ihnen ist, hat ein Teil jener, denen die Schrift gegeben ward, Allahs Buch hinter den Rücken geworfen, als wüßten sie nichts.

103. Und sie (die Juden) folgen, wohin die Aufrührer unter der Herrschaft Salomos gingen; und Salomo war kein Ungläubiger, sondern es waren die Aufrührer, die Ungläubige waren und das Volk Falschheit und Betrug lehrten. Und (sie wähnen auch dem

zu folgen,) was den beiden Engeln in Babel, Hārut und Mārut*, offenbart ward. Doch diese beiden belehrten keinen, bevor sie nicht sagten: »Wir sind bloß eine Prüfung (von Gott), verwirf (uns) also nicht.« So lernten (die Menschen) von ihnen das, was den Mann von seiner Frau trennte, doch sie taten damit niemandem etwas zuleide, es sei denn auf Allahs Gebot; (im Gegenteil) diese Leute lernen das, was ihnen schaden und nichts nützen würde. Und sie wußten sicherlich, daß einer, der sich solches erhandelt, keinen Anteil am Jenseits haben kann; und fürwahr, um Schlimmes verkauften sie ihre Seelen; hätten sie es nur gewußt!

104. Und wenn sie geglaubt und recht gehandelt hätten, besser wäre gewiß der Lohn von Allah gewesen; hätten sie es nur gewußt!

105. O die ihr glaubt, saget nicht: »Sei uns nachsichtig«, sondern sagt: »Schaue gnädig auf uns«[8], und höret. Denn den Ungläubigen wird schmerzliche Strafe.

106. Die da ungläubig sind unter dem Volk der Schrift oder unter den Götzendienern, sie wünschen nicht, daß irgendein Gutes niedergesandt werde auf euch von eurem Herrn; doch Allah erwählt für Seine Gnade, wen Er will; und Allah ist Herr großer Huld.

107. Welches Zeichen Wir auch aufheben oder dem Vergessen anheimgeben, Wir bringen ein besseres dafür oder ein gleichwertiges. Weißt du nicht, daß Allah die Macht hat, alles zu tun, was Er will?

108. Weißt du nicht, daß die Herrschaft der Himmel und der Erde Allah allein gehört? Und es ist kein Beschützer noch Helfer für euch als Allah.

109. Wollet ihr euren Gesandten befragen, wie Moses vordem befragt ward? Wer aber Unglauben in Tausch nimmt für Glauben, der ist schon unzweifelhaft abgeirrt vom rechten Weg.

110. Viele unter dem Volke der Schrift wünschen aus dem Neid ihrer Seelen, daß sie vermöchten, euch, die ihr schon geglaubt, wieder in Ungläubige zu verwandeln, nachdem ihnen doch selbst die Wahrheit deutlich kundgetan ward. Aber vergebt und

---

* Wörtlich: der »Zerreißer« und der »Brecher«.

wendet euch ab (von ihnen), bis Allah Seinen Ratschluß kundtut. Wahrlich, Allah hat die Macht, alles zu tun, was Er will.

111. Verrichtet das Gebet und zahlet die Zakāt; und was ihr Gutes für euch voraussendet, das sollt ihr bei Allah wiederfinden. Wahrlich, Allah sieht alles, was ihr tut.

112. Und sie sprechen: »Keiner soll je in den Himmel eingehen, er sei denn ein Jude oder ein Christ.« Solches sind ihre eitlen Wünsche. Sprich: »Bringt her euren Beweis, wenn ihr wahrhaftig seid.«

113. Nein, wer sich gänzlich Allah unterwirft und Gutes tut, ihm wird sein Lohn bei seinem Herrn. Keine Furcht soll auf solche kommen, noch sollen sie trauern.

114. Die Juden sagen: »Die Christen fußen auf nichts«; und die Christen sagen: »Die Juden fußen auf nichts«, obwohl sie doch (beide) die Schrift lesen. So, gleich ihrer Rede, sprachen schon die, die keine Kenntnis hatten. Allah aber wird richten unter ihnen am Tage der Auferstehung über das, worin sie uneinig sind.

115. Und wer ist ungerechter, als wer verhindert, daß Allahs Name verherrlicht werde in Allahs Tempeln, und bestrebt ist, sie zu zerstören? Es ziemte sich nicht für solche, sie anders zu betreten denn in Ehrfurcht. Für sie ist Schande in dieser Welt; und in jener harrt ihrer schwere Strafe.

116. Allahs ist der Osten und der Westen; wohin immer ihr also euch wendet, dort ist Allahs Angesicht. Wahrlich, Allah ist freigebig, allwissend.

117. Und sie sagen: »Allah hat Sich einen Sohn zugesellt.« Heilig ist Er! Nein, alles in den Himmeln und auf der Erde ist Sein. Ihm sind alle gehorsam.

118. Der Schöpfer der Himmel und der Erde! Wenn Er ein Ding beschließt, so spricht Er nur zu ihm: »Sei!«, und es ist.

119. Und die Unwissenden sagen: »Warum spricht Allah nicht zu uns, oder (warum) kommt uns kein Zeichen?« So, gleich ihrer Rede, sprachen schon die, die vor ihnen waren. Ihre Herzen sind einander ähnlich. Wir haben die Zeichen deutlich gemacht für Leute, die fest im Glauben sind.

120. Wir haben dich entsandt mit der Wahrheit, als einen Brin-

ger froher Botschaft und einen Warner. Und du wirst nicht zur Rede gestellt werden über die Insassen der Hölle.

121. Und weder die Juden werden mit dir zufrieden sein noch die Christen, es sei denn, du folgst ihrem Glauben. Sprich: »Allahs Führung allein ist die Führung.« Und wenn du nach der Kenntnis, die dir zuteil geworden, ihren bösen Gelüsten folgst, so wirst du bei Allah weder Freund noch Helfer finden.

122. Sie, denen Wir das Buch gegeben, folgen ihm, wie man ihm folgen sollte; sie sind es, die daran glauben. Die aber nicht daran glauben, das sind die Verlierer.

123. O ihr Kinder Israels! gedenket Meiner Gnade, die Ich euch erwiesen, und daß Ich euch erhob über die Völker.

124. Und fürchtet den Tag, da keine Seele als Stellvertreterin dienen soll für eine andere Seele, noch soll Lösegeld von ihr genommen werden, noch Fürbitte ihr frommen; und sie sollen nicht Hilfe finden.

125. Und (denket daran) als sein Herr Abraham auf die Probe stellte durch gewisse Gebote, die er erfüllte, da sprach Er: »Ich will dich zu einem Führer für die Menschen machen.« (Abraham) fragte: »Und aus meiner Nachkommenschaft?« Er sprach: »Mein Bund erstreckt sich nicht auf die Ungerechten.«

126. Und (gedenket der Zeit) da Wir das Haus zu einem Versammlungsort für die Menschheit machten und zu einer Sicherheit: »Nehmet die Stätte Abrahams als Bethaus an.« Und Wir geboten Abraham und Ismael: »Reinigt Mein Haus für die, die (es) umwandeln, und die in Andacht verweilen und die sich beugen und niederfallen (im Gebet).«

127. Und (denket daran) als Abraham sprach: »Mein Herr, mache dies zu einer Stadt des Friedens und versorge mit Früchten die unter ihren Bewohnern, die an Allah und den Jüngsten Tag glauben«, da sprach Er: »Und auch dem, der nicht glaubt, will Ich einstweilen Wohltaten erweisen; dann will Ich ihn in die Pein des Feuers treiben, und das ist eine üble Bestimmung.«

128. Und (gedenket der Zeit) da Abraham und Ismael die Grundmauern des Hauses errichteten (indem sie beteten): »Unser Herr, nimm (dies) an von uns; denn Du bist der Allhörende, der Allwissende.

129. Unser Herr, mache uns beide Dir ergeben und (mache) aus

unserer Nachkommenschaft eine Schar, die Dir ergeben sei. Und weise uns unsere Wege der Verehrung, und kehre Dich gnädig zu uns; denn Du bist der oft gnädig Sich Wendende, der Barmherzige.

130. Unser Herr, erwecke unter ihnen einen Gesandten aus ihrer Mitte, der ihnen Deine Zeichen verkünde und sie das Buch und die Weisheit lehre und sie reinige; gewiß, Du bist der Allmächtige, der Allweise.«

131. Und wer wird sich abwenden von dem Glauben Abrahams, es sei denn einer, der sich betört? Ihn erwählten Wir in dieser Welt, und im Jenseits wird er gewiß unter den Rechtschaffenen sein.

132. Als sein Herr zu ihm sprach: »Ergib dich«, da sagte er: »Ich habe mich ergeben dem Herrn der Welten.«

133. Und ebenso beschwor Abraham – und Jakob – seine Söhne: »O meine Söhne, in Wahrheit hat Allah (diesen) Glauben für euch erwählt; sterbet also nicht, außer ihr seid Gottergebene.«

134. Waret ihr zugegen, als der Tod Jakob nahte? Da er zu seinen Söhnen sprach: »Was werdet ihr nach mir anbeten?«, antworteten sie: »Wir werden anbeten deinen Gott, den Gott deiner Väter – des Abraham, des Ismael und des Isaak –, den Einigen Gott; und Ihm ergeben wir uns.«

135. Jenes Volk ist nun dahingefahren; ihnen ward nach ihrem Verdienst, und euch wird nach eurem Verdienst, und ihr sollt nicht befragt werden nach ihren Taten.

136. Und sie sprechen: »Werdet Juden oder Christen, auf daß ihr rechtgeleitet seiet.« Sprich: »Nein, (folget) dem Glauben Abrahams, des Aufrichtigen; er war keiner der Götzendiener.«

137. Sprecht: »Wir glauben an Allah und was zu uns herabgesandt worden, und was herabgesandt ward Abraham und Ismael und Isaak und Jakob und (seinen) Kindern, und was gegeben ward Moses und Jesus, und was gegeben ward (allen andern) Propheten von ihrem Herrn. Wir machen keinen Unterschied zwischen ihnen; und Ihm ergeben wir uns.«

138. Und wenn sie glauben, wie ihr geglaubt habt, dann sind sie rechtgeleitet; kehren sie jedoch um, dann bringen sie Spaltung,

aber Allah wird dir sicherlich genügen gegen sie, denn Er ist der
Allhörende, der Allwissende.

139. (Sprich): »Allahs Religion (wollen wir annehmen); und
wer ist ein besserer (Lehrer) im Glauben als Allah? Ihn allein
verehren wir.«

140. Sprich: »Wollt ihr mit uns streiten über Allah, obwohl Er
unser Herr ist und euer Herr? Und für uns sind unsere Werke
und für euch eure Werke; und Ihm allein sind wir treu.

141. Oder wollt ihr sagen, Abraham und Ismael und Isaak und
Jakob und (seine) Kinder waren Juden und Christen?« Sprich:
»Wißt ihr es besser oder Allah?« Und wer ist ungerechter, als
wer das Zeugnis verhehlt, das er von Allah hat? Und Allah ist
nicht achtlos eures Tuns.

142. Jenes Volk ist nun dahingefahren; ihnen ward nach ihrem
Verdienst, und euch wird nach eurem Verdienst; und ihr sollt
nicht befragt werden nach ihren Taten.

143. Die Toren unter dem Volk werden sprechen: »Was hat sie
abwendig gemacht von ihrer Qibla[9], die sie befolgten?« Sprich:
»Allahs ist der Osten und der Westen. Er leitet, wen Er will, auf
den geraden Weg.«

144. Und so machten Wir euch zu einem erhabenen Volke, daß
ihr Wächter sein möchtet über die Menschen, und der Gesandte
möge ein Wächter sein über euch. Und Wir setzten die Qibla,
die du befolgt hast, nur ein, damit Wir den, der dem Gesandten
folgt, unterscheiden möchten von dem, der sich auf seinen Fersen umdreht.* Und das ist freilich schwer, außer für jene, denen
Allah den Weg gewiesen hat. Und Allah will euren Glauben
nicht fruchtlos sein lassen. Wahrlich, Allah ist barmherzig, gnädig gegen die Menschen.

145. Wir sehen dich oft dein Antlitz gen den Himmel wenden; sicherlich werden Wir dann dich nach der Qibla kehren lassen, die
dir gefällt. So wende dein Antlitz gegen die Heilige Moschee;
und wo immer ihr seid, wendet euer Antlitz gegen sie. Und die,
denen das Buch gegeben ward, sie wissen wohl, daß dies die
Wahrheit von ihrem Herrn ist; und Allah ist nicht achtlos ihres
Tuns.

---

* Den Glauben verleugnet.

146. Und brächtest du denen, welchen die Schrift gegeben ward, auch jegliches Zeichen, sie würden nie deiner Qibla folgen; und auch du könntest nicht ihrer Qibla folgen, noch würde ein Teil von ihnen der Qibla anderer folgen. Folgtest du aber nach allem, was dir an Kenntnis zuteil ward, doch ihren Wünschen, dann wärest du wahrlich unter den Ungerechten.

147. Die, denen Wir die Schrift gegeben, erkennen sie, wie sie ihre Söhne erkennen; sicherlich aber verhehlen manche unter ihnen wissentlich die Wahrheit.

148. Die Wahrheit ist es von deinem Herrn; sei darum nicht der Zweifler einer.

149. Und jeder hat ein Ziel, nach dem er strebt; wetteifert daher miteinander in guten Werken. Wo immer ihr seid, Allah wird euch zusammenführen. Allah hat die Macht, alles zu tun, was Er will.

150. Und woher immer du kommst, richte dein Antlitz auf die Heilige Moschee; denn dies ist sonder Zweifel die Wahrheit von deinem Herrn. Und Allah ist nicht achtlos eures Tuns.

151. Und woher immer du kommst, richte dein Antlitz auf die Heilige Moschee; und wo immer ihr seid, kehret euer Antlitz gegen sie, damit die Menschen keinen Einwand haben wider euch, ausgenommen die Ungerechten unter ihnen – doch fürchtet nicht sie, fürchtet Mich –, damit Ich Meine Gnade gegen euch vollenden kann und auf daß ihr rechtgeleitet sein möget.

152. Genau so wie Wir zu euch schickten aus eurer Mitte einen Gesandten, der euch Unsere Zeichen ansagt und euch reinigt, euch das Buch lehrt und die Weisheit und euch das lehrt, was ihr nicht wußtet.

153. Darum gedenket Mein, Ich will euer gedenken; und danket Mir und seid nicht undankbar gegen Mich.

154. O die ihr glaubt, sucht Hilfe in Geduld und Gebet; Allah ist mit den Standhaften.

155. Und sagt nicht von denen, die für Allahs Sache erschlagen werden, sie seien tot; nein, sie sind lebendig; nur begreift ihr es nicht.

156. Wahrlich, Wir werden euch prüfen mit ein wenig Furcht und Hunger und Verlust an Gut und Leben und Früchten; doch gib frohe Botschaft den Geduldigen,

157. Die sagen, wenn ein Unglück sie trifft: »Wahrlich, Allahs sind wir und zu Ihm kehren wir heim.«

158. Sie sind es, auf die Segen und Gnade träuft von ihrem Herrn und die rechtgeleitet sind.

159. Al-Safā und Al-Marwa[10] gehören zu den Zeichen Allahs. Darum ist es keine Sünde für den, der nach dem Hause (Gottes) pilgert oder die Umra[11] vollzieht, wenn er zwischen den beiden hin- und herläuft. Und wer da über das Pflichtgemäße hinaus Gutes tut, (der wisse) Allah ist erkenntlich, allwissend.

160. Die aber verhehlen, was Wir herabsandten an Zeichen und Führung, nachdem Wir es für die Menschen klargemacht haben in der Schrift, die wird Allah verfluchen; und verfluchen werden sie die Fluchenden.

161. Doch die bereuen und sich bessern und offen (die Wahrheit) bekennen, zu denen kehre Ich Mich mit Verzeihen, denn Ich bin der Allvergebende, der Barmherzige.

162. Die ungläubig sind und als Ungläubige sterben, über sie der Fluch Allahs und der Engel und der Menschen insgesamt!

163. Sie sollen unter ihm bleiben. Die Strafe soll ihnen nicht gemildert werden, noch sollen sie Aufschub erlangen.

164. Und euer Gott ist ein Einiger Gott; es ist kein Gott außer Ihm, dem Gnädigen, dem Barmherzigen.

165. In der Schöpfung der Himmel und der Erde und im Wechsel von Nacht und Tag und in den Schiffen, die das Meer befahren mit dem, was den Menschen nützt, und in dem Wasser, das Allah niedersendet vom Himmel, womit Er die Erde belebt nach ihrem Tode und darauf verstreut allerlei Getier, und im Wechsel der Winde und der Wolken, die dienen müssen zwischen Himmel und Erde, sind fürwahr Zeichen für solche, die verstehen.

166. Und doch gibt es Leute, die sich andere Gegenstände der Anbetung setzen denn Allah und sie lieben wie die Liebe zu Allah. Doch die Gläubigen sind stärker in ihrer Liebe zu Allah. Und wenn die Frevler (die Stunde) kennten, da sie die Strafe sehen werden (sie würden begreifen), daß alle Macht Allah gehört und daß Allah streng im Strafen ist.

167. Wenn jene, die führten, sich lossagen von denen, die folg-

ten – und sie werden die Strafe sehen, und alle Mittel werden ihnen zerschnitten sein!

168. Und die, welche folgten, werden sprechen: »Könnten wir nur umkehren, wir würden uns von ihnen lossagen, wie sie sich von uns losgesagt haben.« Also wird Allah ihnen ihre Werke zeigen, eine Pein für sie, und sie werden dem Feuer nicht entrinnen.

169. O ihr Menschen, esset von dem, was erlaubt (und) gut auf der Erde ist; und folget nicht den Fußstapfen Satans; wahrlich, er ist euch ein offenkundiger Feind.

170. Er heißt euch nur Böses und Schändliches (tun) und daß ihr von Allah redet, was ihr nicht wißt.

171. Und wenn ihnen gesagt wird: »Befolget, was Allah herabgesandt hat«, sagen sie: »Nein, wir wollen dem folgen, worin wir unsere Väter vorgefunden.« Wie! wenn selbst ihre Väter keinen Verstand hatten und nicht auf dem rechten Wege wandelten?

172. Und jene, die ungläubig sind, gleichen dem Manne, der das anruft, was nichts hört als einen Ruf und einen Schrei. Taub, stumm, blind – also verstehen sie nicht.

173. O die ihr glaubt, esset von den guten Dingen, die Wir euch gegeben haben, und danket Allah, wenn Er es ist, Den ihr anbetet.

174. Verwehrt hat Er euch nur das von selbst Verendete und Blut und Schweinefleisch und das, worüber ein anderer Name als Allahs angerufen worden ist. Wer aber durch Not getrieben wird – nicht ungehorsam und das Maß überschreitend –, für ihn soll es keine Sünde sein. Allah ist allvergebend, barmherzig.

175. Die aber das verhehlen, was Allah niedergesandt hat von dem Buch, und einen armseligen Preis dafür in Tausch nehmen, sie füllen ihre Bäuche mit nichts als Feuer. Allah wird sie nicht anreden am Tage der Auferstehung, noch wird Er sie reinigen. Und ihnen wird schmerzliche Strafe.

176. Sie sind es, die sich Verirrung gegen Führung eingehandelt haben und Strafe gegen Verzeihung. Wie groß ist ihre Verkennung des Feuers!

177. Dies, weil Allah das Buch mit der Wahrheit niedergesandt hat; und gewiß, die uneins sind über das Buch, sind weit gegangen in Feindschaft.

178. Nicht darin besteht Tugend, daß ihr euer Antlitz nach Osten oder nach Westen kehrt, sondern wahrhaft gerecht ist der, welcher an Allah glaubt und an den Jüngsten Tag und an die Engel und das Buch und die Propheten und aus Liebe zu Ihm Geld ausgibt für die Angehörigen und für die Waisen und Bedürftigen und für den Wanderer und die, die um eine milde Gabe bitten, und für (Loskauf der) Gefangenen, und der das Gebet verrichtet und die Zakāt zahlt; sowie jene, die ihr Versprechen halten, wenn sie eins gegeben haben, und die in Armut und Krankheit und in Kriegszeit Standhaften; sie sind es, die sich als redlich bewährt haben, und sie sind die Gottesfürchtigen.

179. O die ihr glaubt, Vergeltung nach rechtem Maß ist euch vorgeschrieben für die Ermordeten: der Freie für den Freien, der Sklave für den Sklaven und das Weib für das Weib. Wird einem aber etwas erlassen von seinem Bruder, dann soll (die Sühneforderung) mit Billigkeit erhoben werden, und (der Mörder) soll ihm gutwillig Blutgeld zahlen. Das ist eine Erleichterung von eurem Herrn und eine Barmherzigkeit. Und wer hernach frevelt, den treffe schmerzliche Strafe.

180. Es liegt Leben für euch in der Vergeltung, o ihr Verständigen, daß ihr Sicherheit genießen möget.

181. Vorgeschrieben ist euch: Wenn einem unter euch der Tod naht, so binde (er), falls er viel Gut hinterläßt, den Eltern und nahen Verwandten das Handeln nach Billigkeit ans Herz – eine Pflicht den Gottesfürchtigen.

182. Und wer es ändert, nachdem er es gehört – die Schuld dafür soll wahrlich auf denen lasten, die es ändern. Allah ist allhörend, allwissend.

183. Wer aber vom Erblasser Parteilichkeit oder Unbill befürchtet und Schlichtung zwischen ihnen herbeiführt, der begeht keine Sünde. Wahrlich, Allah ist allvergebend, barmherzig.

184. O die ihr glaubt! Fasten ist euch vorgeschrieben, wie es denen vor euch vorgeschrieben war, auf daß ihr euch schützet –

185. Eine bestimmte Anzahl von Tagen. Wer von euch aber krank oder auf Reisen ist, (der faste) an ebenso vielen anderen Tagen; und für jene, die es schwerlich bestehen würden, ist eine Ablösung: Speisung eines Armen. Und wer mit freiwilligem Ge-

horsam ein gutes Werk vollbringt, das ist noch besser für ihn. Und Fasten ist gut für euch, wenn ihr es begreift.

186. Der Monat Ramadān ist der, in welchem der Koran[12] herabgesandt ward: eine Weisung für die Menschheit, deutliche Beweise der Führung und (göttliche) Zeichen. Wer also da ist von euch in diesem Monat, der möge ihn durchfasten; ebenso viele andere Tage aber, wer krank oder auf Reisen ist. Allah wünscht euch erleichtert und wünscht euch nicht beschwert, und daß ihr die Zahl (der Tage) erfüllen und Allah preisen möchtet dafür, daß Er euch richtig geführt hat, und daß ihr dankbar sein möchtet.

187. Und wenn Meine Diener dich nach Mir fragen (sprich): »Ich bin nahe. Ich antworte dem Gebet des Bittenden, wenn er zu Mir betet. So sollten sie auf Mich hören und an Mich glauben, auf daß sie den rechten Weg wandeln mögen.«

188. Erlaubt ist euch, in der Nacht des Fastens zu euren Frauen einzugehen. Sie sind euch ein Gewand, und ihr seid ihnen ein Gewand. Allah weiß, daß ihr gegen euch selbst unrecht gehandelt habt, darum hat Er Sich gnädig zu euch gekehrt und euch Erleichterung vergönnt. So möget ihr nunmehr zu ihnen eingehen und trachten nach dem, was Allah euch bestimmte; und esset und trinket, bis der weiße Faden von dem schwarzen Faden der Morgenröte zu unterscheiden ist. Dann vollendet das Fasten bis zum Einbruch der Nacht; und gehet nicht ein zu ihnen, solange ihr in den Moscheen zur Andacht verweilt.* Das sind die Schranken Allahs, so nähert euch ihnen nicht. Also macht Allah Seine Gebote den Menschen deutlich, auf daß sie sicher werden gegen das Böse.

189. Und fresset nicht untereinander euren Reichtum auf durch Falsches, und bietet ihn nicht der Obrigkeit (als Bestechung) an, daß ihr wissentlich einen Teil des Reichtums anderer zu Unrecht fressen möchtet.

190. Sie fragen dich nach den Monden. Sprich: »Sie sind ein Mittel zum Messen der Zeit für die Menschheit und für die Pilgerfahrt.« Und das ist nicht Tugend, daß ihr die Häuser von hinten betretet; sondern wahrhaft gerecht ist, wer gottesfürchtig ist.

---

* Während der letzten 10 Tage des Fastenmonats.

Und ihr sollt die Häuser betreten durch ihre Türen; und fürchtet Allah, auf daß ihr Erfolg habt.

191. Und kämpfet für Allahs Sache gegen jene, die euch bekämpfen, doch überschreitet das Maß nicht, denn Allah liebt nicht die Maßlosen.

192. Und tötet sie, wo immer ihr auf sie stoßt, und vertreibt sie von dort, von wo sie euch vertrieben; denn Verfolgung ist ärger als Totschlag. Bekämpft sie aber nicht bei der Heiligen Moschee, solange sie euch dort nicht angreifen. Doch wenn sie euch angreifen, dann kämpft wider sie; das ist die Vergeltung für die Ungläubigen.

193. Wenn sie jedoch ablassen, dann ist Allah allvergebend, barmherzig.

194. Und bekämpfet sie, bis die Verfolgung aufgehört hat und der Glauben an Allah (frei) ist. Wenn sie jedoch ablassen, dann (wisset), daß keine Feindschaft erlaubt ist, außer wider die Ungerechten.

195. (Entweihung eines) Heiligen Monats (soll) im Heiligen Monat (vergolten werden); und für alle heiligen Dinge ist Vergeltung. Wer sich also gegen euch vergeht, den straft für sein Vergehen in dem Maße, in dem er sich gegen euch vergangen hat. Und fürchtet Allah und wisset, daß Allah mit den Gottesfürchtigen ist.

196. Spendet für Allahs Sache, und stürzt euch nicht mit eigner Hand ins Verderben, und tut Gutes; wahrlich, Allah liebt die Gutes Tuenden.

197. Und vollziehet die Pilgerfahrt und die Umra* um Allahs willen: seid ihr aber verhindert: dann das leicht erhältliche Opfer; und schert eure Häupter nicht eher, als bis das Opfer seinen Bestimmungsort erreicht hat. Und wer unter euch krank ist oder ein Leiden am Kopf hat: Tilgung durch Fasten oder Almosenspenden oder ein Opfer. Seid ihr wieder in Sicherheit, dann für den, der die Umra vollziehen möchte zusammen mit Hadsch[13]: ein leicht erhältliches Opfer. Wer jedoch nichts finden kann, faste während der Pilgerfahrt drei Tage – und sieben nach eurer Heimkehr; das sind im ganzen zehn. Das gilt für den,

dessen Familie nicht in der Nähe der Heiligen Moschee wohnt.
Und fürchtet Allah und wisset, daß Allah streng im Strafen ist.
198. Die Monate für die Pilgerfahrt sind wohlbekannt; wer also
beschließt, die Pilgerfahrt dann zu vollziehen: keine sinnliche
Begierde, keine Übertretung noch irgendein Streit während des
Pilgerns! Und was ihr Gutes tut, Allah weiß es. Und verseht
euch mit der (notwendigen) Zehrung; aber wahrlich, die beste
Zehrung ist Rechtschaffenheit. Und fürchtet Mich (allein), ihr
Verständigen.
199. Es ist keine Sünde für euch, daß ihr die Gnadenfülle eures
Herrn sucht. Doch wenn ihr von Arafāt[14] zurückkehrt, gedenket Allahs in Masch'ar al-Harām[15]; und gedenket Seiner, wie Er
euch den Weg gewiesen hat, wiewohl ihr vordem zu den Verirrten gehörtet.
200. Und kehret von dort zurück, von wannen die Leute zurückkehren, und sucht Vergebung bei Allah; wahrlich, Allah ist allvergebend, barmherzig.
201. Habt ihr eure gottesdienstlichen Handlungen ausgeführt,
dann gedenket Allahs, wie ihr eurer Väter zu gedenken pflegtet,
nur noch inniger. Unter den Leuten sind welche, die sprechen:
»Unser Herr, gib uns hienieden«; doch solch einer soll keinen
Anteil am Jenseits haben.
202. Andere unter ihnen sprechen: »Unser Herr, beschere uns
Gutes in dieser Welt und Gutes in der künftigen und bewahre
uns vor der Pein des Feuers.«
203. Diese sollen ihren Teil haben, nach ihrem Verdienst. Und
Allah ist schnell im Abrechnen.
204. Und gedenket Allahs während der bestimmten Anzahl von
Tagen; wer sich aber beeilt und in zwei Tagen (aufbricht), der
begeht keine Sünde; und wer länger verweilt, der begeht auch
keine Sünde. (Das gilt) für den Gottesfürchtigen. Und fürchtet
Allah und wisset, daß ihr vor Ihm versammelt werdet.
205. Unter den Leuten ist einer, dessen Rede über dieses Leben
dir gefallen möchte, und er nimmt Allah zum Zeugen für das,
was in seinem Herzen ist, und doch ist er der streitsüchtigste
Zänker.
206. Und wenn er an der Macht ist, so läuft er im Land umher,

um Unfrieden darin zu stiften und die Frucht und den Nach-
wuchs zu verwüsten; aber Allah liebt nicht Unfrieden.
207. Und wenn ihm gesagt wird: »Fürchte Allah«, so treibt ihn
Stolz zur Sünde. Drum soll die Hölle sein Los sein; und schlimm
ist die Ruhestatt!
208. Und manch einer unter den Menschen würde sich selbst
verkaufen im Trachten nach Allahs Wohlgefallen; und Allah ist
gütig gegen die Diener.
209. O die ihr glaubt, tretet alle ein in die Ergebung und folget
nicht den Fußstapfen Satans; wahrlich, er ist euch ein offenkundiger Feind.
210. Strauchelt ihr aber nach den deutlichen Zeichen, die zu
euch gekommen sind, dann wisset, daß Allah allmächtig, allweise ist.
211. Warten sie denn auf anderes, als daß Allah zu ihnen
komme im Schatten der Wolken mit Engeln und daß die Sache
entschieden werde? Und zu Allah kehren alle Dinge heim.
212. Frage die Kinder Israels, wie viele deutliche Zeichen Wir
ihnen gaben. Wer aber Allahs Gabe vertauscht, nachdem sie zu
ihm gekommen, dann ist Allah streng im Strafen.
213. Das weltliche Leben ist den Ungläubigen schön gemacht,
und sie verhöhnen die Gläubigen. Die aber Gott fürchten, werden über ihnen stehen am Tage der Auferstehung; und Allah
gibt, wem Er will, ohne zu rechnen.
214. Das Menschengeschlecht war eine Gemeinde; dann erweckte Allah Propheten als Bringer froher Botschaft und als
Warner und sandte hinab mit ihnen das Buch mit der Wahrheit,
daß Er richte zwischen den Menschen in dem, worin sie uneins
waren. Und gerade jene wurden darüber uneins, denen es gegeben worden – nachdem ihnen doch deutliche Zeichen zuteil geworden waren –, aus gegenseitigem Neid. Also leitete Allah
durch Sein Gebot die Gläubigen zu der Wahrheit, über die jene
anderen uneins waren; und Allah leitet, wen Er will, auf den geraden Weg.
215. Denkt ihr etwa, ihr werdet in den Himmel eingehen, selbst
wenn euch nicht das gleiche wie denen vor euch widerfahren?
Armut und Drangsal befielen sie, und sie wurden gewaltsam ge-
schüttelt, so daß der Gesandte und die mit ihm Glaubenden aus-

riefen: »Wann ist Allahs Hilfe?« Wahrlich, Allahs Hilfe ist nahe.

216. Sie fragen dich, was sie spenden sollen. Sprich: »Was ihr spendet an gutem und reichlichem Vermögen[16], das sei für Eltern und nahe Angehörige und für die Waisen und Bedürftigen und den Wanderer. Und was ihr Gutes tut, wahrlich, Allah weiß es wohl.«

217. Der Kampf ist euch befohlen, auch wenn er euch mißfällt; aber es ist wohl möglich, daß euch etwas mißfällt, was gut für euch ist; und es ist wohl möglich, daß euch etwas gefällt, was für euch übel ist. Allah weiß, ihr aber wisset nicht.

218. Sie fragen dich über den Kampf im Heiligen Monat. Sprich: »Dann kämpfen ist bedenklich, aber von Allahs Weg abbringen und Ihn und die Heilige Moschee leugnen und ihre Bewohner austreiben, ist noch bedenklicher vor Allah; und Verfolgung ist schlimmer als Totschlag.« Und sie werden nicht eher aufhören, euch zu bekämpfen, als bis sie euch von eurem Glauben abtrünnig gemacht haben, wenn sie es vermögen. Wer aber unter euch von seinem Glauben abtrünnig wird und als Ungläubiger stirbt – das sind diejenigen, deren Taten eitel sein werden in dieser und in jener Welt. Sie sind Bewohner des Feuers; darin müssen sie bleiben.

219. Die da glauben und die auswandern und hart ringen für Allahs Sache, sie sind es, die auf Allahs Gnade hoffen; und Allah ist allverzeihend, barmherzig.

220. Sie fragen dich über Wein und Glücksspiel. Sprich: »In beiden ist großes Übel und auch Nutzen für die Menschen; doch ihr Übel ist größer als ihr Nutzen.« Und sie fragen dich, was sie spenden sollen. Sprich: »(Gebt, was ihr) entbehren[17] (könnt).« So macht Allah euch die Gebote klar, auf daß ihr nachdenkt,

221. Über diese Welt und die künftige. Und sie fragen dich über die Waisen. Sprich: »Förderung ihrer Wohlfahrt ist (eine Tat) großer Güte.« Und wenn ihr mit ihnen enge Beziehungen eingeht, so sind sie eure Brüder. Und Allah unterscheidet wohl den Unheilstifter vom Friedensstifter. Und hätte Allah gewollt, Er hätte es euch schwergemacht. Wahrlich, Allah ist allmächtig, allweise.

222. Und heiratet nicht Götzendienerinnen, ehe sie gläubig ge-

worden; selbst eine gläubige Sklavin ist besser als eine Götzendienerin, so sehr diese euch gefallen mag. Und verheiratet (keine gläubigen Frauen) mit Götzendienern, ehe sie gläubig geworden; selbst ein gläubiger Sklave ist besser als ein Götzendiener, so sehr dieser euch gefallen mag. Jene rufen zum Feuer, Allah aber ruft zum Paradies und zur Vergebung durch Sein Gebot. Und Er macht Seine Zeichen den Menschen klar, auf daß sie sich ermahnen lassen.

223. Und sie fragen dich wegen der monatlichen Reinigung. Sprich: »Das ist schadenbringend, so haltet euch fern von Frauen während der Reinigung, und geht nicht ein zu ihnen, ehe sie sich gereinigt. Haben sie sich durch ein Bad gereinigt, so geht ein zu ihnen, wie Allah es euch geboten. Allah liebt die sich Bekehrenden und liebt die sich Reinhaltenden.«

224. Eure Frauen sind euch ein Acker; so naht eurem Acker, wann und wie ihr wollt, und sendet etwas voraus für euch; und fürchtet Allah und wisset, daß ihr Ihm begegnen werdet; und bringe frohe Botschaft den Gläubigen.

225. Und machet Allah nicht durch eure Schwüre zum Hindernis: daß ihr euch des Guttuns und Rechthandelns und des Friedenstiftens unter den Menschen enthaltet. Und Allah ist allhörend, allwissend.

226. Allah wird euch nicht zur Rechenschaft ziehen für das Unbedachte in euren Schwüren, allein Er wird Rechenschaft von euch fordern für eures Herzens Vorbedacht. Allah ist allverzeihend, langmütig.

227. Für die, welche Enthaltsamkeit von ihren Frauen geloben, ist die Wartezeit (längstens) vier Monate; wollen sie dann zurückkehren, so ist Allah gewiß allverzeihend, barmherzig.

228. Und wenn sie sich zur Ehescheidung entschließen, dann ist Allah allhörend, allwissend.

229. Und die geschiedenen* Frauen sollen in bezug auf sich selbst drei Reinigungen zuwarten; und es ist ihnen nicht erlaubt, das zu verhehlen, was Allah in ihrem Schoß erschaffen hat, wenn sie an Allah und an den Jüngsten Tag glauben; und ihre Gatten haben das größere Recht, sie währenddessen zurückzu-

---

* Bei der widerruflichen Ehescheidung.

nehmen, wenn sie eine Aussöhnung wünschen. Und wie die Frauen Pflichten haben, so haben sie auch Rechte, nach dem Brauch[18]; doch haben die Männer einen gewissen Vorrang vor ihnen; und Allah ist allmächtig, allweise.

230. Solche Trennung* darf zweimal (ausgesprochen) werden; dann aber gilt, sie (die Frauen) entweder auf geziemende Art zu behalten oder in Güte zu entlassen. Und es ist euch nicht erlaubt, irgend etwas von dem, was ihr ihnen gegeben habt, zurückzunehmen, es sei denn beide fürchten, sie könnten die Schranken Allahs nicht einhalten. Fürchtet ihr** aber, daß sie die Schranken Allahs nicht einhalten können, so soll für sie beide keine Sünde liegen in dem, was sie als Lösegeld gibt. Das sind die Schranken Allahs, also übertretet sie nicht; die aber die Schranken Allahs übertreten, das sind die Ungerechten.

231. Und wenn er sich von ihr abermals (endgültig) scheiden läßt, dann ist sie ihm nicht mehr erlaubt, ehe sie nicht einen anderen Gatten geheiratet hat; scheidet sich dieser dann (auch) von ihr, so soll es für sie keine Sünde sein, zueinander zurückzukehren, wenn sie sicher sind, sie würden die Schranken Allahs einhalten können. Das sind die Schranken Allahs, die Er den Verständigen klarmacht.[19]

232. Und wenn ihr euch von den Frauen scheidet und sie nähern sich dem Ende ihrer Wartefrist, dann sollt ihr sie entweder auf geziemende Art behalten oder auf geziemende Art entlassen; doch haltet sie nicht zu (ihrem) Schaden zurück, um ungerecht zu handeln. Wer das aber tut, wahrlich, der sündigt wider seine eigene Seele. Und treibt nicht Spott mit Allahs Geboten, und gedenket der Gnade Allahs gegen euch und des Buchs und der Weisheit, die Er euch herabgesandt hat, womit Er euch ermahnt. Und fürchtet Allah und wisset, daß Allah alles weiß.

233. Und wenn ihr euch von den Frauen scheidet und sie erreichen das Ende ihrer Wartefrist, dann hindert sie nicht daran, ihre Gatten zu heiraten, wenn sie miteinander auf geziemende Art einig geworden sind. Das ist eine Mahnung für den unter euch, der an Allah und an den Jüngsten Tag glaubt. Es ist se-

---

* Widerrufliche Scheidung.
** Staat oder Gemeinde.

gensreicher für euch und lauterer; und Allah weiß, ihr aber wisset nicht.

234. Und (die geschiedenen) Mütter sollen ihre Kinder zwei volle Jahre säugen, so jemand will, die Säugung vollständig zu machen. Und der Vater soll für ihre (der Mütter) Nahrung und Kleidung aufkommen nach Billigkeit. Niemand werde belastet über sein Vermögen. Die Mutter soll nicht bedrängt werden wegen ihres Kindes, noch soll der Vater bedrängt werden wegen seines Kindes; und dasselbe obliegt dem Erben. Entscheiden sie sich, nach gegenseitigem Einvernehmen und Beratung, für Entwöhnung, dann trifft sie kein Vorwurf. Und wenn ihr wünschet, eure Kinder säugen zu lassen, dann soll euch kein Vorwurf treffen, gesetzt, ihr zahlt den ausbedungenen Lohn nach Billigkeit. Und fürchtet Allah und wisset, daß Allah euer Tun sieht.

235. Und wenn welche unter euch sterben und Gattinnen hinterlassen, so sollen diese in bezug auf sich selbst vier Monate und zehn Tage warten. Haben sie dann das Ende ihrer Wartefrist erreicht, so soll euch keine Schuld treffen für irgend etwas, das sie mit sich selber nach Billigkeit tun; und Allah achtet wohl eurer Taten.

236. Und es soll euch kein Vorwurf treffen, wenn ihr (diesen) Frauen gegenüber auf eine Heiratsabsicht anspielt oder (sie) in eurem Herzen verborgen haltet. Allah weiß ja doch, daß ihr an sie denkt. Doch machet nicht heimlich einen Vertrag mit ihnen, außer daß ihr ein geziemendes Wort sprecht.[20] Und entscheidet euch nicht für die Ehe vor Ablauf der vorgeschriebenen Frist. Und wisset, daß Allah weiß, was in eurem Herzen ist; also hütet euch davor und wisset, daß Allah allverzeihend, langmütig ist.

237. Es soll euch nicht als Sünde angerechnet werden, wenn ihr euch von Frauen scheidet, dieweil ihr sie nicht berührt noch eine Morgengabe für sie ausgesetzt habt. Doch versorget sie – der Reiche nach seinem Vermögen und der Arme nach seinem Vermögen –, eine Versorgung, wie es sich gebührt, eine Pflicht den Rechtschaffenen.

238. Und wenn ihr euch von ihnen scheidet, bevor ihr sie berührt habt, doch nachdem ihr ihnen eine Morgengabe aussetztet: dann die Hälfte des von euch Ausgesetzten, es sei denn, sie erlassen es oder der, in dessen Hand das Eheband ist, erläßt es.

Und euer Erlassen ist der Gottesfurcht näher. Und vergeßt nicht, einander Gutes zu tun. Wahrlich, Allah sieht, was ihr tut.
239. Wacht über die Gebete und das mittlere Gebet, und steht demütig vor Allah.
240. Wenn ihr in Furcht seid, dann (sprecht euer Gebet) im Stehen oder im Reiten; seid ihr aber in Sicherheit, dann gedenket Allahs, da Er euch das lehrte, was ihr nicht wußtet.
241. Und die von euch sterben und Gattinnen hinterlassen, sollen ihren Gattinnen Versorgung auf ein Jahr vermachen, ohne daß sie aus dem Hause müßten. Gehen sie aber von selbst, so soll euch kein Tadel treffen für irgend etwas, was sie nach Billigkeit mit sich selber tun. Und Allah ist allmächtig, allweise.
242. Und (auch) für die geschiedenen Frauen soll eine Versorgung vorgesehen werden nach Billigkeit – eine Pflicht den Gottesfürchtigen.
243. Also macht Allah euch Seine Gebote klar, daß ihr begreifen möget.
244. Weißt du denn nicht von denen, die aus ihren Wohnungen flüchteten, und sie waren Tausende, in Todesfurcht? Und Allah sprach zu ihnen: »Sterbet«; dann gab Er ihnen Leben. Wahrlich, Allah ist großmütig gegen die Menschen, doch die meisten Menschen danken nicht.
245. Kämpfet für Allahs Sache und wisset, daß Allah allhörend, allwissend ist.
246. Wer ist es, der Allah ein stattliches Darlehen gibt, daß Er es ihm vielfach vermehren möge? Und Allah mindert und vermehrt, und zu Ihm sollet ihr zurückgeführt werden.
247. Hast du nicht von den Häuptern der Kinder Israels nach Moses gehört, wie sie zu einem ihrer Propheten sprachen: »Setze einen König über uns, daß wir für Allahs Sache kämpfen mögen?«* Er sprach: »Ist es nicht wahrscheinlich, daß ihr nicht kämpfen werdet, wenn euch Kampf verordnet wird?« Sie sprachen: »Welchen Grund sollten wir haben, uns des Kampfes zu enthalten für Allahs Sache, wenn wir doch von unseren Wohnungen und unseren Kindern vertrieben worden sind?« Doch als ihnen nun Kampf befohlen ward, da kehrten sie den Rücken,

---

* Vgl. Richter 6: 7, 8.

bis auf eine kleine Zahl der Ihren. Und Allah kennt die Frevler wohl.

248. Und ihr Prophet sprach zu ihnen: »Allah hat den Tālūt* zum König über euch gesetzt.« Sie sprachen: »Wie kann er Herrschaft über uns halten, obwohl wir der Herrschaft würdiger sind als er und ihm nicht Fülle des Reichtums beschieden ist?« Er sprach: »Wahrlich, Allah hat ihn erwählt über euch und hat ihn gemehrt an Wissen und im Fleische.« Allah verleiht Sein Reich, wem Er will, und Allah ist huldreich, allwissend.

249. Da sprach ihr Prophet zu ihnen: »Das Zeichen seiner Herrschaft ist, daß euch ein Herz gegeben wird, darin Frieden von eurem Herrn ist und ein Vermächtnis aus dem Nachlaß vom Geschlecht Moses' und Aarons – die Engel werden es tragen. Gewiß, darin ist ein Zeichen für euch, wenn ihr Gläubige seid.«

250. Und als Tālūt auszog mit den Scharen, sprach er: »Wohlan, Allah wird euch an einem Flusse prüfen: Wer darum aus ihm trinkt, der ist meiner nicht würdig; und wer nicht von ihm kostet, der ist meiner würdig, den ausgenommen, der eine Handvoll Wasser mit der Hand schöpft.« Doch sie tranken daraus, bis auf einige wenige. Und als sie ihn überschritten – er und die mit ihm Glaubenden –, da sprachen sie: »Wir haben heute keine Kraft gegen Dschālūt** und seine Scharen.« Die aber für gewiß wußten, sie würden Allah einst begegnen, die sagten: »Oft hat ein kleiner Haufen über einen großen Haufen gesiegt nach Allahs Gebot. Und Allah ist mit den Standhaften.«

251. Und als sie gegen Dschālūt und seine Scharen vorrückten, da sprachen sie: »O unser Herr, gieße Standhaftigkeit über uns aus, und festige unsere Schritte, und hilf uns wider das ungläubige Volk!«

252. So schlugen sie jene nach Allahs Gebot; und David erschlug Dschālūt, und Allah verlieh ihm Herrschaft und Weisheit und lehrte ihn, was Ihm gefiel. Und wäre es nicht, daß Allah die Menschen hemmt, die einen durch die anderen, die Erde wäre mit Unordnung erfüllt. Doch Allah ist großmütig gegen die Menschen.

---

 * Gideon (vgl. Richter 6: 8).
** Goliath (vgl. 1. Samuel 17: 14).

253. Das sind die Zeichen Allahs. Wir verkünden sie dir in Wahrheit. Gewiß, du bist der Gesandten einer.

254. Jene Gesandten haben Wir erhöht, einige über die andern: darunter sind die, zu denen Allah sprach*; und einige hat Er erhöht um Rangstufen. Und Wir gaben Jesus, dem Sohn der Maria, klare Beweise und stärkten ihn mit dem Geist der Heiligkeit. Und wäre es Allahs Wille, dann hätten die, welche nach ihnen kamen, nicht miteinander gestritten, nachdem ihnen deutliche Zeichen zuteil geworden; doch sie waren uneins. Es waren solche unter ihnen, die glaubten, und solche, die ungläubig waren. Und wäre es Allahs Wille, sie würden nicht miteinander gestritten haben; doch Allah führt durch, was Er plant.

255. O die ihr glaubt, spendet von dem, was Wir euch gegeben haben, ehe der Tag kommt, an dem kein Handel gilt, noch Freundschaft noch Fürbitte; die Widerspenstigen aber schaden sich.

256. Allah – es gibt keinen Gott außer Ihm, dem Lebendigen, dem aus Sich selbst Seienden und Allerhaltenden. Schlummer ergreift Ihn nicht noch Schlaf. Sein ist, was in den Himmeln und was auf Erden ist. Wer ist es, der bei Ihm fürbitten will, es sei denn mit Seiner Erlaubnis? Er weiß, was vor ihnen ist und was hinter ihnen; und sie begreifen nichts von Seinem Wissen, außer was Ihm gefällt. Sein Wissen umfaßt die Himmel und die Erde; und ihre Erhaltung beschwert Ihn nicht; und Er ist der Erhabene, der Große.

257. Es soll kein Zwang sein im Glauben. Gewiß, Wahrheit ist nunmehr deutlich unterscheidbar von Irrtum; wer also sich von dem Verführer nicht leiten läßt und an Allah glaubt, der hat sicherlich eine starke Handhabe ergriffen, die kein Brechen kennt; und Allah ist allhörend, allwissend.

258. Allah ist der Freund der Gläubigen: Er führt sie aus den Finsternissen ans Licht. Die aber nicht glauben, deren Freunde sind die Verführer, die sie aus dem Licht in die Finsternisse führen; sie sind die Bewohner des Feuers; darin müssen sie bleiben.

259. Hast du nicht von dem gehört, der mit Abraham über seinen Herrn stritt, weil Allah ihm das Königreich verliehen hatte?

---

* D. h. ein neues Gesetz gab.

Als Abraham sprach: »Mein Herr ist der, Der Leben gibt und tötet«, sagte er: »Ich gebe Leben und töte.« Abraham sprach: »Wohlan, Allah bringt die Sonne von Osten; bringe du sie von Westen.« Da war der Ungläubige bestürzt. Und Allah weist den Ungerechten nicht den Weg.

260. Oder wie jener*, der an einer Stadt** vorüberkam, die auf ihren Dächern lag, (und) ausrief: »Wann wird Allah diese dem Leben zurückgeben nach ihrem Tod?« Da ließ Allah ihn sterben auf hundert Jahre; dann erweckte Er ihn (und) sprach: »Wie lange hast du geharrt?« Er antwortete: »Ich harrte einen Tag oder den Teil eines Tages.« Er sprach: »Nein, du harrtest hundert Jahre lang. Nun blicke auf deine Speise und deinen Trank; sie sind nicht verdorben. Und blicke auf deinen Esel – also, daß Wir dich zu einem Zeichen machen für die Menschen. Und blicke auf die Knochen, wie Wir sie zusammensetzen und dann mit Fleisch überziehen.« Als ihm dies klar wurde, sprach er: »Ich weiß, daß Allah die Macht hat, alles zu tun, was Er will.«

261. Und (denke daran) wie Abraham sprach: »Mein Herr, zeige mir, wie Du die Toten lebendig machst.« Er sprach: »Hast du denn nicht geglaubt?« Er sagte: »Ja, doch, aber um mein Herz zu beruhigen.« Er antwortete: »So nimm vier Vögel und mache sie dir anhänglich. Alsdann setze jeden besonders auf einen Berg; dann rufe sie, sie werden eilends zu dir kommen. Und wisse, daß Allah allmächtig, allweise ist.«

262. Die ihr Gut hingeben für Allahs Sache, sie gleichen einem Samenkorn, das sieben Ähren treibt, hundert Körner in jeder Ähre. Allah vermehrt (es) weiter, wem Er will; und Allah ist huldreich, allwissend.

263. Die ihr Gut hingeben für Allahs Sache und dann ihrer Gabe nicht Vorhaltung und Anspruch folgen lassen, sie haben ihren Lohn bei ihrem Herrn; und keine Furcht soll über sie kommen, noch sollen sie trauern.

264. Ein gütiges Wort und Verzeihung sind besser als ein Almosen, gefolgt von Anspruch; und Allah ist Sich Selbst genügend, langmütig.

---

* Hesekiel (vgl. Hesekiel Kapitel 37).
** Jerusalem.

265. O die ihr glaubt, machet eure Almosen nicht eitel durch
Vorhaltung und Anspruch, dem gleich, der von seinem Reichtum spendet, um von den Leuten gesehen zu werden, und er
glaubt nicht an Allah und an den Jüngsten Tag. Ihm ergeht es
wie einem glatten Felsen, den Erdreich bedeckt: wenn ein Platzregen auf ihn fällt, legt er ihn bloß – glatt und hart. Sie haben
nichts von ihrem Verdienst. Und Allah weist nicht dem ungläubigen Volk den Weg.

266. Und jene, die ihr Gut hingeben im Trachten nach Allahs
Wohlgefallen und zur Stärkung ihrer Seelen, sind gleich einem
Garten auf erhöhtem Grund. Platzregen fällt darauf, und er
bringt seine Frucht zwiefältig hervor. Fällt aber kein Platzregen
auf ihn, so (genügt auch) leichter. Allah sieht euer Tun.

267. Wünscht einer von euch, daß ein Garten für ihn sei voll Palmen und Reben, den Ströme durchfließen, mit Früchten aller
Art für ihn darin – dieweil das Alter ihn geschlagen und er
schwächliche Nachkommen hat –, und ein feuriger Wirbelwind
ihn (den Garten) schlage und er verbrenne? Also macht Allah
die Gebote klar für euch, auf daß ihr nachdenkt.

268. O die ihr glaubt, spendet von dem Guten, das ihr erwarbt,
und von dem, was Wir für euch aus der Erde hervorbringen; und
sucht zum Almosenspenden nicht das Schlechte aus, das ihr ja
selbst nicht nähmet, es sei denn, ihr drücktet dabei ein Auge zu;
und wisset, daß Allah Sich Selbst genügend, preiswürdig ist.

269. Satan warnt euch vor Armut und befiehlt euch Schändliches, während Allah euch Seine Vergebung und Huld verheißt;
und Allah ist huldreich, allwissend.

270. Er gewährt Weisheit, wem Er will; und wem da Weisheit
gewährt ward, dem ward wahrhaftig viel Wertvolles gewährt;
niemand aber will es bedenken, außer den mit Verständnis Begabten.

271. Was immer ihr spendet und welches Gelübde ihr auch geloben möget, Allah weiß es gewiß; und die Ungerechten sollen
keine Helfer finden.

272. Gebt ihr öffentlich Almosen, so ist es schön und gut; haltet
ihr sie aber geheim und gebt sie den Armen, so ist es noch besser
für euch; und Er wird (viele) eurer Sünden von euch hinwegnehmen, denn Allah achtet wohl eures Tuns.

273. Nicht deine Verantwortung ist es, ihnen den Weg zu weisen; doch Allah weist den Weg, wem Er will. Und was ihr an Gut spendet, es ist für euch selbst, und ihr spendet nur, um Allahs Huld zu suchen. Und was ihr an Gut spendet, es soll euch voll zurückgezahlt werden, und ihr sollt keinen Nachteil erleiden.

274. (Diese Almosen sind) für die Armen, die auf Allahs Sache festgelegt und unfähig sind, im Land umherzuwandern. Der Unwissende hält sie wegen der Enthaltsamkeit für frei von Not. Du magst sie an ihrer Erscheinung erkennen; sie bitten die Leute nicht zudringlich. Und was ihr an Gut spendet, wahrlich, Allah hat genaue Kenntnis davon.

275. Die ihr Gut hingeben bei Nacht und Tag, heimlich und öffentlich, ihr Lohn ist bei ihrem Herrn; keine Furcht soll über sie kommen, noch sollen sie trauern.

276. Die Zins verschlingen, stehen nicht anders auf, als einer aufsteht, den Satan mit Wahnsinn geschlagen hat. Dies, weil sie sagen: »Handel ist gleich Zinsnehmen«, während Allah doch Handel erlaubt und Zinsnehmen untersagt hat. Wer also eine Ermahnung von seinem Herrn bekommt und dann verzichtet, dem soll das Vergangene verbleiben; und seine Sache ist bei Allah. Die aber rückfällig werden, die sind des Feuers Bewohner; darin müssen sie bleiben.

277. Allah wird den Zins abschaffen und die Mildtätigkeit mehren. Und Allah liebt keinen, der ein hartnäckiger Ungläubiger, ein Erzsünder ist.

278. Gewiß, die da glauben und gute Werke tun und das Gebet verrichten und die Zakāt zahlen, ihr Lohn ist bei ihrem Herrn, und keine Furcht soll über sie kommen, noch sollen sie trauern.

279. O die ihr glaubt, fürchtet Allah, und lasset den Rest des Zinses fahren, wenn ihr Gläubige seid.

280. Tut ihr es aber nicht, dann erwartet Krieg von Allah und Seinem Gesandten; und wenn ihr bereut, dann bleibt euch euer Kapital; ihr sollt weder Unrecht tun noch Unrecht leiden.

281. Und wenn er (der Schuldner) in Schwierigkeit ist, dann Aufschub bis zur Besserung der Verhältnisse. Erlaßt ihr es aber als Guttat: das ist euch noch besser, wenn ihr es nur wüßtet.

282. Und fürchtet den Tag, an dem ihr zu Allah zurückkehren

müsset; dann wird jeder den vollen Lohn erhalten nach seinem Verdienst; und es soll ihnen kein Unrecht geschehen.

283. O die ihr glaubt, wenn ihr voneinander ein Darlehen nehmt auf eine bestimmte Frist, dann schreibt es nieder. Ein Schreiber soll in eurer Gegenwart getreulich aufschreiben; und kein Schreiber soll sich weigern zu schreiben, hat ihn doch Allah gelehrt; also soll er schreiben, und der Schuldner soll diktieren, und er soll Allah, seinen Herrn, fürchten und nichts davon unterschlagen. Ist aber jener, der die Verpflichtung eingeht, einfältig oder schwach oder unfähig, selbst zu diktieren, so diktiere sein Beistand nach Gerechtigkeit. Und ruft zwei unter euren Männern zu Zeugen auf; und wenn zwei Männer nicht (verfügbar) sind, dann einen Mann und zwei Frauen, die euch als Zeugen passend erscheinen, so daß, wenn eine der beiden irren sollte, die andere ihrem Gedächtnis zu Hilfe kommen kann. Und die Zeugen sollen sich nicht weigern, wenn sie gerufen werden. Und verschmäht nicht, es niederzuschreiben, es sei klein oder groß, zusammen mit der festgesetzten (Zahlungs-)Frist. Das ist gerechter vor Allah und bindender für das Zeugnis und geeigneter, daß ihr nicht in Zweifel gerät; (darum unterlasset die Aufschreibung nicht) es sei denn, es handle sich um Warenverkehr, den ihr von Hand zu Hand tätigt; in diesem Fall soll es keine Sünde für euch sein, wenn ihr es nicht aufschreibt. Und habt Zeugen, wenn ihr einander verkauft; und dem Schreiber oder dem Zeugen geschehe kein Nachteil. Tut ihr es aber, dann ist das euer Ungehorsam. Und fürchtet Allah; Allah wird euch Wissen geben, denn Allah weiß alle Dinge wohl.

284. Und wenn ihr auf Reisen seid und keinen Schreiber findet, so soll ein Pfand (gegeben werden) zur Verwahrung. Und wenn einer von euch dem anderen etwas anvertraut, dann soll der, dem anvertraut wurde, das Anvertraute herausgeben, und er fürchte Allah, seinen Herrn. Und haltet nicht Zeugenschaft zurück; wer sie verhehlt, gewiß, dessen Herz ist sündhaft, und Allah weiß wohl, was ihr tut.

285. Allahs ist, was in den Himmeln und was auf Erden ist; und ob ihr das, was in eurem Gemüt ist, kundtut oder verborgen haltet, Allah wird euch dafür zur Rechenschaft ziehen; dann wird

Er vergeben, wem Er will, und strafen, wen Er will; und Allah hat die Macht, alles zu tun, was Er will.

286. Dieser Gesandte glaubt an das, was zu ihm herabgesandt wurde von seinem Herrn, und (also) die Gläubigen: sie alle glauben an Allah, und an Seine Engel, und an Seine Bücher, und an Seine Gesandten (und sprechen): »Wir machen keinen Unterschied zwischen Seinen Gesandten«; und sie sagen: »Wir hören, und wir gehorchen. Uns Deine Vergebung, o unser Herr! und zu Dir ist die Heimkehr.«

287. Allah belastet niemanden über sein Vermögen. Ihm wird, was er verdient, und über ihn kommt, was er gesündigt. »Unser Herr, strafe uns nicht, wenn wir uns vergessen oder vergangen haben; unser Herr, lege uns nicht eine Verantwortung auf, wie Du sie denen auferlegtest, die vor uns waren. Unser Herr, bürde uns nicht auf, wozu wir nicht die Kraft haben, und lösche unsere Sünden aus und gewähre uns Vergebung und habe Erbarmen mit uns; Du bist unser Meister; also hilf uns wider das ungläubige Volk.«

1. Im Namen Allahs, des Gnädigen, des Barmherzigen.

2. Alif Lām Mīm.*

3. Allah – es gibt keinen Gott außer Ihm, dem Lebendigen, dem aus Sich Selbst Seienden und Allerhaltenden.

4. Er hat herabgesandt zu dir das Buch mit der Wahrheit, bestätigend das, was ihm vorausging; und vordem sandte Er herab die Thora und das Evangelium als eine Richtschnur für die Menschen; und Er hat herabgesandt das Entscheidende.**

5. Die Allahs Zeichen leugnen, ihnen wird strenge Strafe; und Allah ist allmächtig, Besitzer der Vergeltungsgewalt.

6. Nichts ist verborgen vor Allah, weder auf Erden noch im Himmel.

7. Er ist es, Der euch im Mutterleib bildet, wie Er will; es ist kein Gott außer Ihm, dem Allmächtigen, dem Allweisen.

8. Er ist es, Der das Buch zu dir herabgesandt hat; darin sind Verse von entscheidender Bedeutung – sie sind die Grundlage des Buches – und andere, die verschiedener Deutung fähig sind. Die aber, in deren Herzen Verderbnis wohnt, suchen gerade jene heraus, die verschiedener Deutung fähig sind[21], im Trachten nach Zwiespalt und im Trachten nach Deutelei. Doch keiner kennt ihre Deutung als Allah und diejenigen, die fest gegründet im Wissen sind, die sprechen: »Wir glauben daran; das Ganze ist von unserem Herrn« – und niemand beherzigt es, außer den mit Verständnis Begabten –

9. »Unser Herr, laß unsere Herzen nicht verderbt werden, nachdem Du uns geleitet hast, und gewähre uns Gnade von Dir; gewiß, Du allein bist der Gewährende.

10. Unser Herr, Du wirst gewißlich das Menschengeschlecht versammeln an dem Tage, über den kein Zweifel ist; wahrlich, Allah bricht das Versprechen nicht.«

11. Die ungläubig sind, ihr Besitz und ihre Kinder werden ihnen nicht im geringsten nützen gegen Allah; und sie sind des Feuers Nahrung –

12. Nach der Art der Leute Pharaos und derer, die vor ihnen

---

* Ich bin Allah, der Allwissende.
** Arabisch: Furqân, auch für »Koran«.

waren; sie verwarfen Unsere Zeichen; also ergriff sie Allah für ihre Sünden, und Allah ist streng im Strafen.

13. Sprich zu denen, die ungläubig sind: »Ihr sollt übermannt und in der Hölle versammelt werden; und schlimm ist die Ruhestatt!«

14. Wahrlich, es ward euch ein Zeichen in den zwei Heeren[22], die aufeinander trafen, das eine Heer kämpfend in Allahs Sache, das andere ungläubig; und sie sahen sie mit sehenden Augen doppelt soviel wie sie selber. Also stärkt Allah mit Seinem Beistand, wen Er will. Darin liegt wahrlich eine Lehre für die, die Augen haben.

15. Verschönt ist den Menschen die Liebe zu den Begehrten, Frauen und Kindern und aufgespeicherten Haufen von Gold und Silber und wohlgezüchteten Pferden und Viehherden und Ackerfrucht. Das ist die Versorgung für dieses Leben; doch Allah ist es, bei Dem die schönste Heimstatt ist.

16. Sprich: »Soll ich euch von etwas Besserem Kunde geben als diesem?« Für jene, die Gott fürchten, sind Gärten bei ihrem Herrn, die Ströme durchfließen – dort sollen sie wohnen –, und reine Gattinnen und Allahs Wohlgefallen. Und Allah achtet wohl der Diener,

17. Die da sprechen: »Unser Herr, siehe, wir glauben, vergib uns drum unsere Sünden und bewahre uns vor der Strafe des Feuers.«

18. Die Standhaften und die Wahrhaften, die Gehorsamen und die Spendenden und die in der späteren Hälfte der Nacht um Verzeihung Bittenden.

19. Allah bezeugt, in Wahrung der Gerechtigkeit, daß es keinen Gott gibt außer Ihm – ebenso die Engel und jene, die Wissen besitzen; es gibt keinen Gott außer Ihm, dem Allmächtigen, dem Allweisen.

20. Wahrlich, die Religion vor Allah ist Islam.* Und die, denen das Buch gegeben ward, wurden uneins, erst nachdem das Wissen zu ihnen gekommen war, aus gegenseitigem Neid. Und wer die Zeichen Allahs leugnet – dann, wahrlich, ist Allah schnell im Abrechnen.

---

* Wörtlich: vollständige Ergebung; Friede.

21. Streiten sie aber mit dir, so sprich: »Ich habe mich Allah ergeben und ebenso die, die mir folgen.« Und sprich zu jenen, denen das Buch gegeben ward, und zu den Analphabeten: »Habt ihr euch ergeben?« Haben sie sich ergeben, dann sind sie sicher auf dem rechten Weg, wenden sie sich aber zurück, dann obliegt dir nur die Verkündigung; und Allah achtet wohl der Diener.

22. Die Allahs Zeichen leugnen und die Propheten grundlos morden möchten und morden möchten diejenigen unter den Menschen, die Gerechtigkeit predigen – künde ihnen schmerzliche Strafe an.

23. Sie sind es, deren Werke nichtig sein sollen in dieser und in jener Welt, und keine Helfer werden sie finden.

24. Hast du nicht von jenen Kenntnis, denen ein Teil von der Schrift gegeben ward? Sie sind berufen zum Buche Allahs, daß es richten möge zwischen ihnen, doch ein Teil von ihnen wendet sich ab in Widerwillen.

25. Dies, weil sie sagen: »Das Feuer soll uns nicht berühren, außer an einigen Tagen.« Und was sie selber erdichten, hat sie über ihren Glauben getäuscht.

26. Wie! wenn Wir sie versammeln an dem Tage, über den kein Zweifel ist, und wenn jeder voll erhält, was er verdient; und sie werden nicht Unrecht erleiden!

27. Sprich: »O Allah, Herr der Herrschaft, Du gibst die Herrschaft, wem Du willst, und Du nimmst die Herrschaft, wem Du willst. Du erhöhst, wen Du willst, und erniedrigst, wen Du willst. In Deiner Hand ist alles Gute. Wahrlich, Du hast Macht über alle Dinge.

28. Du lässest die Nacht übergehen in den Tag und lässest den Tag übergehen in die Nacht. Du lässest das Lebendige hervorgehen aus dem Toten und lässest das Tote hervorgehen aus dem Lebendigen. Und Du gibst, wem Du willst, ohne zu rechnen.«

29. Die Gläubigen sollen sich nicht Ungläubige zu Freunden* nehmen vor den Gläubigen – und wer das tut, hat nichts mit Allah –, es sei denn, daß ihr euch vorsichtig vor ihnen hütet.

---

* Vgl. 5: 58, 59 und 60: 9, 10.

Allah warnt euch vor Seiner Strafe, und zu Allah ist die Heimkehr.

30. Sprich: »Ob ihr verbergt, was in euren Herzen ist, oder ob
ihr es kundtut, Allah weiß es; Er weiß, was in den Himmeln ist
und was auf Erden; und Allah hat Macht über alle Dinge.«

31. (Denkt) an den Tag, wo jeder vor sich versammelt finden
wird, was er an Gutem getan und was er an Bösem getan. Wünschen wird er, daß ein großer Abstand wäre zwischen ihm und
jenem (Bösen). Allah warnt euch vor Seiner Strafe. Und Allah
ist mild und gütig gegen die Diener.

32. Sprich: »Liebt ihr Allah, so folget mir; (dann) wird Allah
euch lieben und euch eure Fehler verzeihen; denn Allah ist allverzeihend, barmherzig.«

33. Sprich: »Gehorchet Allah und dem Gesandten«; doch wenn
sie sich abkehren, dann (bedenke), daß Allah die Ungläubigen
nicht liebt.

34. Allah erwählte Adam und Noah und das Haus Abrahams
und das Haus Imrāns vor den Völkern,

35. Ein Geschlecht, die einen von den anderen; und Allah ist allhörend, allwissend.

36. (Denke daran) wie Imrāns Frau sprach: »Mein Herr, ich
habe Dir geweiht – als Befreiten –, was in meinem Schoße ist. So
nimm (es) an von mir; wahrlich, Du allein bist der Allhörende,
der Allwissende.«

37. Doch als sie es geboren hatte, sprach sie: »Mein Herr, ich
habe ein Mädchen geboren« – und Allah wußte am besten, was
sie zur Welt gebracht hatte und daß der (erwartete) Knabe nicht
gleich dem (geborenen) Mädchen war – »und ich habe es Maria
genannt, und ich empfehle sie und ihre Nachkommen Deiner
Hut vor Satan dem Verworfenen.«

38. So nahm ihr Herr sie gnädig an und ließ sie wachsen zu hol-
dem Wuchs und berief den Zacharias zu ihrem Pfleger. Sooft
Zacharias zu ihr in die Kammer trat, fand er Speise bei ihr. Er
sprach: »O Maria, woher hast du dies?« Sie antwortete: »Es ist
von Allah.« Allah gibt, wem Er will, ohne zu rechnen.

39. Daselbst betete Zacharias zu seinem Herrn und sprach:
»Mein Herr, gewähre mir Du einen reinen Sprößling; wahrlich,
Du bist der Erhörer des Gebets.«

40. Da riefen ihm die Engel zu, während er betend in der Kammer stand: »Allah gibt dir frohe Kunde von Yahya (Johannes dem Täufer), der bestätigen soll ein Wort von Allah – edel und rein und ein Prophet, der Rechtschaffenen einer.«

41. Er sprach: »Mein Herr, wie soll mir ein Sohn werden, wo das Alter mich überkommen hat und mein Weib unfruchtbar ist?« Er antwortete: »So ist Allahs (Weg), Er tut, wie es Ihm gefällt.«

42. Er sprach: »Mein Herr, bestimme mir ein Gebot.« Er antwortete: »Dein Gebot soll sein, daß du drei Tage lang nicht zu Menschen sprechen wirst, außer durch Gebärden. Gedenke fleißig deines Herrn und preise (Ihn) am Abend und am frühen Morgen.«

43. Und (denke daran) wie die Engel sprachen: »O Maria, Allah hat dich erwählt und dich gereinigt und dich erkoren aus den Weibern der Völker.

44. O Maria, sei gehorsam deinem Herrn und wirf dich nieder und bete an mit den Anbetenden.«

45. Dies ist eine der Verkündigungen des Ungesehenen, die Wir dir offenbaren. Du warst nicht unter ihnen, als sie [losend] ihre Pfeile warfen, wer von ihnen Marias Pfleger sein solle, noch warst du unter ihnen, als sie miteinander stritten.

46. Wie die Engel sprachen: »O Maria, Allah gibt dir frohe Kunde durch ein Wort von Ihm: sein Name soll sein der Messias, Jesus, Sohn Marias, geehrt in dieser und in jener Welt, einer der Gottnahen.

47. Und er wird zu den Menschen in der Wiege reden und im Mannesalter und der Rechtschaffenen einer sein.«

48. Sie sprach: »Mein Herr, wie soll mir ein Sohn werden, wo mich kein Mann berührt hat?« Er sprach: »So ist Allahs (Weg), Er schafft, was Ihm gefällt. Wenn Er ein Ding beschließt, so spricht Er zu ihm: ›Sei!‹, und es ist.

49. Und Er wird ihn das Buch lehren und die Weisheit und die Thora und das Evangelium;

50. Und (wird ihn entsenden) als einen Gesandten zu den Kindern Israels (daß er spreche): ›Ich komme zu euch mit einem Zeichen von eurem Herrn: Daß ich für euch aus Ton bilden werde, wie ein Vogel bildet; dann werde ich ihm (Geist) einhauchen, und es wird ein beschwingtes Wesen werden nach Allahs

Gebot; und ich werde die Blinden und die Aussätzigen heilen
und die Toten lebendig machen nach Allahs Gebot; und ich
werde euch verkünden, was ihr esst und was ihr aufspeichern
möget in euren Häusern. Wahrlich, darin ist ein Zeichen für
euch, wenn ihr gläubig seid.

51. Und (ich komme) das zu erfüllen, was vor mir war, nämlich
die Thora, und euch einiges zu erlauben von dem, was euch verboten war; und ich komme zu euch mit einem Zeichen von
eurem Herrn; so fürchtet Allah und gehorchet mir.

52. Wahrlich, Allah ist mein Herr und euer Herr; so betet Ihn
an: dies ist der gerade Weg.‹«

53. Als Jesus dann ihren Unglauben wahrnahm, sprach er: »Wer
will mein Helfer sein in Allahs Sache?« Die Jünger antworteten:
»Wir sind Allahs Helfer. Wir glauben an Allah. Und bezeuge
du, daß wir gehorsam sind.

54. Unser Herr, wir glauben an das, was Du herabgesandt hast,
und wir folgen diesem Gesandten. So schreibe uns ein unter die
Bezeugenden.«

55. Und sie planten, auch Allah plante; und Allah ist der beste
Planer.

56. Wie Allah sprach: »O Jesus, Ich will dich [eines natürlichen
Todes] sterben lassen und will dir bei Mir Ehre verleihen und
dich reinigen (von den Anwürfen) derer, die ungläubig sind,
und will die, die dir folgen, über jene setzen, die ungläubig sind,
bis zum Tage der Auferstehung: dann ist zu Mir eure Wiederkehr, und Ich will richten zwischen euch über das, worin ihr uneins seid.

57. Was nun die Ungläubigen anlangt, so will Ich ihnen strenge
Strafe auferlegen in dieser und in jener Welt, und sie sollen
keine Helfer finden.

58. Was aber jene anlangt, die glauben und gute Werke tun, so
wird Er ihnen ihren vollen Lohn auszahlen. Und Allah liebt
nicht die Frevler.«

59. Das ist es, was Wir dir vortragen von den Zeichen und der
weisen Ermahnung.

60. Wahrlich, Jesus ist vor Allah wie Adam. Er erschuf ihn aus
Erde, dann sprach Er zu ihm: »Sei!«, und er war.

61. Die Wahrheit ist es von deinem Herrn, so sei nicht der Zweifler einer.

62. Die nun mit dir darüber streiten nach dem, was dir an Wissen ward, (zu denen) sprich:»Kommt, laßt uns rufen unsere Söhne und eure Söhne, unsere Frauen und eure Frauen, unsere Leute und eure Leute; dann laßt uns inbrünstig beten und den Fluch Allahs herabbeschwören auf die Lügner.«

63. Wahrlich, dies allein ist der wahre Bericht. Keiner ist der Anbetung würdig als Allah; und fürwahr, Allah allein ist der Allmächtige, der Allweise.

64. Doch wenn sie sich abkehren, dann (bedenke), Allah kennt die Unheilstifter wohl.

65. Sprich:»O Volk der Schrift (Bibel), kommt herbei zu einem Wort, das gleich ist zwischen uns und euch: daß wir keinen anbeten denn Allah und daß wir Ihm keinen Nebenbuhler zur Seite stellen und daß nicht die einen unter uns die anderen zu Herren nehmen statt Allah.« Doch wenn sie sich abkehren, dann sprecht:»Bezeugt, daß wir uns (Gott) ergeben haben.«

66. O Volk der Schrift, warum streitet ihr über Abraham, wo die Thora und das Evangelium erst nach ihm herabgesandt wurden? Wollt ihr denn nicht begreifen?

67. Seht doch! Ihr seid es ja, die über das stritten, wovon ihr Kenntnis hattet. Warum streitet ihr denn über das, wovon ihr durchaus keine Kenntnis habt? Allah weiß, ihr aber wisset nicht.

68. Abraham war weder Jude noch Christ; doch er war immer (Gott) zugeneigt und (Ihm) gehorsam, und er war nicht der Götzendiener einer.

69. Sicherlich sind die Abraham Nächststehenden unter den Menschen jene, die ihm folgten, und dieser Prophet und die Gläubigen. Und Allah ist der Freund der Gläubigen.

70. Ein Teil vom Volke der Schrift möchte euch irreleiten; doch sie leiten nur sich selber irre; allein sie begreifen es nicht.

71. O Volk der Schrift, warum leugnet ihr die Zeichen Allahs, dieweil ihr (deren) Zeugen seid?

72. O Volk der Schrift, warum vermengt ihr Wahr mit Falsch und verhehlt die Wahrheit wissentlich?

73. Ein Teil vom Volke der Schrift sagt:»Glaubet in der ersten

Hälfte des Tages an das, was den Gläubigen offenbart worden ist, und leugnet es später; vielleicht werden sie umkehren;

74. Und gehorchet nur dem, der eure Religion befolgt.« Sprich: »Gewiß, die (wahre) Führung, die Führung Allahs, besteht darin, daß einem ein Gleiches gegeben werde, wie es euch gegeben ward, oder daß sie mit euch streiten vor eurem Herrn.« Sprich: »Alle Huld ist in Allahs Hand. Er gewährt sie, wem Er will. Und Allah ist allgütig, allwissend.

75. Er erwählt für Seine Barmherzigkeit, wen Er will. Und Allah ist Herr großer Huld.«

76. Unter dem Volke der Schrift gibt es manchen, der, wenn du ihm einen Schatz anvertraust, ihn dir zurückgeben wird; und es gibt unter ihnen auch manchen, der, wenn du ihm einen Dinār anvertraust, ihn dir nicht zurückgeben wird, es sei denn, daß du beständig hinter ihm her bist. Dies ist, weil sie sagen: »Wir haben keine Verpflichtung gegen die Analphabeten.« Sie äußern wissentlich eine Lüge gegen Allah.

77. Nein! Wer aber seiner Verpflichtung nachkommt und Gott fürchtet – wahrlich, Allah liebt die Gottesfürchtigen.

78. Jene jedoch, die einen armseligen Preis in Tausch nehmen für (ihren) Bund mit Allah und ihre Eidschwüre, sie sollen keinen Anteil haben am zukünftigen Leben, und Allah wird weder zu ihnen sprechen noch auf sie blicken am Tage der Auferstehung, noch wird Er sie reinigen; und ihnen wird schmerzliche Strafe.

79. Und fürwahr, unter ihnen ist ein Teil, die verdrehen mit ihren Zungen die Schrift (Thora), damit ihr es als aus der Schrift vermutet, während es doch nicht aus der Schrift ist. Und sie sprechen: »Es ist von Allah«; und es ist doch nicht von Allah; und sie äußern wissentlich eine Lüge gegen Allah.

80. Es geziemt einem Menschen nicht, wenn Allah ihm das Buch und die Herrschaft und das Prophetentum gibt, daß er zu den Leuten spricht: »Seid *meine* Diener statt Allahs«; sondern: »Seid einzig dem Herrn ergeben, da ihr ja die Schrift lehrt und euch (in sie) vertieft.«

81. Noch daß er euch gebieten sollte, die Engel und die Propheten zu Herren anzunehmen. Würde er euch Unglauben gebieten, nachdem ihr euch (Gott) ergeben habt?

82. Und (gedenket der Zeit) da Allah (mit dem Volk der Schrift) den Bund der Propheten abschloß (und sprach): »Was immer Ich euch gebe von dem Buch und der Weisheit – kommt dann ein Gesandter zu euch, erfüllend, was bei euch ist, so sollt ihr unbedingt an ihn glauben und ihm unbedingt helfen.« Er sprach: »Seid ihr einverstanden, und nehmet ihr diese Verantwortung Mir gegenüber an?« Sie sprachen: »Wir sind einverstanden.« Er sprach: »So bezeugt es, und Ich bin mit euch unter den Zeugen.«

83. Wer sich nun danach abwendet – sie sind die Frevler.

84. Suchen sie eine andere Glaubenslehre als Allahs, wo sich Ihm ergibt, wer in den Himmeln und auf Erden ist, freiwillig oder widerstrebend, und zu Ihm müssen sie zurück?

85. Sprich: »Wir glauben an Allah und an das, was zu uns herabgesandt worden und was herabgesandt ward zu Abraham und Ismael und Isaak und Jakob und den Nachfahren, und was gegeben ward Moses und Jesus und [anderen] Propheten von ihrem Herrn. Wir machen keinen Unterschied zwischen ihnen, und Ihm unterwerfen wir uns.«

86. Und wer eine andere Glaubenslehre sucht als den Islam: nimmer soll sie von ihm angenommen werden, und im zukünftigen Leben soll er unter den Verlierenden sein.

87. Wie soll Allah einem Volk den Weg weisen, das ungläubig ward, nachdem es geglaubt und bezeugt, daß der Gesandte wahrhaft sei, und ihm klare Beweise geworden? Und Allah weist den Ungerechten nicht den Weg.

88. Der Lohn solcher ist, daß über ihnen der Fluch Allahs und der Engel und aller Menschen ist.

89. Unter ihm sei ihre Bleibe! Die Strafe wird ihnen nicht gemildert, noch wird ihnen Aufschub gewährt;

90. Es sei denn jenen, die hernach bereuen und sich bessern, denn Allah ist allverzeihend, barmherzig.

91. Wahrlich, die ungläubig werden, nachdem sie geglaubt, und dann zunehmen an Unglauben: ihre Reue wird nicht angenommen werden, und sie allein sind die Irregegangenen.

92. Die aber ungläubig waren und als Ungläubige sterben, von ihrer keinem soll selbst eine Weltvoll Gold angenommen wer-

den, auch wenn er es als Lösegeld bietet. Sie sind es, denen schmerzliche Strafe wird, und keine Helfer sollen sie finden.

93. Nie könnt ihr zur vollkommenen Rechtschaffenheit gelangen, solange ihr nicht spendet von dem, was ihr liebt; und was immer ihr spendet, wahrlich, Allah weiß es wohl.

94. Alle Speise war den Kindern Israels erlaubt, mit Ausnahme dessen, was Israel* sich selbst verbot, ehe die Thora herabgesandt war. Sprich: »Bringt also die Thora herbei und leset sie, wenn ihr wahrhaft seid.«

95. Wer nun danach eine Lüge gegen Allah erdichtet – sie sind die Frevler.

96. Sprich: »Allah hat die Wahrheit gesprochen; folget darum dem Glauben Abrahams, des Aufrichtigen; er war keiner der Götzendiener.«

97. Wahrlich, das erste Haus, das für die Menschheit gegründet wurde, ist das zu Bakka** – überreich an Segen und zur Richtschnur für alle Völker.

98. In ihm sind deutliche Zeichen. Die Stätte Abrahams – und wer sie betritt, hat Frieden. Und Wallfahrt zu diesem Haus – wer nur immer einen Weg dahin finden kann – ist den Menschen eine Pflicht vor Allah. Wer aber ablehnt (möge bedenken), daß Allah sicherlich unabhängig ist von allen Geschöpfen.

99. Sprich: »O Volk der Schrift, warum leugnet ihr die Zeichen Allahs, obwohl Allah Zeuge dessen ist, was ihr tut?«

100. Sprich: »O Volk der Schrift, warum haltet ihr vom Wege Allahs denjenigen zurück, der glaubt; ihr sucht ihn krumm zu machen, während ihr doch selber Zeugen seid? Und Allah ist nicht achtlos eures Tuns.«

101. O die ihr glaubt, wenn ihr irgendeinem Teil derer gehorcht, denen das Buch gegeben ward, so werden wir euch wieder ungläubig machen, nachdem ihr geglaubt.

102. Wie könnt ihr Ungläubige werden, wo euch die Zeichen Allahs vorgetragen werden und Sein Gesandter unter euch ist? Und wer da an Allah festhält, der wird fürwahr auf den geraden Weg geleitet.

---

* »Gotteskämpfer« – der theokratische Beiname Jakobs.
** Das Tal von Mekka.

103. O die ihr glaubt, fürchtet Allah in geziemender Furcht; und sterbet nicht, außer ihr seid gottergeben.

104. Und haltet euch allesamt fest am Seile Allahs; und seid nicht zwieträchtig; und gedenket der Huld Allahs gegen euch, als ihr Feinde waret. Alsdann fügte Er eure Herzen so in Liebe zusammen, daß ihr durch Seine Gnade Brüder wurdet; ihr waret am Rande einer Feuergrube, und Er bewahrte euch davor. Also macht Allah euch Seine Zeichen klar, auf daß ihr rechtgeleitet seiet.

105. Es sollte unter euch eine Gemeinschaft sein, die zum Rechten auffordert und das Gute gebietet und das Böse verwehrt. Diese allein sollen Erfolg haben.

106. Und seid nicht wie jene, die zwieträchtig wurden und uneins, nachdem ihnen klare Beweise zuteil geworden. Und ihnen wird schwere Strafe.

107. An dem Tage, da manche Gesichter weiß sein werden und manche Gesichter schwarz, wird zu jenen, deren Gesichter schwarz sein werden (gesprochen): »Wurdet ihr ungläubig, nachdem ihr geglaubt hattet? So kostet die Strafe für euren Unglauben.«

108. Jene aber, deren Gesichter weiß sein werden, werden in Allahs Gnade sein; darin werden sie verweilen.

109. Dies sind die Wahrheit umfassende Zeichen Allahs, die Wir dir vortragen; und Allah will keine Ungerechtigkeit für die Welten.

110. Allahs ist, was in den Himmeln und was auf Erden ist, und Allah sollen die Dinge vorgelegt werden.

111. Ihr seid das beste Volk, hervorgebracht zum Wohl der Menschheit; ihr gebietet das Gute und verwehrt das Böse und glaubt an Allah. Und wenn das Volk der Schrift auch (diese Anweisung Allahs) annähme, wahrlich würde es ihnen besser frommen. Manche von ihnen nehmen (sie) an, doch die meisten ihrer sind ungehorsam.

112. Sie können euch nur geringen Schaden zufügen; und wenn sie wider euch kämpfen, werden sie euch den Rücken kehren. Dann werden sie keine Hilfe finden.

113. Mit Schmach sollen sie geschlagen werden, wo immer sie angetroffen werden, außer in einem Bund mit Allah oder in

einem Bund mit den Menschen. Sie haben Allahs Zorn erregt; und mit Elend sind sie geschlagen darum, daß sie Allahs Zeichen verwarfen und die Propheten widerrechtlich töten wollten. Dies, weil sie Empörer waren und das Maß überschritten.

114. Sie sind nicht (alle) gleich. Unter dem Volke der Schrift ist eine Gemeinde, die (zu ihrem Vertrag) steht; sie sprechen Allahs Wort in den Stunden der Nacht und werfen sich nieder (vor Ihm).

115. Sie glauben an Allah und an den Jüngsten Tag und gebieten das Gute und verwehren das Böse und wetteifern miteinander in guten Werken. Und sie zählen zu den Rechtschaffenen.

116. Und was sie Gutes tun, nimmer wird es ihnen bestritten; und Allah kennt die Gottesfürchtigen wohl.

117. Den Ungläubigen aber sollen ihr Besitz und ihre Kinder nichts nützen gegen Allah; und sie sind des Feuers Bewohner; darin müssen sie bleiben.

118. Das, was sie für dieses Erdenleben hingeben, ist wie ein Wind, in dem eisige Kälte ist: er trifft die Ackerfrucht eines Volkes, das gegen sich selbst gefrevelt, und vernichtet sie. Und nicht Allah war gegen sie ungerecht, sie selbst sind ungerecht gegen sich.

119. O die ihr glaubt, nehmt euch nicht andere zu vertrauten Freunden*, unter Ausschluß der Eurigen; sie werden nicht verfehlen, euch zu verderben. Sie sehen es gern, wenn euch Unheil trifft. Schon ward Haß offenbar von ihren Zungen, doch was ihre Herzen verhehlen, ist noch weit schlimmer. Wir haben euch die Gebote klargemacht, wenn ihr nur verstehen wollt.

120. Seht her, ihr liebt sie, sie aber lieben euch nicht. Und ihr glaubt an das ganze Buch. Wenn sie euch treffen, sagen sie: »Wir glauben«; sobald sie aber allein sind, beißen sie sich in die Fingerspitzen vor Zorn gegen euch. Sprich: »Sterbet an eurem Zorn.« Wahrlich, Allah weiß das Innerste der Seelen wohl.

121. Wenn euch etwas Gutes widerfährt, so tut es ihnen wehe; widerfährt euch Böses, so frohlocken sie darob. Seid ihr aber standhaft und redlich, so werden ihre Ränke euch nichts schaden; denn wahrlich, Allah wird ihr Tun zunichte machen.

---

* Vgl. 5: 58, 59 und 60: 9, 10.

122. Und (gedenke der Zeit) da du des Morgens früh von deinem Hause aufbrachst und den Gläubigen ihre Stellungen für die Schlacht* anwiesest. Und Allah ist allhörend, allwissend.

123. Wie zwei von euren Haufen[23] Feigheit sannen, obwohl Allah ihr Freund war. Und auf Allah sollten die Gläubigen bauen.

124. Und Allah war euch schon bei Badr[24] beigestanden, als ihr schwach waret. So nehmet euch Allah zum Beschützer, auf daß ihr dankbar sein möget.

125. Wie du zu den Gläubigen sprachst: »Genügt es euch nicht, daß euer Herr euch mit dreitausend (vom Himmel) herabgesandten Engeln zu Hilfe kommt?«

126. Ja, wenn ihr standhaft und redlich seid und sie kommen über euch jählings in wilder Hast, so wird euer Herr euch mit fünftausend stürmenden Engeln zu Hilfe kommen.

127. Und Allah richtete es nur als frohe Botschaft für euch ein und auf daß sich eure Herzen damit beruhigten – und Hilfe kommt von Allah allein, dem Allmächtigen, dem Allweisen –,

128. (Ferner) damit Er einen Teil der Ungläubigen abschneide oder sie niederwerfe, daß sie unverrichteter Dinge umkehren.

129. Das ist nicht deine Angelegenheit; Er mag Sich ihnen gnädig zuwenden oder sie bestrafen, weil sie Frevler sind.

130. Allahs ist, was in den Himmeln und was auf Erden ist. Er vergibt, wem Er will, und Er bestraft, wen Er will, und Allah ist allvergebend, barmherzig.

131. O die ihr glaubt, verschlinget nicht Zins, der (die Schuld) übermäßig mehrt; und fürchtet Allah, auf daß ihr Erfolg habt.

132. Und fürchtet das Feuer, das für die Ungläubigen bereitet ward.

133. Und gehorchet Allah und dem Gesandten, auf daß ihr Gnade finden möget.

134. Und wetteifert miteinander im Trachten nach der Vergebung eures Herrn und einem Paradiese, dessen Preis Himmel und Erde sind, bereitet für die Gottesfürchtigen –

135. Die da spenden in Überfluß und Mangel, die den Zorn un-

---

* Die Schlacht von *Uhud*.

terdrücken und den Mitmenschen vergeben; und Allah liebt, die da Gutes tun,

136. Und die, so sie eine Untat begehen oder wider sich selbst sündigen, Allahs gedenken und um Verzeihung flehen für ihre Sünden – und wer kann Sünden vergeben außer Allah? – und die nicht wissentlich beharren in ihrem Tun.

137. Ihr Lohn ist ihres Herrn Vergebung und Gärten, durch welche Ströme fließen, darin sollen sie weilen; und wie schön ist der Lohn der Wirkenden!

138: Es sind vor euch schon viele Verordnungen ergangen; also durchwandert die Erde und schaut, wie das Ende derer war, die (sie) verwarfen!

139. Dies (der Koran) ist eine klare Darlegung für die Menschen und eine Führung und eine Ermahnung den Gottesfürchtigen.

140. Ermattet nicht und trauert nicht; ihr werdet sicherlich die Oberhand behalten, wenn ihr Gläubige seid.

141. Habt ihr eine Wunde empfangen, so hat gewiß das (ungläubige) Volk bereits eine ähnliche Wunde empfangen. Und solche Tage lassen Wir wechseln unter den Menschen, auf daß (sie ermahnt würden und) Allah die Gläubigen bezeichne und aus eurer Mitte Zeugen nehme; und Allah liebt nicht die Ungerechten;

142. Und damit Allah die Gläubigen reinige und austilge die Ungläubigen.

143. Wähnt ihr etwa, ihr werdet in den Himmel eingehen, dieweil Allah noch nicht die Gottesstreiter unter euch bezeichnet noch die Standhaften bezeichnet hat?

144. Und ihr pfleget euch [diesen] Tod zu wünschen, bevor ihr ihm begegnet seid; nun habt ihr ihn gesehen, gerade da ihr nach (ihm) ausschautet.

145. Mohammad ist nur ein Gesandter. Vor ihm sind Gesandte dahingegangen. Wenn er nun stirbt oder getötet wird, werdet ihr umkehren auf euren Fersen?* Und wer auf seinen Fersen umkehrt, der fügt Allah nicht den mindesten Schaden zu. Und Allah wird die Dankbaren belohnen.

146. Zu sterben steht niemandem zu, es sei denn mit Allahs Er-

---

* Den Glauben verleugnen.

laubnis – ein Beschluß mit vorbestimmter Frist. Und wer den Lohn dieser Welt begehrt, Wir werden ihm davon geben; und wer den Lohn des zukünftigen Lebens begehrt, Wir werden ihm davon geben; und Wir werden die Dankbaren belohnen.

147. Und so manchen Propheten hat es gegeben, an dessen Seite zahlreiche Scharen kämpften. Sie zagten nicht, was immer sie auch auf Allahs Weg treffen mochte, noch wurden sie schwach, noch demütigten sie sich (vor dem Feind). Und Allah liebt die Standhaften.

148. Und sie sagten kein Wort, es sei denn, daß sie sprachen: »Unser Herr, vergib uns unsere Irrtümer und unsere Vergehen in unserem Betragen und festige unsere Schritte und hilf uns gegen das ungläubige Volk.«

149. So gab ihnen Allah den Lohn dieser Welt wie auch einen herrlichen Lohn im Jenseits; und Allah liebt, die Gutes tun.

150. O die ihr glaubt, so ihr denen, die nicht glauben, gehorcht, werden sie euch auf euren Fersen umkehren heißen*; also werdet ihr Verlierende sein.

151. Nein, Allah ist euer Beschützer, und Er ist der beste Helfer.

152. Wir werden Schrecken tragen in die Herzen derer, die nicht geglaubt haben, weil sie Allah Nebenbuhler zur Seite stellen, wozu Er keine Ermächtigung niedersandte. Ihre Wohnstatt ist das Feuer; und schlimm ist die Herberge der Frevler.

153. Wahrlich, Allah hatte euch Sein Versprechen gehalten, als ihr sie schluget und vernichtetet mit Seiner Erlaubnis; dann aber, als ihr schwanktet und uneins wurdet über den Befehl und ungehorsam waret, nachdem Er euch das gezeigt hatte, was ihr liebtet (zog Er Seine Hilfe zurück). Einige unter euch verlangten nach dieser Welt, aber andere unter euch verlangten nach jener Welt. Dann wandte Er euch von ihnen ab, um euch zu prüfen – und Er hat euch gewiß verziehen; denn Allah ist huldreich gegen die Gläubigen –,

154. Als ihr fortlieft und nach keinem umblicktet, während der Gesandte hinter euch herrief; dann gab Er euch einen Kummer als Entgelt für einen Kummer, damit ihr nicht trauern möchtet

---

* Den Glauben verleugnen.

um das, was euch entging, noch um das, was euch befiel. Und Allah ist sehr wohl kundig eures Tuns.

155. Dann, nach dem Kummer, sandte Er Frieden zu euch hernieder – einen Schlummer, der einen Teil von euch überkam, während der andere besorgt war um sich selber, denn sie dachten fälschlich von Allah, Gedanken der Unwissenheit. Sie sagten: »Ist für uns irgendein Anteil an der Ordnung (der Dinge)?« Sprich: »Alle Ordnung ist Allahs Angelegenheit.« Sie verbergen in ihrem Sinn, was sie dir nicht offenbaren. Sie sagen: »Hätten wir irgendeinen Anteil an der Ordnung (der Dinge), wir würden hier nicht getötet.« Sprich: »Wäret ihr auch in euren Häusern geblieben, sicherlich wären jene, denen zu kämpfen anbefohlen worden, ausgezogen zu ihren Totenbetten«; (damit Allah Seinen Ratschluß durchführe) und damit Allah prüfe, was in eurem Inneren ist, und läutere, was in euren Herzen ist. Und Allah kennt das Innerste der Seelen.

156. Diejenigen unter euch, die am Tage, als die beiden Heere zusammenstießen*, den Rücken kehrten – wahrlich, es war Satan, der sie straucheln machte, gewisser ihrer Taten wegen. Sicherlich aber hat Allah ihnen bereits verziehen; Allah ist allverzeihend, langmütig.

157. O die ihr glaubt, seid nicht wie jene, die ungläubig geworden und die von ihren Brüdern, wenn sie das Land durchwandern oder in den Krieg ziehen, sprechen: »Wären sie bei uns geblieben, sie wären nicht gestorben oder erschlagen worden«, so daß es Allah in ihren Herzen zu einer Enttäuschung mache. Allah gibt Leben und Tod; und Allah sieht euer Tun.

158. Und wenn ihr für Allahs Sache erschlagen werdet oder sterbet, wahrlich, Verzeihung von Allah und Barmherzigkeit ist besser, als was sie zusammenscharen.

159. Und wenn ihr sterbet oder erschlagen werdet, wahrlich, zu Allah sollt ihr versammelt werden.

160. Es geschieht um Allahs Barmherzigkeit willen, daß du zu ihnen milde bist; und wärest du schroff, hartherzig gewesen, sie wären gewiß rings um dich zerstoben. So verzeih ihnen und erbitte Vergebung für sie; und ziehe sie zu Rate in Sachen der Ver-

---

* Schlacht von *Uhud*.

waltung; wenn du aber dich entschieden hast, dann setze dein Vertrauen auf Allah. Allah liebt die Vertrauenden.

161. Wenn Allah euch hilft, so wird keiner euch überwinden; verläßt Er euch aber, wer kann euch dann helfen ohne Ihn? Auf Allah sollen darum die Gläubigen ihr Vertrauen setzen.

162. Es ziemt einem Propheten nicht, unredlich zu handeln, und wer unredlich handelt, soll, was er unterschlug, am Tage der Auferstehung mit sich bringen. Dann soll jedem das voll vergolten werden, was er verdiente, und kein Unrecht sollen sie leiden.

163. Gleicht denn der, der Allahs Wohlgefallen nachgeht, dem, der sich Allahs Zorn zuzieht und dessen Wohnstatt die Hölle ist? Und schlimm ist die Wohnstatt!

164. Sie sind (auf) Rangstufen vor Allah; und Allah sieht, was sie tun.

165. Wahrlich, Allah hat den Gläubigen Huld erwiesen, indem Er unter ihnen aus ihrer Mitte einen Gesandten erweckte, der ihnen Seine Zeichen vorträgt und sie reinigt und sie das Buch und die Weisheit lehrt; und zuvor waren sie gewiß in offenkundigem Irrtum.

166. Wie! wenn euch ein Unheil trifft – und ihr hattet das Doppelte davon zugefügt –, dann sprecht ihr: »Woher kommt das?« Sprich: »Es kommt von euch selber.« Allah hat wahrlich Macht über alle Dinge.

167. Und was euch traf an dem Tage, als die beiden Heere zusammenstießen*, war nach Allahs Gebot, damit Er die Gläubigen bezeichne,

168. Und damit Er die Heuchler bezeichne. Und es ward ihnen gesagt: »Kommt her, kämpfet für Allahs Sache und wehret (den Feind)«; sie aber sprachen: »Wüßten wir, wie zu kämpfen, wir würden euch gewiß folgen.« An jenem Tage waren sie dem Unglauben näher als dem Glauben. Sie sagten mit ihren Zungen, was nicht in ihren Herzen war; und Allah weiß sehr wohl, was sie verhehlen.

169. (Sie sind es), die, indes sie zurückblieben, von ihren Brüdern sprachen: »Hätten sie auf uns gehört, sie wären nicht er-

---

* Schlacht von *Uhud.*

schlagen worden.« Sprich: »Dann haltet den Tod von euch selbst ab, wenn ihr wahrhaft seid.«

170. Halte jene, die für Allahs Sache erschlagen wurden, ja nicht für tot – sondern lebendig bei ihrem Herrn; ihnen werden Gaben zuteil.

171. Beglückt durch das, was Allah ihnen von Seiner Huld beschert hat, und voller Freude für jene, die ihnen nachfolgen, sie aber noch nicht eingeholt haben; denn keine Furcht soll über sie kommen, noch sollen sie trauern.

172. Sie sind voller Freude über Allahs Gnade und Huld und weil Allah den Lohn der Gläubigen nicht verlorengehen läßt.

173. Die nun, die dem Ruf Allahs und des Gesandten folgten, nachdem sie die Wunde davongetragen – großer Lohn wird denjenigen unter ihnen, die Gutes tun und rechtlich handeln;

174. Die, zu denen Menschen sagten: »Es haben sich Leute gegen euch geschart, fürchtet sie drum« – aber dies stärkte (nur) ihren Glauben, und sie sprachen: »Unsere Genüge ist Allah, und ein herrlicher Beschützer ist Er.«

175. So kehrten sie mit Huld und Gnade von Allah zurück, ohne daß sie ein Übel getroffen hätte; und sie folgten dem Wohlgefallen Allahs; und Allah ist der Herr großer Huld.

176. Nur Satan ist es, der seine Freunde erschreckt; also fürchtet nicht sie, sondern fürchtet Mich, wenn ihr Gläubige seid.

177. Und laß jene dich nicht betrüben, die rasch dem Unglauben verfallen; fürwahr, sie können Allah auf keine Weise Schaden tun. Allah will ihnen keinen Anteil am Jenseits geben; und ihnen wird strenge Strafe.

178. Die da Unglauben eingehandelt haben für den Glauben, können Allah auf keine Weise Schaden tun; und ihnen wird schmerzliche Strafe.

179. Und die Ungläubigen sollen nicht wähnen, daß es zu ihrem Heil ist, wenn Wir ihnen Aufschub gewähren; daß Wir ihnen Aufschub gewähren, führt nur dazu, daß sie in Sünden wachsen; und ihnen wird erniedrigende Strafe.

180. Allah hätte die Gläubigen nicht in der Lage belassen wollen, in der ihr euch befindet, bis Er die Schlechten von den Guten gesondert hatte. Und Allah hätte niemals gewollt, euch das Verborgene zu offenbaren. Doch Allah wählt von Seinen

Gesandten, wen Er will. Glaubet darum an Allah und Seine Gesandten. Wenn ihr glaubt und redlich seid, so wird euch großer Lohn.

181. Und jene, die geizig sind mit dem, was Allah ihnen von Seiner Huld verliehen, sollen nicht wähnen, es sei ihnen zum Heil; nein, es ist ihnen zum Unheil. Am Tage der Auferstehung wird ihnen umgehängt werden, womit sie geizig waren. Allahs ist das Erbe der Himmel und der Erde, und Allah ist wohl eures Tuns gewahr.

182. Allah hat sicherlich die Rede derer gehört, die sagten: »Allah ist arm, und wir sind reich.« Wir werden niederschreiben, was sie sagten, und ihre Versuche, die Propheten widerrechtlich zu töten; und Wir werden sprechen: »Kostet die Strafe des Brennens.«

183. Dies für das, was eure Hände vorausgeschickt haben; und (wisset,) daß Allah gewiß nicht ungerecht ist gegen die Diener.

184. Zu denen, die sagen: »Allah hat uns aufgetragen, keinem Gesandten zu glauben, ehe er uns ein Opfer bringt, welches das Feuer verzehrt«, sprich: »Es sind schon vor mir Gesandte zu euch gekommen mit deutlichen Zeichen und mit dem, wovon ihr sprecht. Warum habt ihr denn versucht, sie zu töten, wenn ihr wahrhaft seid?«

185. Und wenn sie dich der Lüge zeihen: also sind die Gesandten vor dir der Lüge geziehen worden, die doch mit deutlichen Zeichen und Schriften der Weisheit und dem leuchtenden Buche kamen.

186. Jedes Lebewesen soll den Tod kosten. Und ihr werdet euren Lohn erst am Tage der Auferstehung voll erhalten. Wer also dem Feuer entrückt und ins Paradies geführt wird, der hat es wahrlich erzielt. Und das irdische Leben ist nur ein trügerischer Genuß.

187. Sicherlich werdet ihr geprüft werden an eurem Gut und an eurem Blut, und sicherlich werdet ihr viel Verletzendes zu hören bekommen von denen, die vor euch die Schrift empfingen, und von den Götzendienern. Doch wenn ihr Standhaftigkeit zeigt und redlich handelt, fürwahr, das ist eine Sache fester Entschlossenheit.

188. Und (denke daran) wie Allah einen Bund schloß mit

denen, welchen die Schrift gegeben ward (und sprach): »Ihr sollt dies (Buch) den Menschen kundtun und es nicht verhehlen.« Sie aber warfen es hinter ihren Rücken und verhandelten es um geringen Preis. Übel ist, was sie (dafür) erkauft!

189. Wähne nicht, daß jene, die frohlocken über das, was sie getan, und gerühmt werden möchten für das, was sie nicht getan – wähne nicht, daß sie vor Strafe gesichert sind. Ihnen wird schmerzliche Strafe.

190. Allahs ist das Reich der Himmel und der Erde; und Allah ist mächtig über alle Dinge.

191. In der Schöpfung der Himmel und der Erde und im Wechsel von Nacht und Tag sind in der Tat Zeichen für die Verständigen,

192. Die Allahs gedenken im Stehen und Sitzen und wenn sie auf der Seite liegen und nachsinnen über die Schöpfung der Himmel und der Erde: »Unser Herr, Du hast dies nicht umsonst erschaffen; heilig bist Du; errette uns denn vor der Strafe des Feuers.

193. Unser Herr, wen Du ins Feuer stoßest, den hast Du gewiß in Schande gestürzt. Und die Frevler sollen keine Helfer finden.

194. Unser Herr, wir hörten einen Rufer, der zum Glauben aufruft: ›Glaubet an euren Herrn!‹, und wir haben geglaubt. Unser Herr, vergib uns darum unsere Vergehen und nimm hinweg von uns unsere Übel und zähle uns im Tode zu den Rechtschaffenen.

195. Unser Herr, gib uns, was Du uns verheißen durch Deine Gesandten; und stürze uns nicht in Schande am Tage der Auferstehung. Wahrlich, Du brichst das Versprechen nicht.«

196. Ihr Herr antwortete ihnen also: »Ich lasse das Werk des Wirkenden unter euch, ob Mann oder Weib, nicht verlorengehen. Die einen von euch sind von den andern. Die daher ausgewandert sind und vertrieben wurden von ihren Heimstätten und verfolgt wurden für Meine Sache und gekämpft haben und getötet wurden, Ich werde wahrlich von ihnen hinwegnehmen ihre Übel und sie in Gärten führen, durch die Ströme fließen: ein Lohn von Allah, und bei Allah ist der schönste Lohn.«

197. Laß dich durch das Herumwandern der Ungläubigen im Lande nicht betrügen.

198. Ein kleiner Gewinn; dann soll die Hölle ihr Aufenthalt sein. Welch schlimme Ruhestatt!

199. Die aber ihren Herrn fürchten, sollen Gärten haben, durch welche Ströme fließen; darin sollen sie weilen – eine Bewirtung durch Allah. Und was bei Allah ist, das ist noch besser für die Rechtschaffenen.

200. Und gewiß gibt es unter dem Volke der Schrift* solche, die an Allah glauben und an das, was zu euch herabgesandt ward und was herabgesandt ward zu ihnen, sich demütigend vor Allah. Sie verkaufen nicht Allahs Zeichen um geringen Preis. Diese sind es, deren Lohn bei ihrem Herrn ist. Allah ist schnell im Abrechnen.

201. O ihr Gläubigen, seid standhaft und wetteifert in Standhaftigkeit und seid auf der Hut und fürchtet Allah, auf daß ihr Erfolg habt.

---

* Die Juden und Christen.

1. Im Namen Allahs, des Gnädigen, des Barmherzigen.

2. O ihr Menschen, fürchtet euren Herrn, Der euch aus einem einzigen Wesen erschaffen hat; aus diesem erschuf Er ihm die Gefährtin, und aus beiden ließ Er viele Männer und Frauen sich vermehren. Fürchtet Allah, in Dessen Namen ihr einander bittet, und (fürchtet Ihn besonders in der Pflege der) Verwandtschaftsbande. Wahrlich, Allah wacht über euch.

3. Und gebt den Waisen ihren Besitz und vertauscht nicht Gutes mit Schlechtem, und verzehrt nicht ihren Besitz zusammen mit dem eurigen. Gewiß, das ist eine schwere Sünde.

4. Und wenn ihr fürchtet, ihr würdet nicht gerecht gegen die Waisen handeln, dann heiratet Frauen, die euch genehm dünken, zwei oder drei oder vier; und wenn ihr fürchtet, ihr könnt nicht billig handeln, dann (heiratet nur) eine oder was eure Rechte besitzt. Also könnt ihr das Unrecht eher vermeiden.

5. Und gebt den Frauen ihre Morgengabe gutwillig. Erlassen sie euch aber aus freien Stücken einen Teil davon, so genießt ihn als etwas Erfreuliches und Bekömmliches.

6. Und gebt den Schwachsinnigen nicht euer Gut, das Allah euch zum Unterhalt anvertraut hat; sondern nährt sie damit und kleidet sie und sprecht Worte der Güte zu ihnen.

7. Und prüfet die Waisen, bis sie das heiratsfähige (Alter) erreicht haben; wenn ihr dann an ihnen Verständigkeit wahrnehmet, so gebt ihnen ihren Besitz zurück; und zehrt ihn nicht verschwenderisch und hastig auf, weil sie großjährig würden. Wer reich ist, enthalte sich ganz; und wer arm ist, zehre (davon) nach Billigkeit. Und wenn ihr ihnen ihren Besitz zurückgebt, dann nehmt Zeugen in ihrer Gegenwart. Und Allah genügt zur Rechenschaft.

8. Den Männern gebührt ein Anteil von dem, was Eltern und nahe Anverwandte hinterlassen; und den Frauen gebührt ein Anteil von dem, was Eltern und nahe Anverwandte hinterlassen, ob es wenig sei oder viel – ein bestimmter Anteil.

9. Und wenn (andere) Verwandte und Waisen und Arme bei der Erbteilung zugegen sind, so gebt ihnen etwas davon und sprecht Worte der Güte zu ihnen.

10. Und jene mögen (Gott) fürchten, die, sollten sie selbst schwache Nachkommen hinterlassen, um sie besorgt wären.

Mögen sie daher Allah fürchten und das rechte[25] Wort sprechen.

11. Jene, die den Besitz der Waisen widerrechtlich verzehren, schlucken nur Feuer in ihren Bauch, und sie sollen in flammendes Feuer eingehen.

12. Allah verordnet euch in bezug auf eure Kinder: ein Knabe hat so viel als Anteil wie zwei Mädchen; sind aber (bloß) Mädchen da, und zwar mehr als zwei, dann sollen sie zwei Drittel seiner (des Verstorbenen) Erbschaft haben; ist's nur eines, so hat es die Hälfte. Und für seine Eltern ist je ein Sechstel der Erbschaft, wenn er ein Kind hat; hat er aber kein Kind und seine Eltern sind seine Erben, dann soll seine Mutter ein Drittel haben; und wenn er Geschwister hat, dann soll seine Mutter ein Sechstel erhalten, nach allen etwa von ihm gemachten Vermächtnissen oder Schulden. Eure Eltern und eure Kinder: ihr wißt nicht, wer von ihnen euch an Nutzen näher steht. Eine Verordnung von Allah – wahrlich, Allah ist allwissend, allweise.

13. Und ihr habt die Hälfte von dem, was eure Frauen hinterlassen, falls sie kein Kind haben; haben sie aber ein Kind, dann habt ihr ein Viertel von ihrer Erbschaft, nach allen etwa von ihnen gemachten Vermächtnissen oder Schulden. Und sie haben ein Viertel von eurer Erbschaft, falls ihr kein Kind habt; habt ihr aber ein Kind, dann hat sie ein Achtel von eurer Erbschaft, nach allen etwa von euch gemachten Vermächtnissen oder Schulden. Und wenn es sich um eine Person handelt – männlich oder weiblich –, deren Erbschaft geteilt werden soll, und sie hat weder Eltern noch Kinder, hat aber einen Bruder oder eine Schwester, dann haben diese je ein Sechstel. Sind aber mehr (Geschwister) vorhanden, dann sollen sie sich in ein Drittel teilen zu (gleichen) Teilen, nach allen etwa gemachten Vermächtnissen oder Schulden, ohne Beeinträchtigung – eine Vorschrift von Allah, und Allah ist allwissend, milde.

14. Dies sind die Schranken Allahs; und wer Allah und Seinem Gesandten gehorcht, den führt Er in Gärten ein, durch die Ströme fließen; darin sollen sie weilen; und das ist die große Glückseligkeit.

15. Und wer Allah und Seinem Gesandten Gehorsam versagt

und Seine Schranken übertritt, den führt Er ins Feuer; darin
muß er bleiben; und ihm wird schmähliche Strafe.

16. Und wenn welche von euren Frauen Unziemliches[26] begehen, dann ruft vier von euch als Zeugen gegen sie auf; bezeugen
sie es, dann schließet sie in die Häuser ein, bis der Tod sie ereilt
oder Allah ihnen einen Ausweg eröffnet.

17. Und wenn zwei Männer unter euch solches begehen, dann
bestrafet sie beide. Wenn sie dann bereuen und sich bessern, so
laßt sie für sich; wahrlich, Allah ist allverzeihend, barmherzig.

18. Allahs Vergebung ist nur für jene, die unwissentlich Böses
tun und bald darauf Reue zeigen. Solchen wendet Sich Allah erbarmend zu; und Allah ist allwissend, allweise.

19. Doch Vergebung ist nicht für jene, die so lange Böses tun,
bis zuletzt, wenn der Tod einem von ihnen naht, er spricht: »Ich
bereue nun«, noch für die, die als Ungläubige sterben. Ihnen
haben Wir schmerzliche Strafe bereitet.

20. O die ihr glaubt, es ist euch nicht erlaubt, Frauen gegen
[ihren] Willen zu beerben; noch sollt ihr sie widerrechtlich zurückhalten, um (ihnen) einen Teil von dem wegzunehmen, was
ihr ihnen gabt, es sei denn, sie hätten offenbare Schändlichkeit
begangen; und geht gütig mit ihnen um. Wenn ihr eine Abneigung gegen sie empfindet, wer weiß, vielleicht empfindet ihr
Abneigung gegen etwas, worein Allah aber viel Gutes gelegt
hat.

21. Und wenn ihr eine Frau gegen eine andere tauschen möchtet
und habt der einen bereits einen Schatz gegeben, so nehmt
nichts davon zurück. Möchtet ihr es etwa durch Lüge und offenbare Sünde zurücknehmen?

22. Und wie könnt ihr es nehmen, wo ihr eins miteinander geworden seid und sie (die Frauen) ein festes Versprechen von
euch abgenommen haben?

23. Und heiratet nicht solche Frauen, die eure Väter geheiratet
hatten, außer das sei bereits* geschehen. Es war schändlich,
zornerregend – ein übler Brauch!

24. Verboten sind euch eure Mütter und Töchter und eure
Schwestern, eures Vaters Schwestern und eurer Mutter Schwe-

_____

* D. h. vor diesem Verbot.

stern, die Brudertöchter und die Schwestertöchter, eure Nähr-
mütter, die euch gesäugt, und eure Milchschwestern, und die
Mütter eurer Frauen und eure Stieftöchter – die in eurem
Schutze sind – von euren Frauen, denen ihr schon beigewohnt;
doch wenn ihr ihnen noch nicht beigewohnt habt, dann soll's
euch keine Sünde sein. Ferner die Frauen eurer Sippe, die von
euren Lenden sind; auch daß ihr zwei Schwestern gleichzeitig
habt, außer das sei bereits geschehen; wahrlich, Allah ist allverzeihend, barmherzig.

25. Und (verboten sind euch) verheiratete Frauen, ausgenommen solche, die eure Rechte besitzt. Eine Verordnung Allahs
für euch. Und erlaubt sind euch alle anderen, daß ihr sie sucht
mit den Mitteln eures Vermögens, nur in richtiger Ehe und nicht
in Unzucht. Und für die Freuden, die ihr von ihnen empfanget,
gebt ihnen ihre Morgengabe, wie festgesetzt, und es soll keine
Sünde für euch liegen in irgend etwas, worüber ihr euch gegenseitig einigt nach der Festsetzung (der Morgengabe). Wahrlich,
Allah ist allwissend, allweise.

26. Und wer von euch es sich nicht leisten kann, freie, gläubige
Frauen zu heiraten: dann was eure Rechte besitzt, nämlich eure
gläubigen Kriegsgefangenen. Und Allah kennt euren Glauben
am besten. Die einen von euch sind von den andern; so heiratet
sie mit Erlaubnis ihrer Herren und gebt ihnen ihre Morgengabe
nach Billigkeit, wenn sie keusch sind, nicht Unzucht treiben
noch insgeheim Liebhaber nehmen. Und wenn sie, nachdem sie
verheiratet sind, der Geilheit schuldig werden, dann sollen sie
die Hälfte der Strafe erleiden, die für freie Frauen vorgeschrieben ist. Das gilt für den unter euch, der sich vor der Sünde fürchtet. Daß ihr euch aber zurückhaltet, ist besser für euch; und
Allah ist allverzeihend, barmherzig.

27. Allah will euch die Wege derer klarmachen, die vor euch
waren, und euch dahin leiten und Sich in Gnade zu euch kehren.
Und Allah ist allwissend, allweise.

28. Und Allah wünscht Sich in Gnade zu euch zu kehren, die
aber den niedern Gelüsten folgen, wünschen, daß ihr euch erniedrigt.

29. Allah will eure Bürde erleichtern, denn der Mensch ward
schwach erschaffen.

30. O die ihr glaubt, zehrt euren Besitz* nicht untereinander auf durch Falsches, es sei denn, daß ihr im Handel (verdient) mit gegenseitigem Einverständnis. Und tötet euch nicht selber. Siehe, Allah ist barmherzig gegen euch.

31. Und wer das in Frevelhaftigkeit und Ungerechtigkeit tut, den werden Wir ins Feuer stoßen; und das ist Allah ein leichtes.

32. Wenn ihr euch von den schwereren unter den euch verbotenen Dingen fernhaltet, dann werden Wir eure geringeren Übel von euch hinwegnehmen und euch an einen ehrenvollen Platz führen.

33. Und begehrt nicht das, womit Allah die einen von euch vor den andern ausgezeichnet hat. Die Männer sollen ihren Anteil erhalten nach ihrem Verdienst, und die Frauen sollen ihren Anteil erhalten nach ihrem Verdienst. Und bittet Allah um Seine Huld. Wahrlich, Allah hat vollkommene Kenntnis von allen Dingen.

34. Und einem jeden haben Wir Erben bestimmt für das, was Eltern und Verwandte hinterlassen und jene, mit denen eure Eide einen Bund bekräftigt haben.** So gebt ihnen denn ihr Teil. Siehe, Allah hat aller Dinge acht.

35. Die Männer sind die Verantwortlichen über die Frauen, weil Allah die einen vor den andern ausgezeichnet hat und weil sie von ihrem Vermögen hingeben. Darum sind tugendhafte Frauen die Gehorsamen und die (ihrer Gatten) Geheimnisse mit Allahs Hilfe wahren. Und jene, von denen ihr Widerspenstigkeit[27] befürchtet, ermahnt sie, laßt sie allein in den Betten und straft sie. Wenn sie euch dann gehorchen, so sucht keine Ausrede gegen sie; Allah ist hoch erhaben, groß.

36. Und befürchtet ihr ein Zerwürfnis zwischen ihnen***, dann bestimmt einen Schiedsrichter aus seiner Sippe und einen Schiedsrichter aus ihrer Sippe. Wenn diese dann Aussöhnung herbeiführen wollen, so wird Allah zwischen ihnen (den Eheleuten) vergleichen. Siehe, Allah ist allwissend, allkundig.

37. Verehrt Allah und setzet Ihm nichts zur Seite, und (erwei-

---

   * D. h. den Besitz anderer.
  ** Das sind die Gatten und Gattinnen.
 *** Den Ehepartnern.

set) Güte den Eltern, den Verwandten, den Waisen und den Bedürftigen, dem Nachbarn, der ein Anverwandter, und dem Nachbarn, der ein Fremder ist, dem Gefährten an eurer Seite und dem Wanderer und denen, die eure Rechte besitzt. Wahrlich, Allah liebt nicht die Stolzen, die Prahler;

38. Die da geizig sind und die Menschen zum Geiz verleiten, und verhehlen, was Allah ihnen von Seiner Huld gewährt hat. Und Wir haben den Ungläubigen schmähliche Strafe bereitet;

39. Und jenen, die ihr Gut spenden den Leuten zur Schau, und nicht an Allah und an den Jüngsten Tag glauben. Und wer Satan zum Gefährten hat – welch ein übler Gefährte ist er!

40. Und was würde ihnen (Böses) widerfahren sein, hätten sie an Allah und an den Jüngsten Tag geglaubt und von dem gespendet, was Allah ihnen gegeben? Und Allah kennt sie wohl.

41. Wahrlich, Allah, Er tut nicht Unrecht auch nur für eines Stäubchens Gewicht. Und ist da irgendeine gute Tat, so verdoppelt Er sie viele Male und gibt von Sich aus großen Lohn.

42. Und wie (wird es ihnen ergehen), wenn Wir aus jedem Volk einen Zeugen herbeibringen und dich als Zeugen herbeibringen wider diese?

43. An jenem Tage werden die, welche ungläubig waren und dem Gesandten den Gehorsam versagten, wünschen, daß doch die Erde über ihnen geebnet würde, und sie werden nichts vor Allah verbergen können.

44. O die ihr glaubt, nahet nicht dem Gebet, wenn ihr nicht bei Sinnen seid, bis ihr versteht, was ihr sprecht, noch im Zustande der Unreinheit[28] – ausgenommen als Reisende unterwegs –, bis ihr gebadet habt. Und wenn ihr krank seid oder auf einer Reise (im Zustande der Unreinheit), oder einer von euch kommt vom Abtritt und wenn ihr Frauen berührt habt und findet kein Wasser, dann nehmt reinen Sand und reibt euch damit Gesicht und Hände. Wahrlich, Allah ist nachsichtig, allverzeihend.

45. Weißt du nicht von jenen, denen ein Teil der Schrift gegeben wurde? Sie erkaufen Irrtum und wünschen, daß (auch) ihr vom Wege abirrt.

46. Und Allah kennt eure Feinde besser. Allah genügt als Freund, und Allah genügt als Helfer.

47. Es gibt welche unter den Juden, die Worte aus ihren Stellun-

gen verdrehen und sagen: »Wir hören und wir gehorchen nicht«, und »Höre, ohne gehört zu werden«, und »Sei uns nachsichtig«*, indem sie mit ihren Zungen lügen und den Glauben verlästern. Und hätten sie gesagt: »Wir hören und wir gehorchen«, und »Höre«, und »Schaue gnädig auf uns«*, es wäre besser für sie gewesen und aufrechter. Doch Allah hat sie von Sich gewiesen um ihres Unglaubens willen; also glauben sie nur wenig.

48. O ihr, denen die Schrift gegeben wurde, glaubet an das, was Wir herabsandten, bestätigend das, was (schon) bei euch ist, bevor Wir einige der Führer vernichten und sie umlegen auf ihre Rücken oder sie verfluchen, wie Wir die Sabbatleute verfluchten. Und Allahs Befehl wird vollzogen werden.

49. Wahrlich, Allah wird es nicht vergeben, daß Ihm Götter zur Seite gestellt werden; doch vergibt Er das, was geringer ist als dies, wem Er will. Und wer Allah Götter zur Seite stellt, der hat wahrhaftig eine gewaltige Sünde ersonnen.

50. Weißt du nicht von denen, die sich selber reinsprechen? Nein, Allah ist es, Der reinspricht, wen Er will, und kein Quentchen Unrecht sollen sie leiden.

51. Schau, wie sie Lüge wider Allah erdichten. Und das allein ist genug als offenkundige Sünde.

52. Weißt du nicht von denen, denen ein Teil der Schrift gegeben wurde? Sie glauben an Nutzloses und an die Frevler, und sie sprechen von den Ungläubigen: »Sie sind in der Lehre besser geleitet als die Gläubigen.«

53. Diese sind es, die Allah von Sich gewiesen hat; und wen Allah von Sich weist, keinen Helfer wirst du ihm finden.

54. Haben sie einen Anteil an der Herrschaft? Dann würden sie den Menschen nicht einmal so viel wie die Rille am Dattelkern abgeben.

55. Oder beneiden sie die Menschen um das, was Allah ihnen aus Seiner Huld geschenkt hat? Nun wohl, Wir gaben den Kindern Abrahams das Buch und die Weisheit, und Wir gaben ihnen ein mächtiges Reich.

56. Und einige von ihnen glaubten daran, andere aber wandten

---

* Vgl. Anmerkung 8.

sich davon ab. Und die Hölle ist stark genug als ein Flammenfeuer.

57. Die Unseren Zeichen Glauben versagen, die werden Wir bald ins Feuer stoßen. Sooft ihre Haut verbrannt ist, geben Wir ihnen eine andere Haut, damit sie die Strafe auskosten. Wahrlich, Allah ist allmächtig, allweise.

58. Die aber glauben und gute Werke tun, die wollen Wir in Gärten führen, durch die Ströme fließen, darin sie ewig weilen und immerdar; dort sollen sie reine Gefährten und Gefährtinnen haben, und Wir gewähren ihnen Zutritt zu einem (Ort) wohltätigen und reichlichen Schattens.

59. Allah gebietet euch, daß ihr die Treuhandschaft jenen übergebt, die ihrer würdig sind; und wenn ihr zwischen Menschen richtet, daß ihr richtet nach Gerechtigkeit. Fürwahr, herrlich ist, wozu Allah euch ermahnt. Allah ist allhörend, allsehend.

60. O die ihr glaubt, gehorchet Allah und gehorchet dem Gesandten und denen, die Befehlsgewalt unter euch haben. Und wenn ihr in etwas uneins seid, so bringet es vor Allah und den Gesandten, so ihr an Allah glaubt und an den Jüngsten Tag. Das ist das Beste und am Ende auch das Empfehlenswerteste.

61. Weißt du nicht von denen, die vorgeben zu glauben, was zu dir hinabgesandt worden und was vor dir hinabgesandt worden ist? Sie wollen den Rechtsspruch bei den Frevlern suchen, wiewohl ihnen befohlen ward, nicht auf jene zu hören; denn Satan will sie in die weite Irre führen.

62. Und wenn ihnen gesagt wird: »Kommt her zu dem, was Allah herabgesandt hat, und zu dem Gesandten«, siehst du die Heuchler sich in Widerwillen von dir abwenden.

63. Nun aber, wenn ein Unheil sie trifft für ihre Taten, kommen sie zu dir, schwörend bei Allah: »Wir wollten ja nur Gutes und Versöhnliches.«

64. Diese sind es, von denen Allah wohl weiß, was in ihren Herzen ist. So wende dich ab von ihnen und ermahne sie und sprich ein eindringliches Wort zu ihnen über sie selbst.

65. Und Wir entsandten nur darum einen Gesandten, daß ihm gehorcht würde nach Allahs Gebot. Und wären sie zu dir gekommen, nachdem sie sich versündigt, und hätten Allahs Ver-

zeihung erfleht und hätte der Gesandte (auch) für sie um Verzeihung gebeten, sie hätten gewiß Allah mitleidsvoll vergebend, barmherzig gefunden.

66. Aber nein, bei deinem Herrn, sie sind nicht eher Gläubige, als bis sie dich zum Richter über alles machen, was zwischen ihnen strittig ist, und dann in ihren Herzen kein Bedenken finden gegen deinen Entscheid, und sich in Ergebung fügen.

67. Und hätten Wir ihnen befohlen: »Tötet euch selbst oder verlasset eure Häuser«, sie würden es nicht getan haben, ausgenommen einige wenige von ihnen; hätten sie aber das getan, wozu sie aufgefordert wurden, es wäre wahrlich besser für sie gewesen und stärkender.

68. Und dann hätten Wir ihnen gewiß einen großen Lohn von Uns aus gegeben;

69. Und Wir hätten sie sicher geleitet auf den geraden Weg.

70. Wer Allah und dem Gesandten gehorcht, soll unter denen sein, denen Allah Seine Huld gewährt hat, nämlich unter den Propheten, den Wahrhaftigen, den Blutzeugen und den Gerechten; und das sind die besten Gefährten.

71. Solche Gnade ist von Allah, und Allah weiß zur Genüge.

72. O die ihr glaubt, seid auf eurer Hut, dann zieht entweder truppweise aus oder alle zusammen.

73. Unter euch ist wohl mancher, der zurückbleibt, und wenn euch ein Unglück trifft, sagt er: »Wahrlich, Allah ist gnädig zu mir gewesen, daß ich nicht bei ihnen zugegen war.«

74. Begegnet euch aber ein Glück von Allah, dann sagt er, als wäre keine Freundschaft zwischen euch und ihm: »Wäre ich doch bei ihnen gewesen, dann hätte ich einen großen Erfolg errungen!«

75. Laßt also solche für Allahs Sache kämpfen, die das irdische Leben hinzugeben gewillt sind für das zukünftige. Und wer für Allahs Sache ficht, ob er fällt oder siegt, Wir werden ihm bald großen Lohn gewähren.

76. Und was ist euch, daß ihr nicht kämpfet für Allahs Sache und für die der Schwachen – Männer, Frauen und Kinder –, die sprechen: »Unser Herr, führe uns heraus aus dieser Stadt, deren Bewohner Bedrücker sind, und gib uns von Dir einen Beschützer, und gib uns von Dir einen Helfer«?

77. Die da glauben, kämpfen für Allahs Sache, und die nicht glauben, kämpfen für die Sache des Bösen. Kämpft darum wider die Freunde Satans! Denn gewiß, Satans Feldherrnkunst ist schwach.

78. Hast du nicht Kunde von denen, welchen gesagt wurde: »Zügelt eure Hände, verrichtet das Gebet und zahlet die Zakāt«? Doch wenn ihnen Kampf verordnet wurde, da fürchtete ein Teil von ihnen die Menschen, wie die Furcht vor Allah oder mit noch größerer Furcht; und sie sagten: »Unser Herr, warum hast Du uns Kampf verordnet? Möchtest Du uns nicht noch eine Weile Aufschub gewähren?« Sprich: »Der Vorteil dieser Welt ist gering, und das Jenseits wird besser sein für den Gottesfürchtigen; und kein Quentchen Unrecht sollt ihr erleiden.«

79. Wo ihr auch sein mögt, der Tod ereilt euch doch, und wäret ihr in hohen Burgen. Und wenn ihnen Gutes begegnet, sagen sie: »Das ist von Allah«; und wenn ihnen Schlimmes begegnet, sagen sie: »Das ist von dir.« Sprich: »Alles ist von Allah.« Was ist diesem Volk widerfahren, daß sie so weit davon sind, etwas zu begreifen?

80. Was dich Gutes trifft, kommt von Allah, und was dich Schlimmes trifft, kommt von dir selbst. Und Wir haben dich als einen Gesandten zu den Menschen entsandt. Und Allah genügt als Zeuge.

81. Wer dem Gesandten gehorcht, der gehorcht in der Tat Allah; und wer sich abkehrt – wohlan. Wir haben dich nicht gesandt zum Hüter über sie.

82. Und sie sagen: »Gehorsam (ist unser Leitsatz)«; doch wenn sie von dir gehen, dann ersinnt ein Teil von ihnen Anschläge gegen das, was du gesagt. Allah aber zeichnet alles auf, was sie an Anschlägen ersinnen. So wende dich von ihnen ab und vertraue auf Allah. Und Allah genügt als Vertrauensperson.

83. Wollen sie denn nicht über den Koran nachsinnen? Wäre er von einem andern als Allah, sie würden gewiß manchen Widerspruch darin finden.

84. Und wenn etwas von Frieden oder Furcht zu ihnen dringt, verbreiten sie es; hätten sie es aber vor den Gesandten und vor jene gebracht, die unter ihnen Befehlsgewalt haben, dann wür-

den sicherlich die unter ihnen, die es entschleiern können, es verstanden haben. Und wäre nicht Allahs Gnade über euch und Seine Barmherzigkeit, ihr wäret alle dem Satan gefolgt, bis auf einige wenige.

85. Kämpfe darum für Allahs Sache – du wirst für keinen verantwortlich gemacht als für dich selbst – und sporne die Gläubigen an. Vielleicht wird Allah den Krieg der Ungläubigen aufhalten; und Allah ist stärker im Krieg und strenger im Strafen.

86. Wer in gerechter Sache Fürsprache einlegt, dem soll ein Anteil daran werden, und wer in ungerechter Sache Fürsprache einlegt, dem soll ein gleicher Anteil daran werden; und Allah ist mächtig über alle Dinge.

87. Und wenn ihr mit einem Glückwunsch gegrüßt werdet, so grüßet mit einem schöneren wieder oder gebt ihn (wenigstens) zurück. Siehe, Allah führt Rechenschaft über alle Dinge.

88. Allah – niemand ist anbetungswürdig außer Ihm. Er wird euch weiter versammeln bis zum Tage der Auferstehung, über den kein Zweifel ist. Und wer ist wahrhafter in der Rede als Allah?

89. Was ist denn euch widerfahren, daß ihr in zwei Parteien gespalten seid gegenüber den Heuchlern? Und Allah hat sie verstoßen um dessentwillen, was sie begangen. Wolltet ihr einem den Weg weisen, den Allah ins Verderben hat gehen lassen? Und wen Allah ins Verderben gehen läßt, für den findest du keinen Weg.

90. Sie[29] wünschen, daß ihr ungläubig werdet, wie sie ungläubig sind, so daß ihr alle gleich seiet. Nehmet euch daher keinen von ihnen zum Freund, ehe sie nicht auswandern auf Allahs Weg. Und wenn sie sich abkehren, dann ergreifet sie und tötet sie[30], wo immer ihr sie auffindet; und nehmet euch keinen von ihnen zum Freunde oder zum Helfer;

91. Außer denen, die Verbindung haben mit einem Volke, mit dem ihr ein Bündnis habt, und die zu euch kommen, weil ihre Herzen davor zurückschrecken, wider euch oder wider ihr eigenes Volk zu kämpfen. Und wenn Allah es wollte, Er hätte ihnen Macht über euch geben können, dann hätten sie sicherlich wider euch gekämpft. Darum, wenn sie sich von euch fernhalten und

nicht wider euch kämpfen, sondern euch Frieden bieten: dann hat Allah euch keinen Weg gegen sie erlaubt.

92. Ihr werdet noch andere[31] finden, die wünschen, in Frieden mit euch und in Frieden mit ihrem eigenen Volk zu sein. Sooft sie wieder zur Feindseligkeit verleitet werden, stürzen sie kopfüber hinein. Wenn sie sich also nicht von euch fernhalten noch euch Frieden bieten noch ihre Hände zügeln, dann ergreifet sie und tötet sie, wo immer ihr sie auffindet. Denn gegen diese haben Wir euch volle Gewalt gegeben.

93. Keinem Gläubigen steht es zu, einen anderen Gläubigen zu töten, es sei denn aus Versehen. Und wer einen Gläubigen aus Versehen tötet: dann die Befreiung eines gläubigen Sklaven und Blutgeld an seine Erben, es sei denn, sie erlassen es aus Mildtätigkeit. War er (der Getötete) aber von einem Volk, das euch feind ist, und ist er (der Totschläger) gläubig: dann die Befreiung eines gläubigen Sklaven; war er aber von einem Volk, mit dem ihr ein Bündnis habt: dann das Blutgeld an seine Erben und die Befreiung eines gläubigen Sklaven. Wer [das] nicht kann: dann zwei Monate hintereinander fasten – eine Barmherzigkeit von Allah. Und Allah ist allwissend, allweise.

94. Und wer einen Gläubigen vorsätzlich tötet, dessen Lohn ist die Hölle, worin er bleiben soll. Allah wird ihm zürnen und ihn von Sich weisen und ihm schwere Strafe bereiten.

95. O die ihr glaubt, wenn ihr auszieht auf Allahs Weg, so stellt erst gehörig Nachforschung an und sagt nicht zu jedem, der euch den Friedensgruß bietet: »Du bist kein Gläubiger.« Ihr trachtet nach den Gütern des irdischen Lebens, doch bei Allah ist des Guten Fülle. Also waret ihr einst, dann aber hat Allah Seine Huld über euch ergossen; darum stellt erst gehörig Nachforschung an. Siehe, Allah ist eures Tuns wohl kundig.

96. Die unter den Gläubigen, die stillsitzen – ausgenommen die Gebrechlichen –, und die, welche für Allahs Sache ihr Gut und Blut einsetzen im Streit, sie sind nicht gleich. Allah hat die mit ihrem Gut und Blut Streitenden im Range erhöht über die Stillsitzenden. Einem jeden aber hat Allah Gutes verheißen; doch die Gottesstreiter hat Er vor den Stillsitzenden ausgezeichnet durch einen großen Lohn –

97. Rangstufen von Ihm und Vergebung und Barmherzigkeit; denn Allah ist allvergebend, barmherzig.

98. Zu jenen, die – Unrecht gegen sich selbst tuend[32] – von Engeln dahingerafft werden, werden diese sprechen: »Wonach strebtet ihr?« Sie werden antworten: »Wir wurden als Schwache im Lande behandelt.« Da sprechen jene: »War Allahs Erde nicht weit genug für euch, daß ihr darin hättet auswandern können?« Sie sind es, deren Aufenthalt die Hölle sein wird, und übel ist die Bestimmung;

99. Ausgenommen nur die Schwachen unter den Männern, Frauen und Kindern, die außerstande sind, einen Plan zu fassen oder einen Weg zu finden.

100. Diese sind es, denen Allah bald vergeben wird; denn Allah ist allvergebend, allverzeihend.

101. Wer für die Sache Allahs auswandert, der wird auf Erden genug Stätten der Zuflucht und der Fülle finden. Und wer sein Haus verläßt und auswandert auf Allahs und Seines Gesandten Weg und dabei vom Tode ereilt wird, dessen Lohn obliegt sodann Allah, und Allah ist allverzeihend, barmherzig.

102. Und wenn ihr durch das Land zieht, dann soll es keine Sünde für euch sein, wenn ihr das Gebet verkürzt, so ihr fürchtet, die Ungläubigen würden euch bedrängen. Wahrlich, die Ungläubigen sind euch ein offenkundiger Feind.

103. Und wenn du unter ihnen bist und für sie das Gebet anführst, soll ein Teil von ihnen bei dir stehen, doch sollen sie ihre Waffen aufnehmen. Und wenn sie ihre Niederwerfungen vollführt haben, so sollen sie hinter euch treten, und eine andere Abteilung, die noch nicht gebetet hat, soll vortreten und mit dir beten; doch sollen sie auf ihrer Hut sein und ihre Waffen bei sich haben. Die Ungläubigen sähen es gerne, daß ihr eure Waffen und euer Gepäck außer acht ließet, so daß sie euch plötzlich überfallen könnten. Und es soll keine Sünde für euch sein, wenn ihr, falls ihr durch Regen leidet oder krank seid, eure Waffen ablegt. Seid jedoch (immer) auf eurer Hut. Wahrlich, Allah hat für die Ungläubigen schmähliche Strafe bereitet.

104. Und wenn ihr das Gebet beendet habt, dann gedenket Allahs im Stehen, Sitzen und wenn ihr auf eurer Seite liegt. Und wenn ihr in Sicherheit seid, dann verrichtet das Gebet (in der

vorgeschriebenen Form); denn das Gebet zu bestimmten Zeiten ist den Gläubigen eine Pflicht.

105. Und höret nicht auf, solches Volk zu suchen. Leidet ihr, so leiden sie gerade so, wie ihr leidet. Doch ihr erhoffet von Allah, was sie nicht hoffen. Und Allah ist allwissend, allweise.

106. Wir haben das Buch mit der Wahrheit zu dir niedergesandt, auf daß du zwischen den Menschen richten mögest, wie Allah es dir gezeigt hat. Sei also nicht Verfechter der Treulosen;

107. Und bitte Allah um Verzeihung. Wahrlich, Allah ist allverzeihend, barmherzig.

108. Und verteidige nicht diejenigen, die sich selbst betrügen. Wahrlich, Allah liebt keinen, der ein Betrüger, ein großer Sünder ist.

109. Sie möchten sich vor den Menschen verbergen, doch vor Allah können sie sich nicht verborgen halten; und Er ist bei ihnen, wenn sie nächtens Ränke schmieden für Dinge, die Er nicht billigt. Und Allah wird ihr Tun vereiteln.

110. Seht, ihr habt sie verteidigt in diesem Leben. Wer aber wird sie vor Allah verteidigen am Tage der Auferstehung, oder wer wird ihnen ein Beschützer sein?

111. Wer Böses tut oder sich wider seine Seele versündigt und dann bei Allah Vergebung sucht, der wird Allah allvergebend, barmherzig finden.

112. Und wer eine Sünde begeht, der begeht sie nur gegen seine eigene Seele. Und Allah ist allwissend, allweise.

113. Und wer einen Fehler oder eine Sünde begeht und sie dann einem Unschuldigen zur Last legt, der trägt eine Verleumdung und offenbare Sünde.

114. Und wäre nicht Allahs Gnade gegen dich und Seine Barmherzigkeit, ein Teil von ihnen hätte beschlossen, dich ins Verderben zu stürzen. Doch nur sich selbst stürzen sie ins Verderben, und dir können sie keinerlei Schaden tun. Allah hat das Buch und die Weisheit zu dir niedergesandt und dich gelehrt, was du nicht wußtest, und groß ist Allahs Gnade über dir.

115. Nichts Gutes ist in den meisten ihrer geheimen Besprechungen, es seien denn (Besprechungen) von solchen, die zur Mildtätigkeit oder zur Güte oder zum Friedenstiften unter den Menschen ermahnen. Und wer das tut im Trachten nach Allahs

Wohlgefallen, dem werden Wir bald einen großen Lohn gewähren.

116. Jener aber, der sich dem Gesandten widersetzt, nachdem ihm der rechte Weg klargeworden, und einen andern Weg befolgt als den der Gläubigen, den werden Wir verfolgen lassen, was er verfolgt, und werden ihn in die Hölle stürzen; und schlimm ist die Bestimmung.

117. Allah wird es nicht vergeben, daß Ihm Götter zur Seite gestellt werden; doch vergibt Er das, was geringer ist als dies, wem Er will. Und wer Allah Götter zur Seite stellt, der ist fürwahr weit irregegangen.

118. Sie rufen neben Ihm nur Lebloses an, und sie rufen nur Satan an, den Empörer,

119. Den Allah von Sich gewiesen hat und der gesagt hatte: »Ich will wahrlich von Deinen Dienern einen bestimmten Teil nehmen;

120. Wahrlich, ich will sie irreleiten; wahrlich, ich will eitle Wünsche in ihnen erregen; wahrlich, ich will sie aufreizen, und sie werden dem Vieh die Ohren abschneiden; wahrlich, ich will sie aufreizen, und sie werden Allahs Schöpfung verunstalten.« Und wer sich Satan zum Freund nimmt statt Allah, der hat sicherlich einen offenkundigen Verlust erlitten.

121. Er gaukelt ihnen Versprechungen vor und erregt eitle Begierden in ihnen, und was Satan ihnen verspricht, ist eitel Trug.

122. Ihr Aufenthalt wird die Hölle sein; und sie werden keinen Ausweg daraus finden.

123. Die aber glauben und gute Werke tun, die wollen Wir in Gärten führen, durch welche Ströme fließen; darin sollen sie weilen auf ewig und immerdar. (Das ist) Allahs wahrhaftige Verheißung; und wer ist wahrhaftiger in der Rede als Allah?

124. Es wird nicht gehen nach euren Wünschen noch nach den Wünschen des Volkes der Schrift.* Wer Böses tut, dem wird es vergolten werden; und er wird für sich weder Freund noch Helfer finden außer Allah.

125. Wer aber gute Werke tut, sei es Mann oder Weib, und gläubig ist: sie sollen in den Himmel gelangen, und sie sollen auch

---

* Die Bibel.

nicht so viel Unrecht erleiden wie die kleine Rille auf der Rückseite eines Dattelkerns.

126. Und wer hat einen schöneren Glauben als jener, der sich Allah ergibt, der Gutes wirkt und der dem Bekenntnis Abrahams, des Aufrechten im Glauben, folgt? Und Allah nahm Sich Abraham besonders zum Freund.

127. Allahs ist alles, was in den Himmeln und was auf Erden ist: und Allah umfaßt alle Dinge.

128. Und sie fragen dich um Belehrung über die Frauen.* Sprich: »Allah hat euch Belehrung über sie gegeben. Und das, was euch in dem Buch vorgetragen wird, betrifft die Waisenmädchen, denen ihr nicht gebt, was für sie vorgeschrieben ist, und die ihr doch zu heiraten wünscht, und die Schwachen** unter den Kindern – und daß ihr Billigkeit gegen die Waisen übt. Und was ihr Gutes tut, fürwahr, Allah weiß es wohl.«

129. Und wenn eine Frau von ihrem Ehemann rohe Behandlung oder Gleichgültigkeit befürchtet, so soll es keine Sünde für sie beide sein, wenn sie sich auf geziemende Art miteinander versöhnen; denn Versöhnung ist das Beste. Die Menschen sind der Gier zugänglich. Tut ihr jedoch Gutes und seid gottesfürchtig, dann ist Allah kundig eures Tuns.

130. Und ihr könnt kein Gleichgewicht zwischen (euren) Frauen halten, sosehr ihr es auch wünschen möget. Aber neigt euch nicht gänzlich (einer) zu, also daß ihr die andere gleichsam in der Schwebe lasset. Und wenn ihr es wiedergutmacht und recht handelt, dann ist Allah allverzeihend, barmherzig.

131. Und wenn sie sich trennen, so wird Allah beide aus Seiner Fülle unabhängig machen; denn Allah ist huldreich, allweise.

132. Allahs ist, was in den Himmeln und was auf Erden ist. Und Wir haben jenen, denen vor euch die Schrift gegeben wurde, und euch selbst auf die Seele gebunden, Allah zu fürchten. Wenn ihr jedoch ablehnt, dann ist Allahs, was in den Himmeln und was auf Erden ist; und Allah ist Sich Selbst genügend, preiswürdig.

---

* Betrifft Polygamie. Vgl. 4: 4.
** Die Waisenmädchen.

133. Allahs ist, was in den Himmeln und was auf Erden ist, und
Allah genügt als Beschützer.

134. Wenn Er will, so kann Er euch fortnehmen, ihr Menschen,
und andere bringen; und Allah hat volle Macht, das zu tun.

135. Wer den Lohn dieser Welt begehrt – bei Allah ist der Lohn
dieser Welt und im Jenseits; und Allah ist allhörend, allsehend.

136. O die ihr glaubt, seid fest in Wahrung der Gerechtigkeit
und Zeugen für Allah, mag es auch gegen euch selbst oder gegen
Eltern und Verwandte sein. Ob Reicher oder Armer, Allah hat
über beide mehr Rechte. Darum folget nicht niedern Begierden, damit ihr billig handeln könnt. Und wenn ihr (die Wahrheit) verhehlet oder (ihr) ausweichet, dann ist Allah wohl kundig eures Tuns.

137. O ihr Gläubigen, glaubet an Allah und Seinen Gesandten
und an das Buch, das Er Seinem Gesandten herabgesandt hat,
und an die Schrift, die Er zuvor herabsandte. Und wer nicht an
Allah und Seine Engel und Seine Bücher und seine Gesandten
und an den Jüngsten Tag glaubt, der ist wahrlich weit irregegangen.

138. Die aber glaubten und hernach ungläubig wurden, dann
(wieder) glaubten, dann abermals ungläubig wurden und noch
zunahmen im Unglauben, denen wird Allah nimmermehr vergeben noch sie des Weges leiten.

139. Verkündige den Heuchlern, daß ihnen schmerzliche Strafe
wird;

140. Jenen, die sich Ungläubige zu Freunden nehmen vor den
Gläubigen.* Suchen sie etwa Ehre bei ihnen? Dann, wahrlich,
gehört alle Ehre Allah allein.

141. Und Er hat euch schon in dem Buch offenbart: wenn ihr
hört, daß die Zeichen Allahs geleugnet und verspottet werden,
dann sitzet nicht bei ihnen (den Spöttern), bis sie zu einem anderen Gespräch übergehen; ihr wäret sonst wie sie. Wahrlich,
Allah wird die Heuchler und die Ungläubigen allzumal in der
Hölle versammeln;

142. Die (auf Nachrichten) über euch harren. Wenn euch ein
Sieg von Allah beschieden wird, sagen sie: »Waren wir nicht mit

---

* Vgl. 5: 58, 59 und 60: 9, 10.

euch?« Haben aber die Ungläubigen Erfolg, sagen sie: »Haben wir nicht Überhand bekommen über euch und euch vor den Gläubigen beschützt?« Also wird Allah richten zwischen euch am Tage der Auferstehung; und Allah wird niemals die Ungläubigen obsiegen lassen über die Gläubigen.

143. Die Heuchler suchen Allah zu täuschen, doch Er wird sie strafen für ihren Betrug. Und wenn sie sich zum Gebet hinstellen, dann stehen sie nachlässig da, zeigen sich den Leuten, und sie gedenken Allahs nur wenig;

144. Hin und her schwankend zwischen (dem und) jenem, weder zu diesen noch zu jenen gehörend. Und wen Allah ins Verderben gehen läßt, für den wirst du nimmermehr einen Weg finden.

145. O die ihr glaubt, nehmt euch keine Ungläubigen zu Freunden vor den Gläubigen. Wollt ihr wohl Allah einen offenkundigen Beweis gegen euch selbst geben?*

146. Die Heuchler werden sonder Zweifel im tiefsten Feuersgrund sein; und keinen Helfer wirst du für sie finden,

147. Außer jenen, die bereuen und sich bessern und festhalten an Allah und in ihrem Gehorsam gegen Allah aufrichtig sind. Also gehören sie zu den Gläubigen. Und Allah wird bald den Gläubigen einen großen Lohn gewähren.

148. Warum sollte Allah euch strafen, wenn ihr dankbar seid und glaubt? Und Allah ist anerkennend, allwissend.

149. Nicht liebt Allah öffentliche Rede vom Unziemlichen, es sei denn, wenn einem Unrecht geschieht; wahrlich, Allah ist allhörend, allwissend.

150. Ob ihr eine gute Tat kundtut oder sie verbergt oder ob ihr eine böse Tat vergebt, Allah ist wahrlich Tilger der Sünden, allmächtig.

151. Die an Allah und Seine Gesandten nicht glauben und einen Unterschied machen möchten zwischen Allah und Seinen Gesandten und sagen: »Wir glauben an die einen und verwerfen die anderen«, und einen Weg zwischendurch einschlagen möchten:

152. Sie sind die wahren Ungläubigen, und den Ungläubigen haben Wir schmähliche Strafe bereitet.

---

* Vgl. 5: 58, 59 und 60: 9, 10.

153. Die aber an Allah glauben und an Seine Gesandten und zwischen keinem von ihnen einen Unterschied machen, sie sind es, denen Er bald ihren Lohn geben wird, und Allah ist allvergebend, barmherzig.

154. Das Volk der Schrift* verlangt von dir, daß du ein Buch vom Himmel zu ihnen herabgelangen lassest. Aber von Moses forderten sie etwas Größeres als dies, da sie sagten: »Zeig uns Allah offensichtlich!« Da ereilte sie vernichtende Strafe ob ihres Frevels. Dann nahmen sie sich das Kalb, nachdem ihnen doch deutliche Zeichen zuteil geworden waren, aber Wir vergaben sogar das. Und Wir verliehen Moses offenbare Gewalt.

155. Und Wir erhoben anläßlich des Bundes mit ihnen den Berg hoch über sie und sprachen zu ihnen: »Tretet ein durch das Tor in Unterwürfigkeit«; und Wir sprachen zu ihnen: »Übertretet nicht das Sabbatgebot.« Und Wir schlossen einen festen Bund mit ihnen.

156. Weil sie dann ihren Bund brachen und die Zeichen Allahs verleugneten und die Propheten widerrechtlich zu töten suchten und sagten: »Unsere Herzen sind in Hüllen gewickelt« – nein, aber Allah hat sie versiegelt ihres Unglaubens willen, so daß sie nur wenig glauben –,

157. Und ihres Unglaubens willen und wegen ihrer Rede – einer schweren Verleumdung gegen Maria;

158. Und wegen ihrer Rede: »Wir haben den Messias, Jesus, den Sohn der Maria, den ›Gesandten‹ Allahs, getötet«; während sie ihn doch weder erschlugen noch den Kreuzestod erleiden ließen, sondern er erschien ihnen nur gleich (einem Gekreuzigten); und jene, die in dieser Sache uneins sind, sind wahrlich im Zweifel darüber; sie haben keine (bestimmte) Kunde davon, sondern folgen bloß einer Vermutung; und sie haben darüber keine Gewißheit.

159. Vielmehr hat ihm Allah einen Ehrenplatz bei Sich eingeräumt, und Allah ist allmächtig, allweise.

160. Es ist keiner unter dem Volk der Schrift, der nicht vor seinem Tod daran** glauben wird; und am Tage der Auferstehung wird er (Jesus) ein Zeuge wider sie sein.

---

* Die Juden.
** An den Kreuzestod.

161. Deshalb, wegen der Sünde der Juden, haben Wir ihnen reine Dinge verboten, die ihnen erlaubt waren, wie auch, weil sie viele abtrünnig machten von Allahs Weg,

162. Und weil sie Zins nahmen, obgleich es ihnen untersagt war, und weil sie das Gut der Leute widerrechtlich aufzehrten. Wir haben den Ungläubigen unter ihnen eine schmerzliche Strafe bereitet.

163. Die unter ihnen aber, die fest gegründet im Wissen sind, und die Gläubigen, die da an das glauben, was zu dir hinabgesandt ward und was vor dir hinabgesandt worden, und (vor allem) die, die das Gebet verrichten und die Zakāt zahlen und an Allah glauben und an den Jüngsten Tag – ihnen allen werden Wir gewiß einen großen Lohn gewähren.

164. Wahrlich, Wir sandten dir Offenbarung, wie Wir Noah Offenbarung sandten und den Propheten nach ihm; und Wir sandten Offenbarung Abraham und Ismael und Isaak und Jakob und (seinen) Kindern und Jesus und Hiob und Jonas und Aaron und Salomo, und Wir gaben David ein Buch.

165. Es sind Gesandte, von denen Wir dir bereits berichtet haben, und (andere) Gesandte, von denen Wir dir nicht berichtet haben – und Allah richtete an Moses eine Rede –,

166. Gesandte, Bringer froher Botschaften und Warner, so daß die Menschen keinen Klagegrund gegen Allah haben nach den Gesandten. Und Allah ist allmächtig, allweise.

167. Doch Allah bezeugt durch das, was Er zu dir hinabgesandt hat, daß Er es mit Seinem Wissen sandte; auch die Engel bezeugen es; und Allah genügt als Zeuge.

168. Die aber ungläubig sind und abwendig machen von Allahs Weg, die sind fürwahr weit in die Irre gegangen.

169. Die ungläubig sind und Unrecht verübt haben, ihnen wird Allah nicht vergeben noch sie des Weges leiten,

170. Es sei denn des Weges zur Hölle, darinnen sie lange, lange bleiben sollen. Und das ist Allah ein leichtes.

171. O ihr Menschen, gekommen ist zu euch allbereits der Gesandte mit der Wahrheit von eurem Herrn; glaubet darum, das ist euch zum Guten. Seid ihr aber ungläubig, dann ist Allahs,

was in den Himmeln und was auf Erden ist; und Allah ist allwissend, allweise.

172. O Volk der Schrift*, übertreibt nicht in eurem Glauben und saget von Allah nichts als die Wahrheit. Der Messias, Jesus, Sohn der Maria, war nur ein Gesandter Allahs und eine frohe Botschaft von Ihm, die Er niedersandte zu Maria, und eine Gnade von Ihm. Glaubet also an Allah und Seine Gesandten, und saget nicht: »Drei.« Lasset ab – ist besser für euch. Allah ist nur ein Einiger Gott. Fern ist es von Seiner Heiligkeit, daß Er einen Sohn haben sollte. Sein ist, was in den Himmeln und was auf Erden ist; und Allah genügt als Beschützer.

173. Weder der Messias noch die gottnahen Engel werden es je verschmähen, Diener Allahs zu sein; und wer es verschmäht, Ihn anzubeten, und sich zu stolz fühlt – Er wird sie alle zu Sich versammeln.

174. Dann wird Er denen, die glaubten und gute Werke taten, ihren vollen Lohn geben und ihnen noch mehr geben aus Seiner Huld; die aber verschmähten und stolz waren, die wird Er strafen mit schmerzlicher Strafe. Und keinen Freund noch Helfer sollen sie für sich finden außer Allah.

175. O ihr Menschen, gekommen ist zu euch in Wahrheit ein deutlicher Beweis von eurem Herrn, und Wir sandten hinab zu euch ein klares Licht.

176. Die nun an Allah glauben und an Ihm festhalten, sie wird Er in Seine Barmherzigkeit und Gnade führen und sie den geraden Weg zu Sich leiten.

177. Sie fragen dich um Belehrung. Sprich: »Allah belehrt euch über Kalāla[33]: Wenn ein Mann stirbt und kein Kind hinterläßt, aber eine Schwester hat, dann soll sie die Hälfte von seiner Erbschaft haben; und er soll sie beerben, wenn sie kein Kind hat. Sind aber zwei Schwestern da, dann sollen sie zwei Drittel von seiner Erbschaft haben. Und wenn sie Brüder und Schwestern sind, dann sollen die männlichen (Erben) den Anteil von zwei weiblichen erhalten. Allah macht euch das klar, damit ihr nicht irrt; und Allah weiß alle Dinge wohl.«

---

* Die Christen.

1. Im Namen Allahs, des Gnädigen, des Barmherzigen.
2. O die ihr glaubt, erfüllt die Verträge. Erlaubt sind euch Vier-
füßler, wie die Rinder, mit Ausnahme derer, die euch bekanntgegeben werden; nicht, daß ihr die Jagd als erlaubt ansehen
dürft, während ihr Pilger seid; Allah verordnet, was Er will.
3. O die ihr glaubt! Entweihet nicht die Zeichen Allahs, noch
den Heiligen Monat, noch die Opfertiere, noch (die mit) Halsschmuck, noch auch die nach dem Heiligen Hause Ziehenden,
die da Gnade und Wohlgefallen von ihrem Herrn suchen. So ihr
das Pilgerkleid abgelegt habt, dürfet ihr jagen. Es soll euch die
Feindseligkeit eines Volkes, so es euch an der Heiligen Moschee
hinderte, nicht zur Übertretung verführen. Und helfet einander
in Rechtschaffenheit und Frömmigkeit; doch helfet einander
nicht in Sünde und Übertretung. Und fürchtet Allah, denn
Allah ist streng im Strafen.
4. Verboten ist euch das von selbst Verendete sowie Blut und
Schweinefleisch und das, worüber ein anderer Name angerufen
ward als Allahs; das Erdrosselte; das zu Tode Geschlagene; das
zu Tode Gestürzte oder Gestoßene und das, was reißende Tiere
angefressen haben, außer dem, was ihr geschlachtet habt; und
das, was auf einem Altar (als Götzenopfer) geschlachtet worden
ist; auch daß ihr euer Geschick durch Lospfeile zu erkunden
sucht. Das ist Ungehorsam. Heute sind die Ungläubigen an
eurem Glauben verzweifelt, also fürchtet nicht sie, sondern
fürchtet Mich. Heute habe Ich eure Glaubenslehre für euch
vollendet und Meine Gnade an euch erfüllt und euch den Islam
zum Bekenntnis erwählt. Wer aber durch Hunger getrieben
wird, ohne sündhafte Absicht – dann ist Allah allverzeihend,
barmherzig.
5. Sie fragen dich, was ihnen erlaubt sei. Sprich: »Alle guten
Dinge sind euch erlaubt; und was ihr Tiere und Raubvögel gelehrt habt (für euch zu fangen), indem ihr (sie) zur Jagd abrich-
tet und sie lehret, was Allah euch gelehrt hat. Also esset von
dem, was sie für euch fangen, und sprechet Allahs Namen darüber aus. Und fürchtet Allah, denn Allah ist schnell im Abrechnen.«
6. Heute sind euch alle guten Dinge erlaubt. Und die Speise
derer, denen die Schrift gegeben wurde, ist euch erlaubt, wie

auch eure Speise ihnen erlaubt ist. Und keusche Frauen der Gläubigen und keusche Frauen derer, denen vor euch die Schrift gegeben wurde, wenn ihr ihnen ihre Morgengabe gebt, nur in richtiger Ehe und nicht in Unzucht, noch daß ihr heimlich Buhlweiber nehmt. Und wer den Glauben verleugnet, dessen Werk ist sonder Zweifel zunichte geworden, und im Jenseits wird er unter den Verlierenden sein.

7. O die ihr glaubt! Wenn ihr zum Gebet hintretet, waschet euer Gesicht und eure Hände bis zu den Ellbogen und fahrt euch über den Kopf und (waschet) eure Füße bis zu den Knöcheln. Und wenn ihr im Zustande der Unreinheit* seid, reinigt euch durch ein Bad. Und wenn ihr krank oder auf einer Reise seid (und dabei unrein), oder wenn einer von euch vom Abtritt kommt, oder wenn ihr Frauen berührt habt, und ihr findet kein Wasser, so nehmt reinen Sand und reibt euch damit Gesicht und Hände. Allah wird euch nicht in Schwierigkeiten bringen, sondern Er will euch nur reinigen und Seine Gnade an euch erfüllen, auf daß ihr dankbar seiet.

8. Und gedenket der Gnade Allahs gegen euch und des Bundes, den Er mit euch schloß, als ihr sprachet: »Wir hören und wir gehorchen.« Und fürchtet Allah; wahrlich, Allah weiß wohl, was in den Herzen ist.

9. O die ihr glaubt! Seid standhaft in Allahs Sache, bezeugend in Gerechtigkeit! Und die Feindseligkeit eines Volkes soll euch nicht verleiten, anders denn gerecht zu handeln. Seid gerecht, das ist näher der Gottesfurcht. Und fürchtet Allah; wahrlich, Allah ist kundig eures Tuns.

10. Verheißen hat Allah denen, die glauben und gute Werke tun: für sie ist Vergebung und großer Lohn.

11. Die aber ungläubig sind und Unsere Zeichen verwerfen, die sind der Hölle Insassen.

12. O die ihr glaubt! Gedenket der Gnade Allahs über euch, als ein Volk die Hände nach euch auszustrecken trachtete. Er aber hielt ihre Hände von euch zurück. Und fürchtet Allah; auf Allah sollen die Gläubigen vertrauen.

13. Wahrlich, Allah hatte einen Bund mit den Kindern Israels

---

* Vgl. Anmerkung 28.

geschlossen; und Wir erweckten aus ihnen zwölf Führer. Allah sprach: »Siehe, wenn ihr das Gebet verrichtet und die Zakāt zahlt und an Meine Gesandten glaubt und sie unterstützt und Allah ein stattliches Darlehen gewährt, dann bin Ich mit euch und werde eure Missetaten von euch hinwegnehmen und euch in Gärten führen, durch die Ströme fließen. Wer von euch aber hierauf in Unglauben zurückfällt, der irrt fürwahr vom geraden Weg.«

14. Darum nun, weil sie ihren Bund brachen, haben Wir sie verflucht und haben ihre Herzen verhärtet. Sie verkehren die Worte aus ihren richtigen Stellen, und sie haben einen (guten) Teil von dem vergessen, womit sie ermahnt wurden. Und du wirst nicht aufhören, auf ihrer Seite – bis auf einige von ihnen – Verrat zu entdecken. Also vergib ihnen und wende dich ab (von ihnen). Wahrlich, Allah liebt jene, die Gutes tun.

15. Und auch mit denen, die sagen: »Wir sind Christen«, schlossen Wir einen Bund; aber auch sie haben einen (guten) Teil von dem vergessen, womit sie ermahnt wurden. Darum erregten Wir Feindschaft und Haß unter ihnen bis zum Tage der Auferstehung. Und Allah wird sie bald wissen lassen, was sie getan haben.

16. O Volk der Schrift, nunmehr ist Unser Gesandter zu euch gekommen, der euch vieles enthüllt, was ihr von der Schrift verborgen hieltet, und vieles übergeht. Gekommen ist zu euch fürwahr ein Licht von Allah und ein klares Buch.

17. Damit leitet Allah jene, die Sein Wohlgefallen suchen, auf den Pfaden des Friedens, und Er führt sie aus den Finsternissen zum Licht nach Seinem Willen und leitet sie auf den geraden Weg.

18. Ungläubig sind wahrlich, die da sagen: »Sicherlich ist Allah kein anderer denn der Messias, Sohn der Maria.« Sprich: »Wer vermöchte wohl etwas gegen Allah, wollte Er den Messias, den Sohn der Maria, zunichte machen, und seine Mutter und all jenes, was auf Erden ist?« Allahs ist das Königreich der Himmel und der Erde und was zwischen beiden ist. Er erschafft, was Er will; und Allah hat Macht über alle Dinge.

19. Die Juden und die Christen sagen: »Wir sind Söhne Allahs und Seine Lieblinge.« Sprich: »Warum straft Er euch dann für

eure Sünden? Nein, ihr seid (bloß) Menschenkinder unter denen, die Er schuf.« Er vergibt, wem Er will, und Er straft, wen Er will. Allahs ist das Königreich der Himmel und der Erde und was zwischen beiden ist, und zu Ihm ist die Heimkehr.

20. O Volk der Schrift, gekommen ist nunmehr zu euch Unser Gesandter, nach einer Lücke zwischen den Gesandten, der euch aufklärt, damit ihr nicht sagt: »Kein Bringer froher Botschaft und kein Warner ist zu uns gekommen.« So ist nun zu euch gekommen in Wahrheit ein Bringer froher Botschaft und ein Warner. Und Allah hat Macht über alle Dinge.

21. Und wie Moses zu seinem Volke sprach: »O mein Volk, besinnt euch auf Allahs Huld gegen euch, als Er aus eurer Mitte Propheten erweckte und euch zu Königen machte und euch gab, was Er keinem anderen (Volke) auf der Welt gegeben.

22. O mein Volk, betretet das Heilige Land, das Allah für euch bestimmt hat, und kehret nicht den Rücken, denn dann werdet ihr als Verlorene umkehren.«

23. Sie sprachen: »O Moses, siehe, ein herrschlustiges Volk ist darin, und wir werden es nicht betreten, ehe jene es nicht verlassen haben. Doch wenn sie es verlassen, dann wollen wir einziehen.«

24. Da sagten zwei Männer von denen, die (Gott) fürchteten – Allah hatte sie mit Seiner Huld begabt –: »Ziehet ein durch das Tor und gegen sie; seid ihr eingezogen, dann werdet ihr siegreich sein. Und vertrauet auf Allah, wenn ihr Gläubige seid.«

25. Sie sagten: »O Moses, nimmer werden wir es betreten, solange jene darinnen sind. Gehe denn du mit deinem Herrn und kämpfet; wir bleiben hier sitzen.«

26. Er sprach: »Mein Herr, siehe, ich habe über keinen Macht denn über mich selbst und meinen Bruder; darum scheide Du uns von dem aufrührerischen Volk.«

27. Er sprach: »Wahrlich, verwehrt soll es ihnen sein vierzig Jahre lang; umherirren sollen sie auf der Erde. Und betrübe dich nicht über das aufrührerische Volk.«

28. Verkünde ihnen wahrheitsgemäß die Geschichte von den zwei Söhnen Adams, wie sie beide ein Opfer darbrachten, und es ward angenommen von dem einen von ihnen und ward nicht angenommen von dem andern. Da sprach dieser: »Wahrhaftig,

ich schlage dich tot.« Jener erwiderte: »Allah nimmt nur an von den Gottesfürchtigen.

29. Wenn du auch deine Hand nach mir ausstreckst, um mich zu erschlagen, so werde ich doch nicht meine Hand nach dir ausstrecken, um dich zu erschlagen. Ich fürchte Allah, den Herrn der Welten.

30. Ich will, daß du meine Sünde tragest zu der deinen und so unter den Bewohnern des Feuers seiest, und das ist der Lohn der Frevler.«

31. Doch sein Sinn trieb ihn, seinen Bruder zu töten; also erschlug er ihn und ward der Verlorenen einer.

32. Da sandte Allah einen Raben, der auf dem Boden scharrte, daß Er ihm zeige, wie er den Leichnam seines Bruders verbergen könne. Er sprach: »Weh mir! Bin ich nicht einmal imstande, wie dieser Rabe zu sein und den Leichnam meines Bruders zu verbergen?« Und da wurde er reuig.«

33. Aus diesem Grunde haben Wir den Kindern Israels verordnet, daß wenn jemand einen Menschen tötet – es sei denn für (Mord) an einem andern oder für Gewalttat im Land –, so soll es sein, als hätte er die ganze Menschheit getötet; und wenn jemand einem Menschen das Leben erhält, so soll es sein, als hätte er der ganzen Menschheit das Leben erhalten. Und Unsere Gesandten kamen zu ihnen mit deutlichen Zeichen; dennoch, selbst nach diesem, begehen viele von ihnen Ausschreitungen im Land.

34. Der Lohn derer, die Krieg führen gegen Allah und Seinen Gesandten und Unordnung im Lande zu erregen trachten, wäre der, daß sie getötet oder gekreuzigt werden sollten oder daß ihnen Hände und Füße abgeschlagen werden sollten für den Ungehorsam oder daß sie aus dem Lande vertrieben würden. Das würde eine Schmach für sie sein in dieser Welt; und im Jenseits wird ihnen schwere Strafe;

35. Außer jenen, die bereuen, noch ehe ihr sie in eurer Gewalt habt. So wisset, daß Allah allvergebend, barmherzig ist.

36. O die ihr glaubt, fürchtet Allah und suchet den Weg der Vereinigung mit Ihm und strebet auf Seinem Wege, auf daß ihr Erfolg habt.

37. Wahrlich, die Ungläubigen – hätten sie auch alles, was auf

der Erde ist, und dann nochmals so viel, um sich damit von der Strafe loszukaufen am Tage der Auferstehung, es würde doch nicht von ihnen angenommen werden; und ihnen wird eine schmerzliche Strafe.

38. Sie möchten wohl dem Feuer entrinnen, doch sie werden nicht daraus entrinnen können, und ihre Pein wird immerwährend sein.

39. Der Dieb und die Diebin – schneidet ihnen die Hände ab, als Vergeltung für das, was sie begangen, und als abschreckende Strafe von Allah. Und Allah ist allmächtig, allweise.

40. Wer aber nach seiner Sünde bereut und sich bessert, gewiß, ihm wird Sich Allah gnädig zukehren, denn Allah ist allvergebend, barmherzig.

41. Weißt du nicht, daß es Allah ist, Dem das Königreich der Himmel und der Erde allein gehört? Er straft, wen Er will, und Er vergibt, wem Er will; und Allah ist mächtig über alle Dinge.

42. O du Gesandter, es sollen dich nicht betrüben jene, die hastig dem Unglauben verfallen – die mit dem Munde sprechen: »Wir glauben«, jedoch ihre Herzen glauben nicht. Und unter den Juden sind solche, die auf jede Lüge horchen – horchen, um (sie) anderen (weiterzugeben), die noch nicht zu dir gekommen sind. Sie rücken die Worte von ihren richtigen Stellen und sagen: »Wenn euch dies gebracht wird, so nehmt es an, doch wenn es euch nicht gebracht wird, dann seid auf der Hut!« Und wen Allah auf die Probe stellen will, dem wirst du nichts frommen gegen Allah. Das sind die, deren Herzen zu reinigen es Allah nicht gefiel; für sie ist Schande in dieser Welt, und im Jenseits wird ihnen schwere Strafe.

43. Sie sind gewohnheitsmäßige Horcher auf Falschheit, Verschlinger von Unerlaubtem. Wenn sie nun zu dir kommen, so richte zwischen ihnen oder wende dich von ihnen ab. Und wenn du dich von ihnen abwendest, so können sie dir keinerlei Schaden tun; richtest du aber, so richte zwischen ihnen nach Gerechtigkeit. Wahrlich, Allah liebt die Gerechten.

44. Wie aber wollten sie dich zum Richter machen, während sie doch die Thora bei sich haben, worin Allahs Richtspruch ist? Dennoch, und trotz alledem, kehren sie den Rücken; und sie sind gar nicht Gläubige.

45. Wir hatten die Thora hinabgesandt, in der Führung und Licht war. Damit haben die Propheten, die gehorsam waren, den Juden Recht gesprochen, und so auch die Wissenden und die Gelehrten; denn ihnen wurde aufgetragen, das Buch Allahs zu bewahren, und sie waren seine Hüter. Darum fürchtet nicht die Menschen, sondern fürchtet Mich; und gebt nicht Meine Zeichen hin um geringen Preis. Wer nicht nach dem richtet, was Allah hinabgesandt hat – das sind die Ungläubigen.

46. Wir hatten ihnen darin vorgeschrieben: Leben um Leben, Auge um Auge, Nase um Nase, Ohr um Ohr und Zahn um Zahn, und für (andere) Verletzungen billige Vergeltung. Wer aber darauf Verzicht tut, dem soll das eine Sühne sein; und wer nicht nach dem richtet, was Allah hinabgesandt hat – das sind die Ungerechten.

47. Wir ließen Jesus, den Sohn der Maria, in ihren Spuren folgen, zur Erfüllung dessen, was schon vor ihm in der Thora war; und Wir gaben ihm das Evangelium, worin Führung und Licht war, zur Erfüllung dessen, was schon vor ihm in der Thora war, eine Führung und Ermahnung für die Gottesfürchtigen.

48. Es soll das Volk des Evangeliums richten nach dem, was Allah darin offenbart hat; wer nicht nach dem richtet, was Allah hinabgesandt hat – das sind die Empörer.

49. Wir haben dir das Buch hinabgesandt mit der Wahrheit, als Erfüllung dessen, was schon in dem Buche war, und als Wächter darüber. Richte darum zwischen ihnen nach dem, was Allah hinabgesandt hat, und folge nicht ihren bösen Neigungen gegen die Wahrheit, die zu dir gekommen ist. Einem jeden von euch haben Wir eine klare Satzung und einen deutlichen Weg vorgeschrieben. Und hätte Allah gewollt, Er hätte euch alle zu einer einzigen Gemeinde gemacht, doch Er wünscht euch auf die Probe zu stellen durch das, was Er euch gegeben. Wetteifert darum miteinander in guten Werken. Zu Allah ist euer aller Heimkehr; dann wird Er euch aufklären über das, worüber ihr uneinig wart.

50. Und so richte du zwischen ihnen nach dem, was Allah hinabgesandt hat, und folge nicht ihren bösen Neigungen, sondern sei vor ihnen auf der Hut, damit sie dich nicht bedrängen und wegtreiben von einem Teil dessen, was Allah zu dir hinabgesandt

hat. Wenden sie sich jedoch ab, so wisse, daß Allah sie zu treffen gedenkt für etliche von ihren Sünden. Siehe, gar viele der Menschen sind Wortbrüchige.

51. Wünschen sie etwa die Rechtsprechung (aus den Tagen) der Unwissenheit zurück? Und wer ist ein besserer Richter als Allah für ein Volk, das fest im Glauben ist?

52. O die ihr glaubt! Nehmet nicht die Juden und die Christen zu Freunden. Sie sind Freunde gegeneinander.* Und wer von euch sie zu Freunden nimmt, der gehört fürwahr zu ihnen. Wahrlich, Allah weist nicht dem Volk der Ungerechten den Weg.

53. Und du wirst jene sehen, in deren Herzen Krankheit ist, zu ihnen hineilen; sie sagen:»Wir fürchten, es möchte uns ein Unglück befallen.« Mag Allah den Sieg herbeiführen oder (sonst) ein Ereignis von Ihm. Dann werden sie bereuen, was sie in ihren Herzen verhehlten.

54. Und die Gläubigen werden sagen:»Sind das etwa jene, die bei Allah schworen mit ihren feierlichsten Eiden, daß sie unverbrüchlich zu euch stünden?« Eitel sind ihre Werke, und sie sind Verlorene geworden.

55. O die ihr glaubt, wer von euch sich von seinem Glauben abkehrt, (wisse) Allah wird bald ein anderes Volk bringen, das Er liebt und das Ihn liebt, gütig und demütig gegen die Gläubigen und hart wider die Ungläubigen. Sie werden streiten in Allahs Weg und werden den Vorwurf des Tadelnden nicht fürchten. Das ist Allahs Huld; Er gewährt sie, wem Er will, denn Allah ist freigebig, allwissend.

56. Eure Freunde sind einzig Allah und Sein Gesandter und die Gläubigen, die das Gebet verrichten und die Zakāt zahlen und Gott allein anbeten.

57. Und die, welche Allah und Seinen Gesandten und die Gläubigen zu Freunden nehmen (mögen versichert sein), daß es Allahs Schar ist, die obsiegen wird.

58. O die ihr glaubt, nehmt euch nicht die zu Freunden – unter jenen, denen vor euch die Schrift gegeben ward, und den Ungläubigen –, die mit eurem Glauben Spott und Scherz treiben. Und fürchtet Allah, wenn ihr Gläubige seid;

---

* Vgl. Verse 58, 59 und 60: 9, 10.

59. Die es als Spott und Scherz nehmen, wenn ihr zum Gebet ruft. Dies, weil sie Leute sind, die nicht begreifen.

60. Sprich: »O Volk der Schrift, ihr tadelt uns nur deswegen, weil wir glauben an Allah und an das, was zu uns herabgesandt ward und was schon vorher herabgesandt wurde, oder weil die meisten von euch Empörer sind.«

61. Sprich: »Soll ich euch über die belehren, deren Lohn bei Allah noch schlimmer ist als das?« – die Allah verflucht hat und denen Er zürnt und aus denen Er Affen und Schweine gemacht hat und die den Bösen anbeten. Diese sind in einer noch schlimmeren Lage und noch weiter irregegangen vom rechten Weg.

62. Und wenn sie zu euch kommen, sagen sie: »Wir glauben«, während sie doch mit Unglauben eintreten und mit ihm fortgehen; und Allah weiß am besten, was sie verhehlen.

63. Und du siehst, wie viele von ihnen wettlaufen nach Sünde und Übertretung und dem Essen verbotener Dinge. Übel ist wahrlich, was sie tun.

64. Warum untersagen ihnen die Geistlichen und die Schriftgelehrten nicht ihre sündige Rede und ihr Essen des Verbotenen? Übel ist wahrlich, was sie treiben.

65. Und die Juden sagen: »Die Hand Allahs ist gefesselt.« Ihre Hände sollen gefesselt sein, und sie sollen verflucht sein um dessentwillen, was sie da sprechen. Nein, Seine beiden Hände sind weit offen; Er spendet, wie Er will. Und was auf dich herabgesandt ward von deinem Herrn, wird gewiß viele von ihnen zunehmen lassen an Aufruhr und Unglauben. Und Wir haben unter sie Feindschaft geworfen und Haß bis zum Tage der Auferstehung. Sooft sie ein Feuer für den Krieg anzündeten, löschte Allah es aus, und sie trachten nur nach Unheil auf Erden; und Allah liebt die Unheilstifter nicht.

66. Wenn das Volk der Schrift geglaubt hätte und gottesfürchtig gewesen wäre, Wir hätten gewiß ihre Übel von ihnen hinweggenommen und Wir hätten sie gewiß in die Gärten der Wonne geführt.

67. Und hätten sie die Thora befolgt und das Evangelium und was (nun) zu ihnen hinabgesandt ward von ihrem Herrn, sie würden sicherlich (von den guten Dingen) über ihnen und unter ihren Füßen essen. Es sind unter ihnen Leute, die Mäßigung

einhalten; doch gar viele von ihnen – wahrlich, übel ist, was sie tun.

68. O du Gesandter! Verkündige, was zu dir hinabgesandt ward von deinem Herrn; und wenn du es nicht tust, so hast du Seine Botschaft nicht verkündigt. Allah wird dich vor den Menschen schützen. Wahrlich, Allah weist nicht dem Volk der Ungläubigen den Weg.

69. Sprich: »O Volk der Schrift, ihr fußet auf nichts, ehe ihr nicht die Thora und das Evangelium befolgt und das, was zu euch herabgesandt ward von eurem Herrn.« Aber gewiß, was von deinem Herrn zu dir hinabgesandt ward, wird gar viele von ihnen zunehmen lassen an Aufruhr und Unglauben; so betrübe dich nicht über das ungläubige Volk.

70. Jene, die geglaubt haben, und die Juden und die Sabäer und die Christen – wer da an Allah glaubt und an den Jüngsten Tag und gute Werke tut –, keine Furcht soll über sie kommen, noch sollen sie trauern.

71. Wir hatten einen Bund mit den Kindern Israels geschlossen und Gesandte zu ihnen geschickt. Sooft aber ein Gesandter zu ihnen kam mit etwas, das ihre Herzen nicht wünschten, behandelten sie einige darunter als Lügner und suchten andere zu töten.

72. Und sie dachten, es würde keine schlimme Folge haben, so wurden sie blind und taub. Dann kehrte Sich Allah erbarmend zu ihnen; trotzdem wurden viele von ihnen abermals blind und taub; und Allah sieht wohl, was sie tun.

73. Fürwahr, ungläubig sind, die das sagen: »Allah ist kein anderer denn der Messias, Sohn der Maria«, während der Messias doch (selbst) gesagt hat: »O ihr Kinder Israels, betet Allah an, meinen Herrn und euren Herrn.« Wer Allah Götter zur Seite stellt, dem hat Allah den Himmel verwehrt, und das Feuer wird seine Wohnstatt sein. Und die Frevler sollen keine Helfer finden.

74. Fürwahr, ungläubig sind, die da sagen: »Allah ist der Dritte von Dreien«; es gibt keinen Gott als den Einigen Gott. Und wenn sie nicht abstehen von dem, was sie sagen, wahrlich, so wird die unter ihnen, die ungläubig bleiben, eine schmerzliche Strafe ereilen.

75. Wollen sie denn sich nicht bekehren zu Allah und Seine Verzeihung erbitten? Und Allah ist allverzeihend, barmherzig.

76. Der Messias, Sohn der Maria, war nur ein Gesandter; gewiß, andere Gesandte sind vor ihm dahingegangen. Und seine Mutter war eine Wahrheitsliebende; beide pflegten sie Speise zu sich zu nehmen. Sieh, wie Wir die Zeichen für sie erklären, und sieh, wie sie sich abwenden.

77. Sprich: »Wollt ihr statt Allah das anbeten, was nicht die Macht hat, euch zu schaden oder zu nützen?« Und Allah allein ist der Allhörende, der Allwissende.

78. Sprich: »O Volk der Schrift, übertreibt nicht zu Unrecht in eurem Glauben und folget nicht den bösen Neigungen von Leuten, die schon vordem irregingen und viele irregeführt haben und weit abgeirrt sind vom rechten Weg.«

79. Die unter den Kindern Israels, die nicht glaubten, wurden verflucht durch die Zunge Davids und Jesus', des Sohnes der Maria. Dies, weil sie ungehorsam waren und zu freveln pflegten.

80. Sie hinderten einander nicht an den Missetaten, die sie begingen. Übel fürwahr war das, was sie zu tun pflegten.

81. Du wirst sehen, wie sich viele von ihnen die Ungläubigen zu Freunden nehmen. Wahrlich, übel ist das, was sie selbst für sich vorausgeschickt haben, so daß Allah ihnen zürnt, und in der Strafe müssen sie bleiben.

82. Und hätten sie an Allah geglaubt und an den Propheten und an das, was zu ihm herabgesandt worden, sie hätten sich jene nicht zu Freunden genommen, aber viele von ihnen sind ungehorsam.

83. Du wirst sicherlich finden, daß unter allen Menschen die Juden und die Götzendiener die erbittertsten Gegner der Gläubigen sind. Und du wirst zweifellos finden, daß die, welche sagen: »Wir sind Christen«, den Gläubigen am freundlichsten gegenüberstehen. Dies, weil unter ihnen Gottesgelehrte und Mönche sind und weil sie nicht hoffärtig sind.

84. Und wenn sie hören, was zu dem Gesandten herabgesandt worden ist, siehst du ihre Augen von Tränen überfließen ob der Wahrheit, die sie erkannt haben. Sie sprechen: »Unser Herr, wir glauben, so schreibe uns unter die Bezeugenden.

85. Und weshalb sollten wir nicht an Allah glauben und an die Wahrheit, die zu uns gekommen ist, wo wir innig wünschen, daß unser Herr uns zu den Rechtgesinnten zählen möge?«

86. Und um dessentwillen, was sie da gesagt haben, wird Allah sie mit Gärten belohnen, durch die Ströme fließen. Darin sollen sie ewig weilen; und das ist der Lohn derer, die Gutes tun.

87. Die aber, die nicht glauben und Unsere Zeichen verwerfen, das sind die Insassen der Hölle.

88. O die ihr glaubt, erklärt nicht als unerlaubt die reinen Dinge, die Allah euch erlaubt hat, doch übertretet auch nichts. Denn Allah liebt nicht die Übertreter.

89. Und esset von dem, was Allah euch gegeben hat: Erlaubtes, Reines. Und fürchtet Allah, an Den ihr glaubt.

90. Allah wird euch nicht zur Rechenschaft ziehen für ein unbedachtes Wort in euren Eiden, doch Er wird Rechenschaft von euch fordern für das, was ihr mit Bedacht geschworen habt. Die Sühne dafür sei dann die Speisung von zehn Armen in jenem Maß, wie ihr die Eurigen speist, oder ihre Bekleidung oder die Befreiung eines Sklaven. Wer es aber nicht kann, dann: drei Tage fasten. Das ist die Sühne für eure Eide, wenn ihr (sie) geschworen habt. Und haltet ja eure Eide. Also macht Allah euch Seine Zeichen klar, auf daß ihr dankbar seiet.

91. O die ihr glaubt! Wein und Glücksspiel und Götzenbilder und Lospfeile sind ein Greuel, ein Werk Satans. So meidet sie allesamt, auf daß ihr Erfolg habt.

92. Satan will durch Wein und Glücksspiel nur Feindschaft und Haß zwischen euch erregen, um euch so vom Gedanken an Allah und vom Gebet abzuhalten. Doch werdet ihr euch abhalten lassen?

93. Und gehorchet Allah und gehorchet dem Gesandten, und seid auf der Hut. Kehrt ihr euch jedoch ab, dann wisset, daß Unserem Gesandten nur die deutliche Verkündung obliegt.

94. Denen, die glauben und gute Werke tun, soll nicht als Sünde angerechnet werden, was sie essen, wenn sie nur Gott fürchten und glauben und gute Werke tun, (und) abermals fürchten und glauben, dann nochmals fürchten und Gutes tun. Und Allah liebt jene, die Gutes tun.

95. O die ihr glaubt! Allah will euch gewiß prüfen in einer Sache:

dem Wild, das eure Hände und eure Speere erreichen können, so daß Allah die auszeichnen mag, die ihn im geheimen fürchten. Wer darum nach diesem sich noch vergeht, dem wird schmerzliche Strafe.

96. O die ihr glaubt! Tötet kein Wild, während ihr Pilger seid. Und wer von euch es vorsätzlich tötet, so ist die Ersatzleistung ein gleiches vierfüßiges Tier wie das, was er getötet, nach dem Spruch von zwei Redlichen unter euch, (und das) soll dann als Opfer nach der Ka'ba³⁴ gebracht werden; oder die Sühne sei Speisung von Armen oder dementsprechendes Fasten, damit er die böse Folge seiner Tat koste. Allah vergibt das Vergangene; wer es aber wieder tut, den wird Allah strafen. Und Allah ist allmächtig, Herr der Bestrafung.

97. Das Getier des Meeres und sein Genuß sind euch erlaubt als eine Versorgung für euch und für die Reisenden; doch verwehrt ist euch das Wild des Landes, solange ihr Pilger seid. Und fürchtet Allah, zu Dem ihr versammelt werdet.

98. Allah hat die Ka'ba, das unverletzliche Haus, zu einer Stütze und Erhebung für die Menschheit gemacht, ebenso den Heiligen Monat und die Opfer und (die Tiere mit) Halsschmuck. Dies, damit ihr wisset, daß Allah weiß, was in den Himmeln und was auf Erden ist, und daß Allah alle Dinge weiß.

99. Wisset, daß Allah streng ist im Strafen und daß Allah allverzeihend, barmherzig ist.

100. Dem Gesandten obliegt nur die Verkündung. Und Allah weiß, was ihr offenkundig macht und was ihr verhehlt.

101. Sprich: »Das Schlechte und das Gute sind nicht gleich«, ob auch die Menge des Schlechten dich in Erstaunen versetzen mag. So fürchtet Allah, ihr Verständigen, auf daß ihr Erfolg habt.

102. O die ihr glaubt! Fragt nicht nach Dingen, die, würden sie euch enthüllt, euch unangenehm wären; und wenn ihr danach fragt zur Zeit, da der Koran niedergesandt wird, werden sie euch doch klar. Allah hat sie ausgelassen; und Allah ist allverzeihend, nachsichtig.

103. Es haben schon vor euch Leute nach solchem gefragt, doch dann versagten sie ihnen den Glauben.

104. Allah hat keinerlei »Bahīra«³⁵ oder »Sāiba«³⁶ oder »Wa-

sīla«[37] oder »Hām«[38] geboten: vielmehr ersinnen die Ungläubigen eine Lüge wider Allah, und die meisten von ihnen begreifen nicht.

105. Und wenn ihnen gesagt wird: »Kommt her zu dem, was Allah herabgesandt hat, und zu dem Gesandten«, sagen sie: »Uns genügt das, worin wir unsere Väter vorfanden.« Und selbst wenn ihre Väter kein Wissen hatten und nicht auf dem rechten Wege waren!

106. O die ihr glaubt! Wacht über euch selbst. Der irregeht, kann euch nicht schaden, wenn ihr nur selbst auf dem rechten Wege seid. Zu Allah ist euer aller Heimkehr; dann wird Er euch enthüllen, was ihr zu tun pfleget.

107. O die ihr glaubt! Wenn der Tod an einen von euch herantritt, ist die Zeugenschaft unter euch im Zeitpunkt der Testamenteröffnung: zwei Redliche unter euch, oder zwei andere, die nicht zu euch gehören, wenn ihr gerade im Land herumreiset und das Unglück des Todes euch trifft. Ihr sollt sie beide nach dem Gebet zurückhalten; und wenn ihr zweifelt, so sollen sie beide bei Allah schwören: »Wir erstehen damit keinen Gewinn, handelte es sich auch um einen nahen Verwandten, und wir verhehlen nicht das Zeugnis Allahs; wahrlich, wir wären sonst Sünder.«

108. Wenn es aber bekannt wird, daß die beiden (Zeugen) sich der Sünde schuldig gemacht haben, dann sollen zwei andere an ihre Stelle treten aus der Zahl derer, gegen welche die zwei ausgesagt haben, und die beiden (späteren Zeugen) sollen bei Allah schwören: »Wahrlich, unser Zeugnis ist wahrhaftiger als das Zeugnis der beiden (früheren), und wir sind nicht unredlich gewesen; wahrlich, wir gehörten sonst zu den Ungerechten.«

109. So ist es wahrscheinlicher, daß sie wahres Zeugnis ablegen oder daß sie fürchten, es möchten andere Eide gefordert werden nach ihren Eiden. Und fürchtet Allah und höret! Denn Allah weist nicht dem ungehorsamen Volk den Weg.

110. Am Tage, da Allah die Gesandten versammeln wird, wird Er sprechen: »Welche Antwort empfinget ihr?« Sie werden sagen: »Wir haben kein Wissen, Du allein bist der Wisser der verborgenen Dinge.«

111. Wenn Allah sagen wird: »O Jesus, Sohn der Maria, ge-

denke Meiner Gnade gegen dich und gegen deine Mutter; wie Ich dich stärkte mit der heiligen Offenbarung – du sprachest zu den Menschen sowohl im Kindesalter wie auch im Mannesalter; und wie Ich dich die Schrift und die Weisheit lehrte und die Thora und das Evangelium; und wie du bildetest aus Ton, wie ein Vogel bildet, auf Mein Geheiß, dann hauchtest du ihm (einen neuen Geist) ein, und es wurde ein beschwingtes Wesen nach Meinem Gebot; und wie du die Blinden heiltest und die Aussätzigen auf Mein Gebot; und wie du die Toten erwecktest auf Mein Geheiß; und wie Ich die Kinder Israels von dir abhielt, als du mit deutlichen Zeichen zu ihnen kamest, die Ungläubigen unter ihnen aber sprachen: ›Das ist nichts als offenkundige Täuschung.‹«

112. Als Ich die Jünger bewog, an Mich und an Meinen Gesandten zu glauben, da sprachen sie: »Wir glaubcn, und sei Zeuge, daß wir gottergeben sind.«

113. Als die Jünger sprachen: »O Jesus, Sohn der Maria, ist dein Herr imstande, uns einen Tisch mit Speise vom Himmel herabzusenden?«, sprach er: »Fürchtet Allah, wenn ihr Gläubige seid.«

114. Sie sprachen: »Wir begehren davon zu essen, und unsere Herzen sollen in Frieden sein, und wir wollen wissen, daß du Wahrheit zu uns gesprochen hast, und wollen selbst davon Zeugen sein.«

115. Da sprach Jesus, Sohn der Maria: »O Allah, unser Herr, sende uns einen Tisch vom Himmel herab mit Speise, daß er ein Fest für uns sei, für den Ersten von uns und für den Letzten von uns, und ein Zeichen von Dir; und gib uns Versorgung, denn Du bist der beste Versorger.«

116. Allah sprach: »Siehe, Ich will ihn niedersenden zu euch; wer von euch aber danach undankbar wird, den werde Ich strafen mit einer Strafe, womit Ich keinen andern auf der Welt strafen werde.«

117. Und wenn Allah sprechen wird: »O Jesus, Sohn der Maria, hast du zu den Menschen gesprochen: ›Nehmet mich und meine Mutter als zwei Götter neben Allah?‹«, wird er antworten: »Heilig bist Du. Nie konnte ich das sagen, wozu ich kein Recht hatte. Hätte ich es gesagt, Du würdest es sicherlich wissen. Du

weißt, was in meiner Seele ist, aber ich weiß nicht, was Du im Sinn trägst. Du allein bist der Wisser der verborgenen Dinge.
118. Nichts anderes sprach ich zu ihnen, als was Du mich geheißen hast: ›Betet Allah an, meinen Herrn und euren Herrn.‹ Und ich war ihr Zeuge, solange ich unter ihnen weilte, doch seit Du mich sterben ließest, bist Du der Wächter über sie gewesen; und Du bist aller Dinge Zeuge.
119. Wenn Du sie strafst, sie sind Deine Diener, und wenn Du ihnen verzeihst, Du bist wahrlich der Allmächtige, der Allweise.«
120. Allah wird sprechen: »Das ist ein Tag, an dem den Wahrhaftigen ihre Wahrhaftigkeit frommen soll. Für sie sind Gärten, durch die Ströme fließen; darin sollen sie weilen ewig und immerdar. Allah hat an ihnen Wohlgefallen, und sie haben Wohlgefallen an Ihm; das ist die große Glückseligkeit.«
121. Allahs ist das Königreich der Himmel und der Erde und was zwischen ihnen ist; und Er hat die Macht über alle Dinge.

1. Im Namen Allahs, des Gnädigen, des Barmherzigen.

2. Aller Preis gehört Allah, Der die Himmel und die Erde erschaffen und die Finsternisse und das Licht ins Sein gerufen hat; doch setzen jene, die da ungläubig sind, ihrem Herrn anderes gleich.

3. Er ist es, Der euch aus Lehm erschaffen, und dann bestimmte Er eine Frist. Und eine (weitere) Frist ist bei Ihm bekannt. Ihr aber zweifelt noch!

4. Und Er ist Allah, (der Gott) in den Himmeln wie auf der Erde. Er kennt euer Verborgenes und euer Sichtbares, und Er weiß, was ihr verdient.

5. Es kommt zu ihnen auch nicht ein Zeichen von den Zeichen ihres Herrn, ohne daß sie sich davon abwenden.

6. So haben sie die Wahrheit verworfen, als sie zu ihnen kam; bald aber soll ihnen Kunde werden von dem, was sie verspotteten.

7. Sehen sie denn nicht, wie so manches Geschlecht Wir schon vor ihnen vernichtet haben? Diese hatten Wir auf der Erde festgesetzt, wie Wir euch nicht festgesetzt haben; und über sie sandten Wir Wolken, reichlichen Regen ergießend; und unter ihnen ließen Wir Ströme fließen; dann aber tilgten Wir sie aus um ihrer Sünden willen und erweckten nach ihnen ein anderes Geschlecht.

8. Wenn Wir dir auch eine Schrift hinabgesandt hätten auf Pergament, welche sie befühlt hätten mit ihren Händen, die Ungläubigen hätten selbst dann gesagt: »Das ist nichts als offenkundige Zauberei.«

9. Sie sagen: »Warum ist kein Engel zu ihm herabgesandt worden?« Hätten Wir aber einen Engel hinabgesandt, die Sache wäre entschieden gewesen; dann hätten sie keinen Aufschub erlangt.

10. Und wenn Wir ihn (aus) einem Engel geschaffen hätten, hätten Wir ihn doch als Menschen geschaffen, und so hätten Wir ihnen das noch verwirrter gemacht, was sie selbst schon verwirren.

11. Auch die Gesandten vor dir sind verspottet worden, doch das, worüber sie spotteten, umringte die Spötter unter ihnen.

12. Sprich: »Wandert über die Erde und seht, wie das Ende der Verleugner war.«

13. Sprich: »Wessen ist, was in den Himmeln und was auf Erden ist?« Sprich: »Allahs.« Er hat Sich Selbst Barmherzigkeit vorgeschrieben. Er wird euch gewißlich weiter versammeln bis zum Tage der Auferstehung. Daran ist kein Zweifel. Jene aber, die ihre Seelen verderben, die wollen nicht glauben.

14. Sein ist, was da wohnt in der Nacht und im Tage. Und Er ist der Allhörende, der Allwissende.

15. Sprich: »Sollte ich einen anderen zum Beschützer nehmen als Allah, den Schöpfer der Himmel und der Erde, Der Nahrung gibt und Selbst keine Nahrung nimmt?« Sprich: »Mir ward geboten, daß ich der erste sei, der sich ergibt.« Und sei nicht der Götzendiener einer.

16. Sprich: »Ich fürchte die Strafe eines furchtbaren Tages, sollte ich meinem Herrn ungehorsam sein.«

17. Wer an jenem Tag davor bewahrt bleibt, dem hat Er Barmherzigkeit erwiesen. Das ist eine offenbare Glückseligkeit.

18. Wenn Allah dich mit Unglück trifft, so ist keiner, es hinwegzunehmen, als Er; und wenn Er dich mit Glück berührt, so hat Er die Macht, alles zu tun, was Er will.

19. Er ist der Höchste über Seine Diener; und Er ist der Allweise, der Allwissende.

20. Sprich: »Was ist am gewichtigsten als ein Zeugnis?« Sprich: »Allah ist Zeuge zwischen mir und euch. Und dieser Koran ist mir offenbart worden, auf daß ich euch warne damit und jeden, den er erreicht. Wolltet ihr wirklich bezeugen, daß es neben Allah andere Götter gibt?« Sprich: »Ich bezeuge es nicht.« Sprich: »Er ist der Einige Gott, und ich bin wahrlich fern von dem, was ihr anbetet.«

21. Sie, denen Wir das Buch gaben, erkennen es, wie sie ihre Söhne erkennen. Jene aber, die ihre Seelen verderben, die wollen nicht glauben.

22. Und wer ist ungerechter als der, der eine Lüge ersinnt wider Allah oder Seine Zeichen der Lüge zeiht? Wahrlich, die Ungerechten sollen nie Erfolg haben.

23. Am Tage, da Wir sie alle versammeln werden, werden Wir

zu denen, die Götter anbeteten, sprechen: »Wo sind nun eure Götter, die ihr wähntet?«

24. Dann werden sie keine andere Ausrede haben als daß sie sagen werden: »Bei Allah, unserem Herrn, wir waren keine Götzendiener.«

25. Schau, wie sie wider sich selber lügen und das, was sie sich ersannen, sie im Stiche läßt.

26. Und unter ihnen sind manche, die ihr Gehör schenken, doch Wir haben auf ihre Herzen Hüllen gelegt, daß sie nicht begreifen, und in ihre Ohren Taubheit. Selbst wenn sie jedes Zeichen sehn, sie würden doch nicht daran glauben, so daß sie mit dir streiten, wenn sie zu dir kommen. Die Ungläubigen erklären: »Das sind bloß Fabeln der Alten.«

27. Und sie hindern daran und halten sich selbst davon fern. Aber sich selbst stürzen sie ins Verderben; allein sie begreifen es nicht.

28. Und könntest du nur sehen, wie sie vor das Feuer gestellt werden! Dann werden sie sprechen: »Ach, daß wir doch zurückgebracht würden! Wir würden dann nicht die Zeichen unseres Herrn als Lüge behandeln, und wir würden zu den Gläubigen zählen.«

29. Nein, das, was sie ehemals zu verhehlen pflegten, ist ihnen nun klargeworden. Doch würden sie auch zurückgebracht, ganz gewiß würden sie bald zu dem ihnen Verbotenen zurückkehren. Und sicherlich sind sie Lügner.

30. Sie sagen: »Es gibt kein anderes als unser irdisches Leben, und wir werden nicht wiedererweckt werden.«

31. Aber könntest du nur sehen, wenn sie vor ihren Herrn gestellt werden! Er wird sprechen: »Ist nicht dies die Wahrheit?« Sie werden antworten: »Ja, bei unserem Herrn.« Er wird sprechen: »Dann kostet die Strafe, weil ihr ungläubig wart.«

32. Wahrlich, die Verlierer sind die, welche die Begegnung mit Allah leugnen. Wenn dann aber unversehens die »Stunde« über sie kommt, werden sie sagen: »O wehe uns, daß wir sie vernachlässigt haben!« Und sie werden ihre Last auf ihrem Rücken tragen. Wahrlich, schlimm ist das, was sie tragen werden.

33. Das Leben in dieser Welt ist nur ein Spiel und ein Zeitver-

treib. Und besser ist wahrlich die Wohnstätte des Jenseits für jene, die rechtschaffen sind. Wollt ihr denn nicht begreifen?

34. Wir wissen wohl, dich betrübt das, was sie sagen; denn fürwahr, nicht dich zeihen sie der Falschheit, es sind die Zeichen Allahs, die die Frevler verwerfen.

35. Wohl sind vor dir Gesandte als lügenhaft gescholten worden; doch trotzdem sie verleugnet und verfolgt wurden, blieben sie geduldig, bis Unsere Hilfe ihnen kam. Es gibt keinen, der die Worte Allahs zu ändern vermöchte. Wahrlich, schon kam Kunde zu dir von den Gesandten.

36. Und wenn dir ihr Widerwille schmerzlich ist, nun wohl, falls du imstande bist, einen Schacht in die Erde oder eine Leiter in den Himmel zu finden und ihnen ein Zeichen zu bringen (dann magst du es tun). Wäre es Allahs Wille, Er hätte sie gewiß auf den rechten Weg zusammengeführt. So sei nicht der Unwissenden einer.

37. Nur die können aufnehmen, die zuhören. Die aber tot sind, Allah wird sie erwecken, dann sollen sie zu Ihm zurückgebracht werden.

38. Sie sagen: »Warum ist ihm kein Zeichen niedergesandt worden von seinem Herrn?« Sprich: »Allah hat die Macht, ein Zeichen herabzusenden, doch die meisten von ihnen wissen es nicht.«

39. Kein Getier gibt es auf der Erde, keinen Vogel, der auf seinen zwei Schwingen dahinfliegt, die nicht Gemeinschaften wären gleich euch. Nichts haben Wir in dem Buch ausgelassen. Zu ihrem Herrn sollen sie dann versammelt werden.

40. Die aber Unsere Zeichen leugneten, sind taub und stumm in Finsternissen. Wen Allah will, läßt Er in die Irre gehen, und wen Er will, führt Er auf den geraden Weg.

41. Sprich: »Was denkt ihr? Wenn die Strafe Allahs über euch kommt oder die ›Stunde‹ euch ereilt, werdet ihr dann zu einem anderen rufen als zu Allah, wenn ihr wahrhaft seid?«

42. Nein, zu Ihm allein werdet ihr rufen; dann wird Er das hinwegnehmen, wozu ihr (Ihn) ruft, wenn Er will, und ihr werdet vergessen, was ihr (Ihm) zur Seite stelltet.

43. Wir schickten schon vor dir (Gesandte) zu Völkern, dann

suchten Wir sie mit Not und Drangsal heim, auf daß sie sich demütigen möchten.

44. Warum demütigten sie sich dann nicht, als Unsere Strafe über sie kam? Jedoch ihre Herzen waren verhärtet, und Satan ließ ihnen alles, was sie taten, als wohlgetan erscheinen.

45. Als sie das vergaßen, woran sie erinnert worden waren, da öffneten Wir ihnen die Pforten aller Dinge, bis daß Wir sie plötzlich erfaßten, dieweil sie sich des Gegebenen übermütig erfreuten, und siehe, sie wurden in Verzweiflung gestürzt!

46. So ward der restliche Zweig des Volkes der Frevler abgeschnitten; und aller Preis gehört Allah, dem Herrn der Welten.

47. Sprich: »Was wähnt ihr? Wenn Allah euer Gehör und euer Gesicht wegnähme und eure Herzen versiegelte, welcher Gott außer Allah könnte es euch wiedergeben?« Schau, wie mannigfach Wir die Zeichen dartun, und dennoch kehren sie sich ab.

48. Sprich: »Was wähnt ihr? Wenn Allahs Strafe unversehens oder offenkundig über euch kommt, wer anderes wird vernichtet werden als das Volk der Ungerechten?«

49. Wir schicken die Gesandten nur als Bringer froher Botschaft und als Warner. Die also, die da glauben und sich bessern, keine Furcht soll über sie kommen, noch sollen sie trauern.

50. Die aber Unsere Zeichen leugneten, sie wird die Strafe ereilen, weil sie ungehorsam waren.

51. Sprich: »Ich sage nicht zu euch: ›Bei mir sind Allahs Schätze‹, noch weiß ich das Verborgene; auch sage ich nicht zu euch: ›Ich bin ein Engel‹; ich folge nur dem, was mir offenbart ward.« Sprich: »Können wohl ein Blinder und ein Sehender einander gleichen? Wollt ihr denn nicht nachdenken?«

52. Und warne hiermit jene, die da fürchten, daß sie zu ihrem Herrn versammelt würden – wo sie keinen Freund noch Fürsprech haben werden außer Ihm –, auf daß sie doch gottesfürchtig werden.

53. Und treibe die nicht fort, die ihren Herrn am Morgen und am Abend anrufen im Trachten nach Seinem Angesicht. Du bist nicht verantwortlich für sie, und sie sind nicht verantwortlich für dich. Treibst du sie fort, so wirst du der Ungerechten einer.

54. Ähnlich haben Wir einige von ihnen durch andere auf die Probe gestellt, so daß sie sagen möchten: »Sind es diese, denen

Allah huldreich gewesen ist aus unserer Mitte?« Kennt Allah denn nicht am besten die Dankbaren?

55. Und wenn jene, die an Unsere Zeichen glauben, zu dir kommen, so sprich: »Friede sei mit euch! Euer Herr hat Sich Selbst Barmherzigkeit vorgeschrieben; wenn einer von euch unwissentlich etwas Böses tut und hernach bereut und sich bessert, so ist Er allvergebend, barmherzig.«

56. Also machen Wir die Zeichen klar, und daß der Weg der Sünder erkannt werde.

57. Sprich: »Mir ward verboten, die anzubeten, die ihr statt Allah anruft.« Sprich: »Ich will euren bösen Gelüsten nicht folgen; ich würde sonst wahrlich irregehen und wäre nicht unter den Rechtgeleiteten.«

58. Sprich: »Ich habe einen klaren Beweis von meinem Herrn, und ihr verwerft ihn. Ich habe nicht bei mir, was ihr beschleunigt zu sehen wünschet. Die Entscheidung liegt bei Allah allein. Er legt die Wahrheit dar, und Er ist der beste Richter.«

59. Sprich: »Hätte ich bei mir, was ihr beschleunigt zu sehen wünschet, wahrlich, entschieden wäre die Sache zwischen mir und euch. Und Allah kennt die Frevler recht wohl.«

60. Bei Ihm sind die Schlüssel des Verborgenen; keiner kennt sie als Er allein. Und Er weiß, was auf dem Lande ist und was im Meer. Und nicht ein Blatt fällt nieder, ohne daß Er es weiß; und kein Körnchen ist in der Erde Dunkel und nichts Grünes und nichts Dürres, das nicht in einem deutlichen Buch wäre.

61. Und Er ist es, Der eure Seelen zu Sich nimmt in der Nacht und weiß, was ihr schaffet am Tag; darin erweckt Er euch dann wieder, auf daß die vorbestimmte Frist vollendet werde. Zu Ihm ist dann eure Heimkehr; dann wird Er euch verkünden, was eure Werke waren.

62. Er ist der Höchste über Seine Diener, und Er sendet Wächter über euch, bis endlich, wenn der Tod an einen von euch herantritt, Unsere Gesandten seine Seele dahinnehmen, und sie säumen nicht.

63. Dann werden sie zurückgebracht zu Allah, ihrem wahren Herrn. Wahrlich, Sein ist das Urteil, und Er ist der schnellste Rechner.

64. Sprich: »Wer errettet euch aus den Fährnissen zu Land und

Meer, [wenn] ihr Ihn anruft in Demut und insgeheim: ›Wenn Er uns hieraus errettet, werden wir wahrlich dankbar sein?‹«

65. Sprich: »Allah errettet euch daraus und aus aller Drangsal, dennoch stellt ihr (Ihm) Götter zur Seite.«

66. Sprich: »Er hat die Macht, euch ein Strafgericht zu senden, aus der Höhe oder unter euren Füßen hervor, oder euch als Gruppen zusammenzuführen und die einen der anderen Gewalttat kosten zu lassen.« Schau, wie mannigfach Wir die Zeichen dartun, auf daß sie verstehen.

67. Und dein Volk hat es verworfen, obwohl es die Wahrheit ist. Sprich: »Ich bin kein Wächter über euch.«

68. Für jede Weissagung ist eine Zeit gesetzt, und bald werdet ihr es erfahren.

69. Wenn du jene siehst, die über Unsere Zeichen töricht reden, dann wende dich ab von ihnen, bis sie ein anderes Gespräch führen. Und sollte dich Satan (dies) vergessen lassen, dann sitze nicht, nach dem Wiedererinnern, mit dem Volk der Ungerechten.

70. Den Rechtschaffenen obliegt nicht die Verantwortung für jene, sondern nur das Ermahnen, auf daß sie gottesfürchtig werden.

71. Laß jene allein, die ihren Glauben als ein Spiel und einen Zeitvertreib nehmen und die das irdische Leben betört hat. Und ermahne (die Menschen) hierdurch, damit nicht eine Seele der Verdammnis anheimfalle für das, was sie begangen hat. Keinen Helfer noch Fürsprecher soll sie haben, es sei denn Allah; und wenn sie auch jegliches Lösegeld bietet, es wird von ihr nicht angenommen werden. Das sind die, welche dem Verderben preisgegeben wurden für ihre eigenen Taten. Ein Trunk siedenden Wassers wird ihr Teil sein und eine schmerzliche Strafe, weil sie ungläubig waren.

72. Sprich: »Sollen wir statt Allah das anrufen, was uns weder nützt noch schadet, und sollen wir umkehren auf unseren Fersen*, nachdem Allah uns den Weg gewiesen, gleich einem, den die Teufel verwirrt im Land herumgängeln? Er hat Gefährten, die ihn zum rechten Weg rufen: ›Komm zu uns!‹« Sprich: »Al-

---

* Den Glauben verleugnen.

lahs Führung ist allein die Führung, und uns ist geboten, daß wir uns ergeben dem Herrn der Welten.

73. Und: ›Verrichtet das Gebet und fürchtet Ihn‹, und Er ist es, zu Dem ihr versammelt werdet.«

74. Er ist es, Der die Himmel und die Erde erschuf in Weisheit; und am Tage, da Er spricht:»Es werde!«, so wird es sein. Sein Wort ist die Wahrheit, und Sein ist das Reich an dem Tage, da in die Posaune geblasen wird. Kenner des Verborgenen und des Offenbaren – Er ist der Allweise, der Allwissende.

75. Und (denke daran) wie Abraham zu seinem Vater Āzar sprach:»Nimmst du Götzenbilder zu Göttern? Ich sehe dich und dein Volk in offenbarer Irrung.«

76. Also zeigten Wir Abraham das Reich der Himmel und der Erde, (auf daß er rechtgeleitet sei) und er zu den Festen im Glauben zählen möchte.

77. Als nun die Nacht ihn überschattete, da erblickte er einen Stern. Er sprach:»Ist das mein Herr?« Doch da er unterging, sprach er:»Ich liebe nicht die Untergehenden.«

78. Als er den Mond sah, sein Licht ausbreitend, da sprach er: »Ist das mein Herr?« Doch da er unterging, sprach er:»Hätte nicht mein Herr mich recht geleitet, wäre ich gewiß unter den Verirrten gewesen.«

79. Als er die Sonne sah, ihr Licht ausbreitend, da sprach er:»Ist das mein Herr, das ist das Größte?« Da sie aber unterging, sprach er:»O mein Volk, ich habe nichts zu tun mit dem, was ihr anbetet.

80. Siehe, ich habe mein Angesicht in Aufrichtigkeit zu Dem gewandt, Der die Himmel und die Erde schuf, und ich gehöre nicht zu den Götzendienern.«

81. Und sein Volk stritt mit ihm. Da sagte er:»Streitet ihr mit mir über Allah, da Er mich schon recht geleitet hat? Und ich fürchte nicht das, was ihr Ihm zur Seite stellt, sondern nur das, was mein Herr will. Mein Herr umfaßt alle Dinge mit Wissen. Wollt ihr denn nicht verstehen?

82. Und wie sollte ich das fürchten, was ihr anbetet, wenn ihr nicht fürchtet, Allah etwas zur Seite zu stellen, wozu Er euch keine Vollmacht niedersandte?« Welche der beiden Parteien hat also größeres Anrecht auf Frieden, wenn ihr es wisset?

83. Die da glauben und ihren Glauben nicht mit Ungerechtigkeit vermengen – sie sind es, die Frieden haben sollen und die
rechtgeleitet sind.

84. Das ist Unser Beweis, den Wir Abraham seinem Volk gegenüber gaben. Wir erheben in den Rängen, wen Wir wollen.
Siehe, dein Herr ist allweise, allwissend.

85. Wir schenkten ihm Isaak und Jakob; jeden leiteten Wir
recht, wie Wir vordem Noah recht geleitet hatten und von seinen Nachfahren David und Salomo und Hiob und Joseph und
Moses und Aaron. Also belohnen Wir die Wirker des Guten.

86. Und (Wir leiteten) Zacharias und Johannes und Jesus und
Elias; alle gehörten sie zu den Rechtschaffenen.

87. Und (Wir leiteten) Ismael und Elisa und Jonas und Lot; sie
alle zeichneten Wir aus unter den Völkern.

88. Ebenso manche von ihren Vätern und ihren Kindern und
ihren Brüdern: Wir erwählten sie und leiteten sie auf den geraden Weg.

89. Das ist der Weg Allahs; damit leitet Er von Seinen Dienern,
wen Er will. Hätten sie aber anderes angebetet, wahrlich, nichts
hätte ihnen all ihr Tun gefruchtet.

90. Diese sind es, denen Wir die Schrift gaben und die Weisheit
und das Prophetentum. Wenn aber diese das (Prophetentum)
leugnen, dann haben Wir es einem Volke anvertraut, das es
nicht leugnet.

91. Das sind jene, die Allah recht geleitet hat: so folge ihrem
Weg. Sprich: »Ich verlange von euch keinen Lohn dafür. Es ist
ja nichts anderes als eine Ermahnung für die ganze Menschheit.«

92. Sie schätzen Allah nicht nach Seinem Wert, wenn sie sagen:
»Allah hat keinem Menschen irgend etwas herabgesandt.«
Sprich: »Wer sandte das Buch nieder, das Moses brachte als ein
Licht und eine Führung für die Menschen – ob ihr es gleich als
Fetzen Papier behandelt, die ihr zeigt, während ihr viel verbergt
–, und doch ist euch das gelehrt worden, was weder ihr noch
eure Väter wußten?« Sprich: »Allah!« Dann laß sie sich weiter
vergnügen an ihrem eitlen Geschwätz.

93. Dies ist ein Buch, das Wir hinabsandten, voll des Segens, Erfüller dessen, was vor ihm war, auf daß du die Mutter der Städte* und die rings um sie (Wohnenden) verwarnest. Die an das Kommende glauben, die glauben daran, und sie halten streng ihre Gebete.

94. Wer ist ungerechter, als wer eine Lüge wider Allah erdichtet oder spricht: »Mir ward offenbart«, während ihm doch nichts offenbart worden, und wer da spricht: »Ich werde dergleichen hinabsenden, wie Allah hinabgesandt hat«? Aber könntest du die Frevler nur sehen in des Todes Schlünden, wenn die Engel ihre Hände ausstrecken: »Liefert eure Seelen aus! Heute sei die Strafe der Schande euer Lohn um dessentwillen, was ihr Falsches wider Allah gesprochen, und weil ihr euch mit Verachtung abwandtet von Seinen Zeichen.«

95. Und nun kommt ihr einzeln zu Uns, wie Wir euch zuerst erschufen, und habt, was Wir euch bescherten, hinter euch gelassen, und Wir sehen nicht bei euch eure Fürsprecher, die ihr wähntet, sie seien (Gottes) Gegenpart in euren Sachen. Nun seid ihr voneinander abgeschnitten und das, was ihr wähntet, ist euch dahingeschwunden.

96. Wahrlich, Allah ist es, Der das Korn und den Dattelkern keimen läßt. Er bringt das Lebendige hervor aus dem Toten, und Er ist der Hervorbringer des Toten aus dem Lebendigen. Das ist Allah; warum dann laßt ihr euch abwendig machen?

97. Er läßt den Tag anbrechen; und Er machte die Nacht zur Ruhe und Sonne und Mond zur Berechnung. Das ist die Anordnung des Allmächtigen, des Allwissenden.

98. Und Er ist es, Der die Sterne für euch geschaffen, auf daß ihr durch sie den Weg findet in den Finsternissen zu Land und Meer. Wir haben bis ins einzelne die Zeichen dargelegt für Menschen, die Wissen haben.

99. Er ist es, Der euch entstehen ließ aus einem einzigen Wesen, und (euch) ist ein Aufenthaltsort und eine Heimstatt. Wir haben bis ins einzelne die Zeichen dargelegt für Menschen, die begreifen.

100. Und Er ist es, Der Wasser niedersendet aus der Wolke;

---

* Mekka.

damit bringen Wir alle Art Wachstum hervor; mit diesem bringen Wir dann Grünes hervor, daraus Wir gereihtes Korn sprießen lassen, und aus der Dattelpalme, aus ihren Blütendolden (sprießen) niederhängende Datteltrauben, und Gärten mit Trauben, und die Olive und den Granatapfel – einander ähnlich und unähnlich. Betrachtet ihre Frucht, wenn sie Früchte tragen, und ihr Reifen. Wahrlich, hierin sind Zeichen für Leute, die glauben.

101. Und doch halten sie die Dschinn für Allahs Nebenbuhler, obwohl Er sie geschaffen hat; und sie dichten Ihm fälschlich Söhne und Töchter an ohne alles Wissen. Heilig ist Er und erhaben über das, was sie (Ihm) zuschreiben.

102. Schöpfer der Himmel und der Erde! Wie sollte Er einen Sohn haben, wo Er keine Gefährtin hat und wo Er alles erschuf und alle Dinge weiß?

103. Das ist Allah, euer Herr. Es gibt keinen Gott außer Ihm, dem Schöpfer aller Dinge; so betet Ihn an. Und Er ist Hüter über alle Dinge.

104. Blicke können Ihn nicht erreichen, Er aber erreicht die Blicke. Und Er ist der Gütige, der Allkundige.

105. Sichtbare Beweise sind euch nunmehr gekommen von eurem Herrn; wer also sieht, es ist zu seinem eigenen Besten; und wer blind wird, es ist zu seinem eigenen Schaden. Und ich bin nicht ein Wächter über euch.

106. Also wenden und wenden Wir die Zeichen, damit sie sagen können: »Du hast vorgetragen«, und damit Wir sie klar machen für Leute, die Wissen haben.

107. Folge dem, was dir offenbart wurde von deinem Herrn – es gibt keinen Gott außer Ihm –, und wende dich ab von den Götzendienern.

108. Hätte Allah Seinen Willen erzwungen, sie hätten (Ihm) keine Götter zur Seite gesetzt. Wir haben dich nicht zu ihrem Hüter gemacht, noch bist du ein Wächter über sie.

109. Und schmähet nicht die, welche sie statt Allah anrufen, sonst würden sie aus Groll Allah schmähen ohne Wissen. Also ließen Wir jedem Volke sein Tun als wohlgefällig erscheinen. Dann aber ist zu ihrem Herrn ihre Heimkehr; und Er wird ihnen verkünden, was sie getan.

110. Sie schwören ihre feierlichsten Eide bei Allah, wenn ihnen nur ein Zeichen käme, sie würden sicherlich daran glauben. Sprich: »Bei Allah sind die Zeichen und auch das, was euch verstehen machen wird, daß sie nicht glauben werden, wenn (die Zeichen) kommen.«

111. Und Wir werden ihre Herzen und ihre Augen verwirren, weil sie ja auch das erste Mal nicht daran glaubten, und Wir lassen sie sodann in ihrer Widerspenstigkeit verblendet irregehen.

112. Und sendeten Wir auch Engel zu ihnen hinab, und die Toten sprächen zu ihnen, und Wir versammelten alle Dinge ihnen gegenüber, sie würden doch nicht glauben, es wäre denn Allahs Wille. Jedoch die meisten von ihnen sind unwissend.

113. Also hatten Wir die Teufel unter den Menschen und den Dschinn jedem Propheten zum Feind gemacht. Sie geben einander prunkende Rede ein zum Trug – und hätte dein Herr Seinen Willen erzwungen, sie hätten es nicht getan; so überlaß sie sich selbst mit dem, was sie erdichten –

114. Und damit die Herzen derer, die nicht an das Jenseits glauben, demselben zugeneigt würden und an diesem Gefallen fänden und (fortfahren) möchten zu verdienen, was sie sich nun erwerben.

115. Soll ich denn einen andern Richter suchen als Allah – und Er ist es, Der euch das Buch, deutlich gemacht, herabgesandt hat? Und jene, denen Wir das Buch gegeben haben, wissen, daß es von deinem Herrn mit der Wahrheit herabgesandt ward; deshalb solltest du nicht unter den Bestreitern sein.

116. Das Wort deines Herrn wird vollendet sein in Wahrheit und Gerechtigkeit. Keiner vermag Seine Worte zu ändern, und Er ist der Allhörende, der Allwissende.

117. Und wenn du der Mehrzahl derer auf Erden gehorchest, werden sie dich wegführen von Allahs Weg. Sie folgen nur einem Wahn, und sie vermuten bloß.

118. Wahrlich, dein Herr weiß am besten, wer von Seinem Wege abirrt; und Er kennt am besten die Rechtgeleiteten.

119. So esset das, worüber Allahs Name ausgesprochen ward, wenn ihr an Seine Zeichen glaubt.

120. Was ist euch, daß ihr nicht von dem esset, worüber Allahs Name ausgesprochen ward, wo Er euch bereits erklärt hat, was

Er euch verboten hat – das ausgenommen, wozu ihr gezwungen werdet? Und gewiß, viele führen (andere) irre mit ihren bösen Gelüsten durch Mangel an Wissen. Wahrlich, dein Herr kennt die Übertreter am besten.

121. Und meidet die Sünde – die öffentliche und die geheime. Jene, die Sünde erwerben, werden den Lohn empfangen für ihren Erwerb.

122. Und esset nicht von dem, worüber Allahs Name nicht ausgesprochen ward, denn fürwahr, das ist Ungehorsam. Und gewiß werden die Teufel ihren Freunden eingeben, mit euch zu streiten. Und wenn ihr ihnen gehorcht, so werdet ihr Götzendiener sein.

123. Kann wohl einer, der tot war – und dem Wir Leben gaben und für den Wir ein Licht machten, damit unter Menschen zu wandeln –, dem gleich sein, der in Finsternissen ist und nicht daraus hervorzugehen vermag? Also wurde den Ungläubigen schön gemacht, was sie zu tun pflegten.

124. Und so haben Wir es in jeder Stadt die Großen ihrer Sünder gemacht: daß sie darin Ränke schmieden. Und sie schmieden nur Ränke gegen ihre eigenen Seelen; allein sie merken es nicht.

125. Und wenn ihnen ein Zeichen kommt, sagen sie: »Wir werden nicht eher glauben, als bis wir dasselbe erhalten, was die Gesandten Gottes erhalten haben.« Allah weiß am besten, wohin Er Seine Botschaft hinlegt. Wahrlich, Erniedrigung vor Allah und eine strenge Strafe wird die Sünder treffen für ihre Ränke.

126. Darum: wen Allah leiten will, dem weitet Er die Brust für den Islam; und wen Er in die Irre gehen lassen will, dem macht Er die Brust eng und bang, als sollte er zum Himmel emporklimmen. So verhängt Allah Strafe über jene, die nicht glauben.

127. Das ist der Weg deines Herrn, der gerade. Wir haben die Zeichen bis ins einzelne dargelegt für Leute, die beherzigen mögen.

128. Für sie ist eine Wohnstatt des Friedens bei ihrem Herrn, und Er ist ihr Freund um ihrer Werke willen.

129. Und an dem Tage, da Er sie versammelt allzumal, dann: »O Zunft der Dschinn, ihr vermehrtet euch um die meisten der Menschen.« Und ihre Freunde unter den Menschen werden

sagen: »Unser Herr, einige von uns haben von anderen Vorteil genossen, nun aber stehen wir am Ende unserer Frist, die Du uns bestimmtest.« Er wird sprechen: »Das Feuer sei euer Aufenthalt, darin sollt ihr bleiben, es sei denn, daß Allah anders will.« Wahrlich, dein Herr ist allweise, allwissend.

130. Also setzen Wir einige der Frevler über die anderen, um dessentwillen, was sie sich erwarben.

131. »O Zunft der Dschinn und der Menschen! Sind nicht Gesandte zu euch gekommen aus eurer Mitte, die euch Meine Zeichen berichteten und euch warnten vor dem Eintreffen dieses eures Tages?« Sie werden sagen: »Wir zeugen wider uns selbst.« Das irdische Leben hat sie betrogen, und sie werden wider sich selbst Zeugnis ablegen, daß sie Ungläubige waren.

132. Dies, weil dein Herr die Städte nicht ungerechterweise zerstören wollte, während ihre Bewohner ungewarnt waren.

133. Für alle sind Rangstufen je nach ihrem Tun, und dein Herr übersieht nicht, was sie tun.

134. Dein Herr ist der Sich Selbst Genügende, voll der Barmherzigkeit. Wenn Er will, kann Er euch hinwegnehmen und an eurer Statt folgen lassen, was Ihm beliebt, wie Er auch euch entstehen ließ aus der Nachkommenschaft anderer.

135. Wahrlich, was euch versprochen wird, das wird geschehen, und ihr könnt es nicht vereiteln.

136. Sprich: »O mein Volk, handelt nach eurem Vermögen, auch ich werde handeln. Bald werdet ihr wissen, wessen der endgültige Lohn der Wohnstatt sein wird.« Siehe, die Ungerechten haben nie Erfolg.

137. Sie haben für Allah einen Anteil ausgesetzt an den Feldfrüchten und dem Vieh, das Er wachsen ließ, und sie sagen: »Das ist für Allah«, wie sie meinen, »und das ist für unsere Götzen.« Aber was für ihre Götzen ist, das erreicht Allah nicht, während das, was für Allah ist, ihre Götzen erreicht. Übel ist, wie sie urteilen.

138. Und ebenso haben ihre Götter vielen der Götzenanbeter das Töten ihrer Kinder als wohlgefällig erscheinen lassen, damit sie sie verderben und ihnen ihren Glauben verwirren möchten. Und hätte Allah Seinen Willen erzwungen, sie hätten das nicht getan; so überlasse sie sich selbst mit dem, was sie erdichten.

139. Sie sagen: »Dieses Vieh und diese Feldfrüchte sind verboten; niemand soll davon essen, außer wem wir es erlauben« – so behaupten sie –, und es gibt Tiere, deren Rücken (zum Reiten) verboten ist, und Tiere, über die sie nicht den Namen Allahs aussprechen, Lüge wider Ihn erfindend. Bald wird Er ihnen vergelten, was sie erdichteten.

140. Und sie sagen: »Was im Schoße von diesen Tieren ist, das ist ausschließlich unseren Männern vorbehalten und unseren Frauen verboten«; wird es aber tot (geboren), dann haben sie (alle) Anteil daran. Er wird ihnen den Lohn geben für ihre Behauptung. Wahrlich, Er ist allweise, allwissend.

141. Verloren fürwahr sind jene, die ihre Kinder töricht töten, aus Unwissenheit, und das für unerlaubt erklären, was Allah ihnen gegeben hat, Lüge wider Allah erfindend. Sie sind wahrlich irregegangen und sind nicht rechtgeleitet.

142. Er ist es, Der Gärten wachsen läßt, mit Rebspalieren und ohne Rebspaliere, und die Dattelpalme und Getreidefelder, deren Früchte von verschiedener Art sind, und die Olive und den Granatapfel, einander ähnlich und unähnlich. Esset von ihren Früchten, wenn sie Frucht tragen, doch gebet Ihm die Gebühr* davon am Tage der Ernte und überschreitet die Grenzen nicht. Wahrlich, Er liebt die Maßlosen nicht.

143. Unter dem Vieh sind Lasttiere und Schlachttiere. Esset von dem, was Allah euch gegeben hat, und folget nicht den Fußstapfen Satans. Wahrlich, er ist euch ein offenkundiger Feind.

144. Acht Paare: zwei von den Schafen und zwei von den Ziegen. Sprich: »Sind es die beiden Männchen, die Er verboten hat, oder die beiden Weibchen oder das, was der Mutterschoß der beiden Weibchen umschließt? Verkündet es mir mit Wissen, wenn ihr wahrhaft seid.«

145. Und von den Kamelen zwei, und von den Rindern zwei. Sprich: »Sind es die beiden Männchen, die Er verboten hat, oder die beiden Weibchen oder das, was der Mutterschoß der beiden Weibchen umschließt? Waret ihr dabei, als Allah euch dies gebot?« Wer ist also ungerechter als der, welcher eine Lüge

---

* Den Anteil der Armen.

wider Allah ersinnt, um Leute ohne Wissen irrezuführen? Wahrlich, Allah weist dem ungerechten Volk nicht den Weg.

146. Sprich:»Ich finde in dem, was mir offenbart ward, nichts, das einem Essenden, der es essen möchte, verboten wäre, es sei denn von selbst Verendetes oder vergossenes Blut oder Schweinefleisch – denn das ist unrein – oder Verbotenes, über das ein anderer Name angerufen ward als Allahs. Wer aber durch Not getrieben wird – nicht ungehorsam und das Maß überschreitend –, dann ist dein Herr allverzeihend, barmherzig.«

147. Und denen, die Juden sind, haben Wir alles Getier untersagt, das Klauen hat; und vom Rindvieh und den Schafen und Ziegen haben Wir ihnen das Fett verboten, ausgenommen das, was an ihren Rücken sitzt oder in den Eingeweiden oder am Knochen haftet. Das ist der Lohn, den Wir ihnen für ihre Abtrünnigkeit gaben. Und siehe, Wir sind wahrhaft.

148. Wenn sie dich aber der Lüge zeihen, so sprich:»Euer Herr ist von allumfassender Barmherzigkeit, doch Seine Strenge soll nicht abgewendet werden von dem schuldigen Volk.«

149. Die Götzendiener werden sagen:»Wäre es Allahs Wille, wir – wie unsere Väter – hätten keine Götter angebetet; auch hätten wir nichts unerlaubt gemacht.« Also leugneten schon jene, die vor ihnen waren, bis sie Unsere Strenge zu kosten bekamen. Sprich:»Habt ihr irgendein Wissen? Dann bringt es für uns zum Vorschein. Doch ihr folgt nur einem Wahn, und ihr vermutet bloß.«

150. Sprich:»Bei Allah ist der überzeugende Beweis. Hätte Er Seinen Willen erzwungen, Er hätte euch allen den Weg gewiesen.«

151. Sprich:»Her mit euren Zeugen, die bezeugen, Allah habe dies verboten!« Wenn sie bezeugen, so lege du nicht Zeugnis ab mit ihnen und folge nicht den bösen Gelüsten derer, die Unsere Zeichen als Lügen behandelten und die nicht an das Kommende glauben und die andere gleichstellen ihrem Herrn.

152. Sprich:»Komm her, ich will vortragen, was euer Herr euch verboten hat: Ihr sollt Ihm nichts zur Seite stellen, und Güte (erzeigen) den Eltern; und ihr sollt eure Kinder nicht töten aus Armut, Wir sorgen ja für euch und für sie. Ihr sollt euch nicht den Schändlichkeiten nähern, seien sie offen oder verborgen;

und ihr sollt nicht das Leben töten, das Allah unverletzlich gemacht hat, es sei denn nach Recht.* Das ist es, was Er euch geboten hat, auf daß ihr begreifen möget.

153. Und kommt dem Besitz der Waise nicht nahe, es sei denn zum Besten, bis sie ihre Volljährigkeit erreicht hat. Und gebt volles Maß und Gewicht in Billigkeit. Wir auferlegen keiner Seele über ihr Vermögen. Und wenn ihr einen Spruch fällt, so übt Gerechtigkeit, auch wenn es einen nahen Verwandten (betrifft); und den Bund Allahs haltet. Das ist es, was Er euch gebietet, auf daß ihr ermahnt sein möget.«

154. Und dies ist Mein Weg, der gerade. So folget ihm; und folget nicht den (anderen) Pfaden, damit sie euch nicht weitab führen von Seinem Weg. Das ist es, was Er euch gebietet, auf daß ihr euch vor Bösem hütet.

155. Und wiederum gaben Wir Moses die Schrift – erfüllend (die Gnade) für den, der das Gute tat, und eine Klarlegung aller Dinge und eine Führung und eine Barmherzigkeit –, auf daß sie an die Begegnung mit ihrem Herrn glauben möchten.

156. Und das ist ein Buch, das Wir niedersandten – voll des Segens. So folget ihm, und hütet euch vor Sünde, auf daß ihr Barmherzigkeit findet;

157. Daß ihr nicht sprechet: »Nur zu zwei Völkern vor uns ward die Schrift niedergesandt, und wir hatten in der Tat keine Kunde von ihrem Inhalt«;

158. Oder daß ihr nicht sprechet: »Wäre die Schrift zu uns niedergesandt worden, wir hätten uns wahrlich besser leiten lassen als sie.« Nun ist euch ein deutliches Zeugnis von eurem Herrn gekommen, und eine Führung und eine Barmherzigkeit. Wer ist also ungerechter als der, der Allahs Zeichen verwirft und sich von ihnen abkehrt? Wir werden denen, die sich von Unseren Zeichen abkehren, mit einer schlimmen Strafe vergelten, da sie sich abgewandt.

159. Worauf warten sie denn, wenn nicht, daß Engel zu ihnen kommen oder daß dein Herr kommt oder einige von deines Herrn Zeichen kommen? Am Tag, an dem einige von deines Herrn Zeichen eintreffen, soll der Glaube an sie niemandem

---

* Nach dem Landesrecht.

nützen, der nicht vorher geglaubt oder in seinem Glauben Gutes gewirkt hat. Sprich: »Wartet nur; auch wir warten.«

160. Jene aber, die in ihren Glauben Spaltung trugen und Sektierer wurden, mit ihnen hast du nichts zu schaffen. Ihr Fall wird sicherlich vor Allah kommen, dann wird Er ihnen verkünden, was sie getan.

161. Wer eine gute Tat vollbringt, dem soll zehnfach vergolten werden; wer aber eine böse Tat übt, der soll nur das gleiche als Lohn empfangen; und kein Unrecht sollen sie leiden.

162. Sprich: »Siehe, mich hat mein Herr auf einen geraden Weg geleitet – zu dem rechten Glauben, dem Glauben Abrahams, des Aufrechten. Und er war keiner der Götzendiener.«

163. Sprich: »Mein Gebet und mein Opfer und mein Leben und mein Tod gehören Allah, dem Herrn der Welten.

164. Er hat niemanden neben Sich. Also ist mir geboten, und ich bin der erste der Gottergebenen.«

165. Sprich: »Sollte ich einen anderen Herrn suchen denn Allah, da Er aller Dinge Herr ist?« Und keine Seele wirkt, es sei denn gegen sich selbst, und keine Lasttragende trägt die Last einer anderen. Zu eurem Herrn dann ist eure Heimkehr, und Er wird euch über das belehren, worüber ihr uneins wart.

166. Er ist es, Der euch zu Nachfolgern auf der Erde machte und die einen von euch über die anderen erhöhte um Rangstufen, damit Er euch prüfe durch das, was Er euch gegeben. Wahrlich, dein Herr ist schnell im Strafen; wahrlich, Er ist allverzeihend, barmherzig.

1. Im Namen Allahs, des Gnädigen, des Barmherzigen.

2. Alif Lām Mīm Sād.*

3. Ein Buch, zu dir hinabgesandt – so laß deswegen keine Bangigkeit sein in deiner Brust –, auf daß du damit warnest: eine Ermahnung für die Gläubigen.

4. Folget dem, was zu euch herabgesandt ward von eurem Herrn, und folget keinen andern Beschützern außer Ihm. Wie wenig seid ihr (dessen) eingedenk!

5. Wie so manche Stadt haben Wir zerstört! Unsere Strafe kam über sie des Nachts oder während sie schliefen am Mittag;

6. Und ihr Ruf, da Unsere Strafe über sie kam, war nichts anderes, als daß sie sprachen: »Wir waren fürwahr Frevler!«

7. Wahrlich, fragen werden Wir jene, zu denen (die Gesandten) geschickt wurden, und fragen werden Wir die Gesandten.

8. Dann werden Wir ihnen wahrlich (ihre Taten) aufzählen mit Wissen, denn Wir waren niemals abwesend.

9. Und das Wägen an jenem Tage wird wahrhaftig sein. Deren Waagschale dann schwer ist, die werden Erfolg haben.

10. Deren Waagschale aber leicht ist, das sind jene, die ihre Seelen zugrunde gerichtet haben, weil sie sich vergingen gegen Unsere Zeichen.

11. Wir hatten euch auf der Erde festgesetzt und euch darin die Mittel bereitet zum Unterhalt. Wie wenig seid ihr dankbar!

12. Und Wir haben euch hervorgebracht, dann gaben Wir euch Gestalt; dann sprachen Wir zu den Engeln: »Unterwerfet euch Adam«; und sie alle unterwarfen sich. Nur Iblis nicht; er gehörte nicht zu denen, die sich unterwerfen.

13. Er sprach: »Was hinderte dich, daß du dich nicht unterwarfest, als Ich es dir gebot?« Er sagte: »Ich bin besser als er. Du hast mich aus Feuer erschaffen, ihn aber erschufst Du aus Lehm!«

14. Er sprach: »Hinab mit dir von hier; es ziemt sich nicht für dich, hier hoffärtig zu sein. Hinaus denn; du bist wahrlich der Erniedrigten einer.«

15. Er sprach: »Gewähre mir Aufschub bis zum Tage, wenn sie auferweckt werden.«

---

* Ich bin Allah, der Allwissende, der Wahrhaftige.

16. Er sprach: »Dir sei Aufschub gewährt.«

17. Er sprach: »Wohlan, da Du mich als verloren verurteilt hast, will ich ihnen gewißlich auflauern auf Deinem geraden Weg.

18. Dann will ich über sie kommen von vorne und von hinten, von ihrer Rechten und von ihrer Linken, und Du wirst die Mehrzahl von ihnen nicht dankbar finden.«

19. Er sprach: »Hinweg mit dir, verachtet und verstoßen! Wahrlich, wer von ihnen dir folgt – Ich werde die Hölle füllen mit euch allesamt.«

20. »O Adam, weile du und dein Weib in dem Garten und esset, wo immer ihr wollt, nur nähert euch nicht diesem Baume, sonst seid ihr Ungerechte.«

21. Doch Satan flüsterte ihnen Böses ein, daß er ihnen kundtun möchte, was ihnen verborgen war von ihrer Scham. Er sprach: »Euer Herr hat euch diesen Baum nur deshalb verboten, damit ihr nicht Engel werdet oder Ewiglebende.«

22. Und er schwor ihnen: »Gewiß, ich bin euch ein aufrichtiger Ratgeber.«

23. So verführte er sie durch Trug. Und als sie von dem Baume kosteten, da ward ihre Scham ihnen offenbar, und sie begannen, sich in die Blätter des Gartens zu hüllen. Und ihr Herr rief sie: »Habe Ich euch nicht diesem Baum verwehrt und euch gesagt: ›Wahrlich, Satan ist euch ein offenkundiger Feind‹?«

24. Sie sprachen: »Unser Herr, wir haben wider uns selbst gesündigt; und wenn Du uns nicht verzeihst und Dich unser erbarmst, dann werden wir gewiß unter den Verlorenen sein.«

25. Er sprach: »Hinab mit euch; die einen von euch sind den anderen feind. Und es sei euch auf der Erde ein Aufenthaltsort und eine Versorgung auf Zeit.«

26. Er sprach: »Dort sollt ihr leben, und dort sollt ihr sterben, und von dort sollt ihr hervorgebracht werden.«

27. O Kinder Adams, Wir gaben euch Kleidung, eure Scham zu bedecken, und zum Schmuck; doch das Kleid der Frömmigkeit – das ist das beste. Dies ist eins der Zeichen Allahs, auf daß sie (dessen) eingedenk sein mögen.

28. O Kinder Adams, laßt Satan euch nicht verführen, wie er eure Eltern aus dem Garten vertrieb, ihnen ihre Kleidung raubend, auf daß er ihnen ihre Scham zeigte. Wahrlich, er sieht

euch, er und seine Schar, von wo ihr sie nicht seht. Denn siehe, Wir haben die Teufel zu Freunden derer gemacht, die nicht glauben.

29. Und wenn sie eine Schandtat begehen, sagen sie: »Wir fanden unsere Väter dabei, und Allah hat sie uns befohlen.« Sprich: »Allah befiehlt niemals Schandtaten. Wollt ihr denn von Allah reden, was ihr nicht wisset?«

30. Sprich: »Mein Herr hat Gerechtigkeit befohlen. Sammelt eure Aufmerksamkeit (zu jeder Zeit und) an jeder Stätte der Andacht, und rufet Ihn an in lauterem Gehorsam gegen Ihn. Wie Er euch ins Dasein gebracht, so sollt ihr zurückkehren.«

31. Einige hat Er geleitet, anderen aber ward nach Gebühr Irrtum zuteil. Sie haben sich die Teufel zu Freunden genommen und Allah ausgeschlossen, und sie wähnen, sie seien rechtgeleitet.

32. O Kinder Adams, leget euren Schmuck an (zu jeder Zeit und) an jeder Stätte der Andacht, und esset und trinket, doch überschreitet das Maß nicht; wahrlich, Er liebt nicht die Unmäßigen.

33. Sprich: »Wer hat den Schmuck Allahs verboten, den Er für Seine Diener hervorgebracht, und die guten Dinge der Versorgung?« Sprich: »Sie sind für die Gläubigen in diesem Leben (und) ausschließlich (für sie) am Tage der Auferstehung.« Also machen Wir die Zeichen klar für Leute, die Kenntnis besitzen.

34. Sprich: »Mein Herr hat nur Schändlichkeiten verboten, seien sie offen oder verborgen, dazu Sünde und ungerechte Gewalttat, und daß ihr Allah das zur Seite setzet, wozu Er keine Vollmacht herabsandte, und daß ihr von Allah aussaget, was ihr nicht wisset.«

35. Jedem Volk ist eine Frist gesetzt; und wenn ihre Stunde gekommen ist, dann können sie (sie) auch nicht um einen Augenblick hinausschieben, noch können sie (sie) vorverschieben.

36. O Kinder Adams, wenn zu euch Gesandte kommen aus eurer Mitte, die euch Meine Zeichen verkünden – wer dann gottesfürchtig ist und gute Werke tut, keine Furcht soll über sie kommen, noch sollen sie trauern.

37. Die aber, die Unsere Zeichen verwerfen und sich mit Ver-

achtung von ihnen abwenden, die sollen die Bewohner des Feuers sein; darin müssen sie bleiben.

38. Wer ist wohl frevelhafter als der, der eine Lüge wider Allah erdichtet oder Seine Zeichen der Lüge zeiht? Diesen soll das ihnen bestimmte Los werden, bis Unsere Boten zu ihnen kommen, ihnen den Tod zu bringen; sie werden sprechen: »Wo ist nun das, was ihr statt Allah anzurufen pflegtet?« Jene werden antworten: »Wir können sie nicht finden«; und sie werden gegen sich selbst Zeugnis ablegen, daß sie Ungläubige waren.

39. Er wird sprechen: »Tretet ein in das Feuer zu den Scharen der Dschinn und der Menschen, die vor euch dahingingen.« Sooft eine Schar eintritt, wird sie ihre Schwesterschar verfluchen, bis endlich, wenn sie alle nacheinander darin angekommen sind, die letzten von den ersten sprechen werden: »Unser Herr, diese da haben uns irregeführt, so gib ihnen die Pein des Feuers mehrfach.« Er wird sprechen: »Jeder hat mehrfach, allein ihr wißt es nicht.«

40. Und die ersten werden zu den letzten sagen: »So hattet ihr denn keinen Vorzug vor uns; kostet also die Strafe für das, was ihr getan.«

41. Die Unsere Zeichen verwerfen und sich mit Verachtung von ihnen abwenden, denen werden die Pforten des Himmels nicht aufgemacht, noch werden sie in den Garten eingehen[39], ehe denn ein Kamel durch ein Nadelöhr geht. Also belohnen Wir die Missetäter.

42. Sie sollen die Hölle zum Pfühl haben und als Decke über sich. Also belohnen Wir die Ungerechten.

43. Die aber, die glauben und gute Werke tun – Wir belasten keine Seele über ihr Vermögen –, sie sind die Bewohner des Himmels; darin sollen sie ewig weilen.

44. Und Wir wollen alles hinwegräumen, was an Groll in ihrem Herzen sein mag. Unter ihnen sollen Ströme fließen. Und sie werden sprechen: »Aller Preis gehört Allah, Der uns zu diesem geleitet hat! Wir hätten nicht den Weg zu finden vermocht, hätte Allah uns nicht geleitet. Die Gesandten unseres Herrn haben in der Tat die Wahrheit gebracht.« Und es soll ihnen zugerufen werden: »Das ist der Himmel, der euch zum Erbe gegeben ward für das, was ihr gewirkt.«

45. Und die Bewohner des Himmels werden den Bewohnern der Hölle zurufen: »Seht, wir haben als Wahrheit gefunden, was unser Herr uns verhieß. Habt ihr auch als Wahrheit gefunden, was euer Herr verhieß?« Jene werden sprechen: »Ja.« Dann wird ein Ausrufer zwischen ihnen rufen: »Der Fluch Allahs über die Missetäter,

46. Die abhalten von Allahs Weg und ihn zu krümmen suchen und die nicht an das Jenseits glauben!«

47. Und zwischen den zweien soll eine Trennung sein; und in den Höhen sind Leute, die alle an ihren Merkmalen erkennen werden. Sie werden der Schar des Himmels zurufen: »Friede sei über euch!« Diese sind (noch) nicht in den Himmel eingegangen, obwohl sie es erhoffen.

48. Und wenn ihre Blicke sich den Bewohnern des Feuers zuwenden, sagen sie: »Unser Herr, mache uns nicht zum Volk der Frevler.«

49. Und die in den Höhen werden den Leuten, die sie an ihren Merkmalen erkennen, zurufen (und) sprechen: »Nichts hat euch eure Menge gefruchtet, noch eure Hoffart.

50. Sind das jene, von denen ihr schwuret, Allah würde ihnen nicht Barmherzigkeit erweisen?« Gehet ein in das Paradies; keine Furcht soll über euch kommen, noch sollet ihr trauern.

51. Und die Bewohner des Feuers werden den Bewohnern des Himmels zurufen: »Schüttet etwas Wasser auf uns aus oder etwas von dem, was Allah euch gegeben hat.« Sie werden sprechen: »Fürwahr, Allah hat beides verwehrt für die Ungläubigen,

52. Die ihren Glauben als einen Zeitvertreib und ein Spiel nahmen und die das irdische Leben betörte.« An diesem Tage nun werden Wir sie vergessen, wie sie die Begegnung an diesem ihrem Tage vergaßen und wie sie Unsere Zeichen zu leugnen pflegten.

53. Und fürwahr, Wir haben ihnen ein Buch gebracht, das Wir mit Wissen darlegten, als eine Richtschnur und eine Barmherzigkeit für Leute, die da glauben.

54. Warten sie auf etwas denn seine Erfüllung? An dem Tage, da seine Erfüllung kommt, werden jene, die es vordem vergessen hatten, sagen: »Die Gesandten unseres Herrn haben in der

Tat die Wahrheit gebracht. Haben wir wohl Fürsprecher, die für uns Fürsprache einlegen? Oder könnten wir zurückgeschickt werden, auf daß wir anderes tun möchten, als wir zu tun pflegten?« Sie haben ihre Seelen zugrunde gerichtet, und das, was sie zu erdichten gewohnt waren, hat sie im Stich gelassen.

55. Siehe, euer Herr ist Allah, Der in sechs Zeiten die Himmel und die Erde erschuf; dann setzte Er Sich auf den Thron. Er läßt die Nacht den Tag verhüllen, der ihr eilends folgt. Und (erschuf) die Sonne und den Mond und die Sterne, Seinem Gesetz dienstbar. Wahrlich, Sein ist die Schöpfung und das Gesetz! Segensreich ist Allah, der Herr der Welten.

56. Rufet zu eurem Herrn in Demut und im verborgenen. Wahrlich, Er liebt die Übertreter nicht.

57. Und stiftet nicht Unfrieden auf Erden, nach ihrer Regelung, und rufet Ihn an in Furcht und Hoffnung. Wahrlich, Allahs Barmherzigkeit ist nahe denen, die Gutes tun.

58. Er ist es, Der Seiner Barmherzigkeit die Winde als frohe Botschaft voraussendet, bis daß, wenn sie eine schwere Wolke tragen, Wir sie zu einem toten Lande treiben; dann lassen Wir aus ihr Wasser niederregnen und bringen damit Früchte hervor von jeglicher Art. Also bringen Wir auch die Toten hervor, auf daß ihr dessen eingedenk sein möchtet.

59. Und das gute Land – seine Pflanzen sprießen hervor nach dem Gebot seines Herrn; das aber schlecht ist, (seine Pflanzen) sprießen nur kümmerlich. Also wenden und wenden Wir die Zeichen für Leute, die dankbar sind.

60. Wir entsandten Noah zu seinem Volk, und er sprach: »O mein Volk, dienet Allah; ihr habt keinen andern Gott als Ihn. Wahrlich, ich fürchte für euch die Strafe des Großen Tags.«

61. Es sprachen die Häupter seines Volks: »Wahrlich, wir sehen dich in offenkundigem Irrtum.«

62. Er sprach: »O mein Volk, es ist kein Irrtum in mir, sondern ich bin ein Gesandter vom Herrn der Welten.

63. Ich überbringe euch die Botschaften meines Herrn und gebe euch aufrichtigen Rat, und ich weiß durch Allah, was ihr nicht wisset.

64. Wundert ihr euch, daß eine Ermahnung zu euch gekommen ist von eurem Herrn, durch einen Mann aus eurer Mitte, auf daß

er euch warne und daß ihr rechtschaffen werdet und vielleicht Erbarmen findet?«

65. Doch sie leugneten ihn, dann erretteten Wir ihn und die bei ihm waren in der Arche, und ließen jene ertrinken, die Unsere Zeichen verwarfen. Sie waren wahrlich ein blindes Volk.

66. Und zu den 'Ād (entsandten Wir) ihren Bruder Hūd. Er sprach:»O mein Volk, dienet Allah; ihr habt keinen anderen Gott als Ihn. Wollt ihr also nicht gottesfürchtig sein?«

67. Die ungläubigen Häupter seines Volkes sprachen:»Wahrlich, wir sehen dich in Torheit, und wahrlich, wir erachten dich für einen Lügner.«

68. Er antwortete:»O mein Volk, es ist keine Torheit in mir, sondern ich bin ein Gesandter vom Herrn der Welten.

69. Ich überbringe euch die Botschaften meines Herrn, und ich bin euch ein aufrichtiger und getreuer Berater.

70. Wundert ihr euch, daß eine Ermahnung zu euch gekommen ist von eurem Herrn durch einen Mann aus eurer Mitte, auf daß er euch warne? Und gedenket (der Zeit), da Er euch zu Erben einsetzte nach dem Volke Noahs und euch reichlich mehrte an Leibesbeschaffenheit.* Gedenket denn der Gnaden Allahs, auf daß ihr Erfolg habt.«

71. Sie sprachen:»Bist du zu uns gekommen, damit wir Allah allein verehren und das verlassen, was unsere Väter anbeteten? Bring uns denn her, was du uns androhst, wenn du wahrhaftig bist!«

72. Er antwortete:»Niedergefallen ist nunmehr auf euch Strafe und Zorn von eurem Herrn. Wollt ihr mit mir über Namen streiten, die ihr nanntet – ihr und eure Väter –, wozu Allah keine Vollmacht hinabsandte? Wartet denn, ich bin mit euch unter den Wartenden.«

73. Sodann erretteten Wir ihn und die mit ihm waren durch Unsere Barmherzigkeit, und Wir schnitten den letzten Zweig derer ab, die Unsere Zeichen leugneten und nicht Gläubige waren.

74. Und zu den Thamūd (entsandten Wir) ihren Bruder Sāleh. Er sprach:»O mein Volk, dienet Allah; ihr habt keinen anderen Gott als Ihn. Wahrlich, nunmehr ist zu euch ein deutlicher Be-

---

* Oder: Eure Nachkommenschaft mehrte.

weis von eurem Herrn gekommen – diese Kamelstute Allahs, ein Zeichen für euch. So lasset sie auf Allahs Erde weiden und tut ihr nichts zuleide, sonst würde euch schmerzliche Strafe treffen.

75. Und gedenket (der Zeit), da Er euch zu Erben einsetzte nach den 'Ād und euch eine Stätte anwies im Land; ihr erbaut Paläste in seinen Ebenen und grabt Wohnungen in die Berge. Seid also der Gnaden Allahs eingedenk und verübt nicht Unheil auf Erden, indem ihr Unfrieden stiftet.«

76. Die Häupter seines Volkes, die hoffärtig waren, sprachen zu denen, die als schwach galten – das waren die Gläubigen unter ihnen –: »Seid ihr gewiß, daß Sāleh ein Abgesandter seines Herrn ist?« Sie antworteten: »Wahrlich, wir glauben an das, womit er gesandt ward.«

77. Da sprachen die Hoffärtigen: »Wir glauben nicht an das, woran ihr glaubt.«

78. Dann schnitten sie der Kamelstute die Sehnen durch und trotzten dem Befehl ihres Herrn und sprachen: »O Sāleh, bring uns das her, was du uns androhst, wenn du einer der Gesandten bist.«

79. Dann erfaßte sie das Erdbeben, und am Morgen lagen sie in ihren Wohnungen auf dem Boden hingestreckt.

80. Da wandte er sich von ihnen ab und sprach: »O mein Volk, ich überbrachte euch die Botschaft meines Herrn und bot euch aufrichtigen Rat an, ihr aber liebt die treuen Berater nicht.«

81. Und (Wir entsandten) Lot, da er zu seinem Volke sprach: »Wollt ihr eine Schandtat begehen, wie sie keiner in der Welt vor euch je begangen hat?

82. Ihr naht Männern in Begierde anstatt Frauen. Ja, ihr seid ein ausschweifendes Volk.«

83. Da war die Antwort seines Volkes nichts anderes, als daß sie sprachen: »Treibt sie hinaus aus eurer Stadt, denn sie sind Leute, die sich reinsprechen möchten.«

84. Sodann erretteten Wir ihn und die Seinen, ausgenommen sein Weib; sie gehörte zu denen, die zurückblieben.

85. Und Wir ließen einen gewaltigen Regen über sie niedergehen. Nun sieh, wie das Ende der Sünder war!

86. Und zu Midian (entsandten Wir) ihren Bruder Schoäb. Er

sprach: »O mein Volk, dienet Allah; ihr habt keinen anderen Gott als Ihn. Ein deutliches Zeichen von eurem Herrn ist nunmehr zu euch gekommen. Darum gebet volles Maß und Gewicht und schmälert den Menschen ihre Dinge nicht und stiftet nicht Unfrieden auf Erden, nach ihrer Regelung. Das ist besser für euch, wenn ihr Gläubige seid.

87. Und lauert nicht drohend auf jedem Weg, indem ihr die von Allahs Weg abtrünnig machen möchtet, die an Ihn glauben, und indem ihr ihn (den Weg) zu krümmen sucht. Und denkt daran, wie ihr wenige wart und Er euch mehrte. Und schauet, wie das Ende derer war, die Unfrieden stifteten!

88. Und wenn unter euch solche sind, die an das glauben, womit ich gesandt bin, und andere, die nicht glauben, so habet Geduld, bis Allah zwischen uns richtet, denn Er ist der beste Richter.«

89. Die Häupter seines Volkes, die hoffärtig waren, sprachen: »O Schoäb, wir wollen dich und die Gläubigen mit dir aus unserer Stadt hinaustreiben, oder ihr kehret zu unserem Bekenntnis zurück.« Er sprach: »Auch wenn wir nicht willens sind?

90. Wir hätten ja eine Lüge wider Allah erdichtet, wenn wir zu eurem Bekenntnis zurückkehren würden, nachdem Allah uns daraus gerettet hat. Es ziemt sich nicht für uns, daß wir dazu zurückkehren, es sei denn, daß Allah, unser Herr, es will. Unser Herr umfaßt alle Dinge mit Wissen. Auf Allah vertrauen wir. O unser Herr, entscheide denn Du zwischen uns und zwischen unserem Volk nach Wahrheit, denn Du bist der beste Entscheider.«

91. Die Häupter seines Volkes, die ungläubig waren, sprachen: »Wenn ihr Schoäb folgt, dann seid ihr fürwahr Verlorene.«

92. Dann erfaßte sie das Erdbeben, und am Morgen lagen sie in ihren Wohnungen auf dem Boden hingestreckt.

93. Die Schoäb der Lüge beschuldigt hatten, die wurden, als hätten sie nie darin gewohnt. Die Schoäb der Lüge beschuldigt hatten – sie waren nun die Verlorenen.

94. Dann wandte er sich von ihnen ab und sprach: »O mein Volk, wahrlich, ich überbrachte euch die Botschaften meines Herrn und gab euch aufrichtigen Rat. Wie sollte ich mich nun betrüben über ein ungläubiges Volk?«

95. Nie sandten Wir einen Propheten in eine Stadt, ohne daß

Wir ihre Bewohner mit Not und Drangsal heimsuchten, auf daß sie sich demütigen möchten.

96. Darauf verwandelten Wir den üblen Zustand in einen guten, bis sie anwuchsen und sprachen: »Auch unsere Väter erfuhren Leid und Freude.« Dann erfaßten Wir sie unversehens, ohne daß sie es merkten.

97. Hätte aber das Volk (jener) Städte geglaubt und wären sie rechtschaffen gewesen, so hätten Wir ihnen ganz gewiß vom Himmel und von der Erde Segnungen eröffnet. Doch sie leugneten; also erfaßten Wir sie um dessentwillen, was sie sich erwarben.

98. Sind denn die Bewohner (dieser) Städte sicher, daß Unsere Strafe nicht über sie kommt zur Nachtzeit, während sie schlafen?

99. Oder sind die Bewohner (dieser) Städte sicher, daß Unsere Strafe nicht über sie kommt zur Mittagszeit, während sie beim Spiel sind?

100. Sind sie denn sicher vor dem Plan Allahs? Aber niemand kann sich vor dem Plan Allahs sicher fühlen, außer dem Volk der Verlierenden.

101. Leuchtet das jenen nicht ein, die die Erde ererbt haben nach ihren (früheren) Bewohnern, daß Wir, wenn es Uns gefällt, sie treffen können für ihre Sünden und ihre Herzen versiegeln, so daß sie nicht verstehen?

102. Dies sind die Städte, deren Kunde Wir dir gegeben haben. Ihre Gesandten waren zu ihnen gekommen mit deutlichen Zeichen. Allein sie mochten nicht an das glauben, was sie zuvor geleugnet hatten. Also versiegelt Allah die Herzen der Ungläubigen.

103. Und bei den meisten von ihnen fanden Wir kein Worthalten, sondern Wir erfanden die meisten von ihnen als Wortbrüchige.

104. Später dann, nach ihnen, entsandten Wir Moses mit Unseren Zeichen zu Pharao und seinen Häuptern, doch sie trieben Frevel mit ihnen. Nun schau, wie das Ende derer war, die Unfrieden stifteten!

105. Und Moses sprach: »O Pharao, ich bin ein Gesandter vom Herrn der Welten.

106. Es ziemt sich, daß ich von Allah nichts anderes als die Wahrheit rede. Ich bin zu euch gekommen mit einem deutlichen Zeichen von eurem Herrn; so laß denn die Kinder Israels mit mir ziehn.«

107. Er erwiderte:»Wenn du wirklich mit einem Zeichen gekommen bist, so weise es vor, wenn du zu den Wahrhaftigen gehörst.«

108. Da warf er seinen Stab nieder, und siehe, er ward deutlich eine Schlange.

109. Dann zog er seine Hand hervor, und siehe, sie ward den Beschauern weiß.

110. Die Häupter von Pharaos Volk sprachen:»Wahrlich, das ist ein geschickter Zauberer.

111. Er möchte euch aus eurem Land vertreiben. Was ratet ihr nun?«

112. Sie sprachen:»Halte ihn und seinen Bruder hin und sende Vorlader in die Städte aus,

113. Daß sie jeden kundigen Zauberer zu dir bringen sollen.«

114. Und die Zauberer kamen zu Pharao (und) sprachen:»Uns wird doch gewiß eine Belohnung zuteil, wenn wir obsiegen?«

115. Er sprach:»Jawohl, und ihr sollt zu den Nächsten gehören.«

116. Sie sprachen:»O Moses, entweder wirf du oder wir werfen (zuerst).«

117. Er antwortete:»Werfet ihr hin!« Und da sie geworfen hatten, bezauberten sie die Augen der Leute und versetzten sie in Furcht und brachten einen gewaltigen Zauber hervor.

118. Und Wir offenbarten Moses:»Wirf deinen Stab!« Und siehe, er verschlang alles, was sie an Trug vollbracht.

119. So wurde die Wahrheit festgestellt, und ihre Werke erwiesen sich als nichtig.

120. Jene wurden damals besiegt, und beschämt kehrten sie um.

121. Und die Zauberer trieb es, daß sie niederfielen in Anbetung.

122. Sie sprachen:»Wir glauben an den Herrn der Welten,

123. Den Herrn Moses' und Aarons.«

124. Da sprach Pharao:»Ihr habt an ihn geglaubt, ehe ich es euch erlaubte. Gewiß, das ist eine List, die ihr in der Stadt er-

sonnen habt, um ihre Bewohner daraus zu vertreiben; doch ihr sollt es bald erfahren.

125. Wahrlich, für den Ungehorsam lasse ich euch Hände und Füße abhauen. Dann lasse ich euch alle kreuzigen.«

126. Sie antworteten: »Zu unserem Herrn kehren wir dann zurück.

127. Du nimmst nur darum Rache an uns, weil wir an die Zeichen unseres Herrn glaubten, als sie zu uns gekommen. Unser Herr, gieße Standhaftigkeit in uns und laß uns sterben als Gottergebene.«

128. Die Häupter von Pharaos Volk sprachen: »Willst du zulassen, daß Moses und sein Volk Unfrieden stiften im Land und dich und deine Götter verlassen?« Er antwortete: »Wir wollen ihre Söhne hinmorden und ihre Frauen am Leben lassen, denn wir haben über sie Gewalt.«

129. Da sprach Moses zu seinem Volk: »Flehet Allahs Hilfe an und seid standhaft. Wahrlich, die Erde ist Allahs; Er vererbt sie, wem Er will unter Seinen Dienern, und der Ausgang ist für die Gottesfürchtigen.«

130. Sie antworteten: »Wir litten Verfolgung, ehe du zu uns kamst und nachdem du zu uns gekommen.« Er sprach: »Euer Herr wird bald euren Feind vertilgen und euch zu Herrschern im Land machen, damit Er sehe, wie ihr euch benehmt.«

131. Und Wir straften Pharaos Volk mit Dürre und Mangel an Früchten, auf daß sie sich ermahnen ließen.

132. Doch als dann Gutes zu ihnen kam, sagten sie: »Das gebührt uns.« Und wenn sie ein Übel befiel, so schrieben sie das Unheil Moses und den Seinigen zu. Nun ist doch gewiß ihr Unheil bei Allah allein, jedoch die meisten von ihnen wissen es nicht.

133. Und sie sagten: »Was du uns auch für ein Zeichen bringen magst, uns damit zu berücken, wir werden doch nicht an dich glauben.«

134. Da sandten Wir über sie den Sturm und die Heuschrecken und die Läuse und die Frösche und das Blut – deutliche Zeichen –, doch sie betrugen sich hoffärtig und wurden ein sündiges Volk.

135. Wenn immer aber das Strafgericht über sie kam, sagten sie:

»O Moses, bete für uns zu deinem Herrn in Berufung auf das, was Er dir verheißen! Wenn du die Strafe von uns entfernst, so werden wir dir ganz gewiß glauben und die Kinder Israels ganz gewiß mit dir ziehen lassen.«

136. Doch als Wir ihnen die Strafe erließen auf eine Frist, die sie vollenden sollten, siehe, da brachen sie das Wort.

137. Darauf straften Wir sie und ließen sie im Meer ertrinken, weil sie Unsere Zeichen als Lügen behandelten und ihrer nicht achteten.

138. Und Wir gaben dem Volk*, das für schwach galt, die östlichen Teile des Landes** zum Erbe und die westlichen Teile dazu, die Wir gesegnet hatten. Und das gnadenvolle Wort deines Herrn ward erfüllt an den Kindern Israels, weil sie standhaft waren; und Wir zerstörten alles, was Pharao und sein Volk geschaffen und was an hohen Bauten sie erbaut hatten.

139. Wir brachten die Kinder Israels über das Meer; und sie kamen zu einem Volk, das seinen Götzen ergeben war. Sie sprachen: »O Moses, mache uns einen Gott, wie diese hier Götter haben.« Er sprach: »Ihr seid ein unwissendes Volk.

140. Diese hier aber – zertrümmert wird das werden, worin sie sind, und eitel wird all das sein, was sie tun.«

141. Er sprach: »Soll ich für euch einen anderen Gott fordern als Allah, obwohl Er euch erhöht hat über die Völker?«

142. Und (gedenket der Zeit) da Wir euch erretteten vor den Leuten Pharaos, die euch mit bitterer Qual bedrückten, eure Söhne hinmordeten und eure Frauen verschonten. Und hierin ward euch eine große Gnade von eurem Herrn.

143. Alsdann gaben Wir Moses eine Verheißung von dreißig Nächten und ergänzten sie mit zehn. So war die festgesetzte Zeit seines Herrn vollendet – vierzig Nächte. Und Moses sprach zu seinem Bruder Aaron: »Vertritt mich bei meinem Volk und führe (es) richtig und folge nicht dem Pfade derer, die Unfrieden stiften.«

144. Und als Moses zu unserer Verabredung kam und sein Herr zu ihm redete, da sprach er: »Mein Herr, zeige (Dich) mir, auf

---

* Dem Volke Moses'.
** Palästina.

daß ich Dich schauen mag.« Er antwortete: »Nimmer siehst du Mich, doch blicke auf den Berg; wenn er unverrückt an seinem Ort bleibt, dann sollst du Mich schauen.« Als sein Herr Sich auf dem Berg offenbarte, da brach Er diesen in Stücke, und Moses stürzte ohnmächtig nieder. Und als er zu sich kam, sprach er: »Heilig bist Du, ich bekehre mich zu Dir, und ich bin der erste der Gläubigen.«

145. Er sprach: »O Moses, Ich habe dich erwählt vor den Menschen durch Meine Sendung und durch Mein Wort. So nimm denn hin, was Ich dir gegeben, und sei einer der Dankbaren.«

146. Wir schrieben für ihn auf die Tafeln über jegliches Ding – eine Ermahnung und eine Erklärung von allen Dingen: »So halte sie fest und heiße dein Volk das Beste davon befolgen. Bald werde Ich euch die Stätte der Frevler zeigen.«

147. Abwenden aber will Ich von Meinen Zeichen diejenigen, die sich hoffärtig im Lande gebärden wider alles Recht; und wenn sie auch alle Zeichen sehen, so wollen sie nicht daran glauben; und wenn sie den Weg der Rechtschaffenheit sehen, so wollen sie ihn nicht als Weg annehmen; sehen sie aber den Weg des Irrtums, so nehmen sie ihn als Weg an. Dies, weil sie Unsere Zeichen als Lüge behandelten und ihrer nicht achteten.

148. Die Unsere Zeichen und die Begegnung des Jenseits leugnen, ihre Werke sind eitel. Können sie belohnt werden außer für das, was sie tun?

149. Das Volk Moses' machte, indes er fern war, aus seinen Schmucksachen ein blökendes Kalb – ein Bildwerk. Sahen sie denn nicht, daß es nicht zu ihnen sprach noch sie irgend des Weges leitete? Sie nahmen es sich, und sie wurden Frevler.

150. Als sie dann von Reue erfaßt wurden und einsahen, daß sie wirklich irregegangen waren, da sprachen sie: »Wenn Sich unser Herr nicht unser erbarmt und uns verzeiht, so werden wir ganz gewiß unter den Verlorenen sein.«

151. Als Moses zu seinem Volke zurückkehrte, zornig und bekümmert, da sprach er: »Schlimm ist, was ihr in meiner Abwesenheit an meiner Stelle verübtet. Wolltet ihr den Befehl eures Herrn beschleunigen?« Und er warf die Tafeln hin und packte seinen Bruder beim Kopf, ihn zu sich zerrend. Er (Aaron) sprach: »Sohn meiner Mutter, siehe, das Volk hielt mich für

schwach, und fast hätten sie mich getötet. Drum lasse nicht die
Feinde über mich frohlocken und schlage mich nicht zum Volk
der Ungerechten.«

152. (Moses) sprach: »Mein Herr, vergib mir und meinem Bruder und gewähre uns Zutritt zu Deiner Barmherzigkeit, denn
Du bist der barmherzigste der Erbarmer.«

153. Die nun das Kalb sich nahmen, die wird der Zorn ihres
Herrn ereilen und Schmach im Leben hienieden. Also lohnen
Wir denen, die Lügen erdichten.

154. Die aber Böses taten und darauf bereuten und glaubten –
wahrlich, dein Herr ist hernach allverzeihend, barmherzig.

155. Und als sich Moses' Zorn besänftigt hatte, nahm er die Tafeln, und in der Schrift darauf war Führung und Barmherzigkeit
für jene, die ihren Herrn fürchten.

156. Da erwählte Moses aus seinem Volk siebzig Männer für die
Verabredung mit Uns. Doch als das Erdbeben sie ereilte, sprach
er: »Mein Herr, hättest Du es gewollt, Du hättest sie zuvor vertilgen können und mich ebenfalls. Willst Du uns denn austilgen
um dessentwillen, was die Toren unter uns getan? Dies ist nur
eine Prüfung von Dir. Damit erklärst Du den zum Irrenden,
wen Du willst, und weisest den Weg, wem Du willst. Du bist
unser Beschützer, so vergib uns denn und erbarme Dich unser,
denn Du bist der beste der Verzeihenden.

157. Und bestimme für uns Gutes in dieser Welt sowohl wie in
der künftigen, denn zu Dir haben wir uns reuig gekehrt.« Er antwortete: »Ich treffe mit Meiner Strafe, wen Ich will; doch Meine
Barmherzigkeit umfaßt jedes Ding; so werde Ich sie bestimmen
für jene, die recht handeln und die Zakāt zahlen und die an Unsere Zeichen glauben.«

158. Die da folgen dem Gesandten, dem Propheten, dem Makellosen, den sie bei sich in der Thora und im Evangelium erwähnt finden – er befiehlt ihnen das Gute und verbietet ihnen
das Böse, und er erlaubt ihnen die guten Dinge und verwehrt
ihnen die schlechten, und er nimmt hinweg von ihnen ihre Last
und die Fesseln, die auf ihnen lagen –, die also an ihn glauben
und ihn stärken und ihm helfen und dem Licht folgen, das mit
ihm hinabgesandt ward, die sollen Erfolg haben.

159. Sprich: »O Menschen, ich bin euch allen ein Gesandter Al-

lahs, Des das Königreich der Himmel und der Erde ist. Es ist kein Gott außer Ihm. Er gibt Leben und Er läßt sterben. Darum glaubet an Allah und an Seinen Gesandten, den Propheten, den Makellosen, der an Allah glaubt und an Seine Worte; und folget ihm, auf daß ihr recht geleitet werdet.«

160. Und unter dem Volke Moses' ist eine Gemeinde, die durch die Wahrheit den Weg findet und danach Gerechtigkeit übt.

161. Wir teilten sie in zwölf Stämme, (gesonderte) Nationen, und Wir offenbarten Moses, als sein Volk von ihm Trank forderte: »Schlage an den Felsen mit deinem Stab.« Da entsprangen ihm zwölf Quellen: so kannte jeder Stamm seinen Trinkplatz. Und Wir ließen die Wolken sie überschatten und sandten ihnen Manna und Salwa* hinab: »Esset von den guten Dingen, die Wir euch beschert haben.« Und sie schädigten nicht Uns, sondern sich selbst haben sie Schaden getan.

162. Und als ihnen gesagt wurde: »Wohnet in dieser Stadt und esset von dem Ihren – wo immer ihr wollt – und sprechet: ›Vergebung!‹ und gehet ein durch das Tor in Demut; Wir werden euch eure Sünden vergeben; wahrlich, Wir werden jene mehren, die Gutes tun.«

163. Da vertauschten die Ungerechten unter ihnen das Wort mit einem anderen, als zu ihnen gesprochen worden war. Darum sandten Wir ein Strafgericht vom Himmel über sie hernieder ob ihres frevelhaften Tuns.

164. Und frage sie nach der Stadt, die am Meer lag, und wie sie den Sabbat entweihten, wie ihre Fische scharenweise an ihrem Sabbattage zu ihnen kamen. Doch an dem Tage, da sie den Sabbat nicht feierten, da kamen sie nicht zu ihnen. Also prüften Wir sie, weil sie ungehorsam waren.

165. Und als eine Gruppe unter ihnen sprach: »Warum predigt ihr einem Volke, das Allah austilgen oder mit einer strengen Strafe bestrafen will?« – da antworteten sie: »Zur Entschuldigung vor eurem Herrn, und damit sie rechtschaffen werden mögen.«

166. Und als sie das vergaßen, womit sie ermahnt worden waren, da retteten Wir jene, die das Böse verhinderten, und er-

---

* Vgl. Anmerkung 7.

faßten die Ungerechten mit peinlicher Strafe, weil sie ungehorsam waren.

167. Als sie trotzig bei dem verharrten, was ihnen verboten war, da sprachen Wir zu ihnen: »Werdet denn verächtliche Affen!«

168. Und (gedenke der Zeit) da dein Herr verkündete, Er wolle gewißlich wider sie* bis zum Tage der Auferstehung solche entsenden, die sie mit grimmer Pein bedrängen würden. Wahrlich, dein Herr ist schnell in der Bestrafung; wahrlich, Er ist allverzeihend, barmherzig.

169. Und Wir haben sie* auf Erden verteilt in Volksstämme. Unter ihnen sind Rechtschaffene, und unter ihnen sind andere. Und Wir prüften sie durch Gutes und durch Böses, auf daß sie sich bekehren möchten.

170. Es folgten ihnen Nachkommen, die die Schrift erbten; sie greifen aber nach den armseligen Gütern dieser niedrigen (Welt) und sagen: »Es wird uns verziehen werden.« Doch wenn (abermals) derartige Güter zu ihnen kämen, sie griffen wiederum danach. Ward denn der Bund der Schrift nicht mit ihnen geschlossen, daß sie von Allah nichts aussagen würden als die Wahrheit? Und sie haben gelesen, was darin steht. Aber die Wohnung im Jenseits ist besser für die Gottesfürchtigen. Wollt ihr denn nicht begreifen?

171. Und diejenigen, die an der Schrift festhalten und das Gebet verrichten – Wir lassen Rechtschaffenen den Lohn nicht verlorengehen.

172. Und da Wir den Berg über ihnen schüttelten, als wäre er ein Zelt, und sie dachten, er würde auf sie stürzen (da sprachen Wir): »Haltet fest, was Wir euch gegeben haben, und seid eingedenk dessen, was darin steht, auf daß ihr gerettet werdet.«

173. Und als dein Herr aus den Kindern Adams – aus Ihren Lenden – ihre Nachkommenschaft hervorbrachte und sie zu Zeugen wider sich selbst machte (indem Er sprach): »Bin Ich nicht euer Herr?«, sagten sie: »Doch, wir bezeugen es.« (Dies,) damit ihr nicht am Tage der Auferstehung sprächet: »Siehe, wir waren dessen unkundig.«

---

* Die Juden.

174. Oder sprächet: »Es waren bloß unsere Väter, die vordem Götzendiener waren, wir aber waren ein Geschlecht nach ihnen. Willst Du uns denn vernichten um dessentwillen, was die Verlogenen taten!«

175. Also machen Wir die Zeichen klar, auf daß sie sich bekehren möchten.

176. Erzähle ihnen die Geschichte dessen, dem Wir Unsere Zeichen gaben, der aber an ihnen vorbeiglitt; so folgte Satan ihm nach, und er wurde einer der Irregegangenen.

177. Und hätten Wir es gewollt, Wir hätten ihn dadurch erhöhen können; doch er neigte der Erde zu und folgte seinem bösen Gelüst. Er gleicht daher einem Hunde: treibst du ihn fort, so lechzt er, und beachtest du ihn nicht, so lechzt er. Gerade so geht es Leuten, die Unsere Zeichen leugnen. Darum gib (ihnen) die Schilderung, auf daß sie sich besinnen.

178. Schlimm steht es mit Leuten, die Unsere Zeichen leugnen, und wider sich selbst haben sie gesündigt.

179. Wen Allah leitet, der ist auf dem rechten Pfade. Die Er aber zu Irrenden erklärt, das sind die Verlorenen.

180. Wir haben viele der Dschinn und der Menschen erschaffen, deren Ende die Hölle sein wird! Sie haben Herzen, und sie verstehen nicht; sie haben Augen, und sie sehen nicht; sie haben Ohren, und sie hören nicht. Sie sind wie das Vieh; ja sie sind weit ärger abgeirrt. Sie sind fürwahr unbedacht.

181. Allahs sind die schönsten Namen; so rufet Ihn an mit ihnen. Und lasset jene sein, die Seine Namen verketzern. Ihnen soll Lohn werden nach ihrem Tun.

182. Und unter denen, die Wir erschufen, ist ein Volk, das mit der Wahrheit leitet und danach Gerechtigkeit übt.

183. Die aber Unsere Zeichen leugnen, die werden Wir (der Vernichtung) überantworten Schritt für Schritt, auf eine Weise, die sie nicht kennen.

184. Ich lasse ihnen die Zügel schießen; allein gewiß, Mein Plan ist machtvoll.

185. Haben sie denn nicht bedacht, daß ihr Gefährte* nicht besessen ist? Er ist nichts als ein aufklärender Warner.

---

* Mohammad.

186. Haben sie denn nicht das Königreich der Himmel und der Erde gesehen und alle Dinge, die Allah geschaffen hat, und daß sich ihre Lebensfrist vielleicht schon dem Ende nähert? Woran sonst wollen sie wohl glauben nach diesem?

187. Wen Allah zum Irrenden erklärt, für den kann es keinen Führer geben. Und Er läßt sie in ihrer Widerspenstigkeit blindlings wandern.

188. Sie werden dich nach der »Stunde« befragen, wann sie wohl eintreten wird? Sprich: »Das Wissen darum ist bei meinem Herrn allein. Keiner als Er kann sie bekanntgeben zu ihrer Zeit. Schwer lastet sie auf den Himmeln und auf der Erde. Sie soll über euch nur plötzlich hereinbrechen.« Sie befragen dich, als ob du über sie sehr wissensbegierig wärest. Sprich: »Das Wissen darum ist bei Allah allein; doch die meisten Menschen wissen es nicht.«

189. Sprich: »Ich habe nicht die Macht, mir selbst zu nützen oder zu schaden, es sei denn wie Allah will. Und hätte ich Kenntnis von dem Verborgenen, wahrlich, ich hätte mir Fülle des Guten zu sichern vermocht, und Übles hätte mich nicht berührt. Ich bin ja nur ein Warner und ein Bringer froher Botschaft für ein gläubiges Volk.«

190. Er ist es, Der euch erschuf aus einem einzigen Menschen, und von ihm machte Er sein Weib, daß er an ihr Erquickung finde. Und wenn er sie erkannt hat, dann trägt sie leichte Last und geht mir ihr herum. Und wenn sie schwer wird, dann beten beide zu Allah: »Wenn Du uns ein gesundes (Kind) gibst, so werden wir wahrlich unter den Dankbaren sein.«

191. Doch gibt Er ihnen dann ein gesundes (Kind), so schreiben sie Seine ihnen gewährte Gabe Göttern zu. Aber erhaben ist Allah über alles, was sie anbeten.

192. Wollen sie denn jene anbeten, die nichts erschaffen können und selbst Erschaffene sind?

193. Und sie vermögen ihnen keine Hilfe zu gewähren, noch können sie sich selber helfen.

194. Und wenn ihr sie zum rechten Pfad ruft, dann folgen sie euch nicht. Es ist ganz gleich für euch, ob ihr sie ruft oder ob ihr schweigt.

195. Jene, die ihr statt Allah anruft, sind Menschen wie ihr sel-

ber. Rufet sie denn an und laßt sie euch Antwort geben, wenn ihr wahrhaft seid.

196. Haben sie etwa Füße, damit zu gehen, oder haben sie Hände, damit zu greifen, oder haben sie Augen, damit zu sehen, oder haben sie Ohren, damit zu hören? Sprich: »Rufet eure Götter an; dann schmiedet Listen wider mich und lasset mir keine Zeit.

197. Mein Beschützer ist Allah, Der das Buch herabgesandt hat. Und Er beschützt die Rechtschaffenen.

198. Die aber, die ihr statt Ihn anruft, sie vermögen euch nicht zu helfen, noch können sie sich selber helfen.«

199. Und wenn ihr sie zum rechten Pfad ruft, so hören sie nicht. Und du siehst sie nach dir schauen, doch sie sehen nicht.

200. Übe Nachsicht und gebiete Gütigkeit und wende dich ab von den Unwissenden.

201. Und wenn eine böse Einflüsterung von Satan dich anreizt, dann nimm deine Zuflucht bei Allah; wahrlich, Er ist allhörend, allwissend.

202. Die dann gottesfürchtig sind, wenn eine Heimsuchung durch Satan sie trifft, und dann sich erinnern, siehe, da beginnen sie zu sehen.

203. Und ihre Brüder* helfen dazu, daß sie im Irrtum fortfahren, und dann lassen sie nicht nach.

204. Wenn du ihnen nicht ein Zeichen bringst, sagen sie: »Warum erfindest du es nicht?« Sprich: »Ich folge nur dem, was mir von meinem Herrn offenbart ward. Dies hier sind klare Beweise von eurem Herrn und eine Führung und Barmherzigkeit für ein gläubiges Volk.«

205. Wenn der Koran vorgetragen wird, so leihet ihm das Ohr und schweigt, auf daß ihr Erbarmen findet.

206. Und gedenke deines Herrn in deiner Seele in Demut und Furcht und ohne laute Worte des Morgens und des Abends; und sei nicht der Nachlässigen einer.

207. Die deinem Herrn nahe sind, sie wenden sich nicht hoffärtig ab von Seinem Dienst, sondern sie lobpreisen Ihn und werfen sich vor Ihm nieder.

---

* Das sind die irreführenden Gefährten.

1. Im Namen Allahs, des Gnädigen, des Barmherzigen.

2. Sie befragen dich über die Beute. Sprich: »Die Beute gehört Allah und dem Gesandten. Drum fürchtet Allah und ordnet die Dinge in Eintracht unter euch und gehorchet Allah und Seinem Gesandten, wenn ihr Gläubige seid.«

3. Nur die sind Gläubige, deren Herzen erbeben, wenn Allah genannt wird, und die, wenn ihnen Seine Zeichen vorgetragen werden, dadurch zunehmen an Glauben und auf ihren Herrn vertrauen;

4. Die das Gebet verrichten und spenden von dem, was Wir ihnen gegeben haben.

5. Das sind die wahren Gläubigen. Sie haben Rangstufen bei ihrem Herrn und Vergebung und eine ehrenvolle Versorgung.

6. Dies, weil dein Herr dich nicht ohne Grund aus deinem Hause führte, indes ein Teil der Gläubigen abgeneigt war.

7. Sie streiten mit dir über die Wahrheit, nachdem sie doch deutlich kundgeworden, als ob sie in den Tod getrieben würden und (ihn) vor Augen hätten.

8. Und (gedenket der Zeit) da Allah euch eine der beiden Scharen[40] verhieß, daß sie euer sein sollte, und ihr wünschtet, die ohne Stachel möchte euer werden, Allah aber wünschte die Wahrheit an den Tag zu bringen durch Seine Worte und die Wurzel der Ungläubigen abzuschneiden.

9. Auf daß Er die Wahrheit an den Tag brächte und zunichte machte das Falsche, ob die Sünder es gleich ungern litten.

10. Da ihr um Hilfe schriet zu eurem Herrn, und Er gab euch die Antwort: »Ich will euch beistehen mit tausend Engeln, einer hinter dem anderen.«

11. Allah tat dies nur als frohe Botschaft, auf daß eure Herzen sich dadurch beruhigten. Jedoch Hilfe kommt von Allah allein; wahrlich, Allah ist allmächtig, allweise.

12. Da Er Schlaf euch einhüllen ließ – Sicherheit von Ihm; und Er sandte Wasser auf euch nieder aus den Wolken, daß Er euch damit reinige und Satans Befleckung[41] von euch hinwegnehme, auf daß Er eure Herzen stärke und [eure] Schritte damit festige.

13. Da dein Herr den Engeln offenbarte: »Ich bin mit euch; so festiget denn die Gläubigen. In die Herzen der Ungläubigen

werde Ich Schrecken werfen. Treffet (sie) oberhalb des Nackens und schlagt ihnen die Fingerspitzen ab!«

14. Dies, weil sie Allah Trotz boten und Seinem Gesandten. Wer aber Allah und Seinem Gesandten Trotz bietet – wahrlich, Allah ist streng im Strafen.

15. Dies – kostet es denn; und (wisset) daß für die Ungläubigen die Feuerspein bestimmt ist.

16. O die ihr glaubt, wenn ihr auf die Ungläubigen stoßt, die im Heerzug vorrücken, so kehrt ihnen nicht den Rücken.

17. Und wer ihnen an solch einem Tage den Rücken kehrt, es sei denn, er schwenke ab zur Schlacht oder zum Anschluß an einen Trupp, der lädt fürwahr Allahs Zorn auf sich, und seine Herberge soll die Hölle sein. Schlimm ist die Bestimmung!

18. Nicht ihr habt sie erschlagen, sondern Allah erschlug sie. Und du warfest nicht, als du warfest, sondern Allah warf[42], auf daß Er den Gläubigen eine große Gnade von Sich Selbst bezeige. Wahrlich, Allah ist allhörend, allwissend.

19. Dies – und (wisset) daß Allah den Anschlag der Ungläubigen kraftlos machen wird.

20. Suchtet ihr Entscheidung, dann ist Entscheidung schon zu euch gekommen. Und wenn ihr absteht, so ist es besser für euch; kehrt ihr jedoch (zur Feindseligkeit) zurück, werden auch Wir zurückkehren, und eure Schar soll euch ganz und gar nichts frommen, so zahlreich sie auch sein mag, denn (wisset) daß Allah mit den Gläubigen ist.

21. O die ihr glaubt, gehorchet Allah und Seinem Gesandten, und wendet euch nicht von ihm ab, während ihr zuhört.

22. Und seid nicht wie jene, die sprechen: »Wir hören«, und doch hören sie nicht.

23. Die schlimmsten Tiere vor Allah sind die, die taub und stumm sind und die nicht begreifen.

24. Und hätte Allah etwas Gutes in ihnen gekannt, Er hätte sie gewiß hörend gemacht. Und wenn Er sie hörend macht, so werden sie sich wegwenden in Widerwillen.

25. O die ihr glaubt, antwortet Allah und dem Gesandten, wenn er euch ruft, auf daß er euch Leben gebe, und wisset, daß Allah zwischen einen Menschen und sein Herz tritt, und daß zu Ihm ihr werdet versammelt werden.

26. Und hütet euch vor einer Drangsal, die gewiß nicht bloß die unter euch treffen wird, die Unrecht getan haben. Und wisset, daß Allah streng im Strafen ist.

27. Und denket daran, wie ihr wenige wart, galtet für schwach im Land, schwebtet in Furcht, daß die Leute euch hinwegraffen könnten; Er aber schirmte euch und stärkte euch durch Seine Hilfe und versorgte euch mit guten Dingen, auf daß ihr dankbar sein möchtet.

28. O die ihr glaubt, handelt nicht untreu gegen Allah und den Gesandten, noch seid wissentlich untreu in eurer Treuhandschaft.

29. Und wisset, daß euer Gut und eure Kinder nur eine Versuchung sind und daß bei Allah großer Lohn ist.

30. O die ihr glaubt, wenn ihr Allah fürchtet, wird Er euch eine Auszeichnung gewähren und eure Übel von euch nehmen und euch vergeben; und Allah ist voll großer Huld.

31. Und (gedenke der Zeit) da die Ungläubigen Ränke schmiedeten wider dich, daß sie dich gefangennähmen oder dich ermordeten oder dich vertrieben. Sie planten, auch Allah plante, und Allah ist der beste Plänemacher.

32. Wenn ihnen Unsere Verse vorgetragen werden, sagen sie: »Wir haben gehört. Wollten wir es, wir könnten gewiß selbst Derartiges äußern, denn das sind ja Fabeln der Alten.«

33. Und (gedenke der Zeit) da sie sprachen: »O Allah, wenn dies wirklich die Wahrheit von Dir ist, dann laß Steine von Himmel auf uns niederregnen oder bringe eine schmerzliche Strafe auf uns herab.«

34. Allah aber wollte sie nicht strafen, solange du unter ihnen warst, noch wollte Allah sie strafen, während sie Vergebung suchten.

35. Allein welche Entschuldigung haben sie (nun), daß Allah sie nicht strafe, wenn sie (andere) bei der Heiligen Moschee behindern, und sie sind doch nicht ihre Beschützer? Ihre Beschützer sind nur die Gottesfürchtigen, jedoch die meisten von ihnen wissen es nicht.

36. Und ihr Gebet vor dem Haus (Ka'ba) ist nichts anderes als Pfeifen und Händeklatschen. »Kostet denn die Strafe, weil ihr ungläubig wart.«

37. Die Ungläubigen geben ihr Gut weg, um von Allahs Weg abzuhalten. Sie werden sicherlich fortfahren, es wegzugeben; dann aber wird es ihnen zur Reue gereichen, und dann werden sie überwältigt werden. Und die Ungläubigen – zur Hölle sollen sie versammelt werden;

38. Damit Allah die Bösen von den Guten trenne und die Bösen einen zum andern und sie alle zusammen zu einem Haufen tue (und) sie dann in die Hölle schleudre. Diese sind fürwahr Verlorene.

39. Sprich zu denen, die ungläubig sind: Wenn sie abstehen, dann wird ihnen das Vergangene verziehen; kehren sie aber zurück, dann, wahrlich, ist das Beispiel der Früheren schon dagewesen.

40. Und kämpfet wider sie, bis keine Verfolgung mehr ist und aller Glaube auf Allah gerichtet ist.[43] Stehen sie jedoch ab, dann, wahrlich, sieht Allah sehr wohl, was sie tun.

41. Und wenn sie den Rücken kehren, dann wisset, daß Allah euer Beschützer ist; welch ausgezeichneter Beschützer und welch ausgezeichneter Helfer!

42. Und wisset, was immer ihr (im Kriege) gewinnen möget, es gehört ein Fünftel davon Allah und dem Gesandten und der Verwandtschaft und den Waisen und den Bedürftigen und dem Wanderer, wenn ihr an Allah glaubt und an das, was Wir niedersandten zu Unserem Diener am Tage der Unterscheidung – dem Tage, an dem die beiden Heere zusammentrafen* –, und Allah hat Macht über alle Dinge.

43. Als ihr auf dieser Seite (des Tales) waret und sie auf jener Seite, und die Karawane war tiefer als ihr. Und hättet ihr etwas verabreden wollen, ihr wäret uneins gewesen über den Zeitpunkt. Doch (das Treffen wurde herbeigeführt) damit Allah die Sache herbeiführe, die geschehen sollte; und damit, wer da (bereits) umgekommen war durch ein deutliches Zeichen, umkomme, und wer da (bereits) zum Leben gekommen war durch ein deutliches Zeichen, lebe. Wahrlich, Allah ist allhörend, allwissend.

44. Als Allah sie dir in deinem Traume zeigte als wenige; und

---

* Zur Badr-Schlacht.

hätte Er sie dir als viele gezeigt, ihr wäret sicherlich kleinmütig gewesen und hättet über die Sache gehadert; Allah aber bewahrte (euch davor); wahrlich, Er kennt wohl, was in den Herzen ist.

45. Und als, zur Zeit eures Treffens, Er sie in euren Augen als wenige erscheinen ließ und euch in ihren Augen als wenige erscheinen ließ, auf daß Allah die Sache herbeiführe, die geschehen sollte. Und zu Allah werden alle Sachen zurückgebracht.

46. O die ihr glaubt, wenn ihr auf ein Heer* trefft, so bleibt fest und seid Allahs eifrig eingedenk, auf daß ihr Erfolg habt.

47. Und gehorchet Allah und Seinem Gesandten und hadert nicht miteinander, damit ihr nicht kleinmütig werdet und euch die Kraft nicht verlasse. Seid standhaft; wahrlich, Allah ist mit den Standhaften.

48. Seid nicht wie jene, die prahlerisch und um von den Leuten gesehen zu werden aus ihren Wohnstätten auszogen, und die abwendig machen von Allahs Weg. Allah umschließt alles, was sie tun.

49. Und als Satan ihnen ihre Werke wohlgefällig erscheinen ließ und sprach: »Keiner unter den Menschen soll heute etwas wider euch vermögen, und ich bin eure Stütze.« Als dann aber die beiden Heerscharen einander ansichtig wurden, da wandte er sich rückwärts auf seinen Fersen und sprach: »Ich habe nichts mit euch zu schaffen; ich sehe, was ihr nicht seht. Ich fürchte Allah; und Allah ist streng im Strafen.«

50. Als die Heuchler und diejenigen, in deren Herzen Krankheit ist, sprachen: »Ihr Glaube hat diese da hochmütig gemacht.« Wer aber auf Allah vertraut – siehe, Allah ist allmächtig, allweise.

51. Könntest du nur sehen, wie die Engel die Seelen der Ungläubigen hinwegnehmen, ihnen Gesicht und Rücken schlagen und (sprechen): »Kostet die Strafe des Verbrennens!

52. Dies um dessentwillen, was eure Hände (euch) vorausgesandt haben; und (wisset) daß Allah niemals ungerecht ist gegen die Diener.«

53. Wie die Leute Pharaos und die vor ihnen waren: Sie glaub-

---

* Heerschar der Ungläubigen, die die Muslims angreifen.

ten nicht an die Zeichen Allahs; darum strafte sie Allah für ihre Sünden. Wahrlich, Allah ist allmächtig, streng im Strafen.

54. Dies, weil Allah niemals eine Gnade ändern würde, die Er einem Volk gewährt hat, es sei denn, daß es seinen eigenen Seelenzustand ändere, und weil Allah allhörend, allwissend ist.

55. Wie die Leute Pharaos und die vor ihnen waren: Sie verwarfen die Zeichen ihres Herrn, darum tilgten Wir sie aus um ihrer Sünden willen, und Wir ertränkten die Leute Pharaos; sie waren alle Frevler.

56. Wahrlich, die schlimmsten Tiere vor Allah sind jene, die undankbar sind. Darum wollen sie nicht glauben –

57. Jene, mit denen du einen Bund schlossest; dann brechen sie jedesmal ihren Bund, und sie fürchten Gott nicht.

58. Darum, wenn du sie im Kriege anpackst, jage mit ihrem (Los) denen Furcht ein, die hinter ihnen sind, auf daß sie ermahnt seien.

59. Und wenn du von einem Volke Verräterei fürchtest, so verwirf (den Vertrag) gegenseitig. Wahrlich, Allah liebt nicht die Verräter.

60. Laß nicht die Ungläubigen wähnen, sie hätten (Uns) übertroffen. Wahrlich, sie können nicht obsiegen.

61. Und rüstet wider sie, was ihr nur vermögt an Streitkräften und berittenen Grenzwachen, damit in Schrecken zu setzen Allahs Feind und euren Feind und außer ihnen andere, die ihr nicht kennt; Allah kennt sie. Und was ihr auch aufwendet für Allahs Sache, es wird euch voll zurückgezahlt werden, und es soll euch kein Unrecht geschehen.

62. Sind sie jedoch zum Frieden geneigt, so sei auch du ihm geneigt und vertraue auf Allah. Wahrlich, Er ist der Allhörende, der Allwissende.

63. Wenn sie dich aber hintergehen wollen, so ist Allah fürwahr deine Genüge. Er hat dich gestärkt mit Seiner Hilfe und mit den Gläubigen.

64. Und Er hat Liebe in ihre Herzen gelegt. Hättest du auch alles aufgewandt, was auf Erden ist, du hättest doch nicht Liebe in ihre Herzen zu legen vermocht, Allah aber hat Liebe in sie gelegt. Wahrlich, Er ist allmächtig, allweise.

65. O Prophet, Allah ist deine Genüge und derer unter den Gläubigen, die dir folgen.

66. O Prophet, feuere die Gläubigen zum Kampf an. Sind auch nur zwanzig Standhafte unter euch, sie sollen zweihundert überwinden; und sind hundert unter euch, sie sollen tausend überwinden von denen, die ungläubig sind, weil das ein Volk ist, das nicht versteht.

67. Jetzt aber hat Allah euch eure Bürde erleichtert, denn Er weiß, daß in euch Schwachheit ist. Wenn also unter euch hundert Standhafte sind, so sollen sie zweihundert überwinden; und wenn tausend unter euch sind, so sollen sie zweitausend überwinden nach Allahs Gebot. Und Allah ist mit den Standhaften.

68. Einem Propheten geziemt es nicht, Gefangene zu machen, ehe er sich auf kriegerischen Kampf einlassen muß im Land. Ihr wollt die Güter dieser Welt, Allah aber will (für euch) das Jenseits. Und Allah ist allmächtig, allweise.

69. Wäre nicht eine Verordnung[44] von Allah schon dagewesen, so hätte euch gewiß eine schwere Drangsal betroffen um dessentwillen, was ihr genommen.*

70. So esset von dem, was ihr (im Krieg) gewonnen habt, wie erlaubt und gut, und fürchtet Allah. Wahrlich, Allah ist allverzeihend, barmherzig.

71. O Prophet, sprich zu den Gefangenen in euren Händen: »Wenn Allah Gutes in euren Herzen erkennt, dann wird Er euch Besseres geben als das, was euch genommen wurde, und wird euch vergeben. Denn Allah ist allvergebend, barmherzig.«

72. Wenn sie aber Verrat an dir üben wollen**, so haben sie schon zuvor an Allah Verrat geübt. Er aber gab (dir) Macht über sie; und Allah ist allwissend, allweise.

73. Wahrlich, die geglaubt haben und ausgewandert sind und mit ihrem Gut und ihrem Blut gestritten haben für Allahs Sache, und jene, die (ihnen) Herberge und Hilfe gaben – diese sind einander freund. Die aber glaubten, jedoch nicht ausgewandert sind, so seid ihr keineswegs verantwortlich für ihren Schutz, ehe sie auswandern. Suchen sie aber eure Hilfe für den Glauben,

---

* Lösegeld.
** Nach der Freilassung.

dann ist Helfen eure Pflicht, außer gegen ein Volk, zwischen dem und euch ein Bündnis besteht. Allah sieht euer Tun.

74. Und die Ungläubigen – (auch) sie sind einander freund. Wenn ihr das nicht tut, wird Unheil im Lande entstehen und gewaltige Unordnung.

75. Die nun geglaubt haben und ausgewandert sind und gestritten haben für Allahs Sache, und jene, die (ihnen) Herberge und Hilfe gaben – diese sind in der Tat wahre Gläubige. Ihnen wird Vergebung und eine ehrenvolle Versorgung.

76. Und die, welche hernach glauben und auswandern und streiten werden (für Allahs Sache) an eurer Seite – sie gehören zu euch; und (unter) Blutsverwandten stehen sich die einen näher als die anderen im Buche Allahs. Wahrlich, Allah weiß alle Dinge wohl.

1. Eine Lossprechung Allahs und Seines Gesandten (von jeglicher Verpflichtung) gegenüber den Götzendienern, denen ihr etwas versprochen habt.

2. So zieht denn vier Monate lang im Lande umher und wisset, daß ihr Allahs (Plan) nicht zuschanden machen könnt und daß Allah die Ungläubigen demütigen wird.

3. Und eine Ankündigung von Allah und Seinem Gesandten an die Menschen am Tage der Großen Pilgerfahrt[45], daß Allah los und ledig ist der Götzendiener, und ebenso Sein Gesandter. Bereut ihr also, so wird das besser für euch sein; kehrt ihr euch jedoch ab, dann wisset, daß ihr Allahs (Plan) nicht zuschanden machen könnt. Und verheiße schmerzliche Strafe denen, die ungläubig sind.

4. Mit Ausnahme jener Götzendiener, mit denen ihr einen Vertrag eingegangen seid und die es euch nicht an etwas haben gebrechen lassen und nicht andere wider euch unterstützt haben. Diesen gegenüber haltet den Vertrag, bis zum Ablauf der Frist. Wahrlich, Allah liebt die Gerechten.

5. Und wenn die verbotenen Monate verflossen sind, dann tötet die Götzendiener, wo ihr sie trefft, und ergreift sie, und belagert sie, und lauert ihnen auf in jedem Hinterhalt. Bereuen sie aber und verrichten das Gebet und zahlen die Zakāt, dann gebt ihnen den Weg frei. Wahrlich, Allah ist allverzeihend, barmherzig.

6. Und wenn einer der Götzendiener bei dir Schutz sucht, dann gewähre ihm Schutz, bis er Allahs Wort vernehmen kann; hierauf lasse ihn die Stätte seiner Sicherheit erreichen. Dies, weil sie ein unwissendes Volk sind.

7. Wie kann es einen Vertrag geben zwischen den Götzendienern und Allah und Seinem Gesandten, die allein ausgenommen, mit denen ihr bei der Heiligen Moschee ein Bündnis einginget? Solange diese euch treu bleiben, haltet ihnen die Treue. Wahrlich, Allah liebt die Redlichen.

8. Wie? Würden sie doch, wenn sie über euch obsiegten, weder ein Verwandtschaftsband noch einen Vertrag gegen euch achten! Sie würden euch mit dem Munde gefällig sein, indes ihre Herzen sich weigerten; und die meisten von ihnen sind tückisch.

9. Sie verkaufen Allahs Zeichen um einen armseligen Preis und

machen abwendig von Seinem Weg. Übel ist wahrlich, was sie tun.

10. Sie achten kein Verwandtschaftsband und keinen Vertrag dem gegenüber, der (ihnen) traut, und sie, fürwahr, sind die Übertreter.

11. Bereuen sie aber und verrichten sie das Gebet und zahlen die Zakāt, so sind sie eure Brüder im Glauben. Und Wir machen die Zeichen klar für ein wissendes Volk.

12. Wenn sie aber nach ihrem Vertrag ihre Eide brechen und euren Glauben angreifen, dann bekämpfet die Führer des Unglaubens – sie halten ja keine Eide –, auf daß sie ablassen.

13. Wollt ihr nicht kämpfen wider ein Volk, das seine Eide gebrochen hat und das den Gesandten zu vertreiben plante – und sie waren es, die zuerst (den Streit) wider euch begannen? Fürchtet ihr sie etwa? Allah ist würdiger, daß ihr Ihn fürchtet, wenn ihr Gläubige seid.

14. Bekämpfet sie; Allah wird sie strafen durch eure Hand und sie demütigen und euch verhelfen wider sie und Heilung bringen den Herzen eines gläubigen Volks;

15. Und Er wird den Zorn aus ihren Herzen bannen. Denn Allah kehrt Sich gnädig dem zu, den Er will. Und Allah ist allwissend, allweise.

16. Wähnt ihr etwa, ihr würdet verlassen sein, während Allah noch nicht jene von euch bezeichnet hat, die (in Seiner Sache) streiten und sich keinen zum vertrauten Freund nehmen außer Allah und Seinem Gesandten und den Gläubigen? Und Allah ist recht wohl dessen kundig, was ihr tut.

17. Den Götzendienern steht es nicht zu, die Moscheen Allahs zu erhalten, solange sie gegen sich selbst zeugen durch den Unglauben. Sie sind es, deren Werke umsonst sein sollen, und im Feuer müssen sie bleiben.

18. Der allein vermag die Moscheen Allahs zu erhalten, der an Allah glaubt und an den Jüngsten Tag und das Gebet verrichtet und die Zakāt zahlt und keinen fürchtet denn Allah: diese also mögen unter denen sein, welche den rechten Weg finden.

19. Wollt ihr etwa die Tränkung der Pilger und die Erhaltung der Heiligen Moschee (den Werken) dessen gleichsetzen, der an Allah und an den Jüngsten Tag glaubt und in Allahs Pfad strei-

tet? Vor Allah sind sie nicht gleich. Und Allah weist nicht dem sündigen Volk den Weg.

20. Die, welche glauben und auswandern und mit ihrem Gut und ihrem Blut kämpfen für Allahs Sache, die nehmen den höchsten Rang ein bei Allah, und sie sind es, die Erfolg haben.

21. Ihr Herr verheißt ihnen Barmherzigkeit und Sein Wohlgefallen und Gärten, worin ewige Wonne ihr sein wird.

22. Dort werden sie ewig und immerdar weilen. Wahrlich, bei Allah ist großer Lohn.

23. O die ihr glaubt, nehmt nicht eure Väter und eure Brüder zu Freunden, wenn sie den Unglauben dem Glauben vorziehen. Und die von euch sie zu Freunden nehmen – das sind die Ungerechten.

24. Sprich: »Wenn eure Väter und eure Söhne und eure Brüder und eure Frauen und eure Verwandten und das Vermögen, das ihr euch erworben, und der Handel, dessen Niedergang ihr fürchtet, und die Wohnstätten, die ihr liebt, euch teurer sind als Allah und Sein Gesandter und das Streiten für Seine Sache, dann wartet, bis Allah mit Seinem Urteil kommt; und Allah weist dem ungehorsamen Volk nicht den Weg.«

25. Wahrlich, Allah half euch schon auf so manchem Schlachtfeld, und am Tage von Hunän[46], als eure große Zahl euch stolz machte – allein sie frommte euch nichts, und die Erde, in ihrer Weite, wurde auch eng; da wandtet ihr euch zur Flucht.

26. Dann senkte Allah Seinen Frieden auf Seinen Gesandten und auf die Gläubigen und sandte Heerscharen hernieder, die ihr nicht sahet, und strafte jene, die ungläubig waren. Das ist der Lohn der Ungläubigen.

27. Doch hernach kehrt Sich Allah gnädig dem zu, dem Er gewogen; und Allah ist allverzeihend, barmherzig.

28. O die ihr glaubt! wahrlich, die Götzendiener sind unrein. Drum sollen sie nach diesem ihrem Jahr sich der Heiligen Moschee nicht nähern. Und falls ihr Armut befürchtet, so wird euch Allah gewiß aus Seiner Fülle reich machen, wenn Er will. Wahrlich, Allah ist allwissend, allweise.

29. Kämpfet[47] wider diejenigen aus dem Volk der Schrift, die nicht an Allah und an den Jüngsten Tag glauben und die nicht als unerlaubt erachten, was Allah und Sein Gesandter als unerlaubt

erklärt haben, und die nicht dem wahren Bekenntnis folgen, bis sie aus freien Stücken den Tribut entrichten und ihre Unterwerfung anerkennen.

30. Die Juden sagen, Esra sei Allahs Sohn, und die Christen sagen, der Messias sei Allahs Sohn. Das ist das Wort ihres Mundes. Sie ahmen die Rede derer nach, die vordem ungläubig waren. Allahs Fluch über sie! Wie sind sie irregeleitet!

31. Sie haben sich ihre Schriftgelehrten und Mönche zu Herren genommen neben Allah und den Messias, den Sohn der Maria. Und doch war ihnen geboten, allein den Einigen Gott anzubeten. Es ist kein Gott außer Ihm. Allzu heilig ist Er für das, was sie (Ihm) zur Seite stellen!

32. Sie möchten gern Allahs Licht auslöschen mit ihrem Munde; jedoch Allah will nichts anderes, als Sein Licht vollkommen machen, mag es den Ungläubigen auch zuwider sein.

33. Er ist es, Der Seinen Gesandten geschickt hat mit der Führung und dem wahren Glauben, auf daß Er ihn obsiegen lasse über alle (andern) Glaubensbekenntnisse, mag es den Götzendienern auch zuwider sein.

34. O die ihr glaubt, wahrlich, viele der Schriftgelehrten und Mönche verzehren das Gut der Menschen durch Falsches und machen abwendig von Allahs Weg. Und jene, die Gold und Silber anhäufen und es nicht aufwenden auf Allahs Weg – ihnen verheiße schmerzliche Strafe.

35. An dem Tage, wo es erhitzt wird im Feuer der Hölle, und ihre Stirnen und ihre Seiten und ihre Rücken damit gebrandmarkt werden: »Dies ist, was ihr angehäuft habt für euch selber; kostet nun, was ihr anzuhäufen pflegtet.«

36. Siehe, die Anzahl der Monate bei Allah ist zwölf Monate nach dem Gesetz Allahs seit dem Tage, da Er die Himmel und die Erde erschuf. Von diesen sind vier heilig. Das ist der beständige Glaube. Drum versündigt euch nicht in ihnen. Und bekämpfet die Götzendiener insgesamt, wie sie euch bekämpfen insgesamt; und wisset, daß Allah mit den Gottesfürchtigen ist.

37. Das Verschieben (eines Heiligen Monats) ist nur eine Mehrung des Unglaubens. Die Ungläubigen werden dadurch irregeführt. Sie erlauben es im einen Jahr und verbieten es in einem andern Jahr, damit sie in der Anzahl (der Monate), die Allah

heilig gemacht hat, übereinstimmen und so erlaubt machen, was Allah verwehrt hat.[48] Das Böse ihrer Taten wird ihnen schön gemacht. Doch Allah weist dem ungläubigen Volk nicht den Weg.

38. O die ihr glaubt, was ist mit euch, daß ihr euch schwer zur Erde sinken lasset, wenn euch gesagt wird: »Ziehet aus auf Allahs Weg«? Würdet ihr euch denn mit dem Leben hienieden, statt mit jenem des Jenseits, zufriedengeben? Doch der Genuß des irdischen Lebens ist gar klein, verglichen mit dem künftigen.

39. Wenn ihr nicht auszieht, wird Er euch strafen mit schmerzlicher Strafe und wird an eurer Stelle ein anderes Volk erwählen, und ihr werdet Ihm gewiß keinen Schaden tun. Und Allah hat Macht über alle Dinge.

40. Wenn ihr ihm nicht helfet, so (wisset, daß) Allah ihm auch damals half, als die Unläubigen ihn zu entweichen zwangen selbander[49] – wie sie da beide in der Höhle waren, und er sprach zu seinem Begleiter: »Traure nicht, denn Allah ist mit uns.« Da senkte Allah Seinen Frieden auf ihn und stärkte ihn mit Heerscharen, die ihr nicht saht, und erniedrigte das Wort der Ungläubigen, und es ist Allahs Wort allein das höchste. Und Allah ist allmächtig, allweise.

41. Ziehet aus, leicht und schwer, und streitet mit eurem Gut und eurem Blut für Allahs Sache! Das ist besser für euch, wenn ihr es nur wüßtet!

42. Hätte es sich um einen nahen Gewinn und um eine kurze Reise gehandelt, sie wären dir gewiß gefolgt, doch die schwere Reise schien ihnen zu lang. Und doch werden sie bei Allah schwören: »Hätten wir es vermocht, wir wären sicherlich mit euch ausgezogen.« Sie verderben ihre Seelen; und Allah weiß, daß sie Lügner sind.

43. Allah nehme deine (Sorgen) von dir! Warum erlaubtest du ihnen (zurückzubleiben), bis die, welche die Wahrheit sprachen, dir bekannt wurden und du die Lügner erkanntest?

44. Die an Allah und an den Jüngsten Tag glauben, bitten dich nicht um Erlaubnis, nicht zu streiten mit ihrem Gut und ihrem Blut; und Allah kennt recht wohl die Gottesfürchtigen.

45. Nur die werden dich um Erlaubnis bitten, die nicht an Allah und an den Jüngsten Tag glauben und deren Herzen voll des Zweifels sind; und in ihrem Zweifel schwanken sie.

46. Wären sie aber zum Ausmarsch entschlossen gewesen, sie hätten doch gewiß für ihn gerüstet; doch Allah war ihrem Ausziehen abgeneigt. So hielt Er sie zurück, und es ward gesagt: »Sitzet (daheim) mit den Sitzenden.«

47. Wären sie mit euch ausgezogen, sie hätten nur eure Sorgen gemehrt und wären hin und her gelaufen in eurer Mitte, Zwietracht unter euch erregend. Und unter euch sind manche, die auf sie gehört hätten, aber Allah kennt die Frevler wohl.

48. Schon vorher trachteten sie nach Unordnung und schmiedeten Ränke wider dich, bis die Wahrheit kam und die Absicht Allahs obsiegte, wiewohl es ihnen zuwider war.

49. Unter ihnen ist so mancher, der spricht: »Erlaube mir (zurückzubleiben), und stelle mich nicht auf die Probe.« Höret! ihre Probe hat sie ja schon ereilt. Und fürwahr, die Hölle wird die Ungläubigen einschließen.

50. Trifft dich ein Heil, so betrübt es sie; doch wenn dich ein Unheil trifft, sagen sie: »Wir hatten uns ja schon vorher gesichert.« Und sie wenden sich ab und freuen sich.

51. Sprich: »Nichts kann uns treffen als das, was Allah uns bestimmt hat. Er ist unser Beschützer. Und auf Allah sollten die Gläubigen vertrauen.«

52. Sprich: »Ihr erwartet für uns nur eines der beiden guten Dinge, während wir, was euch betrifft, erwarten, daß Allah euch mit einer Strafe treffen wird, entweder durch Ihn Selbst oder durch unsere Hand. Wartet denn: wir warten mit euch.«

53. Sprich: »Spendet nur, willig oder unwillig, es wird von euch doch nicht angenommen. Denn wahrlich, ihr seid ein ungehorsames Volk.«

54. Nichts anderes verhindert die Annahme ihrer Spenden, als daß sie nicht an Allah und an Seinen Gesandten glauben und nur mit Trägheit zum Gebet kommen und ihre Spenden nur widerwillig geben.

55. Wundere dich weder über ihr Gut noch über ihre Kinder. Allah will sie damit nur strafen im irdischen Leben, und ihre Seelen sollen abscheiden, während sie Ungläubige sind.

56. Und sie schwören bei Allah, daß sie wahrhaftig zu euch gehören, doch sie gehören nicht zu euch, sondern sie sind ein Volk von Furchtsamen.

57. Könnten sie nur einen Zufluchtsort finden oder Höhlen oder ein Schlupfloch, sie würden sich gewiß in wilder Hast dorthin wenden.

58. Unter ihnen sind jene, die dir wegen der Almosen Vorwürfe machen. Erhalten sie davon, so sind sie zufrieden; erhalten sie aber nicht davon, siehe, dann sind sie verdrossen.

59. Wären sie mit dem zufrieden gewesen, was Allah und Sein Gesandter ihnen gegeben, und hätten sie nur gesagt:»Unsere Genüge ist Allah: Allah wird uns geben aus Seiner Fülle, und ebenso Sein Gesandter. Zu Allah kehren wir uns als Bittende!«

60. Die Almosen sind nur für die Armen und Bedürftigen und für die mit ihrer Verwaltung Beauftragten und für die, deren Herzen versöhnt werden sollen, für die (Befreiung von) Sklaven und für die Schuldner, für die Sache Allahs und für den Wanderer: eine Vorschrift von Allah. Und Allah ist allwissend, allweise.

61. Und unter ihnen sind jene, die den Propheten kränken und sagen:»Er ist ein Ohr.« Sprich:»Ein Ohr euch zum Guten: er glaubt an Allah und glaubt den Gläubigen und ist eine Barmherzigkeit denen unter euch, die gläubig sind.« Und die den Gesandten Allahs kränken, denen wird schmerzliche Strafe.

62. Sie schwören euch bei Allah, um euch zu gefallen; jedoch Allah und Sein Gesandter sind würdiger, so daß sie Ihm gefallen sollten, wenn sie Gläubige sind.

63. Wissen sie denn nicht, daß für den, der Allah trotzt und Seinem Gesandten, das Feuer der Hölle ist, darin er bleiben muß? Das ist die tiefste Demütigung.

64. Die Heuchler fürchten, es könnte gegen sie eine Sure herabgesandt werden, die ihnen ankündet, was in ihren Herzen ist. Sprich:»Spottet nur! Allah wird es alles ans Licht bringen, wovor ihr euch fürchtet.«

65. Und wenn du sie fragst, so werden sie ganz gewiß sagen: »Wir plauderten nur und scherzten.« Sprich:»Galt euer Spott etwa Allah und Seinen Zeichen und Seinem Gesandten?

66. Versucht euch nicht zu entschuldigen. Ihr seid ungläubig geworden, nachdem ihr geglaubt. Wenn Wir einem Teile von euch vergeben und den anderen strafen, dann darum, weil sie schuldig waren.«

67. Die Heuchler und die Heuchlerinnen, sie halten zusammen. Sie gebieten das Böse und verbieten das Gute, und ihre Hände bleiben geschlossen. Sie haben Allah vergessen, so hat Er sie vergessen. Wahrlich, die Heuchler, das sind die Ungehorsamen.

68. Allah hat den Heuchlern und Heuchlerinnen und den Ungläubigen das Feuer der Hölle verheißen, darin sie bleiben müssen. Das wird genug für sie sein. Allah hat sie verflucht, und ihnen wird eine dauernde Strafe:

69. Wie jenen, die vor euch waren. Sie waren mächtiger als ihr an Kraft und reicher an Gut und Kindern. Sie erfreuten sich ihres Loses; auch ihr habt euch eures Loses erfreut, gerade so wie jene vor euch sich ihres Loses erfreuten. Und ihr ergötztet euch an müßiger Rede, wie jene sich an müßiger Rede ergötzten. Ihre Werke sollen ihnen nichts fruchten, weder in dieser Welt noch in der künftigen. Und sie sind die Verlorenen.

70. Hat sie nicht die Kunde erreicht von denen, die vor ihnen waren – vom Volke Noahs, und 'Āds, und Thamūds*, und vom Volke Abrahams, und den Bewohnern Midians und der umgestürzten Städte**? Ihre Gesandten kamen zu ihnen mit deutlichen Zeichen. Allah also wollte ihnen kein Unrecht tun, doch sie taten sich selber Unrecht.

71. Die gläubigen Männer und die gläubigen Frauen sind einer des andern Freund. Sie gebieten das Gute und verbieten das Böse und verrichten das Gebet und zahlen die Zakāt und gehorchen Allah und Seinem Gesandten. Sie sind es, deren Allah Sich erbarmen wird. Wahrlich, Allah ist allmächtig, allweise.

72. Allah hat den gläubigen Männern und den gläubigen Frauen Gärten verheißen, die von Strömen durchflossen werden, immerdar darin zu weilen, und herrliche Wohnstätten in den Gärten der Ewigkeit. Allahs Wohlgefallen aber ist das Größte. Das ist die höchste Glückseligkeit.

73. O Prophet, streite gegen die Ungläubigen und die Heuchler.*** Und sei streng mit ihnen. Ihr Aufenthalt ist die Hölle, und schlimm ist die Bestimmung!

---

   * Das Volk Sālehs.
  ** Das Volk Lots.
*** Bezieht sich auf den Kriegszustand.

74. Sie schwören bei Allah, daß sie nichts gesagt haben, doch sie führten unzweifelhaft lästerliche Rede und fielen in Unglauben zurück, nachdem sie den Islam angenommen hatten. Sie sannen auf das, was sie nicht erreichen konnten. Und sie nährten nur darum Haß, weil Allah und Sein Gesandter sie reich gemacht hatten aus Seiner Huld. Wenn sie nun bereuen, so wird es besser für sie sein; wenden sie sich jedoch ab, so wird Allah sie strafen mit schmerzlicher Strafe in dieser Welt und im Jenseits, und sie sollen auf Erden weder Freund noch Helfer finden.

75. Unter ihnen sind so manche, die Allah versprachen: »Wenn Er uns aus Seiner Fülle gibt, dann wollen wir bestimmt Almosen geben und dann wollen wir rechtschaffen sein.«

76. Doch als Er ihnen dann aus Seiner Fülle gab, da wurden sie damit geizig und wandten sich weg in Abneigung.

77. So vergalt Er ihnen mit Heuchelei in ihren Herzen bis zum Tage, an dem sie Ihm begegnen werden, weil sie Allah nicht gehalten, was sie Ihm versprochen hatten, und weil sie logen.

78. Wußten sie denn nicht, daß Allah ihre Geheimnisse kennt und ihre vertraulichen Beratungen und daß Allah der beste Kenner des Verborgenen ist?

79. Die da jene Gläubigen schelten, die freiwillig Almosen geben, wie auch jene, die nichts (zu geben) finden als (den Ertrag) ihrer Arbeit – und sie deswegen verhöhnen –, Allah wird ihnen ihren Hohn vergelten, und ihnen wird schmerzliche Strafe.

80. Bitte für sie um Verzeihung oder bitte nicht um Verzeihung für sie; ob du auch siebzigmal für sie um Verzeihung bittest, Allah wird ihnen niemals verzeihen. Dies, weil sie nicht an Allah und an Seinen Gesandten glaubten. Und Allah weist dem treulosen Volk nicht den Weg.

81. Jene, die zurückgelassen worden waren, freuten sich ihres Daheimsitzens hinter dem (Rücken des) Gesandten Allahs und waren nicht geneigt, mit ihrem Gut und ihrem Blut für Allahs Sache zu streiten. Sie sprachen: »Zieht doch nicht aus in der Hitze.« Sprich: »Das Feuer der Hölle ist stärker an Hitze.« Wollten sie es doch verstehen!

82. Sie sollten wenig lachen und viel weinen über das, was sie sich erwarben.

83. Und wenn Allah dich heimkehren läßt zu einer Anzahl von ihnen und sie bitten dich um Erlaubnis, auszuziehen, dann sprich: »Nie sollt ihr mit mir ausziehen und nie einen Feind bekämpfen an meiner Seite. Es gefiel euch, daheim zu sitzen das erste Mal, so sitzet nun mit denen, die zurückbleiben.«

84. Und bete nie für einen von ihnen, der stirbt, noch stehe an seinem Grabe; sie glaubten nicht an Allah und Seinen Gesandten, und sie starben im Ungehorsam.

85. Wundere dich weder über ihr Gut noch über ihre Kinder; Allah will sie damit nur strafen in dieser Welt, und ihre Seelen sollen abscheiden, während sie Ungläubige sind.

86. Und wenn eine Sure hinabgesandt wird: »Glaubet an Allah und streitet an der Seite Seines Gesandten«, dann bitten dich die Reichen unter ihnen um Erlaubnis und sagen: »Laß uns mit denen sein, die daheim sitzen.«

87. Sie sind es zufrieden, mit den zurückbleibenden (Stämmen) zu sein, und ihre Herzen sind versiegelt, so daß sie nicht begreifen.

88. Jedoch der Gesandte und die Gläubigen mit ihm, die mit ihrem Gut und ihrem Blut streiten, sie sind es, denen Gutes zuteil werden soll, und sie sind es, die Erfolg haben werden.

89. Allah hat Gärten für sie bereitet, durch welche Ströme fließen; darin sollen sie ewig weilen. Das ist die höchste Glückseligkeit.

90. Und es kamen solche Wüstenaraber, die Ausflüchte machten, daß sie ausgenommen würden; und jene, die falsch waren gegen Allah und Seinen Gesandten, blieben (daheim). Wahrlich, eine schmerzliche Strafe wird die unter ihnen ereilen, die ungläubig sind.

91. Kein Tadel trifft die Schwachen und die Kranken und diejenigen, die nichts zum Ausgeben finden, wenn sie nur gegen Allah und Seinen Gesandten aufrichtig sind. Kein Vorwurf trifft jene, die Gutes tun – und Allah ist allverzeihend, barmherzig –,

92. Noch jene, die zu dir kamen, daß du sie beritten machen möchtest, und (zu denen) du sprachest: »Ich kann nichts finden, womit ich euch beritten machen könnte.« Da kehrten sie um, während ihre Augen von Tränen überflossen aus Kummer darüber, daß sie nichts fanden, was sie hätten ausgeben können.

93. Vorwurf trifft nur jene, die dich um Erlaubnis bitten, wiewohl sie reich sind. Sie sind es zufrieden, mit den zurückbleibenden (Stämmen) zu sein. Allah hat ein Siegel auf ihre Herzen gelegt, so daß sie nicht wissen.

94. Sie werden euch Entschuldigungen vorbringen, wenn ihr zu ihnen zurückkehrt. Sprich: »Bringt keine Entschuldigungen vor; wir glauben euch doch nicht. Allah hat uns schon über eure Angelegenheit belehrt. Schauen wird Allah und Sein Gesandter auf euer Tun; dann werdet ihr zu dem Kenner des Verborgenen und des Offenbaren zurückgebracht werden, und Er wird euch alles verkünden, was ihr zu tun pflegtet.«

95. Sie werden euch bei Allah schwören, wenn ihr zu ihnen zurückkehrt, daß ihr sie sich selbst überlassen sollt. Überlasset sie also sich selbst. Sie sind ein Abscheu, und ihr Aufenthalt ist die Hölle, ein Entgelt für das, was sie sich selbst erwarben.

96. Sie werden euch schwören, daß ihr mit ihnen wohl zufrieden sein könnt. Doch wäret ihr auch mit ihnen zufrieden, Allah würde doch nicht zufrieden sein mit einem Volk von Frevlern.

97. Die Wüstenaraber sind die allerverstocktesten in Unglauben und Heuchelei und sind eher dazu geneigt, die Vorschriften nicht zu kennen, die Allah Seinem Gesandten offenbart hat. Und Allah ist allwissend, allweise.

98. Und unter den Wüstenarabern sind so manche, die das, was sie spenden, als eine erzwungene Buße ansehen, und sie warten nur auf Mißgeschicke wider euch. Allein sie selbst wird ein unheilvolles Mißgeschick treffen. Und Allah ist allhörend, allwissend.

99. Doch unter den Wüstenarabern sind auch solche, die an Allah und an den Jüngsten Tag glauben und die das, was sie spenden, als ein Mittel betrachten, sich Allah zu nähern und die Segnungen des Propheten (zu empfangen). Wahrlich, für sie ist es ein Mittel der Annäherung. Allah wird sie bald in Seine Barmherzigkeit einführen. Wahrlich, Allah ist allverzeihend, barmherzig.

100. Die Vordersten, die ersten der Auswanderer (aus Mekka) und der Helfer (in Medina), und jene, die ihnen auf die beste Art gefolgt sind, mit ihnen ist Allah wohl zufrieden, und sie sind wohl zufrieden mit Ihm; und Er hat ihnen Gärten bereitet,

durch welche Ströme fließen. Darin sollen sie weilen ewig und immerdar. Das ist die höchste Glückseligkeit.

101. Unter den Wüstenarabern, die um euch wohnen, gibt es auch Heuchler, wie unter dem Volk von Medina. Sie sind verstockt in der Heuchelei. Du kennst sie nicht; Wir aber kennen sie. Wir werden sie zwiefach strafen; dann sollen sie einer schweren Pein überantwortet werden.

102. Und es sind andere, die ihre Schuld bekannten. Sie vermischten eine gute Tat mit einer anderen, schlechten. Bald wird Allah Sich mit Erbarmen zu ihnen wenden; Allah ist allverzeihend, barmherzig.

103. Nimm Almosen von ihrem Besitz, auf daß du sie dadurch reinigen und läutern mögest. Und bete für sie, denn dein Gebet ist ihnen Beruhigung. Und Allah ist allhörend, allwissend.

104. Wissen sie denn nicht, daß Allah allein es ist, Der von Seinen Dienern Reue annimmt und Almosen entgegennimmt, und daß Allah der Allvergebende, der Barmherzige ist?

105. Und sprich: »Wirket! Allah wird euer Werk schauen, und so Sein Gesandter und die Gläubigen. Und zurück sollt ihr gebracht werden zu dem Kenner des Verborgenen und des Offenbaren; dann wird Er euch verkünden, was ihr zu tun pflegtet.«

106. Und es sind andere, die auf Allahs Entscheid warten müssen. Er mag sie bestrafen, oder Er mag sich zu ihnen wenden mit Erbarmen; denn Allah ist allwissend, allweise.

107. Und jene, die eine Moschee erbaut haben, um Unheil, Unglauben und Spaltung unter den Gläubigen anzustiften, und als einen Hinterhalt[50] für den, der zuvor gegen Allah und Seinen Gesandten Krieg führte. Und sie werden sicherlich schwören: »Wir bezweckten nur Gutes«; doch Allah ist Zeuge, daß sie bloß Lügner sind.

108. Stehe nie darin (zum Gebet). Eine Moschee, die auf Frömmigkeit gegründet ward vom allerersten Tag an, ist wahrlich würdiger, daß du darin stehen solltest. In ihr sind Leute, die sich gerne reinigen, und Allah liebt die sich Reinigenden.

109. Ist nun dieser besser, der sein Gebäude auf Allahs Furcht und Wohlgefallen gegründet hat, oder jener, der sein Gebäude auf den Rand einer wankenden, unterspülten Sandbank grün-

dete, die mit ihm in das Feuer der Hölle gestürzt ist? Und Allah weist nicht dem frevelhaften Volk den Weg.

110. Ihr Gebäude, das sie sich errichtet, wird nicht aufhören, Zweifel in ihren Herzen zu erregen, bis ihre Herzen in Stücke gerissen sind. Und Allah ist allwissend, allweise.

111. Allah hat von den Gläubigen ihr Leben und ihr Gut für den Garten erkauft: sie kämpfen für Allahs Sache, sie töten und fallen – eine Verheißung, bindend für Ihn, in der Thora und im Evangelium und im Koran. Und wer hält seine Verheißung getreuer als Allah? So freut euch eures Handels mit Ihm; denn dies fürwahr ist die höchste Glückseligkeit.

112. Die sich in Reue (zu Gott) wenden, (Ihn) anbeten, (Ihn) lobpreisen, die (in Seiner Sache) wandern, die sich beugen und niederwerfen, die das Gute gebieten und das Böse verbieten, und die Schranken Allahs achten – verkünde (diesen) Gläubigen frohe Botschaft.

113. Es kommt dem Propheten und den Gläubigen nicht zu, daß sie (von Gott) für die Götzendiener Verzeihung erflehen sollten, und wären es selbst ihre nächsten Angehörigen, nachdem ihnen deutlich kundgeworden, daß jene der Hölle Bewohner sind.

114. Daß Abraham für seinen Vater um Verzeihung bat, war nur wegen eines Versprechens, das er ihm gegeben hatte, doch als ihm klar wurde, daß jener ein Feind Allahs sei, sagte er sich von ihm los. Abraham war doch gewiß zärtlichen Herzens, sanftmütig.

115. Es ist nicht Allahs Weise, ein Volk irregehen zu lassen, nachdem Er ihm den Weg gewiesen hat, Er hätte ihm denn zuvor klargemacht, wovor es sich zu hüten habe. Wahrlich, Allah weiß alle Dinge wohl.

116. Allah ist es, Dem das Königreich der Himmel und der Erde gehört. Er gibt Leben und sendet Tod. Und ihr habt keinen Freund noch Helfer außer Allah.

117. Allah hat Sich wahrlich gnadenvoll dem Propheten zugewandt und den Auswanderern (aus Mekka) und Helfern (in Medina), die ihm in der Stunde der Not gefolgt sind, nachdem die Herzen eines Teils von ihnen fast gewankt hätten. Er aber

wandte Sich ihnen abermals mit Erbarmen zu. Wahrlich, Er ist gegen sie gütig, barmherzig.

118. Und auch den dreien[51], die zurückgeblieben waren, bis die Erde ihnen zu eng wurde in ihrer Weite und ihre Seelen ihnen zu eng wurden und sie wußten, daß es keine Zuflucht gibt vor Allah, es sei denn zu Ihm. Da kehrte Er Sich ihnen mit Erbarmen zu, auf daß sie sich bekehren möchten. Wahrlich, Allah ist der langmütig Vergebende, der Barmherzige.

119. O die ihr glaubt, fürchtet Allah und seid mit den Wahrhaftigen.

120. Es ziemte sich nicht für die Bewohner von Medina noch für die um sie wohnenden Wüstenaraber, daß sie hinter dem Gesandten Allahs zurückbleiben und ihr Leben dem seinigen vorziehen sollten. Dies, weil weder Durst noch Mühsal noch Hunger sie auf Allahs Weg bedrängt, noch betreten sie einen Pfad, der die Ungläubigen erzürnt, noch fügen sie einem Feinde Leid zu, wofür ihnen nicht ein verdienstliches Werk angeschrieben würde. Allah läßt den Lohn derer, die Gutes tun, nicht verlorengehen.

121. Und sie spenden keine Summe, sei sie groß oder klein, und sie durchziehen kein Tal, ohne daß es ihnen angeschrieben würde, auf daß Allah ihnen den besten Lohn gebe für das, was sie getan.

122. Es ist für die Gläubigen nicht möglich, alle zusammen auszuziehen. Warum zieht denn nicht aus ihrer jeder Schar eine Gruppe aus, auf daß sie wohl bewandert würden in Glaubensdingen und nach ihrer Rückkehr zu ihrem Volk es warnen könnten, daß es sich vor Übel hüten mag?

123. O die ihr glaubt, kämpfet wider jene der Ungläubigen[52], die euch benachbart sind, und laßt sie in euch Härte finden; und wisset, daß Allah mit den Gottesfürchtigen ist.

124. Sooft eine Sure herabgesandt wird, gibt es unter ihnen welche, die sprechen:»Wen von euch hat sie im Glauben bestärkt?« Die aber gläubig sind, die stärkt sie in ihrem Glauben, und sie freuen sich dessen.

125. Jenen aber, in deren Herzen Krankheit ist, fügt sie ihrem Schmutz nur Schmutz hinzu, und sie sterben als Ungläubige.

126. Sehen sie denn nicht, daß sie in jedem Jahr einmal, zweimal

geprüft werden? Dennoch bereuen sie nicht und lassen sich nicht mahnen.

127. Und sooft eine Sure herabgesandt wird, schauen sie einander an: »Sieht euch jemand?« Dann wenden sie sich ab. Allah hat ihre Herzen abwendig gemacht, weil sie ein Volk sind, das nicht begreifen will.

128. Wahrlich, ein Gesandter ist zu euch gekommen aus eurer Mitte; schmerzlich ist es ihm, daß ihr in Unheil geraten solltet; eure Wohlfahrt begehrt er eifrig; gegen die Gläubigen ist er gütig, barmherzig.

129. Doch wenn sie sich abwenden, so sprich: »Allah ist meine Genüge. Es gibt keinen Gott außer Ihm. Auf Ihn vertraue ich, und Er ist der Herr des mächtigen Throns.«

1. Im Namen Allahs, des Gnädigen, des Barmherzigen.

2. Alif Lām Rā.* Dieses sind die Verse des weisen Buches.

3. Scheint es den Menschen so seltsam, daß Wir einem Manne aus ihrer Mitte die Eingebung sandten: »Warne die Menschen und verkünde frohe Botschaft denen, die da glauben, daß sie einen wirklichen Rang bei ihrem Herrn besitzen«? Die Ungläubigen sprechen: »Fürwahr, das ist ein offenkundiger Zauberer.«

4. Wahrlich, euer Herr ist Allah, Der die Himmel und die Erde erschuf in sechs Zeiten, dann setzte Er Sich auf den Thron; Er lenkt alles. Es gibt keinen Fürsprecher. Dies ist Allah, euer Herr, so betet Ihn an. Wollt ihr euch denn nicht mahnen lassen?

5. Zu Ihm ist euer aller Heimkehr: eine Verheißung Allahs in Wahrheit. Er bringt die Schöpfung hervor; dann läßt Er sie zurückkehren, auf daß Er jene, die glauben und gute Werke tun, belohne nach Billigkeit; die aber ungläubig sind, ihnen wird ein Trunk siedenden Wassers zuteil werden und schmerzliche Strafe, weil sie ungläubig waren.

6. Er ist es, Der die Sonne zur Leuchte und den Mond zu einem Schimmer machte und ihm Stationen bestimmte, auf daß ihr die Anzahl der Jahre und die Berechnung kennen möchtet. Allah hat dies nicht anders denn in Weisheit geschaffen. Er legt die Zeichen einem Volke dar, das Wissen besitzt.

7. Wahrlich, in dem Wechsel von Nacht und Tag und in allem, das Allah in den Himmeln und auf der Erde erschaffen, sind Zeichen für ein gottesfürchtiges Volk.

8. Die aber, die nicht auf die Begegnung mit Uns hoffen und zufrieden sind mit dem Leben in dieser Welt und sich dabei beruhigen, und die Unserer Zeichen achtlos sind –

9. Sie sind es, deren Wohnstatt das Feuer ist, um dessentwillen, was sie sich erwarben.

10. Jene jedoch, die da glauben und gute Werke tun, wird ihr Herr leiten um ihres Glaubens willen. Ströme werden unter ihnen hinfließen in den Gärten der Wonne.

11. Ihr Ruf dort wird sein: »Preis Dir, o Allah!« Und ihr Gruß dort wird »Frieden« sein. Und zuletzt werden sie rufen: »Aller Preis gehört Allah, dem Herrn der Welten.«

---

* Ich bin Allah, der Allsehende.

12. Wenn Allah den Menschen das Schlimme beschleunigte, wie sie das Reichwerden beschleunigen möchten, so wäre ihre Lebensfrist schon um. Allein Wir lassen die, welche nicht auf die Begegnung mit Uns hoffen, ziellos irregehen in ihrer Verblendung.

13. Wenn den Menschen Unheil trifft, ruft er Uns an, ob er nun auf der Seite liege oder sitze oder stehe; haben Wir aber sein Unheil von ihm fortgenommen, dann geht er seines Weges, als hätte er Uns nie angerufen um (Befreiung vom) Unheil, das ihn getroffen. Also wird den Maßlosen ihr Tun schön gemacht.

14. Und Wir vernichteten die Geschlechter vor euch, als sie frevelten; denn es kamen zu ihnen ihre Gesandten mit deutlichen Zeichen, sie aber wollten nicht glauben. Also vergelten Wir dem sündigen Volk.

15. Danach machten Wir euch zu ihren Nachfolgern auf der Erde, auf daß Wir sähen, wie ihr handeln würdet.

16. Und wenn Unsere deutlichen Zeichen ihnen vorgetragen werden, sagen jene, die nicht auf die Begegnung mit Uns hoffen: »Bring einen anderen Koran als diesen oder ändre ihn.« Sprich: »Es steht mir nicht zu, ihn aus eignem Antrieb zu ändern. Ich folge nur dem, was mir offenbart ward. Ich befürchte, falls ich meinem Herrn ungehorsam bin, die Strafe eines schrecklichen Tags.«

17. Sprich: »Hätte Allah es gewollt, so hätte ich ihn euch nicht vorgetragen, noch hätte Er ihn euch kundgemacht. Ich habe doch fürwahr ein Menschenalter unter euch gelebt vor diesem. Wollt ihr denn nicht begreifen?«

18. Wer ist wohl sündiger als jener, der eine Lüge wider Allah erdichtet oder Seine Zeichen als Lügen behandelt? Wahrlich, die Schuldigen haben keinen Erfolg.

19. Sie verehren statt Allah das, was ihnen weder schaden noch nützen kann; und sie sagen: »Das sind unsere Fürsprecher bei Allah.« Sprich: »Wollt ihr Allah von etwas Nachricht geben, was Er nicht kennt in den Himmeln oder auf der Erde?« Heilig ist Er und hoch erhaben über das, was sie anbeten.

20. Die Menschen waren einst nur eine einzige Gemeinde, dann aber wurden sie uneins; und wäre nicht ein Wort[53] vorausgegan-

gen von deinem Herrn, es wäre schon entschieden worden zwischen ihnen über das, darob sie uneins waren.

21. Und sie sagen:»Warum ist nicht ein Zeichen zu ihm herabgesandt worden von seinem Herrn?« Sprich:»Das Verborgene ist Allahs allein. Drum wartet; siehe, ich warte auch mit euch.«

22. Und wenn Wir die Menschen Barmherzigkeit kosten lassen, nachdem Unheil sie betroffen, siehe, sie beginnen, wider Unsere Zeichen Anschläge zu schmieden. Sprich:»Allah ist schneller im Anschlag.« Unsere Gesandten schreiben alles nieder, was ihr an Anschlägen schmiedet.

23. Er ist es, Der euch instand setzt, über Land und Meer zu reisen, bis endlich, wenn ihr an (Bord) der Schiffe seid – und sie mit ihnen dahinsegeln mit gutem Wind, und sie freuen sich dessen, da erfaßt sie plötzlich ein Sturm, und die Wogen kommen über sie von allen Seiten, und sie meinen schon, sie seien rings umschlossen – dann rufen sie zu Allah in lauterem Gehorsam gegen Ihn:»Wenn Du uns aus diesem errettest, so werden wir sicherlich unter den Dankbaren sein.«

24. Doch wenn Er sie dann errettet hat, siehe, schon beginnen sie, wieder Gewalt auf Erden zu verüben ohne Recht. O ihr Menschen, eure Gewalttat richtet sich nur gegen euch selbst. (Genießet) die Gaben des Lebens hienieden.[54] Zu Uns soll dann eure Heimkehr sein, dann werden Wir euch ankünden, was ihr gewirkt.

25. Das Gleichnis des irdischen Lebens ist nur wie das Wasser, das Wir herabsenden aus den Wolken; dann vermischen sich damit die Gewächse der Erde, davon Mensch und Vieh sich nähren, bis daß – wenn die Erde ihren Schmuck empfängt und schön geputzt erscheint und ihre Bewohner glauben, sie hätten Macht über sie – zu ihr kommt Unser Befehl in der Nacht oder am Tag und Wir sie zu einem niedergemähten Acker machen, als habe sie nicht gediehen am Tag zuvor. Also machen Wir die Zeichen klar für ein Volk, das nachzudenken vermag.

26. Und Allah ladet zur Wohnstatt des Friedens und leitet, wen Er will, auf den geraden Weg.

27. Denen, die Gutes tun, soll der beste (Lohn) werden, und noch mehr. Weder Dunkel noch Schmach soll ihr Antlitz bedek-

ken. Sie sind die Bewohner des Himmels; darin werden sie ewig weilen.

28. Die aber Böses tun – Strafe für eine böse Tat ist in gleichem Maße. Schmach wird sie bedecken; keinen Schützer werden sie haben vor Allah (und es soll sein), als ob ihre Angesichter verhüllt wären mit finsteren Nachtfetzen. Sie sind die Bewohner des Feuers; darin müssen sie bleiben.

29. Und (gedenke) des Tags, da Wir sie versammeln werden allzumal; dann werden Wir zu denen, die Götzen anbeteten, sprechen: »An euren Platz, ihr und eure Götzen!« Dann scheiden Wir sie voneinander, und ihre Götzen werden sprechen: »Nicht uns habt ihr angebetet.

30. Allah genügt nun als Zeuge zwischen uns und euch. Wir haben wahrhaftig nichts gewußt von eurer Anbetung.«

31. Dort erfährt jede Seele, was sie vorausgesandt. Und zurückgebracht werden sie zu Allah, ihrem wahren Herrn, und das, was sie zu erdichten pflegten, wird für sie verloren sein.

32. Sprich: »Wer versorgt euch vom Himmel her und aus der Erde? Oder wer ist es, der Gewalt hat über die Ohren und die Augen? Und wer bringt das Lebendige hervor aus dem Toten und das Tote aus dem Lebendigen? Und wer lenkt alle Dinge?« Sie werden sprechen: »Allah.« So antworte: »Wollt ihr denn nicht (Seinen) Schutz suchen?«

33. Das ist Allah, euer wahrer Herr. Was also sollte bleiben nach der Wahrheit denn Irrtum? Wie laßt ihr euch abwendig machen?

34. Also hat sich das Wort deines Herrn wider die Empörer bewahrheitet, daß sie nicht glauben.

35. Sprich: »Ist unter euren Göttern etwa einer, der eine Schöpfung hervorbringt und sie dann zurückkehren läßt?« Sprich: »Allah ist es, Der die Schöpfung hervorbringt und sie dann zurückkehren läßt. Wohin also lasset ihr euch abwendig machen?«

36. Sprich: »Ist unter euren Göttern etwa einer, der zur Wahrheit leitet?« Sprich: »Allah ist es, Der zur Wahrheit leitet. Ist nun der, Der zur Wahrheit leitet, nicht würdiger, daß man Ihm folge, als der, der den Weg nicht zu finden vermag, er werde denn selbst geleitet? Was fehlt euch also? Wie urteilt ihr nur?«

37. Und die meisten von ihnen folgen bloß einer Vermutung;

doch Vermutung nützt nichts gegenüber der Wahrheit. Siehe, Allah weiß recht wohl, was sie tun.

38. Und dieser Koran hätte nicht ersonnen werden können, außer durch Allah. Vielmehr ist er eine Bestätigung dessen, was ihm vorausging, und eine Darlegung des Gesetzes – darüber ist kein Zweifel – vom Herrn der Welten.

39. Sagen sie: »Er hat ihn erdichtet«? Sprich: »Bringt denn eine Sure wie diesen (Koran) hervor und rufet, wen ihr nur könnt, außer Allah, wenn ihr wahrhaftig seid.«

40. Nein; aber sie haben das geleugnet, was sie nicht umfaßten mit Wissen, noch war seine Bedeutung zu ihnen gekommen. Ebenso leugneten auch jene, die vor ihnen waren. Doch sieh, wie das Ende derer war, die Unrecht taten!

41. Unter ihnen* sind solche, die daran glauben werden, und andere, die nicht daran glauben werden, und dein Herr kennt jene wohl, die verderbt handeln.

42. Und wenn sie dich der Lüge zeihen, so sprich: »Für mich ist mein Werk und für euch ist euer Werk. Ihr seid nicht verantwortlich für das, was ich tue, und ich bin nicht verantwortlich für das, was ihr tut.«

43. Und unter ihnen sind solche, die dir Ohr leihen. Aber kannst du die Tauben hörend machen, wiewohl sie nicht begreifen?

44. Und unter ihnen sind solche, die auf dich schauen. Aber kannst du den Blinden den Weg weisen, wiewohl sie nicht sehen?

45. Wahrlich, Allah fügt den Menschen kein Unrecht zu, die Menschen aber begehen Unrecht an ihren eigenen Seelen.

46. Und an dem Tage, an dem Er sie versammelt (wird es ihnen sein), als hätten sie nur eine Stunde eines Tages geweilt. Sie werden einander erkennen. Verloren fürwahr werden jene sein, die die Begegnung mit Allah leugneten und nicht rechtgeleitet waren.

47. Und ob Wir dir (die Erfüllung) von einigen der Dinge zeigen, die Wir ihnen angedroht haben, oder dich (vorher) sterben lassen, zu Uns wird ihre Heimkehr sein; hernach ist Allah Zeuge all dessen, was sie tun.

---

* Den Christen.

48. Und für jedes Volk ist ein Gesandter. Wenn also ihr Gesandter kommt, so wird zwischen ihnen entschieden nach Gerechtigkeit, und kein Unrecht widerfährt ihnen.

49. Und sie sprechen: »Wann wird dies Versprechen (verwirklicht werden), wenn ihr wahrhaftig seid?«

50. Sprich: »Ich habe aus mir selbst keine Macht über Wohl oder Wehe meiner Seele, außer, was Allah will. Jedes Volk hat eine Frist; und wenn ihre Frist um ist, so können sie auch nicht einen Augenblick dahinter zurückbleiben, noch können sie (ihr) vorauseilen.«

51. Sprich: »Was meint ihr? Wenn Seine Strafe über euch kommt bei Nacht oder bei Tag, wie werden die Schuldigen sich ihr entziehen?

52. Wollt ihr erst dann, wenn sie eintrifft, an sie glauben? Wie! Jetzt! Und doch wolltet ihr sie beschleunigen!«

53. Dann wird zu den Frevlern gesagt werden: »Kostet nun die Strafe der Ewigkeit. Ihr empfanget Vergeltung nur für das, was ihr verdient habt.«

54. Und sie fragen dich: »Ist es wahr?« Sprich: »Ja, bei meinem Herrn! Es ist ganz gewißlich wahr; und ihr könnt es nicht hindern.«

55. Und wenn eine jede Seele, die Unrecht begeht, alles besäße, was auf Erden ist, sie würde versuchen, sich damit loszukaufen. Sie werden (ihre) Reue verhehlen, wenn sie die Strafe sehen. Und es wird zwischen ihnen entschieden werden nach Gerechtigkeit, und sie sollen nicht Unrecht leiden.

56. Wisset, Allahs ist, was in den Himmeln und was auf der Erde ist. Wisset, Allahs Verheißung ist wahr! Doch die meisten von ihnen wissen es nicht.

57. Er gibt Leben und sendet Tod, und zu Ihm kehrt ihr zurück.

58. O ihr Menschen! Nunmehr ist eine Ermahnung zu euch gekommen von eurem Herrn und eine Heilung für das, was in den Herzen sein mag, und eine Führung und Barmherzigkeit für die Gläubigen.

59. Sprich: »Durch die Gnade Allahs und durch Seine Barmherzigkeit; hieran denn mögen sie sich freuen. Das ist besser als das, was sie anhäufen.«

60. Sprich: »Habt ihr bedacht, daß Allah euch Nahrung hinab-

gesandt hat, ihr aber machtet (etwas) davon unerlaubt und (anderes) erlaubt?« Sprich: »Hat Allah euch (das) gestattet, oder erfindet ihr Lügen wider Allah?«

61. Was denken wohl jene, die Lügen wider Allah erfinden, über den Tag der Auferstehung? Wahrlich, Allah ist gnadenvoll gegen die Menschen, jedoch die meisten von ihnen sind nicht dankbar.

62. Du verrichtest nichts, und du trägst von diesem (Buch) keinen Teil des Korans vor, und ihr betreibt kein Werk, ohne daß Wir über euch Zeugen sind, wenn ihr darin befangen seid. Und auch nicht eines Stäubchens Gewicht ist auf Erden oder im Himmel verborgen vor deinem Herrn. Und es gibt nichts, ob noch ein kleineres als dies oder ein größeres, das nicht in einem deutlichen Buche stünde.

63. Siehe, über Allahs Freunde soll keine Furcht kommen, noch sollen sie trauern –

64. Sie, die da glaubten und rechtschaffen waren.

65. Für sie ist frohe Botschaft in diesem Leben sowie im Jenseits. Unabänderlich sind Allahs Worte – das ist fürwahr die höchste Glückseligkeit.

66. Und laß dich ihre Rede nicht betrüben. Alle Macht ist Allahs allein. Er ist der Allhörende, der Allwissende.

67. Siehe, wer immer in den Himmeln und wer immer auf der Erde ist, er ist Allahs. Die da andere anrufen als Allah, folgen nicht (wirklich diesen) Göttern; sie folgen nur einem Wahn, und sie vermuten bloß.

68. Er ist es, Der die Nacht für euch gemacht hat, auf daß ihr in ihr ruhen möchtet, und den Tag voll des Lichts. Wahrlich, hierin sind Zeichen für ein Volk, das zu hören vermag.

69. Sie sagen: »Allah hat Sich einen Sohn zugesellt.« Preis Ihm! Er ist der Sich Selbst Genügende. Sein ist, was in den Himmeln und was auf der Erde ist. Ihr habt keinen Beweis hierfür. Wollt ihr wider Allah behaupten, was ihr nicht wisset?

70. Sprich: »Die eine Lüge wider Allah erfinden, sie werden keinen Erfolg haben.«

71. Ein wenig Genuß in dieser Welt – dann ist zu Uns ihre Heimkehr. Dann werden Wir sie die strenge Strafe kosten lassen dafür, daß sie ungläubig waren.

72. Trage ihnen die Geschichte von Noah vor, da er zu seinem Volke sprach: »O mein Volk, wenn mein Rang (bei Gott) und meine Ermahnung (an euch) durch die Zeichen Allahs euch ärgerlich sind – und in Allah setze ich mein Vertrauen –, so stellt nur all eure Anschläge ins Feld und eure Götter, und lasset euer Planen für euch nicht im Dunkel sein, sondern handelt wider mich und gebt mir keine Frist.

73. Kehrt ihr aber den Rücken, so habe ich von euch keinen Lohn verlangt. Mein Lohn ist allein bei Allah, und mir ward befohlen, daß ich zu den Gottergebenen gehöre.«

74. Doch sie verwarfen ihn, darum retteten Wir ihn und die bei ihm waren in der Arche. Und Wir machten sie zu Nachfolgern, während Wir jene ertrinken ließen, die Unsere Zeichen verworfen hatten. Schau also, wie das Ende derer war, die gewarnt worden waren!

75. Dann schickten Wir nach ihm (andere) Gesandte zu ihrem Volk, und sie brachten ihnen klare Beweise. Allein sie wollten nicht (an sie) glauben, weil sie sie zuvor verworfen hatten. Also versiegeln Wir die Herzen der Übertreter.

76. Dann schickten Wir nach ihnen Moses und Aaron zu Pharao und seinen Häuptern mit Unseren Zeichen, sie aber betrugen sich hoffärtig. Und sie waren ein sündiges Volk.

77. Als nun Wahrheit von Uns zu ihnen kam, da sprachen sie: »Das ist gewißlich ein offenkundiger Zauber.«

78. Moses sprach: »Sagt ihr (solches) von der Wahrheit, nachdem sie zu euch gekommen ist? Ist das Zauberei? Und die Zauberer haben niemals Erfolg.«

79. Sie sprachen: »Bist du zu uns gekommen, daß du uns abwendig machen möchtest von dem (Weg), auf dem wir unsere Väter fanden, und daß ihr beide die Herrschaft im Lande habet? Wir aber wollen an euch nicht glauben.«

80. Da sprach Pharao: »Bringt mir alle kundigen Zauberer herbei.«

81. Als nun die Zauberer kamen, sprach Moses zu ihnen: »Werfet, was ihr zu werfen habt.«

82. Als sie dann geworfen hatten, sprach Moses: »Was ihr gebracht habt, ist Zauberei. Allah wird sie sicherlich zunichte ma-

chen. Denn wahrlich, Allah läßt das Werk der Verderbenstifter nicht gedeihen.

83. Allah erhärtet die Wahrheit durch Seine Worte, auch wenn es den Sündern unlieb ist.«

84. Und niemand gehorchte Moses, bis auf einige Jünglinge seines Volkes, aus Furcht vor Pharao und seinen Häuptern, er möchte sie sonst verfolgen. Und in der Tat war Pharao ein Gewalthaber im Land, und wahrlich, er war ein Übertreter.

85. Moses sprach: »O mein Volk, habt ihr an Allah geglaubt, so vertrauet nun auf Ihn, wenn ihr euch wirklich (Ihm) ergeben habt.«

86. Sie sprachen: »Auf Allah vertrauen wir. Unser Herr, mache uns nicht zu einer Versuchung für das Volk der Ungerechten.

87. Und errette uns durch deine Barmherzigkeit von dem Volk der Ungläubigen.«

88. Und Wir redeten zu Moses und seinem Bruder: »Bereitet in Ägypten einige Häuser für euer Volk und lasset eure Häuser einander gegenüber sein und verrichtet das Gebet.« Und: »Verkünde frohe Botschaft den Gläubigen.«

89. Da sprach Moses: »Unser Herr, Du hast Pharao und seinen Häuptern Pracht verliehen und Reichtümer im Leben hienieden, (mit dem Ergebnis) unser Herr, daß sie abwendig machen von Deinem Pfad. Unser Herr, zerstöre ihre Reichtümer und triff ihre Herzen, so daß sie nicht glauben, ehe sie nicht die schmerzliche Strafe sehen.«

90. Er sprach: »Euer Gebet ist erhört. Seid ihr beide denn standhaft und folget nicht dem Weg derer, die nicht wissen.«

91. Wir führten die Kinder Israels durch das Meer; und Pharao mit seinen Heerscharen verfolgte sie wider Recht und feindlich, bis das Ertrinken ihm nahte (und) er sprach: »Ich glaube, daß es keinen Gott gibt als Den, an Den die Kinder Israels glauben, und ich gehöre nun zu den Gottergebenen.«

92. Wie! Jetzt! Wo du bisher ungehorsam warst und warst einer derer, die Unordnung stiften.

93. So wollen Wir dich heute erretten in deinem Leibe, auf daß du ein Zeichen seiest denen, die nach dir kommen. Und sicherlich, viele unter den Menschen achten Unserer Zeichen nicht.

94. Wir bereiteten fürwahr den Kindern Israels eine treffliche

Wohnstatt und versorgten sie mit guten Dingen, und sie waren nicht eher uneins, als bis die Erkenntnis zu ihnen kam. Wahrlich, am Tage der Auferstehung wird dein Herr zwischen ihnen entscheiden über das, worüber sie uneins waren.

95. Und wenn du im Zweifel bist über das, was Wir zu dir niedersandten, so frage diejenigen, die vor dir die Schrift gelesen haben. Fürwahr, die Wahrheit ist zu dir gekommen von deinem Herrn; sei also nicht der Zweifler einer.

96. Und gehöre auch nicht zu jenen, die Allahs Zeichen verwerfen, sonst wirst du unter den Verlorenen sein.

97. Diejenigen, wider die das Wort deines Herrn ergangen ist, sie werden nicht glauben,

98. Auch wenn ihnen jegliches Zeichen käme, bis sie die schmerzliche Strafe sehen.

99. Warum war da kein Volk, außer dem Volke Jonas, das so glauben mochte, daß ihnen ihr Glaube gefruchtet hätte? Als sie glaubten, da nahmen Wir die Strafe der Schande von ihnen hinweg in diesem Leben und versorgten sie für eine Zeitlang.

100. Und hätte dein Herr Seinen Willen erzwungen, wahrlich, alle, die auf der Erde sind, würden geglaubt haben insgesamt. Willst du also die Menschen dazu zwingen, daß sie Gläubige werden?

101. Niemandem steht es zu, zu glauben, es sei denn mit Allahs Erlaubnis. Er sendet (Seinen) Zorn über jene, die ihre Vernunft nicht gebrauchen mögen.

102. Sprich: »Betrachtet doch, was in den Himmeln und auf der Erde (geschieht).« Allein Zeichen und Warner nützen nichts bei einem Volk, das nicht glauben will.

103. Was erwarten sie denn anderes als die Tage jener, die vor ihnen dahingegangen sind? Sprich: »Wartet denn, ich bin mit euch unter den Wartenden.«

104. Dann werden Wir Unsere Gesandten erretten und jene, die da glauben. Also obliegt es Uns, daß Wir die Gläubigen retten.

105. Sprich: »O ihr Menschen, wenn ihr im Zweifel seid über meinen Glauben, dann (wisset), ich verehre nicht die, welche ihr statt Allah verehrt, sondern ich verehre Allah allein, Der euch dahinnehmen wird, und mir ward geboten, daß ich einer der Gläubigen sei,

106. Und (daß ich spreche): ›Richte dein Augenmerk auf den Glauben in Aufrichtigkeit, und sei nicht einer der Götzendiener.

107. Und rufe nicht statt Allah anderes an, das dir weder zu nützen noch zu schaden vermag. Tätest du es, dann wärest du gewißlich unter den Frevlern.‹«

108. Und wenn dich Allah mit einem Übel trifft, so gibt es keinen, der es hinwegnehmen kann, als Ihn allein; und wenn Er dir Gutes gönnt, so gibt es keinen, der Seine Gnade zu hindern vermöchte. Er läßt sie unter Seinen Dienern zukommen, wem Er will, und Er ist der Allverzeihende, der Barmherzige.

109. Sprich: »O ihr Menschen, nun ist die Wahrheit zu euch gekommen von eurem Herrn. Wer nun dem rechten Weg folgt, der folgt ihm allein zum Heil seiner eigenen Seele, und wer in die Irre geht, der geht nur zu seinem eigenen Schaden irre. Und ich bin nicht ein Hüter über euch.«

110. Und folge dem, was dir offenbart ward, und sei standhaft, bis Allah Sein Urteil spricht, denn Er ist der beste Richter.

1. Im Namen Allahs, des Gnädigen, des Barmherzigen.

2. Alif Lām Rā.* Ein Buch, dessen Verse unveränderlich gefügt, dann im einzelnen erklärt worden sind, von einem Allweisen, Allkundigen.

3. (Es lehrt) daß ihr keinen anbeten sollt als Allah. Ich bin euch ein Warner und ein Bringer froher Botschaft von Ihm.

4. Und daß ihr Vergebung erflehet von eurem Herrn und euch dann zu Ihm bekehrt. Er wird euch eine reiche Versorgung bereiten bis zum Ende der festgesetzten Frist. Und Seine Huld wird Er gewähren einem jeden, der sie verdient. Kehrt ihr euch jedoch ab, wahrlich, dann fürchte ich für euch die Strafe eines Großen Tags.

5. Zu Allah ist eure Heimkehr; und Er hat Macht über alle Dinge.

6. Gewiß nun, sie verschließen ihre Brust, damit sie sich vor Ihm verbergen möchten. Doch siehe, wenn sie sich auch mit ihren Gewändern bedecken, Er weiß, was sie verhehlen und was sie offenbaren. Wahrlich, Er weiß wohl, was in den Herzen ist.

7. Und es gibt kein Geschöpf, das auf der Erde kriecht, dessen Versorgung nicht Allah obläge. Und Er kennt seinen Aufenthaltsort und seine Heimstatt. All das ist in einem deutlichen Buch.

8. Und Er ist es, Der die Himmel und die Erde erschuf in sechs Zeiten – und Sein Thron ruht auf dem Wasser –, damit Er euch prüfe, wer von euch der Beste im Wirken sei. Und wenn du sprichst: »Ihr werdet wahrlich auferweckt werden nach dem Tode«, dann werden die Ungläubigen gewißlich sagen: »Das ist nichts als offenkundige Täuschung.«

9. Wenn Wir aber ihre Bestrafung bis zu einer berechneten Zeit aufschöben, würden sie sicherlich sagen: »Was hält sie zurück?« Nun wahrlich, an dem Tage, an dem sie zu ihnen kommen wird, da wird keiner (sie) von ihnen abwenden, und das, was sie zu verspotten pflegten, wird sie rings umschließen.

10. Und wenn Wir dem Menschen Barmherzigkeit von Uns zu kosten geben und sie darauf von ihm fortnehmen, er ist verzweifelt, undankbar.

---

* Ich bin Allah, der Allsehende.

11. Und wenn Wir ihm nach einer Drangsal, die ihn betroffen hat, Glückesfülle zu kosten geben, er sagt sicherlich: »Gewichen ist das Übel von mir.« Siehe, er ist frohlockend, prahlend;

12. Die nur ausgenommen, die standhaft sind und gute Werke tun. Ihnen wird Vergebung und ein großer Lohn.

13. (Sie wähnen) du werdest nun vielleicht einen Teil von dem aufgeben, was dir offenbart ward; und deine Brust wird davon beengt, daß sie sagen: »Warum ist nicht ein Schatz zu ihm niedergesandt worden oder ein Engel mit ihm gekommen?« Du aber bist nur ein Warner, und Allah ist Hüter über alle Dinge.

14. Sagen sie: »Er hat es erdichtet«? Sprich: »So bringt doch zehn ebenbürtige, erdichtete Suren hervor und ruft an, wen ihr vermögt, außer Allah, wenn ihr wahrhaft seid!«

15. Und wenn sie euch keine Antwort geben, dann wisset, es ist offenbart worden, (erfüllt) mit Allahs Wissen, und es gibt keinen Gott außer Ihm. Wollt ihr euch nun ergeben?

16. Die das irdische Leben begehren und seine Pracht, wollen sie Wir voll belohnen für ihre Werke hienieden, und sie sollen darin kein Unrecht leiden.

17. Diese sind es, die im Jenseits nichts erhalten sollen als das Feuer, und das, was sie hienieden gewirkt, wird nichtig sein, und eitel all das, was sie zu tun pflegten.

18. Kann denn der, der einen deutlichen Beweis von seinem Herrn besitzt und dem ein Zeuge von Ihm folgen soll und dem das Buch Moses' vorausging als Führung und Barmherzigkeit (ein Betrüger sein)? Sie* werden an ihn glauben, und wer aus der Rotte (der Gegner) nicht an ihn glaubt, das Feuer soll sein verheißener Ort sein. Sei daher nicht im Zweifel darob. Dies ist die Wahrheit von deinem Herrn; jedoch die meisten Menschen glauben nicht.

19. Und wer ist ungerechter als der, der eine Lüge wider Allah erdichtet? Diese werden ihrem Herrn vorgeführt werden, und die Zeugen werden sprechen: »Das sind die, die logen wider ihren Herrn.« Höret! der Fluch Allahs ist über den Frevlern,

20. Die abwendig machen vom Wege Allahs und ihn zu krüm-

---

* Die wahren Anhänger Moses'.

men suchen. Und diese sind es, die nicht an das Jenseits glauben.

21. Allein sie vermögen nimmermehr im Lande zu obsiegen, noch haben sie irgend Freunde außer Allah. Verdoppelt soll ihnen die Strafe werden! Sie können weder hören, noch können sie sehen.

22. Diese sind es, die ihre Seelen ins Verderben stürzten, und was sie ersonnen, soll ihnen nichts frommen.

23. Kein Zweifel, daß sie im Jenseits die größten Verlierer sein werden.

24. Die da glauben und gute Werke tun und sich demütigen vor ihrem Herrn, sie sind des Himmels Bewohner, darin sollen sie ewig weilen.

25. Der Fall der beiden Parteien ist wie der des Blinden und des Tauben und des Sehenden und des Hörenden. Sind nun beide wohl im gleichen Fall? Wollt ihr denn nicht verstehen?

26. Wir entsandten Noah zu seinem Volke (und er sprach): »Wahrlich, ich bin euch ein aufklärender Warner,

27. Daß ihr keinen anbetet außer Allah. Ich fürchte für euch die Strafe eines schmerzlichen Tags.«

28. Die Häupter seines Volks, die nicht glaubten, sprachen: »Wir sehen in dir nur einen Menschen gleich uns, und wir sehen, daß dir keiner gefolgt ist als jene, die aller äußeren Erscheinung nach die Niedrigsten unter uns sind, noch sehen wir in euch irgendeinen Vorzug vor uns; nein, wir erachten euch für Lügner.«

29. Er sprach: »O mein Volk, sagt an: wenn ich einen klaren Beweis von meinem Herrn habe, und Er hat mir von Sich eine Barmherzigkeit gewährt, die euch aber dunkel gemacht worden ist, sollen wir sie euch da aufzwingen, wo sie euch zuwider ist?

30. O mein Volk, ich verlange von euch kein Entgelt dafür. Mein Lohn ist allein bei Allah. Und ich werde gewiß nicht jene, die glauben, verstoßen. Sie werden ihrem Herrn begegnen. Allein ich erachte euch für ein Volk, das unwissend handelt.

31. O mein Volk, wer würde mir wider Allah helfen, wenn ich sie verstöße? Wollt ihr denn nicht einsehen?

32. Und ich sage nicht zu euch: ›Ich besitze die Schätze Allahs‹, noch kenne ich das Verborgene, noch erkläre ich: ›Ich bin ein Engel.‹ Noch sage ich von denen, die eure Augen verachten:

›Allah wird ihnen niemals Gutes gewähren.‹ Allah kennt, was in ihren Herzen ist, am besten; wahrlich, ich gehörte sonst zu den Ungerechten.«

33. Sie sprachen: »O Noah, du hast schon mit uns gehadert und gar lange mit uns gehadert; so bring uns denn her, was du uns androhst, wenn du zu den Wahrhaften gehörst.«

34. Er sprach: »Allah allein wird es euch bringen, wenn es Ihm gefällt, und nicht vermögt ihr (Gottes Plan) zu hindern.

35. Und mein Rat wird euch nichts frommen, wollte ich euch raten, wenn Allah euch vernichten will. Er ist euer Herr, und zu Ihm werdet ihr zurückgebracht werden.«

36. Sagen sie: »Er hat es ersonnen«? Sprich: »Wenn ich es ersonnen habe, so sei mir meine Sünde; nicht verantwortlich bin ich aber für das, was ihr an Sünden begeht.«

37. Und es ward Noah offenbart: »Keiner von deinem Volk wird glauben, außer jene, die bereits geglaubt haben: betrübe dich darum nicht über ihr Tun.

38. Und baue die Arche vor Unseren Augen und nach Unserer Offenbarung, sprich Mir aber nicht von den Frevlern; diese müssen ertrinken.«

39. Und er baute die Arche; sooft die Häupter seines Volks an ihm vorübergingen, verspotteten sie ihn. Er sprach: »Verspottet ihr uns, so werden auch wir über euch spotten, gerade so, wie ihr spottet.

40. Dann werdet ihr erfahren, wer es ist, über den eine Strafe kommen wird, die ihn mit Schande bedeckt, und auf wen eine immerwährende Strafe fallen wird.«

41. Bis dann, da Unser Befehl ergeht und die Fluten (der Erde) hervorbrechen. Da werden Wir sprechen: »Bringe in sie hinein je zwei von allen, ein Pärchen, und deine Familie mit Ausnahme derer, wider die das Wort bereits ergangen ist, und die Gläubigen.« Allein nur wenige glaubten da (und lebten) mit ihm.

42. Und er sprach: »Steiget hinein! Im Namen Allahs ist ihre Ausfahrt und ihre Landung. Mein Herr ist wahrlich allverzeihend, barmherzig.«

43. Sie fuhr einher mit ihnen über Wogen gleich Bergen, und Noah rief zu seinem Sohn, der sich abseits hielt: »O mein Sohn, steig mit uns ein und bleibe nicht mit den Ungläubigen!«

44. Er antwortete: »Ich will mich sogleich auf einen Berg bege-
ben, der mich vor dem Wasser schützen wird.« Er sprach: »Keinen Schutz heute vor Allahs Befehl, es sei denn (für) jene, deren
Er Sich erbarmt.« Und die Woge brach herein zwischen die beiden, so war er unter denen, die ertranken.

45. Und es ward gesprochen: »O Erde, verschlinge dein Wasser,
und o Himmel, höre auf (zu regnen)!« Und das Wasser begann
zu versiegen, und die Angelegenheit war entschieden. Und (die
Arche) kam auf dem Al-Dschudi* zur Rast. Und es ward gesprochen: »Fort mit dem Volk der Frevler!«

46. Und Noah rief zu seinem Herrn und sprach: »Mein Herr,
mein Sohn gehört zu meiner Familie, und Dein Versprechen ist
doch wahr, und Du bist der gerechteste Richter.«

47. Er sprach: »O Noah, er gehört nicht zu deiner Familie; er ist
sündhaften Betragens. So frage Mich nicht nach dem, wovon du
keine Kenntnis hast. Ich ermahne dich, damit du nicht der
Toren einer werdest.«

48. Er sprach: »Mein Herr, ich suche Deinen Schutz davor, daß
ich Dich nach dem frage, wovon ich keine Kenntnis habe. Und
wenn Du mir nicht verzeihst und Dich meiner erbarmst, so
werde ich unter den Verlorenen sein.«

49. Es ward gesprochen: »O Noah, reise mit Unserem Frieden!
Und Segnungen über dich und über die Geschlechter, die bei dir
sind! Und es werden (andere) Geschlechter sein, denen Wir
Versorgung gewähren (auf eine Zeit), dann aber wird eine
schmerzliche Strafe sie von Uns treffen.«

50. Das ist einer der Berichte von den verborgenen Dingen, die
Wir dir offenbaren. Du kanntest sie nicht, weder du noch dein
Volk, vor diesem. So harre denn aus; denn der Ausgang ist für
die Gottesfürchtigen.

51. Und zu den 'Ād (entsandten Wir) ihren Bruder Hūd. Er
sprach: »O mein Volk, dienet Allah. Ihr habt keinen anderen
Gott als Ihn. Ihr seid nichts als Erdichter.

52. O mein Volk, ich verlange von euch keinen Lohn dafür;
siehe, mein Lohn ist einzig bei Dem, Der mich erschuf. Wollt ihr
denn nicht begreifen?

---

* Soll ein Berg in Armenien sein.

53. O mein Volk, erflehet Vergebung von eurem Herrn, dann bekehrt euch zu Ihm; Er wird Wolken über euch schicken mit reichlichen Regengüssen und wird eure Kraft mehren mit Kraft. So wendet euch nicht ab als Schuldige.«

54. Sie sprachen: »O Hūd, du hast uns kein deutliches Zeichen gebracht, und wir wollen unsere Götter nicht verlassen auf dein Wort, noch wollen wir dir glauben.

55. Wir können nur sagen, daß einige unserer Götter dich mit einem Übel heimgesucht haben.« Er antwortete: »Ich rufe Allah zum Zeugen, und bezeuget auch ihr, daß ich keinen Teil habe an dem, was ihr anbetet

56. Statt Ihn. So schmiedet denn Pläne wider mich, ihr alle, und gönnet mir keine Frist.

57. Ich aber vertraue auf Allah, meinen Herrn und euren Herrn. Kein Geschöpf bewegt sich (auf Erden), das Er nicht an der Stirnlocke hielte. Siehe, mein Herr ist auf dem geraden Weg.

58. Wenn ihr euch nun abkehrt, so habe ich euch schon überbracht, womit ich zu euch entsandt ward, und mein Herr wird ein anderes Volk an eure Stelle setzen. Und ihr könnt Ihm keineswegs schaden. Wahrlich, mein Herr ist Hüter über alle Dinge.«

59. Als Unser Befehl kam, da erretteten Wir Hūd und die mit ihm gläubig waren, durch Unsere Barmherzigkeit. Und Wir erretteten sie vor schwerer Pein.

60. Diese waren die 'Ād. Sie leugneten die Zeichen ihres Herrn und gehorchten nicht Seinen Gesandten und folgten der Aufforderung eines jeden hochmütigen Feindes (der Wahrheit).

61. Ein Fluch verfolgte sie in dieser Welt, und am Tage der Auferstehung. Siehe, die 'Ād haben sich undankbar erwiesen gegen ihren Herrn. Siehe, verstoßen sind die 'Ād, das Volk Hūds.

62. Und zu den Thamūd (entsandten Wir) ihren Bruder Sāleh. Er sprach: »O mein Volk, dienet Allah; ihr habt keinen andern Gott als Ihn. Er hat euch aus der Erde hervorgebracht und euch darauf eine Stätte gegeben. So erflehet Vergebung von Ihm, dann bekehrt euch zu Ihm. Wahrlich, mein Herr ist nahe (und) erhört die Gebete.«

63. Sie sprachen: »O Sāleh, du warst vordem unter uns der Mittelpunkt der Hoffnung. Willst du uns verwehren, das anzube-

ten, was unsere Väter anbeteten? Und wir sind wahrhaftig in beunruhigendem Zweifel über das, wozu du uns aufforderst.«

64. Er sprach: »O mein Volk, saget an: wenn ich einen klaren Beweis von meinem Herrn habe, und Er hat mir Seine Barmherzigkeit erwiesen, wer wird mir dann helfen wider Allah, wenn ich Ihm ungehorsam bin? So würdet ihr nur mein Verderben herbeiführen.

65. O mein Volk, dies ist die Kamelstute Allahs als ein Zeichen für euch, so lasset sie auf Allahs Erde weiden und fügt ihr kein Leid zu, damit euch nicht baldige Strafe erfasse.«

66. Doch sie zerschnitten ihr die Sehnen; da sprach er: »Ergötzet euch in euren Häusern (noch) drei Tage. Das ist eine Versprechung, nicht zu verleugnen.«

67. Als nun Unser Befehl eintraf, da erretteten Wir Sāleh und die mit ihm gläubig waren, durch Unsere Barmherzigkeit, und (Wir erretteten sie) vor der Schmach jenes Tags. Wahrlich, dein Herr ist der Starke, der Allmächtige.

68. Und die Strafe ereilte jene, die gefrevelt hatten, und sie lagen in ihren Häusern hingestreckt auf ihrer Brust,

69. Als hätten sie nie darin gewohnt. Siehe, die Thamūd zeigten sich undankbar gegen ihren Herrn; siehe, verstoßen sind die Thamūd.

70. Es kamen Unsere Gesandten zu Abraham mit froher Botschaft. Sie sprachen: »Friede!« Er antwortete: »Friede!«, und er säumte nicht, ein gebratenes Kalb zu bringen.

71. Doch als er sah, daß ihre Hände sich nicht danach ausstreckten, fand er sie befremdend und empfand Furcht vor ihnen. Sie sprachen: »Fürchte dich nicht, denn siehe, wir sind zum Volke Lots entsandt.«

72. Und sein Weib stand (daneben); auch sie war von Furcht erfüllt, woraufhin Wir ihr die frohe Botschaft von Isaak, und nach Isaak von Jakob verkündeten.

73. Sie sprach: »Ach, weh mir! Soll ich ein Kind gebären, wo ich eine alte Frau bin, und dieser mein Ehegemahl ist ein Greis? Das ist fürwahr ein seltsam Ding.«

74. Da sprachen jene: »Wunderst du dich über den Ratschluß Allahs? Allahs Gnade und Seine Segnungen sind über euch, o Bewohner des Hauses. Wahrlich, Er ist preiswürdig, ruhmvoll.«

75. Als die Furcht von Abraham gewichen war und die frohe Botschaft zu ihm kam, da begann er, mit Uns zu streiten über das Volk Lots.

76. Wahrlich, Abraham war milde, mitleidig, Gott zugewandt.

77. »O Abraham, steh ab von diesem.* Siehe, schon ist deines Herrn Befehl ergangen, und über sie bricht ganz gewiß unabwendbare Strafe herein.«

78. Als Unsere Gesandten zu Lot kamen, betrübte er sich ihretwegen und fühlte sich hilflos um ihretwillen und sprach: »Das ist ein unheilvoller Tag.«

79. Und sein Volk kam zornbebend zu ihm gelaufen; und schon zuvor hatten sie Böses verübt. Er sprach: »O mein Volk, dies hier sind meine Töchter; sie sind reiner für euch. So fürchtet Allah und bringt nicht Schande über mich in Gegenwart meiner Gäste. Ist denn kein vernünftiger Mann unter euch?«

80. Sie antworteten: »Du weißt recht wohl, daß wir kein Anrecht auf deine Töchter haben, und du weißt auch, was wir wünschen.«

81. Er sprach: »Hätte ich doch die Macht, euch aufzuhalten, oder könnte ich mich nach einer starken Stütze wenden!«

82. Sie sprachen: »O Lot, wir sind Gesandte deines Herrn. Sie sollen dich nimmermehr erreichen. So mache dich auf mit den Deinen in einem Teile der Nacht, und niemand von euch wende sich um als dein Weib. Gewiß, was jene dort treffen wird, das wird auch sie treffen. Siehe, der Morgen ist ihre festgesetzte Frist. Ist nicht der Morgen nah?«

83. Als nun Unser Befehl eintraf, da kehrten Wir in dieser (Stadt) das Oberste zuunterst und ließen auf sie Backsteine niedergehen Schicht auf Schicht,

84. Gezeichnet (für sie) bei deinem Herrn. Und das ist nicht fern von den Frevlern.

85. Und zu Midian (entsandten Wir) ihren Bruder Schoäb. Er sprach: »O mein Volk, dienet Allah. Ihr habt keinen anderen Gott als Ihn. Und verkürzt nicht Maß und Gewicht. Ich sehe euch im Wohlsein, aber ich fürchte für euch die Strafe eines vernichtenden Tags.

---

* Von der Fürsprache für Lots Volk.

86. O mein Volk, gebt volles Maß und Gewicht nach Richtigkeit und betrügt nicht die Menschen um ihr Eigentum und verübt nicht Unheil auf Erden, indem ihr Unfrieden stiftet.

87. Das, was Allah (bei euch) ließ, ist besser für euch, wenn ihr Gläubige seid. Und ich bin nicht ein Wächter über euch.«

88. Sie antworteten: »O Schoäb, heißt dich dein Gebet, daß wir verlassen sollten, was unsere Väter anbeteten, oder daß wir aufhören, mit unserem Besitz zu tun, was uns gefällt? Du bist doch fürwahr klug (und) rechten Sinnes!«

89. Er sprach: »O mein Volk, saget an: wenn ich einen deutlichen Beweis habe von meinem Herrn, und Er hat mir eine schöne Versorgung von Sich aus bereitet (was für eine Antwort wollt ihr Gott geben)? Und ich möchte nicht gegen euch eben das tun, was ich euch zu unterlassen bitte. Ich will nur Besserung, soweit ich kann. Es ist keine Macht in mir als durch Allah. Auf Ihn vertraue ich, und zu Ihm wende ich mich.

90. O mein Volk, möge die Feindseligkeit gegen mich euch nicht dazu führen, daß euch das gleiche trifft, wie das, was das Volk Noahs oder das Volk Hūds oder das Volk Sālehs getroffen hat; und doch ist das Volk Lots von euch nicht fern.

91. Und sucht eures Herrn Vergebung, dann bekehrt euch zu Ihm. Wahrlich, mein Herr ist barmherzig, liebevoll.«

92. Sie antworteten: »O Schoäb, wir verstehen nicht viel von dem, was du sprichst, und wir sehen bloß, daß du schwach bist unter uns. Und wäre nicht dein Stamm, wir würden dich steinigen. Und du hast keine starke Stellung unter uns.«

93. Er sprach: »O mein Volk, ist mein Stamm geehrter bei euch als Allah? Und ihr nehmt Ihn als hinter euren Rücken. Doch wahrlich, mein Herr umfaßt alles, was ihr tut.

94. O mein Volk, handelt nach eurem Vermögen, auch ich handle. Bald werdet ihr erfahren, auf wen eine Strafe niederfallen wird, die ihn schändet, und wer ein Lügner ist. Und wartet nur; siehe, ich warte mit euch.«

95. Und als Unser Befehl eintraf, da erretteten wir Schoäb und die mit ihm gläubig gewesen waren, durch Unsere Barmherzigkeit; und die Strafe erfaßte die, welche gefrevelt hatten, so daß sie auf ihrer Brust hingestreckt in ihren Häusern lagen,

96. Als hätten sie niemals darin gewohnt. Siehe, Midian ward

verstoßen gerade so, wie (das Volk) Thamūd verstoßen worden war.

97. Wahrlich, Wir entsandten Moses mit Unseren Zeichen und offenbarem Beweis

98. Zu Pharao und seinen Häuptern; jedoch sie folgten Pharaos Befehl, und Pharaos Befehl war keineswegs gerecht.

99. Vorangehen soll er seinem Volk am Tage der Auferstehung und sie hinabführen in das Feuer. Und schlimm ist die Tränke, wohin (sie) gelangen.

100. Und ein Fluch verfolgte sie hienieden, und am Tage der Auferstehung. Schlimm ist die Gabe, die (ihnen) gegeben wird.

101. Das ist von der Kunde der (zerstörten) Städte, die Wir dir erzählen. Manche von ihnen stehen noch aufrecht da, und (manche) sind niedergemäht worden.

102. Nicht Wir taten ihnen Unrecht, sondern sie taten sich selber Unrecht an; und ihre Götter, die sie statt Allah anriefen, nützten ihnen ganz und gar nicht, als deines Herrn Befehl eintraf; sie mehrten nur ihr Verderben.

103. Also ist der Griff deines Herrn, wenn Er die Städte erfaßt, weil sie freveln. Wahrlich, Sein Griff ist schmerzhaft, strenge.

104. Darin ist doch gewiß ein Zeichen für den, der die Strafe des Jenseits fürchtet. Das ist ein Tag, an dem die Menschen versammelt werden sollen, und das ist ein Tag, von dem (sie) Zeugen sein werden.

105. Und Wir verschieben ihn nur bis zu einer berechneten Frist.

106. Wenn jener Tag kommt, dann wird keine Seele sprechen, es sei denn mit Seiner Erlaubnis; dann sollen die einen von ihnen unselig sein und (die andern) glückselig.

107. Was nun die betrifft, die unselig sein sollen, so werden sie ins Feuer gelangen, worinnen für sie Seufzen und Schluchzen sein wird;

108. Darin zu bleiben, solange die Himmel und die Erde dauern, es sei denn, daß dein Herr es anders will. Wahrlich, dein Herr bewirkt alles, was Ihm gefällt.

109. Was aber die anlangt, die glückselig sein sollen, sie werden in den Himmel kommen, darin zu weilen, solange die Himmel

und die Erde dauern, es sei denn, daß dein Herr es anders will
– eine Gabe, die nicht unterbrochen werden soll.

110. Sei darum nicht im Zweifel darüber, was diese Leute verehren; sie verehren nur, was ihre Väter zuvor verehrten, und Wir wollen ihnen wahrlich ihren vollen Anteil unverkürzt gewähren.

111. Und ganz gewiß haben Wir Moses die Schrift gegeben, doch dann entstand Uneinigkeit über sie; und wäre nicht schon zuvor ein Wort von deinem Herrn ergangen, es wäre zwischen ihnen entschieden; und (jetzt) sind sie in beunruhigendem Zweifel darüber.

112. Und sicherlich, (die Werke von) all (diesen sind) noch nicht (vergolten worden), doch dein Herr wird ihnen sicherlich ihre Werke vergelten. Siehe, Er ist wohl eingedenk alles dessen, was sie tun.

113. Sei darum aufrecht, wie dir geboten ward, du und wer sich mit dir bekehrt hat. Und überschreitet nicht die Grenzen; wahrlich, Er sieht, was ihr tut.

114. Und neigt euch nicht zu den Ungerechten, damit euch das Feuer nicht erfasse. Und ihr werdet keine Freunde haben außer Allah, noch wird euch geholfen werden.

115. Und verrichte das Gebet an den beiden Enden des Tags, und in den Stunden der Nacht (die dem Tage näher sind). Wahrlich, die guten Werke vertreiben die bösen. Das ist eine Ermahnung für die Nachdenklichen.

116. Und sei standhaft, denn Allah läßt den Lohn der Rechtschaffenen nicht verlorengehen.

117. Warum waren denn unter den Geschlechtern vor euch nicht Leute von Verstand, die der Verderbtheit auf Erden hätten steuern können – ausgenommen einige wenige derer, die Wir aus ihrer Zahl erretteten? Doch die Frevler folgten dem, was ihnen Genuß und Behagen versprach, und sie wurden schuldig.

118. Und dein Herr ist nicht so, daß Er die Städte in Ungerechtigkeit zerstören würde, wenn ihre Bewohner rechtschaffen wären.

119. Und hätte dein Herr Seinen Willen erzwungen, wahrlich, Er hätte die Menschen alle zu einer einzigen Gemeinde gemacht; doch sie wollten nicht ablassen, uneins zu sein;

120. Die allein ausgenommen, deren dein Herr Sich erbarmt hat, und dazu hat Er sie erschaffen. Doch das Wort deines Herrn soll erfüllt werden: »Wahrlich, Ich will die Hölle füllen mit Dschinn und Menschen insgesamt.«

121. Und all die Kunde von den Gesandten, womit Wir dein Herz festigen, Wir erzählen sie dir. Und hierin ist die Wahrheit zu dir gekommen und eine Ermahnung und eine Erinnerung für die Gläubigen.

122. Sprich zu denen, die nicht glauben: »Handelt nach eurem Vermögen, auch wir handeln.

123. Und wartet nur, auch wir warten.«

124. Und Allahs ist das Verborgene in den Himmeln und auf der Erde, und zu Ihm soll die ganze Sache zurückgebracht werden. So bete Ihn an und vertraue auf Ihn; und dein Herr ist nicht achtlos eures Tuns.

1. Im Namen Allahs, des Gnädigen, des Barmherzigen.

2. Alif Lām Rā.* Das sind die Verse des deutlichen Buches.

3. Wir haben es offenbart – den Koran auf arabisch –, damit ihr verstehet.

4. Erzählen wollen Wir dir die schönste der Geschichten, indem Wir dir diesen Koran offenbaren, wiewohl du zuvor unter denen warest, die nicht die (nötige) Kenntnis besaßen.

5. (Gedenke der Zeit) da Joseph zu seinem Vater sprach: »O mein Vater, ich sah elf Sterne und die Sonne und den Mond, ich sah sie vor mir sich neigen.«

6. Er sprach: »Du, mein Söhnchen, erzähle dein Traumgesicht nicht deinen Brüdern, sie möchten sonst einen Anschlag gegen dich ersinnen; denn Satan ist dem Menschen ein offenkundiger Feind.

7. Also wird dein Herr dich erwählen und dich die Deutung der Träume lehren und Seine Huld an dir vollenden und an dem Geschlecht Jakobs, so wie Er sie zuvor an zweien deiner Vorväter vollendete, an Abraham und Isaak. Wahrlich, dein Herr ist allwissend, allweise.«

8. Gewiß, in Joseph und seinen Brüdern sind Zeichen für die Suchenden.

9. Da sie sprachen: »Wahrlich, Joseph und sein Bruder sind unserem Vater lieber als wir, ob wir gleich eine stattliche Schar sind. Unser Vater ist gewiß in offenkundigem Irrtum.

10. Tötet Joseph oder treibt ihn aus in ein (fernes) Land; eures Vaters Aufmerksamkeit wird ausschließlich euer sein, und ihr könnt sodann rechtschaffene Leute werden.«

11. Einer unter ihnen sprach: »Tötet Joseph nicht; wenn ihr aber etwas tun müßt, so werfet ihn in die Tiefe eines Brunnens; jemand von der Karawane der Reisenden wird ihn dann schon herausziehen.«

12. Sie sprachen: »O unser Vater, warum traust du uns wegen Josephs nicht, obwohl wir es wahrhaftig gut mit ihm meinen?

13. Schicke ihn morgen mit uns, daß er sich vergnüge und spiele, und wir wollen sicher über ihn wachen.«

14. Er sprach: »Es betrübt mich, daß ihr ihn mit fortnehmen

---

* Ich bin Allah, der Allsehende.

wollt, und ich fürchte, der Wolf möchte ihn fressen, während ihr nicht auf ihn achtgebt.«

15. Sie sprachen: »Wenn ihn der Wolf frißt, ob wir gleich eine stattliche Schar sind, dann wahrlich werden wir die Verlierenden sein.«

16. Da sie ihn also mit sich fortnahmen und sich einigten, ihn in die Tiefe eines Brunnens zu werfen, sandten Wir ihm die Offenbarung: »Du wirst ihnen diese ihre Tat dereinst sicherlich verkünden, und sie werden es nicht wissen.«

17. Und des Abends kamen sie weinend zu ihrem Vater.

18. Sie sprachen: »O unser Vater, wir liefen miteinander um die Wette und ließen Joseph bei unseren Sachen zurück, und da hat ihn der Wolf gefressen; du wirst uns doch nicht glauben, auch wenn wir die Wahrheit reden.«

19. Sie hatten falsches Blut auf sein Hemd gebracht. Er sprach: »Nein; eure Seelen haben euch etwas vorgespiegelt. So (obliegt mir nun) geziemende Geduld. Und Allah ist um Hilfe anzurufen wider das, was ihr erzählt.«

20. Es kam eine Karawane von Reisenden, und sie schickten ihren Wasserschöpfer aus. Er ließ seinen Eimer hinab. »O Glücksbotschaft!« sagte er. »Hier ist ein Jüngling!« Und sie verbargen ihn wie einen Ballen Ware, und Allah wußte wohl, was sie taten.

21. Sie verkauften ihn für einen winzigen Preis, für ein paar Dirhem, und darin waren sie enthaltsam.

22. Der Mann aus Ägypten, der ihn gekauft hatte, sprach zu seiner Frau: »Mache seinen Aufenthalt ehrenvoll. Vielleicht kann er uns einmal nützlich werden, oder wir nehmen ihn als Sohn an.« Also setzten Wir Joseph im Land fest, damit Wir ihn (auch) die Deutung der Träume lehren möchten. Und Allah hat Macht über Seinen Ratschluß, allein die meisten Menschen wissen es nicht.

23. Als er seine Vollkraft erlangte, verliehen Wir ihm Weisheit und Wissen. Also belohnen Wir die Gutes Tuenden.

24. Und sie, in deren Hause er war, suchte ihn zu verführen gegen seinen Willen. Sie verriegelte die Türen und sprach: »Nun komm!« Er sprach: »Ich suche Zuflucht bei Allah. Er ist mein

Herr. Er hat meinen Aufenthalt ehrenvoll gemacht. Wahrlich, die Frevler können nicht Erfolg haben.«

25. Und sicher begehrte sie ihn, auch er hätte sie begehrt, wenn er nicht ein deutliches Zeichen von seinem Herrn gesehen hätte. Das geschah, auf daß Wir Schlechtigkeit und Unsittlichkeit von ihm abwendeten. Fürwahr, er war einer Unserer auserwählten Diener.

26. Sie liefen beide zur Tür, und sie zerriß sein Hemd von hinten, und sie trafen auf ihren Herrn an der Tür. Sie sprach: »Was soll eines Lohn sein, der gegen dein Weib Böses plante, wenn nicht Kerker oder eine schmerzliche Strafe?«

27. Er sprach: »Sie war es, die mich zu verführen suchte gegen meinen Willen.« Und ein Zeuge aus ihrem Haushalt bezeugte: »Wenn sein Hemd vorne zerrissen ist, dann hat sie die Wahrheit gesprochen und er ist der Lügner einer.

28. Ist sein Hemd jedoch hinten zerrissen, dann hat sie gelogen und er ist der Wahrhaftigen einer.«

29. Als er nun sah, daß sein Hemd hinten zerrissen war, da sprach er: »Fürwahr, das ist eine eurer Weiberlisten. Eure List ist wahrlich groß.

30. O Joseph, wende dich ab von dieser Sache, und du [o Frau], bitte um Vergebung für deine Sünde. Denn gewiß, du gehörst zu den Schuldigen.«

31. Und Frauen in der Stadt sprachen: »Die Frau des Aziz sucht ihren jungen Sklaven zu verführen gegen seinen Willen. Er hat sie zur Liebe entflammt. Wahrlich, wir sehen sie in offenbarem Irrtum.«

32. Als sie von ihrer Boshaftigkeit hörte, da sandte sie nach ihnen und bereitete ein Gastmahl für sie und gab einer jeden von ihnen ein Messer und sprach (zu Joseph): »Komm heraus zu ihnen!« Als sie ihn sahen, staunten sie ihn an und schnitten sich in die Hände und sprachen: »Preis sei Allah! Das ist kein Menschenwesen, das ist ein erhabener Engel.«

33. Sie sprach: »Und dieser ist's, um dessentwillen ihr mich getadelt habt. Ich habe allerdings versucht, ihn zu verführen gegen seinen Willen, doch er bewährte sich. Wenn er nun nicht tut, was ich ihn heiße, so soll er fürwahr ins Gefängnis geworfen werden und der Gedemütigten einer sein.«

34. Er sprach: »O mein Herr, mir ist Gefängnis lieber als das, wozu sie mich einladen; und wenn Du nicht ihre List von mir abwendest, so könnte ich mich ihnen zuneigen und der Törichten einer sein.«

35. Also erhörte ihn sein Herr und wendete ihre List von ihm ab. Wahrlich, Er ist der Allhörende, der Allwissende.

36. Hierauf schien es ihnen passend, nachdem sie die Zeichen (seiner Unschuld) gesehen, daß sie (um ihren Ruf zu wahren) ihn auf eine Zeitlang einkerkerten.

37. Es kamen mit ihm zwei Jünglinge ins Gefängnis. Der eine von ihnen sprach: »Ich sehe mich Wein auspressen.« Und der andere sprach: »Ich sehe mich auf meinem Kopfe Brot tragen, von dem die Vögel fressen. Verkünde uns die Deutung hiervon, denn wir sehen, daß du der Rechtschaffenen einer bist.«

38. Er antwortete: »Ich werde euch die Deutung hiervon verkünden, noch ehe das Essen, mit dem ihr versorgt werdet, zu euch kommt, noch bevor es zu euch kommt. Dies auf Grund dessen, was mich mein Herr gelehrt hat. Verlassen habe ich die Religion jener Leute, die nicht an Allah glauben und Leugner des Jenseits sind.

39. Und ich folge der Religion meiner Väter Abraham und Isaak und Jakob. Uns geziemt es nicht, Allah irgend etwas zur Seite zu stellen. Dies ist etwas von Allahs Huld gegen uns und gegen die Menschheit, jedoch die meisten Menschen sind undankbar.

40. O meine beiden Kerkergenossen, sind verschiedene Herren besser oder Allah, der Eine, der Allmächtige?

41. Statt Ihn verehrt ihr nichts anderes als Namen, die ihr selbst genannt habt, ihr und eure Väter; Allah hat dazu keine Ermächtigung herabgesandt. Die Entscheidung ist einzig bei Allah. Er hat geboten, daß ihr Ihn allein verehret. Das ist der beständige Glaube, jedoch die meisten Menschen wissen es nicht.

42. O meine beiden Kerkergenossen, was den einen von euch anlangt, so wird er seinem Herrn Wein kredenzen; und was den andern anlangt, so wird er gekreuzigt werden, so daß die Vögel von seinem Kopfe fressen. Beschlossen ist die Sache, über die ihr um Auskunft fragtet.«

43. Er sagte zu dem von den beiden, von dem er glaubte, er würde entkommen: »Erwähne meiner bei deinem Herrn.«

Doch Satan ließ ihn vergessen, es bei seinem Herrn zu erwähnen, so blieb er einige Jahre im Gefängnis.

44. Und der König sprach: »Ich sehe sieben fette Kühe, und es fressen sie sieben magere; und sieben grüne Ähren und (sieben) andere dürre. O ihr Häupter, erkläret mir die Bedeutung meines Traums, wenn ihr einen Traum auszulegen versteht.«

45. Sie antworteten: »Wirre Träume! und wir kennen die Deutung der Träume nicht.«

46. Und derjenige von den beiden, der entkommen war und der sich erinnerte nach geraumer Zeit, sprach: »Ich will euch die Deutung davon wissen lassen, darum sendet mich.«

47. »Joseph! O du Wahrhaftiger, erkläre uns die Bedeutung von sieben fetten Kühen, die von sieben magern gefressen werden, und von sieben grünen Ähren und (sieben) andern dürren, auf daß ich zurückkehre zu den Leuten, damit sie es erfahren.«

48. Er sprach: »Ihr werdet säen sieben Jahre lang, hart arbeitend und ohne Unterlaß, und was ihr erntet, lasset es in seinen Ähren, bis auf weniges, von dem ihr esset.

49. Nach diesem werden dann sieben schwere Jahre kommen, die alles aufzehren werden, was ihr an Vorrat für sie aufgespeichert hattet, bis auf weniges, das ihr bewahren mögt.

50. Dann wird nach diesem ein Jahr kommen, in welchem die Menschen Erleichterung finden und in welchem sie Geschenke geben werden.«

51. Der König sprach: »Bringt ihn mir.« Doch als der Bote zu ihm kam, sprach er: »Kehre zurück zu deinem Herrn und frage ihn, wie es den Frauen ergeht, die sich in die Hände schnitten, denn mein Herr kennt ihren Anschlag recht wohl.«

52. Er sprach: »Wie stand es um euch, als ihr Joseph zu verführen suchtet gegen seinen Willen?« Sie sprachen: »Er hütete sich um Allahs willen. Wir haben nichts Böses über ihn erfahren.« Da sprach die Frau des Aziz: »Nun ist die Wahrheit ans Licht gekommen. *Ich* versuchte ihn zu verführen gegen seinen Willen, und er gehört sicherlich zu den Wahrhaftigen.«

53. (Joseph sprach:) »Dies, damit er (der Aziz) erfahre, daß ich nicht treulos gegen ihn war in (seiner) Abwesenheit und daß Allah den Anschlag der Treulosen nicht gelingen läßt.

54. Und ich erachte mich selbst nicht frei von Schwäche; denn

die Seele gebietet oft Böses, die allein ausgenommen, deren mein Herr Sich erbarmt. Fürwahr, mein Herr ist allverzeihend, barmherzig.«

55. Und der König sprach: »Bringt ihn mir, ich will ihn für mich wählen.« Als er mit ihm geredet hatte, sprach er: »Du bist von heute an bei uns in Amt (und) Vertrauen.«

56. Er sprach: »Setze mich über die Schatzkammern des Landes, denn ich bin ein Hüter, ein wohlerfahrener.«

57. Also setzten Wir Joseph im Land fest. Er weilte darin, wo immer es ihm gefiel. Wir gewähren Unsere Gnade, wem Wir wollen, und Wir lassen den Lohn der Rechtschaffenen nicht verlorengehen.

58. Der Lohn des Jenseits aber ist besser für jene, die glauben und Gott fürchten.

59. Es kamen die Brüder Josephs und traten zu ihm ein; er erkannte sie, sie aber erkannten ihn nicht.

60. Als er sie mit ihrem Bedarf ausgerüstet hatte, da sprach er: »Bringt mir euren Bruder von eures Vaters Seite. Seht ihr nicht, daß ich volles Maß (an Korn) gebe und daß ich der beste Gastgeber bin?

61. Doch wenn ihr ihn mir nicht bringt, dann sollt ihr kein Maß von mir haben, noch sollt ihr mir nahe kommen.«

62. Sie antworteten: »Wir wollen versuchen, ihn von seinem Vater zu trennen; und das tun wir bestimmt.«

63. Und er sprach zu seinen Dienern: »Stecket ihr Geld (auch) in ihre Satteltaschen, so daß sie es erkennen mögen, wenn sie zu ihren Angehörigen zurückgekehrt sind; vielleicht kommen sie wieder.«

64. Als sie zu ihrem Vater zurückgekehrt waren, sprachen sie: »O unser Vater, ein (weiteres) Maß (an Korn) ist uns verweigert worden, so schicke unseren Bruder mit uns, daß wir Maß erhalten, und wir wollen ihn hüten.«

65. Er sprach: »Ich kann ihn euch nicht anders anvertrauen, als ich euch seinen Bruder zuvor anvertraut habe. Doch Allah ist der beste Beschützer, und Er ist der barmherzigste Erbarmer.«

66. Als sie ihre Habe öffneten, da fanden sie ihr Geld ihnen zurückgegeben. Sie sprachen: »O unser Vater, was können wir mehr wünschen? Dies unser Geld ist uns zurückgegeben. Wir

werden Vorrat für unsere Familie heimbringen und unseren Bruder behüten, und überdies werden wir das Maß einer Kamellast haben. Das ist ein leichterhältliches Maß.«

67. Er sprach: »Ich werde ihn nicht mit euch senden, ehe ihr mir nicht ein feierliches Versprechen im Namen Allahs gebt, daß ihr ihn mir sicher wiederbringt, es sei denn, ihr werdet alle umringt.« Als sie ihm ihr feierliches Versprechen gegeben hatten, sprach er: »Allah wacht über das, was wir sprechen.«

68. Und er sprach: »O meine Söhne, ziehet nicht ein durch ein einziges Tor, sondern ziehet ein durch verschiedene Tore; ich kann euch nichts nützen gegen Allah. Die Entscheidung ruht bei Allah allein. Auf Ihn vertraue ich, und auf Ihn vertrauen sollen die Vertrauenden.«

69. Als sie auf die Art eingezogen waren, wie ihr Vater es ihnen geboten hatte, konnte er ihnen nichts nützen gegen Allah, außer daß ein Verlangen in Jakobs Seele war, das er (so) befriedigte; und er besaß gewiß großes Wissen, weil Wir ihn belehrt hatten, allein die meisten Menschen wissen es nicht.

70. Als sie vor Joseph traten, nahm er seinen Bruder zu sich. Er sprach: »Ich bin dein Bruder; so betrübe dich nicht ob dessen, was sie getan haben.«

71. Als er sie mit ihrem Bedarf versehen hatte, steckte er den Trinkbecher in seines Bruders Satteltasche. Dann rief ein Ausrufer: »O ihr (Leute von der) Karawane, ihr seid wahrhaftig Diebe.«

72. Sie sprachen, indem sie sich zu ihnen wandten: »Was ist es, das ihr vermisset?«

73. Jene antworteten: »Wir vermissen den Maßbecher des Königs, und wer ihn wiederbringt, der soll eine Kamellast erhalten, und ich bin Bürge dafür.«

74. Sie erwiderten: »Bei Allah, ihr wisset doch, daß wir nicht gekommen sind, um Unheil im Land zu stiften, und wir sind keine Diebe.«

75. Jene sprachen: »Was soll dann die Strafe dafür sein, wenn ihr Lügner seid?«

76. Sie antworteten: »Die Strafe dafür sei: der, in dessen Satteltasche er gefunden wird, soll selbst Entgelt dafür sein. Also lohnen wir den Übeltätern.«

77. Da begann er (die Suche) mit ihren Säcken vor dem Sack seines Bruders; dann zog er ihn aus seines Bruders Sack hervor. So richteten Wir es ein für Joseph. Er hätte nicht seinen Bruder aufhalten können unter des Königs Gesetz, hätte nicht Allah es so gewollt. Wir erhöhen um Rangstufen, wen Wir wollen; und über jedem mit Wissen Begabten ist Einer, der Allwissende.

78. Sie sprachen:»Hat er gestohlen, so hat zuvor schon sein Bruder Diebstahl verübt.« Jedoch Joseph hielt es in seinem Herzen geheim und offenbarte es ihnen nicht. Er sprach:»Ihr (scheint) in der übelsten Lage zu sein; und Allah weiß am besten, was ihr behauptet.«

79. Sie sprachen:»O Hochmögender, er hat einen greisen Vater, so nimm einen von uns an seiner Statt; denn wir sehen, du gehörst zu denen, die Gutes tun.«

80. Er antwortete:»Allah behüte, daß wir einen andern nehmen sollten als den, bei dem wir unser Eigentum gefunden haben; wir wären sonst wahrlich ungerecht.«

81. Als sie an ihm verzweifelten, gingen sie abseits, heimlich beratend. Es sprach ihr Ältester:»Wißt ihr nicht, daß euer Vater von euch ein feierliches Versprechen im Namen Allahs empfangen hat und wie ihr zuvor in eurer Pflicht gegen Joseph gefehlt habt? Ich will darum das Land nicht verlassen, bis mein Vater es mir erlaubt oder Allah für mich entscheidet, und Er ist der beste Richter.

82. Kehret ihr zurück zu eurem Vater und sprecht: ›O unser Vater, dein Sohn hat gestohlen; und wir haben nur ausgesagt, was wir wußten, und wir konnten nicht Wächter sein über das Verborgene.

83. Frage nur die Stadt, in der wir waren, und die Karawane, mit der wir kamen; gewiß, wir sprechen die Wahrheit.‹«

84. Er sprach:»Nein, eure Seelen haben euch etwas vorgespiegelt. So (obliegt mir nun) geziemende Geduld. Vielleicht wird Allah sie mir alle wiederbringen; denn Er ist der Allwissende, der Allweise.«

85. Und er wandte sich ab von ihnen und sprach:»O mein Kummer um Joseph!« Und seine Augen wurden tränenvoll vor Kummer, dann unterdrückte er (seinen Schmerz).

86. Sie sprachen:»Bei Allah, du wirst nicht aufhören, von Jo-

seph zu sprechen, bis du dich ganz verzehrt hast oder zu denen gehörst, die zugrunde gehen.«

87. Er antwortete: »Ich klage nur meinen Kummer und meinen Gram zu Allah, und ich weiß von Allah, was ihr nicht wisset.

88. O meine Söhne, ziehet aus und forschet nach Joseph und seinem Bruder und verzweifelt nicht an Allahs Erbarmen; denn an Allahs Erbarmen verzweifelt nur das ungläubige Volk.«

89. Als sie vor ihn (Joseph) traten, da sprachen sie:»O Hochmögender, Armut hat uns geschlagen und unsere Sippe, und wir haben eine geringe Summe Geld gebracht, so gib uns das volle Maß und sei wohltätig gegen uns. Wahrlich, Allah belohnt die Wohltätigen.«

90. Er sprach: »Wißt ihr, was ihr Joseph und seinem Bruder antatet, da ihr töricht wart?«

91. Sie antworteten: »Bist du ctwa gar Joseph?« Er sprach: »Ich bin Joseph, und dies ist mein Bruder. Allah ist fürwahr gnädig gegen uns gewesen. Wahrlich, wer rechtschaffen und standhaft ist – nimmermehr läßt Allah den Lohn der Guten verlorengehen.«

92. Sie antworteten: »Bei Allah, siehe, Allah hat dich bevorzugt vor uns, und wir sind fürwahr Schuldige gewesen.«

93. Er sprach: »Kein Tadel treffe euch heute. Möge Allah euch vergeben! Denn Er ist der barmherzigste Erbarmer.

94. Nehmt dies mein Hemd mit und legt es vor meinen Vater; dann wird ihm Kenntnis werden. Und bringt alle eure Angehörigen zu mir.«

95. Als die Karawane aufgebrochen war, sprach ihr Vater: »Siehe, wahrlich, ich spüre den Geruch Josephs, wenn ihr mich auch für schwachsinnig haltet.«

96. Sie antworteten: »Bei Allah, du bist gewiß in deinem alten Irrtum.«

97. Als nun der Freudenbote kam, da legte er es vor ihn, und er ward aufgeklärt. Er sprach: »Habe ich euch nicht gesagt: Ich weiß von Allah, was ihr nicht wisset?«

98. Sie sprachen: »O unser Vater, bitte für uns um Verzeihung unserer Sünden; denn wir sind fürwahr Schuldige gewesen.«

99. Er sprach: »Ich will Verzeihung für euch von meinem Herrn

erbitten. Wahrlich, Er ist der Allverzeihende, der Barmherzige.«

100. Als sie vor Joseph traten, nahm er seine Eltern bei sich auf und sprach:»Ziehet ein in Ägypten in Frieden, wie es Allah gefällt.«

101. Und er hob seine Eltern auf den Thron, und sie warfen sich (alle) fußfällig nieder (vor Gott) um seinetwillen. Und er sprach:»O mein Vater, dies ist die Erfüllung meines Traums von einst. Mein Herr hat ihn wahr gemacht. Und Er hat gnädig an mir gehandelt, als Er mich aus dem Kerker führte und euch aus der Wüste herbrachte, nachdem Satan zwischen mir und meinen Brüdern Zwietracht gestiftet hatte. Wahrlich, mein Herr ist gütig zu wem Er will; denn Er ist der Allwissende, der Allweise.

102. O mein Herr, Du hast mir nun Herrschaft verliehen und mich die Deutung der Träume gelehrt. O Schöpfer der Himmel und der Erde, Du bist mein Beschützer in dieser Welt und in der künftigen. Laß mich sterben in Ergebenheit und vereine mich mit den Rechtschaffenen.«

103. Dies ist Kunde von dem Verborgenen, das Wir dir offenbaren. Du warst nicht bei ihnen, als sie sich über ihren Plan einigten, indes sie Ränke schmiedeten.

104. Und die meisten Menschen werden nicht glauben, magst du es auch noch so eifrig wünschen.

105. Du verlangst von ihnen keinen Lohn dafür. Vielmehr ist es eine Ehre für die ganze Menschheit.

106. Und wie viele Zeichen sind an den Himmeln und auf Erden, an denen sie vorübergehn, indem sie sich von ihnen abwenden!

107. Und die meisten von ihnen glauben nicht an Allah, ohne daß sie (Ihm zugleich) Götter zur Seite stellen.

108. Fühlen sie sich denn sicher davor, daß nicht eine überwältigende Strafe von Allah über sie kommt oder daß nicht plötzlich die »Stunde« über sie kommt, während sie nichtsahnend sind?

109. Sprich:»Das ist mein Weg: Ich rufe zu Allah. Ich und die mir folgen, haben sichere Kenntnis. Und heilig ist Allah; und ich gehöre nicht zu den Götzendienern.«

110. Auch vor dir entsandten Wir nur Männer, denen Wir Of-

fenbarung gaben, aus dem Volk der Städte. Haben sie denn nicht die Erde durchwandert und gesehen, wie das Ende derer vor ihnen war? Und gewiß, die Wohnstatt des Jenseits ist besser für die Gottesfürchtigen. Wollt ihr denn nicht begreifen?

111. Als nun die Gesandten (an den Ungläubigen) verzweifelten und sie (die Ungläubigen) dachten, daß sie belogen würden, kam Unsere Hilfe zu ihnen; da ward der errettet, den Wir wollten. Und Unsere Strafe kann nicht abgewendet werden von dem sündigen Volk.

112. Wahrlich, in ihren Geschichten ist eine Lehre für Menschen von Verstand. Es ist keine erdichtete Rede, sondern eine Erfüllung dessen, was ihm vorausging, und eine deutliche Darlegung aller Dinge und Führung und Barmherzigkeit für ein Volk, das da glaubt.

1. Im Namen Allahs, des Gnädigen, des Barmherzigen.

2. Alif Lām Mīm Rā.* Das sind die Verse des Buches. Und was zu dir von deinem Herrn hinabgesandt ward, es ist die Wahrheit. Jedoch die meisten Menschen glauben nicht.

3. Allah ist es, Der die Himmel erhöht hat ohne Stützpfeiler, die ihr sehen könnt. Dann setzte Er Sich auf den Thron. Und Er zwang Sonne und Mond in Dienstbarkeit; jedes läuft seine Bahn zum vorgezeichneten Ziel. Er ordnet alle Dinge. Er macht die Zeichen deutlich klar, auf daß ihr an die Begegnung mit eurem Herrn fest glauben möchtet.

4. Und Er ist es, Der die Erde ausbreitete und Berge und Flüsse in ihr gründete. Und Früchte aller Art schuf Er auf ihr, ein Paar von jeder. Er läßt die Nacht den Tag bedecken. Hierin sind wahrlich Zeichen für ein nachdenkendes Volk.

5. Und auf der Erde sind dicht beieinander (verschiedene) Landstriche und Rebengärten und Kornfelder und Dattelpalmen, aus einer Wurzel zusammen erwachsend und andere nicht so erwachsend; mit dem nämlichen Wasser sind sie getränkt, dennoch lassen Wir die einen von ihnen die andern übertreffen an Frucht. Hierin sind wahrlich Zeichen für ein verstehendes Volk.

6. Wenn du dich wunderst, so ist wunderlich fürwahr ihre Rede: »Wie! wenn wir zu Staub geworden sind, sollen wir dann in einer Neuschöpfung sein?« Diese sind es, die ihrem Herrn den Glauben versagen, und diese sind es, die Fesseln um ihren Hals haben werden, und sie werden die Bewohner des Feuers sein, darin müssen sie bleiben.

7. Sie werden dich eher die Strafe als die Wohltat beschleunigen heißen, obwohl (schon) vor ihnen beispielgebende Bestrafungen erfolgt sind. Wahrlich, dein Herr ist voll Verzeihung für die Menschheit, trotz ihres Missetuns, und siehe, dein Herr ist streng im angemessenen Bestrafen.

8. Die nicht glauben, sprechen: »Warum ward nicht ein Zeichen herabgesandt zu ihm von seinem Herrn?« Du bist nur ein Warner. Und ein Führer ward jedem Volk.

9. Allah weiß, was jedes Weib trägt und was der Mutterschoß

---

* Ich bin Allah, der Allwissende, der Allsehende.

geringer werden und was er zunehmen läßt. Und bei Ihm hat jedes Ding ein Maß.

10. Der Kenner des Verborgenen und des Sichtbaren, der Große, der Erhabenste!

11. Der unter euch das Wort verhehlt und der es offen ausspricht, sind gleich (vor Ihm); und (ebenso) der sich in der Nacht verbirgt und der am Tage offen hervortritt.

12. Für ihn (den Gesandten) ist eine Schar (von Engeln) vor ihm und hinter ihm; sie behüten ihn auf Allahs Geheiß. Gewiß, Allah ändert die Lage eines Volkes nicht, ehe sie nicht selbst das ändern, was in ihren Herzen ist. Und wenn Allah ein Volk zu bestrafen wünscht, so gibt es dagegen keine Abwehr, noch haben sie einen Helfer außer Ihm.

13. Er ist es, Der euch den Blitz zeigt, Furcht und Hoffnung einzuflößen, und Er läßt die schweren Wolken aufsteigen.

14. Und der Donner verherrlicht Ihn mit Seiner Lobpreisung und (also) die Engel in Ehrfurcht vor Ihm. Er sendet die Donnerschläge und trifft damit, wen Er will; doch streiten sie über Allah, während Er streng im Strafen ist.

15. Ihm gebührt das wahre Gebet. Und jene, die sie statt Ihn anrufen, geben ihnen kein Gehör; (sie sind) wie jener, der seine beiden Hände nach Wasser ausstreckt, damit es seinen Mund erreiche, doch es erreicht ihn nicht. Und das Gebet der Ungläubigen ist bloß ein verschwendetes Ding.

16. Wer immer in den Himmeln und auf der Erde ist, wirft sich nieder vor Allah, willig oder widerwillig, und (also) ihre Schatten, des Morgens und des Abends.

17. Sprich: »Wer ist der Herr der Himmel und der Erde?« Sprich: »Allah.« Sprich: »Habt ihr euch Helfer außer Ihm genommen, die sich selbst weder nützen noch schaden können?« Sprich: »Können der Blinde und der Sehende gleich sein? Oder kann die Finsternis gleich sein dem Licht? Oder stellen sie Allah Götter zur Seite, die eine Schöpfung geschaffen wie die Seine, also daß (beide) Schöpfungen ihnen gleichartig erscheinen?« Sprich: »Allah ist der Schöpfer aller Dinge, und Er ist der Einige, der Allmächtige.«

18. Er sendet Wasser herab vom Himmel, auf daß die Täler durchströmt werden nach ihrem Maß, und die Flut trägt gisch-

tend aufsteigenden Schaum. Und ein ähnlicher Schaum ist in dem, was sie im Feuer erhitzen im Verlangen nach Schmuck und Gerät. So verdeutlicht Allah Wahr und Falsch. Der Schaum aber, der vergeht wie Blasen; das aber, was den Menschen nützt, es bleibt auf der Erde zurück. Also prägt Allah die Gleichnisse.

19. Denen, die auf ihren Herrn hören, wird das Gute; die aber nicht auf Ihn hören – hätten sie auch alles, was auf Erden ist, und noch einmal soviel dazu, sie würden sich gerne damit loskaufen. Diese sind es, die eine schlimme Abrechnung haben werden, und ihre Bleibe ist die Hölle. Welch ein elender Ruheplatz!

20. Ist denn der, der weiß, daß das, was zu dir von deinem Herrn hinabgesandt ward, die Wahrheit ist, gleich einem, der blind ist? (Jedoch) nur die mit Verstand Begabten wollen es bedenken.

21. Sie, die den Bund Allahs halten und den Vertrag nicht brechen;

22. Und die, welche verbinden, was Allah zu verbinden geboten, und vor ihrem Herrn erbeben und Furcht haben vor dem Schlimmen der Abrechnung;

23. Und die standhaft bleiben im Verlangen nach dem Wohlgefallen ihres Herrn und das Gebet verrichten und von dem, was Wir ihnen gegeben haben, im verborgenen und öffentlich spenden und das Böse durch das Gute abwehren – diese sind es, denen der Lohn der Wohnstatt wird:

24. Gärten der Ewigkeit. Dort sollen sie eingehen und (auch) wer rechtschaffen ist von ihren Eltern und ihren Frauen und ihren Kindern. Und Engel sollen zu ihnen treten aus jeglichem Tor:

25. »Friede sei auf euch, weil ihr standhaft wart; sehet, wie herrlich ist der Lohn der Wohnstatt!«

26. Die aber, die den Bund Allahs brechen, nachdem (sie) ihn aufgerichtet, und trennen, was Allah zu verbinden geboten, und Unheil stiften auf Erden, auf ihnen ist der Fluch, und sie haben eine schlimme Wohnstatt.

27. Allah erweitert und beschränkt die Mittel zum Unterhalt, wem Er will. Sie freuen sich des Lebens hienieden, doch das Leben hienieden ist nur ein vergängliches Gut im Vergleich zu dem künftigen.

28. Und jene, die ungläubig sind, sagen: »Warum ist kein Zeichen herabgesandt worden zu ihm von seinem Herrn?« Sprich: »Allah läßt zugrunde gehen, wen Er will, und leitet zu Sich die, welche sich bekehren:

29. Sie, die glauben und deren Herzen Trost finden im Gedenken Allahs. Ja! im Gedenken Allahs ist's, daß Herzen Trost finden können.

30. Die da glauben und gute Werke tun – Glück wird ihnen und eine treffliche Heimstatt.«

31. Also haben Wir dich zu einem Volke gesandt, vor dem bereits andere Völker dahingegangen sind, auf daß du ihnen verkünden mögest, was Wir dir offenbaren, und doch glauben sie nicht an den Gnädigen. Sprich: »Er ist mein Herr; es gibt keinen Gott außer Ihm. Auf Ihn setze ich mein Vertrauen, und zu Ihm ist meine Heimkehr.«

32. Und gäbe es auch einen Koran, durch den Berge versetzt oder die Erde gespalten oder durch den zu den Toten gesprochen werden könnte (sie würden doch nicht an ihn glauben). Nein! Die Sache ruht völlig bei Allah. Haben denn die Gläubigen nicht (längst) erfahren, daß, hätte Allah Seinen Willen erzwungen, Er sicherlich der ganzen Menschheit hätte den Weg weisen können? Und das Unheil wird nicht aufhören, die Ungläubigen zu treffen um dessentwillen, was sie gewirkt, oder sich nahe bei ihren Wohnstätten niederzulassen, bis Allahs Verheißung* sich erfüllt. Wahrlich, Allah versäumt die Verheißung nicht.

33. Und gewiß sind schon vor dir Gesandte verspottet worden, doch Ich gewährte Frist denen, die ungläubig waren. Dann erfaßte Ich sie, und wie war Meine Strafe!

34. Wird denn der, Der über allen wacht, was sie tun (sie nicht fragen)? Dennoch stellen sie Allah Götter zur Seite. Sprich: »Nennet sie.« Wolltet ihr Ihm etwas verkünden, was Er auf der Erde nicht kennt? Oder ist es nur leere Rede? Nein, aber der böse Plan der Ungläubigen ist ihnen schön gemacht, und sie sind abgehalten worden vom Weg. Und wen Allah zum Irrenden erklärt, der soll keinen Führer finden.

---

* Der Fall von Mekka.

35. Für sie ist eine Strafe im Leben hienieden; und die Strafe des Jenseits ist gewiß härter, und sie werden keinen Beschützer haben vor Allah.

36. Das Bild des Himmels, den Gottesfürchtigen verheißen: Ströme durchfließen ihn, seine Frucht ist immerwährend, wie sein Schatten. Das ist der Lohn derer, die rechtschaffen sind; und der Lohn der Ungläubigen ist das Feuer.

37. Und die, denen Wir die Schrift gegeben, freuen sich über das, was zu dir hinabgesandt ward. Und unter den Stämmen sind einige, die einen Teil davon leugnen. Sprich:»Mir ward nur geboten, Allah zu dienen, und nicht, Ihm Götter zur Seite zu stellen. Zu Ihm rufe ich, und zu Ihm ist meine Heimkehr.«

38. Also haben Wir es hinabgesandt, als eine klare Weisung. Und wenn du ihren bösen Gelüsten folgst nach dem, was an Wissen zu dir gekommen, so sollst du keinen Freund noch Beschützer haben vor Allah.

39. Wahrlich, schon vor dir entsandten Wir Gesandte und gaben ihnen Frauen und Kinder. Und es ist nicht möglich für einen Gesandten, ein Zeichen zu bringen, es sei denn auf Allahs Geheiß. Alles geschieht nach (Seinem) Ratschluß.

40. Allah löscht aus und bestätigt, was Er will, und bei Ihm ist der Ursprung (aller) Gebote.

41. Und ob Wir dich einen Teil von dem sehen lassen, was Wir ihnen androhen, oder ob Wir dich sterben lassen – dir obliegt nur die Verkündung und Uns die Abrechnung.

42. Sehen sie denn nicht, daß Wir in das Land kommen und es einengen an seinen Enden? Und Allah richtet; da ist keiner, der Seinen Richtspruch umstoßen könnte. Und Er ist schnell im Abrechnen.

43. Die vor ihnen waren, haben auch Pläne geschmiedet, doch alles Planen ist Allahs. Er weiß, was jeder verdient; und die Ungläubigen werden bald erfahren, wem der endgültige Lohn (dieser) Wohnstatt wird.

44. Die Ungläubigen sprechen: »Du bist kein Gesandter.« Sprich: »Allah genügt als Zeuge zwischen mir und euch, und auch der, der Kenntnis der Schrift hat.«

1. Im Namen Allahs, des Gnädigen, des Barmherzigen.

2. Alif Lām Rā.* Ein Buch, das Wir zu dir hinabgesandt haben, auf daß du die Menschheit aus den Finsternissen zum Licht führen mögest nach ihres Herrn Gebot auf den Weg des Allmächtigen, des Preiswürdigen –

3. Allahs, Dessen ist, was in den Himmeln ist und was auf Erden. Und wehe den Ungläubigen ob der schrecklichen Strafe.

4. Jenen, die das Leben hienieden dem Jenseits vorziehen und abwendig machen von Allahs Pfad und ihn zu krümmen trachten. Sie sind es, die sich im großen Irrtum befinden.

5. Wir schickten keinen Gesandten, es sei denn mit der Sprache seines Volkes, auf daß er sie aufkläre. Dann erklärt Allah zum Irrenden, wen Er will, und führt richtig, wen Er will. Denn Er ist der Allmächtige, der Allweise.

6. Wir entsandten Moses mit Unseren Zeichen (und sprachen): »Führe dein Volk aus den Finsternissen zum Licht und gemahne es an die Tage Allahs.« Wahrlich, darin sind Zeichen für jeden Geduldigen, Dankbaren.

7. Und (erinnere dich) wie Moses zu seinem Volke sprach: »Seid eingedenk der Gnade Allahs gegen euch, als Er euch errettete vor den Leuten Pharaos, die euch mit schlimmer Qual bedrückten, eure Söhne erschlugen und eure Frauen am Leben ließen; und darin lag eine schwere Prüfung für euch von eurem Herrn.«

8. Und (gedenket der Zeit) da euer Herr ankündigte: »Wenn ihr dankbar seid, so will Ich euch fürwahr mehr geben; seid ihr aber undankbar, dann ist Meine Strafe wahrlich streng.«

9. Und Moses sprach: »Wenn ihr ungläubig seid, ihr und wer sonst auf Erden ist allesamt – wahrlich, Allah ist Sich Selbst genügend, preiswürdig.«

10. Kam nicht zu euch die Kunde von jenen, die vor euch waren, von dem Volk Noahs und (den Stämmen) 'Ād und Thamūd, und von denen, die nach ihnen lebten? Niemand kennt sie außer Allah. Ihre Gesandten kamen zu ihnen mit deutlichen Zeichen, jedoch sie hielten ihnen die Hände vor den Mund und sprachen: »Wir glauben nicht an das, womit ihr gesandt seid, und wir sind

---

* Ich bin Allah, der Allsehende.

fürwahr in beunruhigendem Zweifel über das, wozu ihr uns auffordert.«

11. Ihre Gesandten sprachen: »Ist etwa ein Zweifel über Allah, den Schöpfer der Himmel und der Erde? Er ruft euch, damit Er euch eure Sünden vergebe und euch Aufschub gewähre bis zu einer bestimmten Frist.« Sie sprachen: »Ihr seid nur Menschen wie wir; ihr wollt uns abwendig machen von dem, was unsere Väter zu verehren pflegten. So bringt uns einen deutlichen Beweis.«

12. Ihre Gesandten sprachen zu ihnen: »Wir sind nur Menschen wie ihr, jedoch Allah erweist Gnade, wem Er will von Seinen Dienern. Und es kommt uns nicht zu, euch einen Beweis zu bringen, es sei denn auf Allahs Gebot. Und auf Allah sollten die Gläubigen vertrauen.

13. Und warum sollten wir nicht auf Allah vertrauen, wo Er uns unsere Wege gewiesen hat? Und wir wollen gewiß mit Geduld alles ertragen, was ihr uns an Leid zufügt. Auf Allah denn mögen vertrauen die Vertrauenden.«

14. Und die, welche ungläubig waren, sprachen zu ihren Gesandten: »Wir werden euch sicherlich aus unserem Land vertreiben, ihr kehret denn zu unserer Religion zurück.« Da sandte ihr Herr ihnen die Offenbarung: »Wahrlich, Wir werden die Frevler vertilgen.

15. Und Wir werden euch fürwahr nach ihnen das Land bewohnen lassen. Das ist für den, der vor Mir zu stehen fürchtet und der Meine Warnung fürchtet.«

16. Sie beteten um Sieg, und (daraufhin) kam jeder hochmütige Feind zuschanden.

17. Vor ihm liegt die Hölle; und getränkt soll er werden mit siedendem Wasser.

18. Er soll daran nippen und soll nicht imstande sein, es leicht hinunterzuschlucken. Und der Tod soll zu ihm kommen von allen Seiten, doch soll er nicht sterben. Und außerdem ist noch eine strenge Strafe.

19. Das Gleichnis derer, die nicht an ihren Herrn glauben, ist: Ihre Werke sind gleich Asche, auf die der Wind an einem stürmischen Tag heftig bläst. Sie sollen keine Macht haben über das, was sie verdienen. Das ist fürwahr das äußerste Verderben.

20. Siehst du denn nicht, daß Allah die Himmel und die Erde in Weisheit geschaffen hat? Wenn es Ihm gefällt, so kann Er euch von hinnen nehmen und eine neue Schöpfung bringen.

21. Und das ist für Allah keineswegs schwer.

22. Sie werden alle vor Allah hintreten; dann werden die Schwachen zu den Hoffärtigen sprechen: »Gewiß, wir waren eure Gefolgsleute; könnt ihr uns also nicht etwas von der Strafe Allahs abnehmen?« Sie werden sprechen: »Hätte Allah uns den Weg gewiesen, wir hätten euch sicherlich den Weg gewiesen. Es ist gleich für uns, ob wir Ungeduld zeigen oder geduldig bleiben: es gibt für uns kein Entrinnen.«

23. Und wenn die Sache entschieden ist, dann wird Satan sprechen: »Allah verhieß euch eine Verheißung der Wahrheit, ich aber verhieß euch und hielt es euch nicht. Und ich hatte keine Macht über euch, außer daß ich euch rief und ihr gehorchtet mir. So tadelt nicht mich, sondern tadelt euch selber. Ich kann euch nicht helfen, noch könnt ihr mir helfen. Ich habe es schon von mir gewiesen, daß ihr mich (Gott) zur Seite stelltet.« Den Missetätern wird wahrlich schmerzliche Strafe.

24. Und die da glauben und gute Werke tun, werden in Gärten eingeführt werden, durch die Ströme fließen, ewig darin zu wohnen nach ihres Herrn Gebot. Ihr Gruß dort wird sein: »Friede!«

25. Siehst du nicht, wie Allah das Gleichnis eines guten Wortes prägt? (Es ist) wie ein guter Baum, dessen Wurzel fest ist und dessen Zweige in den Himmel (reichen).

26. Er bringt seine Frucht hervor zu jeder Zeit nach seines Herrn Gebot. Und Allah prägt Gleichnisse für die Menschen, auf daß sie nachdenken mögen.

27. Ein schlechtes Wort aber ist wie ein schlechter Baum, der aus der Erde entwurzelt ist und keine Festigkeit hat.

28. Allah stärkt die Gläubigen mit dem Wort, das fest gegründet ist, in diesem Leben wie in dem künftigen; und Allah läßt die Frevler irregehen; denn Allah tut, was Er will.

29. Siehst du nicht jene, die Allahs Gnade mit der Undankbarkeit vertauschten und ihr Volk in die Stätte des Verderbens brachten,

30. (In) die Hölle? Dort sollen sie eingehen; und das ist ein schlimmer Ruheplatz.

31. Und sie haben Allah Nebengötter gleichgestellt, um (die Menschen) von Seinem Wege abirren zu machen. Sprich:»Vergnügt euch eine Weile, dann aber geht eure Reise zum Feuer.«

32. Sprich zu Meinen Dienern, die gläubig sind, daß sie das Gebet verrichten und spenden von dem, was Wir ihnen gegeben haben, im verborgenen und öffentlich, bevor ein Tag kommt, an dem weder Handel noch Freundschaft sein wird.

33. Allah ist es, Der die Himmel und die Erde erschuf und Wasser niederregnen ließ von den Wolken und damit Früchte hervorbrachte zu eurem Unterhalt, und Er hat euch die Schiffe dienstbar gemacht, daß sie das Meer durchsegeln nach Seinem Gebot, und Er hat euch die Flüsse dienstbar gemacht.

34. Und dienstbar machte Er euch die Sonne und den Mond, die unablässig ihren Lauf Vollziehenden. Und dienstbar machte Er euch die Nacht und den Tag.

35. Und Er gab euch alles, was ihr von Ihm begehrtet; und wenn ihr Allahs Wohltaten aufzählen wolltet, ihr würdet sie nicht berechnen können. Siehe, der Mensch ist wahrlich frevelhaft, undankbar.

36. Und (gedenke der Zeit) wie Abraham sprach:»Mein Herr, mache diese Stadt zu einer Stätte des Friedens und bewahre mich und meine Kinder davor, die Götzen anzubeten.

37. Mein Herr, sie haben viele von den Menschen irregeleitet. Wer mir nun folgt, der gehört sicher zu mir; und wer mir nicht gehorcht – siehe, Du bist allverzeihend, barmherzig.

38. Unser Herr, ich habe einen Teil meiner Nachkommenschaft in einem unfruchtbaren Tal nahe bei Deinem Heiligen Haus angesiedelt, o unser Herr, auf daß sie das Gebet verrichten mögen. So mache die Herzen der Menschen ihnen zugeneigt und versorge sie mit Früchten, damit sie dankbar seien.

39. Unser Herr, Du weißt, was wir verhehlen und was wir kundtun. Und nichts ist verborgen vor Allah, ob auf Erden oder im Himmel.

40. Aller Preis gehört Allah, Der mir, ungeachtet (meines) Alters, Ismael und Isaak geschenkt hat. Wahrlich, mein Herr ist der Erhörer des Gebets.

41. Mein Herr, mache, daß ich und meine Kinder das Gebet verrichten. Unser Herr! nimm mein Gebet an.

42. Unser Herr, vergib mir und meinen Eltern und den Gläubigen am Tage, an dem die Abrechnung stattfinden wird.«

43. Wähne nicht, daß Allah achtlos ist dessen, was die Frevler tun. Er gibt ihnen nur Frist bis zu dem Tage, an dem die Augen starr blicken werden,

44. Vorwärts taumelnd in Angst, aufgereckt die Häupter, ihr Blick kehrt ihnen nicht zurück, und ihre Herzen sind öde.

45. Und warne die Menschen vor dem Tag, da die Strafe über sie kommen wird. Dann werden die Frevler sprechen: »Unser Herr, gib uns Aufschub auf eine kurze Frist. Wir wollen auf Deinen Ruf antworten und den Gesandten folgen.« »Habt ihr nicht zuvor geschworen, es würde euch kein Untergang treffen?

46. Und ihr wohnt in den Wohnungen derer, die gegen sich selber frevelten, und es ist euch deutlich gemacht worden, wie Wir mit ihnen verfuhren; und Wir haben klare Beispiele vor euch hingestellt.«

47. Und sie haben bereits ihre Pläne geplant, aber ihre Pläne sind bei Allah, und wären ihre Pläne derart, daß sie Berge versetzen sollten.

48. Wähne darum nicht, daß Allah Sein Versprechen an Seine Gesandten nicht halten werde; gewiß, Allah ist allmächtig, Herr der Vergeltung.

49. Am Tag, da die Erde verwandelt werden wird in eine andere Erde, und auch die Himmel; und sie werden (alle) vor Allah treten, den Einigen, den Höchsten.

50. Und an jenem Tage wirst du die Schuldigen in Ketten gefesselt sehen.

51. Ihre Gewänder werden von Pech sein, und das Feuer wird ihre Gesichter einhüllen,

52. Auf daß Allah jedem vergelte, was er gewirkt. Wahrlich, Allah ist schnell im Abrechnen.

53. Dies ist eine genügende Ermahnung für die Menschen, auf daß sie sich dadurch warnen lassen, und auf daß sie wissen mögen, daß nur Er der Einige Gott ist, und auf daß die mit Verständnis Begabten es bedenken.

1. Im Namen Allahs, des Gnädigen, des Barmherzigen.

2. Alif Lām Rā.* Dies sind Verse des Buches und des erleuchtenden Korans.

3. Oft werden die Ungläubigen wünschen, sie wären Muslims.

4. Überlasse sie sich selbst, daß sie schmausen und genießen und daß eitle Hoffnung sie einlulle; bald werden sie es erfahren.

5. Wir haben nie eine Stadt zerstört, ohne daß für sie ein wohlbekannter Erlaß wäre.

6. Kein Volk kann seine Frist überschreiten; noch können sie dahinter zurückbleiben.

7. Sie sprachen: »O du, zu dem die Ermahnung herabgesandt ward, du bist fürwahr ein Verrückter.

8. Warum bringst du nicht Engel zu uns, wenn du der Wahrhaftigen einer bist?«

9. Wir senden keine Engel hernieder, außer mit triftigem Grunde, und dann wird ihnen kein Aufschub gewährt.

10. Wahrlich, Wir, Wir Selbst haben diese Ermahnung hinabgesandt, und sicherlich werden Wir ihr Hüter sein.

11. Wir entsandten schon vor dir (Gesandte) zu früheren Stämmen.

12. Und nie kam ein Gesandter zu ihnen, über den sie nicht höhnten.

13. So lassen Wir diese (Sucht, zu höhnen) in die Herzen der Sünder einziehen;

14. Sie glauben nicht daran, wiewohl das Beispiel der Früheren ergangen ist.

15. Und selbst wenn Wir ihnen ein Tor des Himmels öffneten und sie begännen dadurch hinaufzusteigen,

16. Sie würden gewißlich sprechen: »Nur unsere Blicke sind benommen; fürwahr, wir sind ein behextes Volk.«

17. Und Wir haben fürwahr Türme in den Himmel gesetzt und ihn ausgeschmückt für die Beschauer.

18. Und Wir haben ihn geschützt vor jedem verworfenen Satan,

19. Außer vor jenem, der heimlich lauscht, dann verfolgt ihn eine helle Flamme.

20. Und die Erde haben Wir ausgebreitet, und darein feste

---

* Ich bin Allah, der Allsehende.

Berge gesetzt, und Wir ließen alles auf ihr wachsen im rechten Verhältnis.

21. Und Wir schufen darin Mittel zu eurem Unterhalt und derer, die ihr nicht versorgt.

22. Und es gibt kein Ding, von dem Wir nicht Schätze hätten; aber Wir senden es nur nach bestimmtem Maß hinab.

23. Und Wir senden die befruchtenden Winde, dann senden Wir Wasser nieder von den Wolken, dann geben Wir es euch zu trinken; und ihr hättet es nicht aufspeichern können.

24. Wahrlich, Wir Selbst geben Leben und schicken Tod; und Wir allein sind die Erben.

25. Und Wir kennen wohl jene unter euch, die voranschreiten, und Wir kennen wohl jene, die zurückbleiben.

26. Wahrlich, es ist dein Herr, Der sie versammeln wird. Siehe, Er ist allweise, allwissend.

27. Wahrlich, Wir haben den Menschen aus trockenem, tönendem Lehm erschaffen, aus schwarzem, zu Gestalt gebildetem Schlamm.

28. Und die Dschinn erschufen Wir zuvor aus dem Feuer des heißen Windes.

29. Und (gedenke der Zeit) da dein Herr zu den Engeln sprach: »Ich bin im Begriffe, den Menschen aus trockenem, tönendem Lehm zu erschaffen, aus schwarzem, zu Gestalt gebildetem Schlamm;

30. Wenn Ich ihn nun vollkommen geformt und ihm von Meinem Geiste eingehaucht habe, dann fallet mit ihm dienend nieder.«

31. Da fielen die Engel alle zusammen nieder.

32. Nicht also Iblis; er weigerte sich, unter den Niederfallenden zu sein.

33. (Gott) sprach: »O Iblis, was ist dir, daß du nicht unter den Niederfallenden sein wolltest?«

34. Er antwortete: »Nimmermehr werde ich niederfallen auf die Art eines Menschenwesens, das Du aus trockenem, tönendem Lehm erschaffen hast, aus schwarzem, zu Gestalt gebildetem Schlamm.«

35. (Gott) sprach: »Hinaus denn von hier, denn wahrlich, du bist verworfen.

36. Flucht soll auf dir sein bis zum Tag des Gerichts.«

37. Er sprach: »Mein Herr, so gewähre mir Aufschub bis zum Tage, an dem sie auferweckt werden.«

38. (Gott) sprach: »Du bist unter denen, die Aufschub erlangen,

39. Bis zum Tage der bestimmten Zeit.«

40. Er antwortete: »Mein Herr, da Du mich als verloren erklärt hast, will ich ihnen wahrlich (das Böse) auf Erden herausschmücken, und wahrlich, ich will sie alle irreleiten,

41. Bis auf Deine erwählten Diener unter ihnen.«

42. (Gott) sprach: »Dies ist ein gerader Weg zu Mir.

43. Fürwahr, du sollst keine Macht haben über Meine Diener, bis auf jene der Verführten, die dir folgen.«

44. Und die Hölle ist wahrlich ihnen allen der verheißene Ort.

45. Sieben Tore hat sie, und jedem Tor ist ihrer ein Teil zugewiesen.

46. Die Rechtschaffenen werden mitten in Gärten und Quellen sein.

47. »Tretet darein in Frieden, geborgen.«

48. Und Wir wollen hinwegnehmen, was an Groll in ihrer Brust sein mag; wie Brüder sitzend auf erhöhten Sitzen, einander gegenüber.

49. Müdigkeit soll sie darin nicht berühren, noch sollen sie je von dort vertrieben werden.

50. Verkünde Meinen Dienern, daß Ich fürwahr der Allverzeihende, der Barmherzige bin,

51. Und daß Meine Strafe die schmerzliche Strafe ist.

52. Und verkünde ihnen von den Gästen Abrahams.

53. Da sie bei ihm eintraten und sprachen: »Frieden«, antwortete er: »Wir fürchten uns vor euch.«

54. Sie sprachen: »Fürchte dich nicht, wir bringen dir frohe Kunde von einem Sohn, mit Wissen begabt.«

55. Er sprach: »Bringt ihr mir die frohe Kunde ungeachtet dessen, daß mich das Alter ereilt hat? Warum denn bringt ihr mir also die frohe Kunde?«

56. Sie sprachen: »Wir haben dir die frohe Kunde mit der Wahrheit gebracht; sei darum nicht einer der Verzweifelnden.«

57. Er sprach: »Und wer könnte verzweifeln an der Barmherzigkeit seines Herrn, wenn nicht die Verirrten?«

58. Er sprach: »Was ist euer Auftrag, ihr Boten?«

59. Sie sprachen: »Wir sind entsandt zu einem schuldigen Volk,

60. Die Anhänger des Lot ausgenommen. Sie alle sollen wir erretten,

61. Bis auf sein Weib. Wir vermuten, daß sie unter denen sein soll, die zurückbleiben.«

62. Als die Boten zu den Anhängern des Lot kamen,

63. Da sprach er: »Fürwahr, ihr seid fremde Leute.«

64. Sie sprachen: »Nein, aber wir sind zu dir gekommen mit dem, woran sie zweifelten.

65. Und wir sind zu dir gekommen mit der Wahrheit, und gewiß, wir sind wahrhaftig.

66. So mache dich fort mit deinen Angehörigen im (späteren) Teil der Nacht und ziehe hinter ihnen her. Und keiner von euch soll sich umwenden, sondern gehet, wohin euch geboten wird.«

67. Und Wir verkündeten ihm diesen Ratschluß, daß die Wurzel jener abgeschnitten werden sollte am Morgen.

68. Und das Volk der Stadt kam frohlockend.

69. Er sprach: »Das sind meine Gäste, so tut mir nicht Schande an.

70. Und fürchtet Allah und stürzet mich nicht in Schmach.«

71. Sie sprachen: »Haben wir dir nicht verboten, Leute aller Art (aufzunehmen)?«

72. Er sprach: »Hier sind meine Töchter, wenn ihr etwas tun müßt.«

73. Bei deinem Leben, (auch) diese in ihrer Trunkenheit wandern blindlings irre.

74. Da erfaßte die Strafe sie bei Sonnenaufgang.

75. Und Wir kehrten das Oberste zuunterst, und Wir ließen auf sie Backsteine niederregnen.

76. Fürwahr, hierin sind Zeichen für die Einsichtigen.

77. Und es* liegt an einer Straße, die besteht.

78. Fürwahr, hierin ist ein Zeichen für die Gläubigen.

79. Auch die Waldleute** waren gewißlich Frevler.

80. Darum züchtigten Wir sie. Und beide liegen sie an einer erkennbaren Straße.

---

* Wohnort Lots zwischen Hedjas und Syrien; ** Das Volk Schoäbs.

81. Auch das Volk von Hidschr* behandelte die Gesandten als Lügner.

82. Und Wir gaben ihnen Unsere Zeichen, sie aber wandten sich von ihnen ab.

83. Und sie pflegten sich Behausungen in die Berge zu graben zur Sicherheit.

84. Jedoch die Strafe erfaßte sie am Morgen.

85. Und alles, was sie sich erworben hatten, nützte ihnen nichts.

86. Wir erschufen die Himmel und die Erde und was zwischen den beiden ist, nicht anders als in Weisheit, und die »Stunde« kommt gewiß. Darum vergib in schöner Vergebung.

87. Wahrlich, dein Herr, Er ist der erhabene Schöpfer, der Allwissende.

88. Und Wir gaben dir fürwahr die sieben oft wiederholten[55] (Verse) und den erhabenen Koran.

89. Richte deine Augen nicht auf das, was Wir manchen von ihnen zu kurzem Genuß verliehen, und betrübe dich auch nicht über sie; und senke deinen Fittich auf die Gläubigen.

90. Und sprich: »Ich bin gewiß der aufklärende Warner.«

91. Weil Wir (die Strafe) herabsenden werden auf jene, die sich (gegen dich) in Gruppen verbanden,

92. Die den Koran als lauter Lügen erklärten,

93. Darum, bei deinem Herrn, Wir werden sie sicherlich alle zur Rechenschaft ziehen

94. Um dessentwillen, was sie zu tun pflegten.

95. So tue denn offen kund, was dir geboten ward, und wende dich ab von den Götzendienern.

96. Wir werden dir sicherlich genügen gegen die Spötter,

97. Die einen anderen Gott neben Allah setzen, doch bald werden sie wissen.

98. Und fürwahr, Wir wissen, daß deine Brust beklommen wird ob dessen, was sie reden.

99. Aber lobpreise deinen Herrn und sei einer der sich Unterwerfenden.

100. Und diene deinem Herrn, bis der Tod zu dir kommt.

---

* Thamūd oder das Volk Sālehs.

1. Im Namen Allahs, des Gnädigen, des Barmherzigen.

2. Der Befehl Allahs kommt, so sucht ihn nicht zu beschleunigen. Heilig ist Er und erhaben über all das, was sie anbeten.

3. Er sendet die Engel hernieder mit der Offenbarung nach Seinem Gebot zu wem Er will von Seinen Dienern: »Ermahnet (die Menschen), daß es keinen Gott gibt außer Mir, drum nehmt Mich zum Beschützer.«

4. Er hat die Himmel und die Erde erschaffen in Weisheit. Erhaben ist Er über all das, was sie anbeten.

5. Er hat den Menschen aus einem Tropfen erschaffen, doch siehe, nun ist er ein offener Krittler.

6. Und das Vieh hat Er erschaffen, ihr habt an ihm Wärme und (andere) Nutzen; und einiges davon esset ihr.

7. Und es ist Schönheit darin für euch, wenn ihr es abends eintreibt und morgens austreibt auf die Weide.

8. Sie (die Tiere) tragen eure Lasten in ein Land, das ihr nicht erreichen könntet, es sei denn mit großer Mühsal für euch selbst. Wahrlich, euer Herr ist gütig, barmherzig.

9. Und (erschaffen hat Er) Pferde und Maultiere und Esel, daß ihr auf ihnen reiten möchtet und als Schmuck. Und Er wird erschaffen, was ihr (noch) nicht kennt.

10. Bei Allah steht die Weisung des Weges. Es gibt solche, die abweichen (von der rechten Bahn). Und hätte Er Seinen Willen erzwungen, Er hätte euch allen den Weg gewiesen.

11. Er ist es, Der Wasser aus den Wolken herniedersendet; davon habt ihr Trank, und davon (wachsen) die Bäume, von denen ihr (euer Vieh) fressen laßt.

12. Damit läßt Er Korn sprießen für euch und den Ölbaum und die Dattelpalme und die Trauben und Früchte aller Art. Fürwahr, darin ist ein Zeichen für nachdenkende Leute.

13. Und Er hat für euch die Nacht und den Tag dienstbar gemacht und die Sonne und den Mond; und die Sterne sind dienstbar auf Sein Geheiß. Fürwahr, darin sind Zeichen für Leute, die von der Vernunft Gebrauch machen.

14. Und was Er auf der Erde für euch erschaffen hat, ist mannigfach an Farben. Fürwahr, darin ist ein Zeichen für Leute, die es beherzigen.

15. Und Er ist es, Der (euch) das Meer dienstbar gemacht hat,

daß ihr frisches Fleisch daraus essen und Schmuck aus ihm her-vorholen möget, den ihr anlegt. Und du siehst die Schiffe es durchpflügen, daß (ihr damit reisen möget) und suchet Seine Huld und daß ihr dankbar seiet.

16. Und Er hat feste Berge in der Erde gegründet, daß sie nicht mit euch wanke, und Flüsse und Wege, daß ihr recht gehen möget.

17. Und (andere) Wegzeichen; (durch sie) und durch die Ge-stirne folgen sie der rechten Richtung.

18. Ist nun wohl der, Der erschafft, dem gleich, der nicht er-schafft? Wollt ihr es also nicht beherzigen?

19. Und wenn ihr Allahs Wohltaten aufzählen wolltet, ihr wür-det sie nicht berechnen können. Fürwahr, Allah ist allverzei-hend, barmherzig.

20. Und Allah weiß, was ihr verhehlt und was ihr kundtut.

21. Und jene, die sie statt Allah anrufen, sie schaffen nichts, sind sie doch selbst geschaffen.

22. Tot sind sie, nicht lebendig; und sie wissen nicht, wann sie er-weckt werden.

23. Euer Gott ist ein Einiger Gott. Und die nicht ans Jenseits glauben, ihre Herzen sind (der Wahrheit) fremd, und sie sind voller Hoffart.

24. Unzweifelhaft kennt Allah, was sie verbergen und was sie kundtun. Wahrlich, Er liebt nicht die Hoffärtigen.

25. Und wenn sie gefragt werden: »Was (denkt ihr) von dem, was euer Herr niedergesandt hat?«, sagen sie: »Fabeln der Alten.«

26. Daß sie am Tage der Auferstehung ihre Lasten vollständig tragen mögen und einen Teil der Lasten derer, die sie ohne Wis-sen irreführen. Siehe, schlimm ist, was sie tragen.

27. Die vor ihnen waren, planten auch Ränke, doch Allah faßte ihren Bau an den Grundmauern, so daß das Dach von oben her auf sie stürzte; und die Strafe kam über sie, von wannen sie nicht wußten.

28. Dann wird Er sie am Tage der Auferstehung zuschanden machen und sprechen: »Wo sind nun Meine ›Teilhaber‹, um de-retwillen ihr (die Propheten) bestrittet?« Die mit Erkenntnis

Begabten werden sprechen: »An diesem Tage wird Schande und Unheil den Ungläubigen.«

29. Denen, die die Engel sterben lassen, indes sie wider sich selbst sündigen und dann also die Unterwerfung anbieten: »Wir pflegten ja nichts Böses zu tun.« Nein, fürwahr, Allah weiß wohl, was ihr zu tun pflegtet.

30. So tretet ein in die Tore der Hölle, darin zu wohnen. Schlimm ist fürwahr die Wohnstatt der Hoffärtigen.

31. Und (wenn) zu den Rechtschaffenen gesprochen wird: »Was (denkt ihr) von dem, was euer Herr herabgesandt hat?«, sagen sie: »Das Beste!« Für die, welche Gutes tun, ist Gutes in dieser Welt, und die Wohnstatt des Jenseits ist noch besser. Herrlich fürwahr ist die Wohnstatt der Rechtschaffenen:

32. Gärten der Ewigkeit, die sie betreten werden; Ströme durchfließen sie. Darin werden sie haben, was sie begehren. Also belohnt Allah die Rechtschaffenen,

33. Sie, die die Engel in Reinheit sterben lassen. Sie sprechen: »Friede sei mit euch! Tretet ein in den Himmel für das, was ihr zu tun pflegtet.«

34. Worauf warten sie denn, wenn nicht, daß die Engel zu ihnen kommen oder daß der Befehl deines Herrn eintrifft? So taten schon jene, die vor ihnen waren. Allah war nicht ungerecht gegen sie, jedoch sie waren ungerecht gegen sich selber.

35. So ereilte sie die böse Folge ihres Tuns, und das, was sie zu verhöhnen pflegten, umschloß sie von allen Seiten.

36. Die Götzendiener sprechen: »Hätte Allah es so gewollt, wir würden nichts außer Ihm angebetet haben, weder wir noch unsere Väter, noch würden wir etwas verboten haben ohne (Befehl von) Ihm.« So taten schon jene, die vor ihnen waren. Jedoch, sind die Gesandten für irgend etwas verantwortlich, außer für die deutliche Verkündigung?

37. Und in jedem Volke erweckten Wir einen Gesandten (der da predigte): »Dienet Allah und meidet den Bösen.« Dann waren unter ihnen einige, die Allah leitete, und es waren unter ihnen einige, die sich Verderben zuzogen. So reiset umher auf der Erde und seht, wie das Ende der Leugner war!

38. Wenn du für sie den rechten Weg begehrst, dann (wisse,

daß) Allah nicht jenen den Weg weist, die (andere) irreführen; noch gibt es für sie Helfer.

39. Sie schwören bei Allah ihre feierlichsten Eide, Allah werde jene nicht auferwecken, die sterben. Nicht doch, Ihn bindet ein Versprechen, jedoch die meisten Menschen wissen es nicht.

40. (Er wird sie auferwecken) damit Er ihnen das klarmache, worüber sie uneins waren, und damit jene, die ungläubig sind, wissen, daß sie Lügner waren.

41. Unser Wort zu einem Ding, wenn Wir es wollen, ist nur, daß Wir zu ihm sprechen: »Sei!«, und es ist.

42. Und die ausgewandert sind um Allahs willen, nachdem sie Unbill erfuhren, ihnen werden Wir sicherlich eine schöne Wohnstatt in der Welt geben; und wahrlich, der Lohn des Jenseits ist größer; wüßten sie es nur,

43. Die standhaft sind und auf ihren Herrn vertrauen.

44. Und vor dir entsandten Wir nur Männer, denen Wir Offenbarung gegeben – so fraget die, welche die Ermahnung besitzen, wenn ihr nicht wißt –

45. Mit deutlichen Zeichen und Schriften. Und Wir haben dir die Ermahnung hinabgesandt, auf daß du den Menschen erklären mögest, was ihnen hinabgesandt ward, und daß sie nachdenken.

46. Sind denn jene, die Böses planen, sicher davor, daß Allah sie nicht in die Erde versinken läßt oder daß die Strafe nicht über sie kommen wird, von wannen sie nicht wissen?

47. Oder daß Er sie nicht ergreift in ihrem Hin und Her, so daß sie nicht imstande sein werden, obzusiegen?

48. Oder daß Er sie nicht durch allmähliche Vernichtung erfaßt? Euer Herr ist fürwahr gütig, barmherzig.

49. Haben sie denn nicht gesehen, wie die Schatten eines jeden Dings, das Allah schuf, von rechts und von links sich wenden, sich niederwerfend vor Allah, dieweil sie gedemütigt werden?

50. Und was in den Himmeln ist und was auf Erden ist an Geschöpfen, unterwirft sich Allah, also die Engel, und sie betragen sich nicht hoffärtig.

51. Sie fürchten ihren Herrn über ihnen und tun, was ihnen geheißen ist.

52. Allah hat gesprochen: »Habt nicht zwei Götter. Er ist der Einige Gott. So fürchtet Mich allein.«

53. Und Sein ist, was in den Himmeln und was auf Erden ist, und Ihm gebührt Gehorsam auf immer. Wollt ihr also einen anderen zum Beschützer nehmen als Allah?

54. Was ihr Gutes habt, es ist von Allah; und wenn euch ein Unheil befällt, dann fleht ihr Ihn um Hilfe an.

55. Doch wenn Er dann das Unheil von euch hinwegnimmt, siehe, da (beginnt) ein Teil von euch, ihrem Herrn Götter zur Seite zu stellen,

56. (Mit dem Ergebnis) daß sie verleugnen, was Wir ihnen beschert haben. Wohlan, vergnügt euch nur eine Weile; bald aber werdet ihr es erfahren.

57. Und (für die falschen Gottheiten) von denen sie nichts wissen, setzen sie einen Teil beiseite von dem, was Wir ihnen beschert haben. Bei Allah, ihr werdet sicherlich zur Rechenschaft gezogen werden für all das, was ihr erdichtet.

58. Und sie dichten Allah – Heilig ist Er! – Töchter an, während sie (selbst) haben, was sie begehren.

59. Und wenn einem von ihnen die Nachricht von (der Geburt) einer Tochter gebracht wird, so verfinstert sich sein Gesicht, indes er den inneren Schmerz unterdrückt.

60. Er verbirgt sich vor den Leuten ob der schlimmen Nachricht, die er erhalten hat: Soll er sie trotz der Schande behalten oder im Staub verscharren? Wahrlich, übel ist, wie sie urteilen!

61. Der Zustand derer, die nicht an das Jenseits glauben, ist übel, Allahs Sein aber ist hoch erhaben, und Er ist der Allmächtige, der Allweise.

62. Und wenn Allah die Menschen für ihr Freveln bestrafen wollte, Er würde nicht ein einziges Lebewesen darauf (auf der Erde) lassen, doch Er gewährt ihnen Aufschub bis zu einer bestimmten Zeit; und wenn ihre Frist um ist, dann können sie auch nicht eine Stunde dahinter zurückbleiben, noch können sie (ihr) vorauseilen.

63. Und sie schreiben Allah zu, was ihnen (selbst) mißliebig ist, und ihre Zungen äußern die Lüge, daß sie das Beste erhalten werden. Zweifellos wird ihnen das Feuer zuteil werden, und (darin) sollen sie verlassen bleiben.

64. Bei Allah, Wir schickten fürwahr schon Gesandte zu den Völkern vor dir, doch Satan ließ ihnen ihre Werke wohlgefällig erscheinen. So ist er heute ihr Schutzherr, und ihnen wird schmerzliche Strafe.

65. Und Wir haben dir das Buch nur darum hinabgesandt, auf daß du ihnen das erklären mögest, worüber sie uneinig sind, und als Führung und Barmherzigkeit für Leute, die glauben.

66. Allah hat Wasser vom Himmel herniedergesandt und damit die Erde belebt nach ihrem Tod. Wahrlich, darin ist ein Zeichen für Leute, die hören mögen.

67. Wahrlich, auch am Vieh habt ihr eine Lehre. Wir geben euch zu trinken von dem, was in ihren Leibern ist, zwischen Kot und Blut in der Mitte, Milch, lauter (und) angenehm denen, die trinken.

68. Und von den Früchten der Dattelpalmen und den Trauben, von denen ihr berauschenden Trank und (auch) bekömmliche Nahrung zieht. Wahrlich, darin ist ein Zeichen für Leute, die vom Verstand Gebrauch machen.

69. Und dein Herr hat der Biene eingegeben: »Baue dir Häuser in den Bergen und in den Bäumen und in den Spalieren, die sie errichten.

70. Dann iß von allen Früchten und folge den Wegen deines Herrn, (die dir) leicht gemacht.« Aus ihren Leibern kommt ein Trank, mannigfach an Farbe. Darin ist Heilung für die Menschen. Wahrlich, hierin ist ein Zeichen für Leute, die nachdenken.

71. Allah hat euch erschaffen, dann läßt Er euch sterben; und es gibt manche unter euch, die ins hinfällige Greisenalter getrieben werden, so daß sie nichts wissen, nachdem (sie) doch Wissen (besessen hatten). Wahrlich, Allah ist allwissend, allmächtig.

72. Und Allah hat einige von euch vor den andern mit Gaben begünstigt. Und doch wollen die Begünstigten nichts von ihren Gaben denen zurückgeben, die ihre Rechte besitzt, auf daß sie daran gleich (beteiligt) wären. Wollen sie denn Allahs Huld verleugnen?

73. Allah gab euch Gattinnen aus euch selbst, und aus euren Gattinnen machte Er euch Söhne und Enkel, und Er hat euch

versorgt mit Gutem. Wollen sie da an Nichtiges glauben und Allahs Huld verleugnen?

74. Dennoch verehren sie statt Allah solche, die nicht die Macht haben, ihnen irgend Gaben von den Himmeln oder der Erde zu gewähren, noch können sie je solche Macht erlangen.

75. So präget Allah keine Gleichnisse. Gewiß, Allah weiß und ihr wisset nicht.

76. Allah gibt (euch) das Gleichnis an die Hand von einem Sklaven, einem Leibeigenen, dieweil er über nichts Gewalt hat; und von einem (Freien), den Wir Selbst reichlich versorgt haben, und er spendet davon im verborgenen und öffentlich. Sind diese gleich? Preis sei Allah! Doch die meisten von ihnen wissen es nicht.

77. Und Allah gibt ein (anderes) Gleichnis an die Hand von zwei Männern: der eine von ihnen ist stumm, er hat über nichts Gewalt und ist seinem Herrn eine Last; wo er ihn auch hinschicken mag, er bringt nichts Gutes. Kann er dem gleich sein, der Gerechtigkeit gebietet und der selbst auf dem geraden Weg ist?

78. Und Allahs ist das Ungesehene der Himmel und der Erde; und die Angelegenheit der »Stunde« ist nur einen Augenblick (entfernt), nein, sie ist noch näher. Gewiß, Allah hat Macht über alle Dinge.

79. Und Allah hat euch aus dem Schoß eurer Mütter hervorgebracht, dieweil ihr nichts wußtet, und Er gab euch Ohren und Augen und Herzen, auf daß ihr dankbar wäret.

80. Sehen sie nicht die Vögel, die in Dienstbarkeit gehalten sind im Gewölbe des Himmels? Keiner hält sie zurück als Allah. Wahrlich, darin sind Zeichen für Leute, die glauben.

81. Und Allah hat euch in euren Häusern einen Ruheplatz gemacht, und Er hat euch aus den Häuten der Tiere Wohnungen gemacht, die ihr leicht findet zur Zeit eurer Reise und zur Zeit eures Halts; und aus ihrer Wolle und ihrem Pelz und ihrem Haar Hausbedarf und Gerätschaft für eine Zeitlang.

82. Und Allah hat euch aus dem, was Er geschaffen, schattenspendende Dinge gemacht; und in den Bergen hat Er euch Obdachstätten gemacht; und Er hat euch Gewänder gemacht, die euch vor Hitze schützen, und Panzerhemden, die euch schützen

in euren Kriegen. Also vollendet Er Seine Gnade an euch, daß ihr (Ihm) ergeben sein möchtet.

83. Doch wenn sie sich wegkehren, dann bist du für nichts verantwortlich als für die klare Verkündigung.

84. Sie erkennen Allahs Gnade, und sie leugnen sie doch; und die meisten von ihnen sind (verstockte) Ungläubige.

85. (Gedenke) des Tages, da Wir aus jeglichem Volk einen Zeugen erwecken werden; dann wird denen, die nicht glauben, nicht gestattet werden (wiedergutzumachen), noch wird ihre Entschuldigung angenommen.

86. Und wenn jene, die Unrecht verübten, die Strafe erst tatsächlich sehen, dann wird sie ihnen nicht leichtgemacht werden, noch werden sie Aufschub erlangen.

87. Und wenn die, welche Götter anbeten, ihre Götter sehen werden, so werden sie sagen: »Unser Herr, das sind unsere Götter, die wir statt Dich anriefen.« Sie darauf werden ihnen die Beschuldigung zurückgeben: »Fürwahr, ihr seid Lügner.«

88. Und an jenem Tage werden sie Allah Unterwerfung anbieten, und alles, was sie zu erdichten pflegten, wird sie im Stich lassen.

89. Die nun ungläubig sind und abwendig machen von Allahs Weg, zu (deren) Strafe werden Wir noch Strafe hinzufügen, weil sie verderbt handelten.

90. Und am Tage, da Wir in jeglichem Volk einen Zeugen erwecken werden wider sie aus ihren eigenen Reihen, dich wollen Wir als Zeugen bringen wider diese. Und Wir haben dir das Buch herniedergesandt zur Erklärung aller Dinge, und als Führung und Barmherzigkeit und frohe Botschaft den Gottergebenen.

91. Allah gebietet Gerechtigkeit und uneigennützig Gutes zu tun und zu spenden wie den Verwandten; und Er verbietet das Schändliche, das offenbar Schlechte und die Übertretung. Er ermahnt euch, auf daß ihr es beherzigt.

92. Haltet den Bund Allahs, wenn ihr einen Bund geschlossen habt; und brecht nicht die Eide, nach ihrer Bekräftigung, habt ihr doch Allah zum Bürgen für euch gemacht. Wahrlich, Allah weiß, was ihr tut.

93. Und seid nicht wie jene, die ihr Garn nach dem Spinnen in

Stücke bricht. Ihr macht eure Eide zu einem Mittel des Betrugs untereinander, (aus Furcht) ein Volk möchte sonst mächtiger werden als ein anderes. Allah stellt euch damit nur auf die Probe, und am Tage der Auferstehung wird Er euch das klarmachen, worüber ihr uneinig wart.

94. Und hätte Allah gewollt, Er hätte euch sicherlich zu einer einzigen Gemeinde gemacht; jedoch Er läßt den irregehen, der es will, und führt den richtig, der es will, und ihr werdet gewiß zur Rechenschaft gezogen werden für das, was ihr getan.

95. Und machet nicht eure Eide zu einem Mittel des Betrugs untereinander; sonst wird (euer) Fuß ausgleiten, nachdem er fest aufgetreten, und ihr werdet Übel kosten dafür, daß ihr abwendig gemacht habt von Allahs Weg, und euch wird eine strenge Strafe.

96. Verhandelt nicht Allahs Bund um einen armseligen Preis. Wahrlich, was bei Allah ist, ist besser für euch, wenn ihr es nur wüßtet.

97. Was bei euch ist, vergeht, und was bei Allah ist, besteht. Und Wir werden gewißlich denen, die standhaft sind, ihren Lohn bemessen nach dem besten ihrer Werke.

98. Wer recht handelt, ob Mann oder Weib, und gläubig ist, dem werden Wir gewißlich ein reines Leben gewähren; und Wir werden gewißlich solchen ihren Lohn bemessen nach dem besten ihrer Werke.

99. Und wenn du den Koran liest, so suche Zuflucht bei Allah vor Satan, dem Verworfenen.

100. Wahrlich, er hat keine Macht über die, welche da glauben und auf ihren Herrn vertrauen.

101. Seine Macht reicht nur über jene, die mit ihm Freundschaft schließen und die Ihm Götter zur Seite stellen.

102. Und wenn Wir ein Zeichen an Stelle eines anderen bringen – und Allah weiß am besten, was Er offenbart –, sagen sie: »Du bist nur ein Erdichter.« Nein, aber die meisten von ihnen wissen es nicht.

103. Sprich: »Der Geist der Heiligkeit hat ihn (den Koran) herabgebracht von deinem Herrn mit der Wahrheit, auf daß Er die festige, die da glauben, und zu einer Führung und einer frohen Botschaft für die Gottergebenen.«

104. Und Wir wissen fürwahr, daß sie sagen, wer ihn belehrt, sei nur ein Mensch. Die Sprache dessen jedoch, auf den sie hinweisen, ist eine fremde, während dies hier Arabisch ist, deutlich und klar.

105. Die nun nicht an die Zeichen Allahs glauben, denen wird Allah nicht den Weg weisen, und ihnen wird eine schmerzliche Strafe.

106. Es sind ja nur jene, die nicht an die Zeichen Allahs glauben, die da Falsches erdichten; und sie allein sind die Lügner.

107. Wer Allah verleugnet, nachdem er geglaubt – den allein ausgenommen, der gezwungen wird, indes sein Herz im Glauben Frieden findet – jene aber, die ihre Brust dem Unglauben öffnen, auf ihnen ist Allahs Zorn; und ihnen wird eine strenge Strafe.

108. Dies, weil sie das Leben hienieden dem Jenseits vorgezogen und weil Allah das Volk der Ungläubigen nicht leitet.

109. Sie sind es, auf deren Herzen und Ohren und Augen Allah ein Siegel gesetzt hat. Und sie allein sind die Achtlosen.

110. Zweifellos sind sie es, die im Jenseits die Verlorenen sein werden.

111. Alsdann wird dein Herr jenen, die auswanderten, nachdem sie verfolgt worden waren, und dann hart kämpften (für Allah) und standhaft blieben – siehe, dein Herr wird hernach gewiß allverzeihend, barmherzig sein.

112. An dem Tage, da jede Seele kommen wird, für sich selbst zu rechten, und da jeder Seele voll vergolten wird, was sie getan, und kein Unrecht sollen sie leiden.

113. Allah gibt (euch) das Gleichnis an die Hand von einer Stadt*, die Sicherheit und Frieden genoß; ihre Versorgung kam ihr reichlich von allen Seiten; doch sie leugnete die Wohltaten Allahs, darum ließ Allah sie das Gewand des Hungers und der Furcht probieren für das, was sie zu tun pflegten.

114. Und fürwahr, gekommen ist zu ihnen ein Gesandter aus ihrer Mitte, sie aber leugneten ihn, da ereilte sie die Strafe, weil sie Frevler waren.

115. So esset nun von den erlaubten guten Dingen, womit Allah

---

* Mekka.

euch versorgt hat; und seid dankbar für Allahs Huld, wenn Er es ist, Dem ihr dienet.

116. Verwehrt hat Er euch nur das von selbst Verendete und Blut und Schweinefleisch und das, worüber ein anderer Name als Allahs angerufen worden ist. Wer aber durch Not getrieben wird – nicht ungehorsam und das Maß überschreitend –, siehe, dann ist Allah allverzeihend, barmherzig.

117. Und sagt nicht – auf Grund des Falschen eurer Zungen –: »Das ist erlaubt, und das ist nicht erlaubt«, so daß ihr eine Lüge erdichtet gegen Allah. Die eine Lüge gegen Allah erdichten, sie haben keinen Erfolg.

118. (Es ist) ein kurzer Genuß, (dann) aber wird ihnen schmerzliche Strafe.

119. Und (auch) denen, die Juden sind, haben Wir zuvor schon all das verboten, was Wir dir mitteilten. Und nicht Wir taten ihnen Unrecht, sondern sie taten sich selber Unrecht.

120. Alsdann wird dein Herr zu denen, die in Unwissenheit Böses tun und danach bereuen und sich bessern – wahrlich, dein Herr wird hernach allverzeihend, barmherzig sein.

121. Abraham war in der Tat ein Vorbild an Tugend, gehorsam gegen Allah, aufrecht – und er gehörte nicht zu den Götzendienern –,

122. Dankbar für Seine Wohltaten; Er erwählte ihn und leitete ihn auf den geraden Weg.

123. Und Wir gewährten ihm Gutes in dieser Welt, und im Jenseits wird er sicherlich unter den Rechtschaffenen sein.

124. Und Wir haben dir offenbart: »Folge dem Weg Abrahams, des Aufrechten; er gehörte nicht zu den Götzendienern.«

125. Die (Strafe für die Entweihung des) Sabbats war nur denen auferlegt, die darüber uneins waren; und dein Herr wird gewißlich zwischen ihnen richten am Tage der Auferstehung über das, worüber sie uneins waren.

126. Rufe auf zum Weg deines Herrn mit Weisheit und schöner Ermahnung, und streite mit ihnen auf die beste Art. Wahrlich, dein Herr weiß am besten, wer von seinem Wege abgeirrt ist; und Er kennt am besten jene, die rechtgeleitet sind.

127. Und wenn ihr (die Unterdrücker) zu strafen (wünscht), dann bestraft (sie) in dem Maße, wie euch Unrecht zugefügt

wurde; wollt ihr aber Geduld zeigen, dann ist das wahrlich das Beste für die Geduldigen.

128. Harre aus in Geduld; deine Geduld aber kommt nur von Allah. Und betrübe dich nicht über sie, noch beunruhige dich wegen ihrer Anschläge.

129. Wahrlich, Allah ist mit denen, die rechtschaffen sind und die Gutes tun.

1. Im Namen Allahs, des Gnädigen, des Barmherzigen.

2. Preis Ihm, Der bei Nacht Seinen Diener hinwegführte von der Heiligen Moschee zu der Fernen Moschee, deren Umgebung Wir gesegnet haben, auf daß Wir ihm einige Unserer Zeichen zeigen. Wahrlich, Er ist der Allhörende, der Allsehende.

3. Wir gaben Moses die Schrift und machten sie zu einer Führung für die Kinder Israels (und sprachen): »Nehmt keinen zum Hüter außer Mir,

4. O ihr Kinder derer, die Wir mit Noah (über Wasser) trugen! Er war fürwahr ein dankbarer Diener.«

5. Und Wir hatten den Kindern Israels in der Schrift klargelegt: »Siehe, ihr werdet gewißlich zweimal im Land Verderben anstiften, und ihr werdet gewißlich unmäßig hoffärtig und herrisch werden.«

6. Als nun die Zeit für die erste der beiden Warnungen kam, da sandten Wir wider euch Unsere Diener, begabt mit gewaltiger Kriegsmacht[56], und sie drangen in die Häuser, und so ward erfüllt die Verheißung.

7. Dann gaben Wir euch wiederum die Macht[57] über sie und stärkten euch mit Reichtum und Kindern und machten euch größer an Zahl.

8. (Nun) wenn ihr Gutes tut, so tut ihr Gutes für eure eignen Seelen; und wenn ihr Böses tut, so ist es gegen sie. Als nun die Zeit für die zweite Warnung kam (sandten Wir Diener), damit sie eure Großen mißhandelten und die Moschee beträten, wie sie sie das erste Mal betreten hatten, und alles, was sie erobert hatten, bis auf den Grund zerstörten.

9. Es ist möglich, daß euer* Herr Sich euer erbarmt; doch wenn ihr (zu eurem früheren Zustande) zurückkehrt, so wollen (auch) Wir zurückkehren, und Wir haben die Hölle zu einem Gefängnis gemacht für die Ungläubigen.

10. Fürwahr, dieser Koran leitet zum Richtigsten und bringt den Gläubigen, die gute Werke tun, die frohe Botschaft, daß ihnen großer Lohn werden soll,

11. Und daß Wir denen, die nicht an das Jenseits glauben, eine schmerzliche Strafe bereitet haben.

---

* Der Juden.

12. Der Mensch bittet um das Schlimme, wie er um das Gute bitten sollte; und der Mensch ist voreilig.

13. Wir machten die Nacht und den Tag zu zwei Zeichen, indem Wir das Zeichen der Nacht dunkel gemacht haben, und das Zeichen des Tags haben Wir licht gemacht, auf daß ihr nach Fülle von eurem Herrn trachtet und kennt die Bemessung der Jahre und die Rechenkunst. Und jegliches Ding haben Wir klar gemacht mit deutlicher Erklärung.

14. Und einem jeden Menschen haben Wir seine Werke an den Nacken geheftet; und am Tage der Auferstehung werden Wir ihm ein Buch vorlegen, das er entsiegelt finden wird.

15. »Lies dein Buch. Heute genügt deine eigene Seele als Rechnerin wider dich.«

16. Wer den rechten Weg befolgt, der befolgt ihn nur zu seinem eignen Heil; und wer irregeht, der geht irre allein zu seinem eignen Schaden. Und keine lasttragende (Seele) trägt die Last einer andern. Und Wir strafen nie, ehe Wir denn einen Gesandten geschickt haben.

17. Wenn Wir eine Stadt zu zerstören beabsichtigen, lassen Wir Unser Gebot an ihre Reichen ergehen; sie aber freveln darin, so wird der Richtspruch fällig gegen sie, und Wir zerstören sie bis auf den Grund.

18. Wie viele Geschlechter haben Wir nach Noah vernichtet! Und dein Herr kennt und sieht die Sünden Seiner Diener zur Genüge.

19. Wer das Irdische begehrt, schnell bereiten Wir ihm darin das, was Wir wollen, dem, der Uns beliebt; danach haben Wir die Hölle für ihn bestimmt; da wird er eingehen, verdammt und verstoßen.

20. Wer aber das Jenseits begehrt und es beharrlich erstrebt und gläubig ist – derer Streben wird belohnt werden.

21. Ihnen allen, diesen und jenen, gewähren Wir von der Gabe deines Herrn. Und die Gabe deines Herrn ist unbeschränkt.

22. Schau, wie Wir die einen von ihnen über die andern erhöht haben; und wahrhaftig, das Jenseits soll noch größer sein an Rängen und größer an Auszeichnung.

23. Setze neben Allah nicht einen andern Gott, auf daß du nicht mit Schimpf bedeckt und verlassen dasitzest.

24. Dein Herr hat geboten: »Verehret keinen denn Ihn, und (erweiset) Güte den Eltern. Wenn eines von ihnen oder beide bei dir ein hohes Alter erreichen, sage nie ›Pfui!‹ zu ihnen, und stoße sie nicht zurück, sondern sprich zu ihnen ein ehrerbietiges Wort.

25. Und neige gütig gegen sie den Fittich der Demut und sprich: ›Mein Herr, erbarme Dich ihrer, so wie sie mich als Kleines betreuten.‹«

26. Euer Herr weiß am besten, was in euren Seelen ist: Wenn ihr rechtgesinnt seid, dann ist Er gewiß nachsichtig gegenüber den sich Bekehrenden.

27. Gib dem Verwandten, was ihm gebührt, und ebenso dem Armen und dem Wanderer, aber vergeude nicht in Verschwendung.

28. Die Verschwender sind Brüder der Teufel, und der Teufel ist undankbar gegen seinen Herrn.

29. Und wenn du dich von ihnen abkehrst im Trachten nach Barmherzigkeit von deinem Herrn, auf die du hoffst, so sprich zu ihnen ein hilfreich Wort.

30. Und laß deine Hand nicht an deinen Nacken gefesselt sein, aber strecke sie auch nicht zu weit geöffnet aus, damit du nicht getadelt (und) zerschlagen niedersitzen mußt.

31. Wahrlich, dein Herr erweitert und beschränkt die Mittel zum Unterhalt, wem Er will, denn Er kennt und sieht Seine Diener wohl.

32. Tötet eure Kinder nicht aus Furcht vor Armut; Wir sorgen für sie und euch. Fürwahr, sie zu töten ist eine große Sünde.

33. Und nahet nicht dem Ehebruch; siehe, das ist eine Schändlichkeit und ein übler Weg.

34. Und tötet nicht das Leben, das Allah unverletzlich gemacht hat, es sei denn mit Recht. Und wer da freventlich getötet wird, dessen Erben haben Wir gewiß Ermächtigung gegeben (Sühne zu fordern); doch soll er bei der Tötung die (vorgeschriebenen) Grenzen nicht überschreiten, denn er findet Hilfe (im Gesetz).

35. Und nahet nicht dem Gut der Waise, es sei denn zum Besten, bis sie ihre Reife erreicht hat. Und haltet die Verpflichtung, denn über die Verpflichtung muß Rechenschaft abgelegt werden.

36. Und gebet volles Maß, wenn ihr messet, und wäget mit richtiger Waage; das ist durchaus vorteilhaft und letzten Endes das Beste.

37. Und verfolge nicht das, wovon du keine Kenntnis hast. Wahrlich, das Ohr und das Auge und das Herz – sie alle sollen zur Rechenschaft gezogen werden.

38. Und wandle nicht hochmütig auf Erden, denn du kannst die Erde nicht spalten, noch kannst du die Berge an Höhe erreichen.

39. Das Üble alles dessen ist hassenswert vor deinem Herrn.

40. Dies ist ein Teil von der Weisheit, die dir dein Herr offenbart hat. Und setze nicht neben Allah einen anderen Gott, auf daß du nicht in die Hölle geworfen werdest, verdammt und verstoßen.

41. Hat euer Herr euch denn mit Söhnen bevorzugt und für Sich Selbst Töchter von den Engeln genommen? Wahrlich, ihr sprecht da ein großes Wort.

42. Wir haben in diesem Koran auf verschiedene Art (die Wahrheit) dargelegt, damit sie ermahnt seien, doch es mehrt nur ihren Widerwillen.

43. Sprich: »Gäbe es neben Ihm noch andere Götter, wie sie behaupten, dann hätten sie* gewißlich einen Weg zum Herrn des Throns gesucht.«

44. Heilig ist Er und hoch erhaben über all das, was sie behaupten.

45. Die sieben Himmel und die Erde und wer darinnen ist, sie lobpreisen Ihn; und es gibt kein Ding, das Seine Herrlichkeit nicht preist; ihr aber versteht ihre Lobpreisung nicht. Wahrlich, Er ist langmütig, allverzeihend.

46. Und wenn du den Koran vorträgst, legen Wir zwischen dich und jene, die nicht an das Jenseits glauben, einen verborgenen Schleier;

47. Und Wir legen Hüllen auf ihre Herzen, so daß sie ihn nicht verstehen, und in ihre Ohren Taubheit. Und wenn du im Koran deinen Herrn nennst, Ihn allein, so wenden sie ihre Rücken in Widerwillen.

---

* Die Götzendiener.

48. Wir wissen es am besten, worauf sie horchen, wenn sie dir zuhören, und wenn sie sich insgeheim bereden, dieweil die Frevler sprechen: »Ihr folgt nur einem der Sinne beraubten Manne.«

49. Schau, wie sie von dir Gleichnisse erdichten und damit so sehr in die Irre gegangen sind, daß sie keinen Weg mehr zu finden vermögen!

50. Und sie sprechen: »Wenn wir Gebeine und Staub geworden sind, sollen wir dann wirklich zu einer neuen Schöpfung auferweckt werden?«

51. Sprich: »Ob ihr Steine seid oder Eisen

52. Oder sonst geschaffener Stoff von der Art, die in eurem Sinn am schwersten wiegt.« Dann werden sie sprechen: »Wer soll uns ins Leben zurückrufen?« Sprich: »Er, Der euch das erste Mal erschuf.« Dann werden sie ihre Köpfe wider dich schütteln und sprechen: »Wann geschieht es?« Sprich: »Vielleicht geschieht es gar bald.

53. An dem Tage, an dem Er euch ruft, da werdet ihr antworten, mit Seinem Preis, und werdet meinen, ihr hättet nur eine geringe Weile gesäumt.«

54. Sage Meinen Dienern, sie möchten nur das Beste reden, denn Satan stiftet zwischen ihnen Zwietracht. Satan ist dem Menschen fürwahr ein offenkundiger Feind.

55. Euer Herr kennt euch am besten. Wenn Er will, so wird Er Sich euer erbarmen, oder wenn Er will, so wird Er euch strafen. Und Wir haben dich nicht entsandt als einen Wächter über sie.

56. Dein Herr kennt am besten jene, die in den Himmeln und auf der Erde sind. Wir erhöhten einige der Propheten über die andern, und David gaben Wir ein Buch.

57. Sprich: »Rufet doch die an, die ihr neben Ihm wähnet; sie haben keine Macht, das Unheil von euch zu nehmen noch abzuwenden.«

58. Jene, die sie anrufen, suchen selbst die Nähe ihres Herrn – wer von ihnen am nächsten sei – und hoffen auf Sein Erbarmen und fürchten Seine Strafe. Wahrlich, die Strafe deines Herrn ist etwas zu Fürchtendes.

59. Es gibt keine Stadt, die Wir nicht vernichten werden vor dem Tage der Auferstehung oder züchtigen mit strenger Züchtigung. Das ist niedergeschrieben in dem Buch.

60. Und nichts könnte Uns hindern, Zeichen zu senden, als daß die Früheren sie verworfen hatten. Und Wir gaben den Thamūd die Kamelstute als ein sichtbares Zeichen, doch sie frevelten an ihr. Wir senden Zeichen, nur um zu warnen.

61. Und (gedenke der Zeit) da Wir zu dir sprachen: »Dein Herr umfaßt die Menschen.« Und Wir haben das Traumgesicht, das Wir dich sehen ließen, nur als eine Prüfung für die Menschen gemacht und ebenso den verfluchten Baum im Koran. Und Wir warnen sie, jedoch es bestärkt sie nur in großer Ruchlosigkeit.

62. Als Wir zu den Engeln sprachen: »Bezeuget Adam Ehrerbietung«, da bezeugten sie Ehrerbietung. Nur Iblis nicht. Er sprach: »Soll ich mich beugen vor einem, den Du aus Ton erschaffen hast?«

63. Er sprach (weiter): »Was dünket Dich? Dieser ist's, den Du höher geehrt hast als mich! Willst Du mir Frist geben bis zum Tage der Auferstehung, so will ich gewißlich Gewalt erlangen über seine Nachkommen, bis auf wenige.«

64. Er sprach: »Fort mit dir! und wer von ihnen dir folgt, fürwahr, die Hölle soll euer aller Lohn sein, ein ausgiebiger Lohn.

65. Und betöre nun von ihnen, wen du vermagst, mit deiner Stimme und treibe gegen sie dein Roß und deinen Fuß und sei ihr Teilhaber an Vermögen und Kindern und mache ihnen Versprechungen.« – Und Satan verspricht ihnen nur Trug. –

66. »Über Meine Diener aber wirst du gewiß keine Macht haben.« Und dein Herr genügt als Beschützer.

67. Euer Herr ist es, Der die Schiffe auf dem Meere für euch treibt, auf daß ihr nach Seiner Gnade trachten möget. Fürwahr, Er ist gegen euch barmherzig.

68. Und wenn euch auf dem Meere ein Unheil trifft: verloren sind jene, die ihr anruft statt Ihn. Hat Er euch aber ans Land gerettet, dann kehrt ihr euch ab, denn der Mensch ist undankbar.

69. Fühlt ihr euch denn sicher davor, daß Er euch nicht auf dem Festland vernichten oder einen heftigen Wind gegen euch senden wird, (so daß) ihr dann keinen Beschützer für euch findet?

70. Oder fühlt ihr euch sicher davor, daß Er euch nicht noch ein zweites Mal dorthin zurückschickt und einen Sturmwind gegen euch entsendet und euch ertrinken läßt für euren Unglauben?

Ihr werdet dann darauf keinen Helfer finden für euch wider Uns.

71. Wir haben doch wahrlich die Kinder Adams geehrt und sie über Land und Meer getragen und sie versorgt mit guten Dingen und sie ausgezeichnet, eine Auszeichnung vor jenen vielen, die Wir geschaffen.

72. (Gedenke) des Tags, da Wir ein jedes Volk mit seinem Führer vorladen werden. Wer dann sein Buch in seine Rechte empfangen wird, diese werden ihr Buch verlesen, und nicht ein Jota Unrecht werden sie leiden.

73. Wer aber blind ist in dieser Welt, der wird auch im Jenseits blind sein und weit abirrend vom Weg.

74. Sie hätten dich beinahe in schwere Bedrängnis gebracht um dessentwillen, was Wir dir offenbarten, damit du etwas anderes wider Uns erdichten möchtest; und dann hätten sie dich gewiß zum Freund genommen.

75. Hätten Wir aber dich nicht (mit dem Koran) gefestigt, du hättest dich ihnen nur wenig zugeneigt.

76. Dann hätten Wir dich Doppeltes im Leben und Doppeltes im Tode auskosten lassen, und du hättest dir keinen Helfer wider Uns gefunden.

77. Und in der Tat hätten sie dich fast des Landes verschreckt, daß sie dich daraus vertreiben möchten; aber dann wären sie nach dir nur eine geringe Zeit geblieben.

78. (So war Unser) Verfahren mit Unsern Gesandten, die Wir vor dir schickten; und du wirst keine Änderung in Unserem Verfahren finden.

79. Verrichte das Gebet beim Neigen der Sonne bis zum Dunkel der Nacht, und das Lesen des Korans bei Tagesanbruch. Wahrlich, die Lesung des Korans bei Tagesanbruch ist besonders angezeigt.

80. Und wache auf dazu in der Nacht – ein weiteres für dich. Mag sein, daß dich dein Herr zu einem löblichen Rang erhebt.

81. Und sprich: »O mein Herr, laß meinen Eingang einen guten Eingang sein und laß meinen Ausgang einen guten Ausgang sein. Und gewähre mir von Dir aus eine helfende Kraft.«

82. Und sprich: »Gekommen ist die Wahrheit, und dahinge-

schwunden ist das Falsche. Siehe, das Falsche schwindet schnell.«

83. Wir senden vom Koran (allmählich) das hinab, was Heilung ist und Barmherzigkeit für die Gläubigen; den Ungerechten aber mehrt es nur den Schaden.

84. Und wenn Wir dem Menschen Gnade erweisen, wendet er sich ab und geht beiseite; wenn ihn aber ein Übel trifft, gibt er sich der Verzweiflung hin.

85. Sprich: »Ein jeder handelt nach seiner Weise, und euer Herr weiß am besten, wessen Weg der beste ist.«

86. Und sie fragen dich über die Seele. Sprich: »Die Seele entsteht auf den Befehl meines Herrn; und euch ist von Wissen nur wenig gegeben.«

87. Und wenn Wir es wollten, Wir könnten gewißlich wieder fortnehmen, was Wir dir offenbart; du fändest dann für dich in dieser Sache keinen Beschützer wider Uns,

88. Außer der Barmherzigkeit deines Herrn. Wahrlich, Seine Gnade gegen dich ist groß.

89. Sprich: »Ob sich auch die Menschen und die Dschinn vereinigten, um ein diesem Koran Gleiches hervorzubringen, sie brächten doch kein ihm Gleiches hervor, selbst wenn sie einander beistünden.«

90. Wir haben fürwahr den Menschen in diesem Koran Gleichnisse aller Art auf mannigfache Weise vorgelegt, allein die meisten Menschen weisen alles zurück, nur nicht den Unglauben.

91. Und sie sprechen: »Wir werden dir nimmermehr glauben, bis du uns einen Quell aus der Erde hervorbrechen läßt;

92. Oder [bis] du einen Garten von Dattelpalmen und Trauben hast und lässest mitten darin Ströme hervorsprudeln im Überfluß;

93. Oder [bis] du den Himmel über uns in Stücke einstürzen läßt, wie du es behauptest, oder Allah und die Engel vor unser Angesicht bringst;

94. Oder [bis] du ein Haus von Gold besitzest oder aufsteigst zum Himmel; und wir werden nicht an deinen Aufstieg glauben, bis du uns ein Buch hinabsendest, das wir lesen können.« Sprich: »Preis meinem Herrn! Bin ich denn mehr als ein Mensch, ein Gesandter?«

95. Und nichts hat die Menschen abgehalten, zu glauben, da die Führung zu ihnen kam, als daß sie sprachen: »Hat Allah einen Menschen als Gesandten geschickt?«

96. Sprich: »Wären auf Erden Engel gewesen, friedlich und in Ruhe wandelnde, Wir hätten ihnen gewiß einen Engel vom Himmel als Gesandten geschickt.«

97. Sprich: »Allah genügt als Zeuge zwischen mir und euch; wahrlich, Er weiß und sieht alles an Seinen Dienern.«

98. Und wen Allah leitet, der ist der Rechtgeleitete; die aber, die Er zu Irrenden erklärt, für die wirst du keine Helfer finden außer Ihm. Und Wir werden sie versammeln am Tage der Auferstehung, auf ihren Angesichtern, blind, stumm und taub. Ihr Aufenthalt wird die Hölle sein; sooft sie erlischt, wollen Wir die Flamme für sie wieder anfachen.

99. Das ist ihr Lohn, weil sie Unsere Zeichen verwarfen und sprachen: »Wie! wenn wir Gebeine und Staub geworden sind, sollen wir wirklich als eine neue Schöpfung auferweckt werden?«

100. Haben sie nicht gesehen, daß Allah, Der die Himmel und die Erde erschuf, imstande ist, ihresgleichen zu schaffen? Und Er hat eine Frist für sie bestimmt, über die kein Zweifel ist. Allein die Frevler verwerfen alles, nur nicht den Unglauben.

101. Sprich: »Besäßet ihr die Schätze der Barmherzigkeit meines Herrn, wahrlich, ihr würdet euch zurückhalten aus Furcht vor dem Ausgeben, denn der Mensch ist geizig.«

102. Wir hatten Moses neun offenbare Zeichen gegeben. Frage nur die Kinder Israels. Als er zu ihnen kam, sprach Pharao zu ihm: »Ich halte dich, o Moses, zweifellos für ein Opfer der Täuschung.«

103. Er sprach: »Du weißt recht wohl, daß kein anderer diese (Zeichen) herabgesandt hat als der Herr der Himmel und der Erde, als Zeugnisse; und ich halte dich, o Pharao, zweifellos für ein Opfer des Verderbens.«

104. Da beschloß er, sie aus dem Lande zu treiben; doch Wir ertränkten ihn und die mit ihm waren, allesamt.

105. Und nach ihm sprachen Wir zu den Kindern Israels: »Wohnet in dem Lande*; und wenn die Zeit der zweiten Verheißung

---

* Palästina.

kommt, dann werden Wir euch hinzubringen als eine Schar, ge-
sammelt (aus den verschiedenen Völkern).«

106. Und mit der Wahrheit haben Wir es hinabgesandt, und mit
der Wahrheit kam es hernieder. Und dich entsandten Wir nur
als Bringer froher Botschaft und Warner.

107. Und den Koran haben Wir in Abschnitten offenbart, damit
du ihn den Menschen stückweise vortragen mögest, und Wir
sandten ihn nach und nach hinab.

108. Sprich: »Ob ihr an ihn glaubt oder nicht glaubt, wahrlich,
jene, denen zuvor das Wissen gegeben ward, sie fallen, wenn er
ihnen verlesen wird, anbetend auf ihr Angesicht nieder,

109. Und sprechen: ›Preis unserem Herrn! Siehe, unseres Herrn
Verheißung wird sich wahrlich erfüllen.‹«

110. Und weinend fallen sie nieder auf ihr Angesicht, und es
mehrt in ihnen die Demut.

111. Sprich: »Rufet Allah an oder rufet Rahmān[58] an – bei welchem (Namen) immer ihr (Ihn) rufet, Sein sind die schönsten
Namen.« Und sprich dein Gebet nicht zu laut, und flüstre es
auch nicht zu leise, sondern suche einen Weg dazwischen.

112. Sprich: »Aller Preis gebührt Allah, Der Sich keinen Sohn
zugesellt hat und niemanden neben Sich hat in der Herrschaft
noch sonst einen Gehilfen aus Schwäche.« Und preise Seine
Herrlichkeit mit aller Verherrlichung.

1. Im Namen Allahs, des Gnädigen, des Barmherzigen.

2. Aller Preis gehört Allah, Der zu Seinem Diener das Buch herabsandte und nichts Krummes darein legte –

3. Als Wegweiser*, damit es strenge Strafe von Ihm androhe und den Gläubigen, die gute Werke tun, die frohe Botschaft bringe, daß ihnen ein schöner Lohn wird,

4. Worin sie weilen werden immerdar;

5. Und damit es jene warne, die da sagen: »Allah hat Sich einen Sohn beigesellt.«

6. Sie haben keinerlei Kenntnis davon, noch hatten es ihre Väter. Groß ist das Wort, das aus ihrem Munde kommt. Sie sprechen nichts als Lüge.

7. So wirst du dich vielleicht noch zu Tode grämen aus Kummer über sie, wenn sie dieser Rede nicht glauben.

8. Siehe, Wir schufen alles, was auf Erden ist, zu einem Schmuck für sie, auf daß Wir sie prüfen, wer unter ihnen der Beste im Wirken ist.

9. Und siehe, Wir werden alles, was auf ihr ist, in dürren Wüstenstaub verwandeln.

10. Meinst du wohl, die Gefährten in der Höhle und der Inschrift seien ein Wunder unter Unseren Zeichen?

11. Als die Jünglinge in der Höhle Zuflucht nahmen und sprachen: »Unser Herr, gewähre uns Barmherzigkeit von Dir aus und bereite uns einen Weg in unserer Sache.«

12. Also versiegelten Wir ihre Ohren in der Höhle auf eine Anzahl von Jahren.

13. Dann erweckten Wir sie, auf daß Wir erführen, welche von den beiden Scharen die Zeit ihres Verweilens am besten berechnet hatte.

14. Wir wollen dir ihre Geschichte der Wahrheit gemäß berichten: Sie waren Jünglinge, die an ihren Herrn glaubten, und wir ließen sie zunehmen an Führung.

15. Und Wir stärkten ihre Herzen, als sie aufstanden und sprachen: »Unser Herr ist der Herr der Himmel und der Erde. Nie werden wir einen Gott anrufen außer Ihm: sonst würden wir ja eine Ungeheuerlichkeit aussprechen.

---

* Auch: Wächter.

16. Dieses unser Volk hat Götter statt Ihn angenommen. Warum bringen sie dann nicht einen klaren Beweis dafür? Und wer verübt größeren Frevel, als wer eine Lüge gegen Allah erdichtet?

17. Und wenn ihr euch nun von ihnen und dem, was sie statt Allah anbeten, zurückzieht, so suchet Zuflucht in der Höhle; euer Herr wird Seine Barmherzigkeit über euch breiten und euch einen tröstlichen Ausweg aus eurer Lage weisen.«

18. Und du hättest sehen können, wie die Sonne, da sie aufging, sich von ihrer Höhle rechtshin wegneigte, und da sie unterging, sich von ihnen linkshin abwandte; und sie waren in einem Hohlraum inmitten.[59] Das gehört zu den Zeichen Allahs. Wen Allah leitet, der ist rechtgeleitet; doch wen Er irregehen läßt, für den wirst du auf keine Weise einen Helfer (und) Führer finden.

19. Du könntest sie für wach halten, indes sie schlafen; und Wir werden sie auf die rechte Seite und auf die linke sich umdrehen lassen, während ihr Hund seine Vorderpfoten auf der Schwelle ausstreckt. Hättest du sie so erblickt, du würdest dich gewiß vor ihnen zur Flucht gewandt haben und wärest mit Grausen vor ihnen erfüllt gewesen.

20. Und so erweckten Wir sie, damit sie einander befragen möchten. Ein Sprecher unter ihnen sprach: »Wie lange habt ihr verweilt?« Sie sprachen: »Wir verweilten einen Tag oder den Teil eines Tages.« (Andere) sprachen: »Euer Herr kennt am besten die (Zeit), die ihr verweilt habt. Nun entsendet einen von euch mit dieser eurer Silbermünze zur Stadt; und er soll sehen, wer von ihren (Bewohnern) die reinste Speise hat, und soll euch davon Vorrat bringen. Er muß aber geschmeidig sein und soll ja keinem über euch Kunde geben.

21. Denn wenn sie von euch erfahren sollten, sie werden euch steinigen oder euch zu ihrem Glauben zurückbringen, und ihr werdet dann nimmermehr glücklich sein.«

22. Und so entdeckten Wir sie (den Menschen), damit sie erkennen möchten, daß Allahs Verheißung wahr ist und daß über die »Stunde« kein Zweifel ist. (Und gedenke der Zeit) als die Leute untereinander stritten über sie und sprachen: »Bauet ein Gebäude über ihnen.« Ihr Herr wußte sie am besten. Jene, deren

Ansicht obsiegte, sprachen: »Wir wollen unbedingt ein Bethaus über ihnen errichten.«

23. Manche sagen: »(Sie waren ihrer) drei, ihr vierter war ihr Hund«, und (andere) sagen: »(Sie waren) fünf, ihr sechster war ihr Hund«, indem sie herumraten im Dunkel, und (wieder andere) sagen: »(Sie waren) sieben, ihr achter war ihr Hund.« Sprich: »Mein Herr kennt am besten ihre Zahl. Niemand weiß sie, außer einigen wenigen.« So streite nicht über sie, es sei denn durch zwingendes Beweisen, und suche nicht Kunde über sie bei irgendeinem von ihnen.

24. Und sprich nie von einer Sache: »Ich werde es morgen tun«,

25. Es sei denn: »So Allah will.« Und gedenke deines Herrn, wenn du es vergessen hast, und sprich: »Ich hoffe, mein Herr wird mich noch näher als dies zum rechten Wege führen.«

26. Und sie blieben dreihundert Jahre lang in ihrer Höhle, noch neun hinzugefügt.

27. Sprich: »Allah weiß am besten, wie lange sie verweilten.« Sein sind die Geheimnisse der Himmel und der Erde. Wie sehend ist Er! und wie hörend! Sie haben keinen Helfer außer Ihm, und Er teilt Seine Befehlsgewalt mit keinem.

28. Und verlies, was dir von dem Buche deines Herrn offenbart ward. Da ist keiner, der Seine Worte verändern könnte, und du wirst außer Ihm keine Zuflucht finden.

29. Halte dich zu denen, die ihren Herrn anrufen des Morgens und des Abends, im Trachten nach Seinem Wohlgefallen; und laß deine Blicke nicht über sie hinauswandern, indem du nach dem Gepränge des irdischen Lebens begehrst; und gehorche nicht dem, dessen Herz Wir achtlos machten der Erinnerung an Uns, der seinen bösen Gelüsten folgt und dessen Fall ein äußerster ist.

30. Und sprich: »Die Wahrheit ist es von eurem Herrn: darum laß den gläubig sein, der will, und den ungläubig sein, der will.« Siehe, Wir haben für die Frevler ein Feuer bereitet, dessen Zelt sie umschließen wird. Wenn sie dann um Hilfe schreien, so wird ihnen geholfen werden mit Wasser gleich geschmolzenem Blei, das die Gesichter verbrennt. Wie schrecklich ist der Trank, und wie schlimm ist das (Feuer) als Lagerstatt!

31. Wahrlich, die da glauben und gute Werke tun – wahrlich,

Wir lassen den Lohn derjenigen, die gute Werke tun, nicht verlorengehn.

32. Sie sind es, die Gärten der Ewigkeit besitzen werden, durch welche Ströme fließen. Darinnen werden sie geschmückt sein mit Armspangen von Gold und gekleidet in grüne Gewänder aus feiner Seide und schwerem Brokat, darin lehnend auf erhöhten Sitzen. Wie herrlich der Lohn und wie schön die Stätte der Rast!

33. Und stelle ihnen das Gleichnis von zwei Männern: für den einen von ihnen schufen Wir zwei Rebengärten und umgaben sie mit Dattelpalmen, und dazwischen legten Wir Kornfelder an.

34. Beide Gärten brachten ihre Früchte hervor und versagten in nichts. Und in ihrer Mitte ließen Wir einen Strom fließen.

35. Und es ward ihm Frucht. Er sprach zu seinem Gefährten, indem er (prahlerisch) mit ihm redete: »Ich bin reicher als du an Besitz und mächtiger an Gefolgschaft.«

36. Und er betrat seinen Garten, während er sündig gegen die eigene Seele war. Er sprach: »Ich kann mir nicht vorstellen, daß dieser je zugrunde gehen wird,

37. Noch glaube ich, daß die ›Stunde‹ heraufkommen wird. Selbst wenn ich zu meinem Herrn zurückgebracht werde, so werde ich ganz gewiß einen besseren Aufenthalt als diesen finden.«

38. Sein Gefährte sprach zu ihm, indem er sich mit ihm auseinandersetzte: »Glaubst du denn nicht an Ihn, Der dich aus Erde erschaffen hat, dann aus einem Samentropfen, dann dich zu einem vollkommenen Manne bildete?

39. Was jedoch mich betrifft – Allah ist mein Herr allein, und nie will ich meinem Herrn etwas anderes zur Seite stellen.

40. Warum hast du nicht damals, als du deinen Garten betratest, gesagt: ›Wie Allah will; es gibt keine Macht, außer bei Allah‹? Wenn du mich auch geringer siehst als dich selbst an Besitz und Nachkommenschaft,

41. So wird vielleicht mein Herr mir Besseres geben als deinen Garten und wird auf ihn Donnerkeile vom Himmel niedersenden, so daß er zu einem öden, schlüpfrigen Grunde wird,

42. Oder sein Wasser versiegt in den Boden so tief, daß du nimmer imstande bist, es zu finden.«

43. Da ward seine Frucht verwüstet, und er begann die Hände zu ringen ob all dessen, was er für den (Garten) ausgegeben, dessen Spaliere mit ihm eingestürzt waren. Er sprach: »Hätte ich doch meinem Herrn niemanden zur Seite gestellt!«

44. Und er hatte keine Schar, ihm zu helfen gegen Allah, und er konnte sich selbst nicht wehren.

45. In solchem Falle (kommt) Schutz nur von Allah, dem Wahren. Er ist der Beste im Belohnen und der Beste, was den Ausgang anlangt.

46. Gib ihnen das Gleichnis vom irdischen Leben: Es ist wie das Wasser, das Wir vom Himmel niedersenden, mit dem die Pflanzen der Erde sich sättigen, und dann werden sie dürre Spreu, die der Wind verweht. Allah hat Macht über alle Dinge.

47. Besitz und Kinder sind Schmuck irdischen Lebens. Die bleibenden guten Werke aber sind lohnender bei deinem Herrn und hoffnungsvoller.

48. Und (gedenke) des Tags, da Wir die Berge vergehen lassen werden, und du wirst die (Völker der) Erde (gegeneinander) hervorkommen sehen, und Wir werden sie versammeln und werden keinen von ihnen zurücklassen.

49. Und sie werden vor deinem Herrn aufgestellt werden in Reihen: »Nun seid ihr zu Uns gekommen, so wie Wir euch erstmals erschufen. Ihr aber wähntet, Wir würden euch nie einen Tag der Erfüllung bestimmen.«

50. Und das Buch wird (ihnen) vorgelegt, und du wirst die Schuldigen in Ängsten sehen ob dessen, was darin ist; und sie werden sprechen: »O wehe uns! was für ein Buch ist das! Es läßt nichts aus, klein oder groß, sondern hält alles aufgezeichnet.« Und sie werden alles gegenwärtig finden, was sie getan; und dein Herr tut keinem Unrecht.

51. Und (gedenke der Zeit) da Wir zu den Engeln sprachen: »Bezeuget Adam Ehrerbietung«, und sie bezeugten Ehrerbietung. Nur Iblis nicht. Er war einer der Dschinn, so war er ungehorsam gegen den Befehl seines Herrn. Wollt ihr nun ihn und seine Nachkommenschaft zu Freunden nehmen statt Mich, und sie sind eure Feinde? Schlimm ist der Eintausch für die Frevler.

52. Ich nahm sie nicht zu Zeugen bei der Schöpfung der Himmel und der Erde, noch auch bei ihrer eigenen Schöpfung; nie ja nehme Ich die Verführer zum Beistand.

53. Und (gedenke) des Tags, da Er sprechen wird: »Rufet die herbei, von denen ihr vorgabt, sie seien Meine Teilhaber.« Dann werden sie rufen, doch sie werden ihnen nicht antworten; und Wir werden eine Schranke zwischen sie setzen.

54. Und die Schuldigen sollen das Feuer sehen und ahnen, daß sie hineinstürzen werden; und sie sollen kein Entrinnen daraus finden.

55. Wahrlich, Wir haben in diesem Koran für die Menschen Gleichnisse aller Art ausführlich erläutert, doch von allen Dingen ist der Mensch am streitsüchtigsten.

56. Und nichts hinderte die Menschen daran, zu glauben, als die Führung zu ihnen kam, und ihren Herrn um Verzeihung zu bitten, (sie warteten) denn, bis das Beispiel der Früheren über sie käme oder die Strafe ihnen offen vor Augen gestellt würde.

57. Und Wir schicken die Gesandten ja nur als Bringer froher Botschaft und als Warner. Die aber, die ungläubig sind, streiten mit Falschheit, damit sie dadurch die Wahrheit widerlegen. Und sie verspotten Meine Zeichen und das, womit sie gewarnt werden.

58. Und wer ist ungerechter als der, der an die Zeichen seines Herrn gemahnt wurde, er wandte sich aber ab von ihnen und vergaß, was seine Hände vorausgeschickt hatten? Wahrlich, Wir haben Schleier über ihre Herzen gelegt, so daß sie es nicht begreifen, und Taubheit in ihre Ohren. Und selbst wenn du sie zum rechten Weg rufst, werden sie nie den rechten Weg einschlagen.

59. Dein Herr aber ist der Vergebungsreiche, voll der Barmherzigkeit. Wollte Er sie zur Rechenschaft ziehen für das, was sie verdienen, dann würde Er gewiß ihre Bestrafung beschleunigen. Allein sie haben eine festgesetzte Frist, gegen die sie keine Zuflucht finden werden.

60. Und diese Städte! Wir zerstörten sie, als sie Frevel begingen. Und Wir setzten eine Frist zu ihrer Zerstörung.

61. Und (gedenke der Zeit) da Moses zu seinem Jünger* sprach: »Ich will nicht eher rasten, als bis ich den Zusammenfluß der beiden Meere erreicht habe, und sollte ich jahrhundertelang wandern.«

62. Doch als sie den Zusammenfluß der beiden (Meere) erreicht hatten, da vergaßen sie ihren Fisch; und er nahm seinen Weg (und) entschlüpfte ins Meer.

63. Und als sie weitergegangen waren, sprach er zu seinem Jünger: »Bring uns unseren Imbiß. Wir haben wahrlich auf dieser unserer Reise viel Mühsal gelitten.«

64. Er antwortete: »Hast du nicht gesehen, als wir auf dem Felsen rasteten und ich den Fisch vergaß – und keiner als Satan machte es mich vergessen, seiner zu erwähnen –, da nahm er seinen Weg ins Meer auf wundersame Weise.«

65. Er sprach: »Das ist's, was wir suchten.« Da kehrten sie beide um und schritten zurück auf ihren Spuren.

66. Dann fanden sie einen Unserer Diener**, dem Wir Unsere Barmherzigkeit verliehen und den Wir Wissen gelehrt hatten von Uns Selbst.

67. Moses sprach zu ihm: »Darf ich dir folgen, auf daß du mich belehrest über den rechten Weg, wie du ihn gelehrt worden bist?«

68. Er antwortete: »Du vermagst nimmer bei mir auszuharren in Geduld.

69. Und wie vermöchtest du geduldig zu sein bei Dingen, die über dein Begreifen sind?«

70. Er sprach: »Du wirst mich, so Allah will, geduldig finden, und ich werde gegen keinen deiner Befehle ungehorsam sein.«

71. Er sprach: »Wohlan, wenn du mir folgen willst, so frage mich nach nichts, bis ich selbst zu dir darüber rede.«

72. So schritten sie beide fürbaß, bis sie in ein Boot stiegen, in das er ein Loch hineinschlug. (Moses) sprach: »Schlugst du ein Loch hinein, um seine Mannschaft zu ertränken? Fürwahr, du hast etwas Schreckliches getan!«

---

* Jesus Christus.
** Den Propheten Mohammad.

73. Er antwortete: »Habe ich nicht gesagt, du würdest es nimmer vermögen, bei mir auszuharren in Geduld?«

74. (Moses) sprach: »Stelle mich nicht zur Rede ob meines Vergessens, und sei deswegen nicht streng mit mir.«

75. So zogen sie weiter, bis sie einen Jüngling trafen, den er erschlug. (Moses) sprach: »Hast du einen unschuldigen Menschen erschlagen, ohne daß (er) einen andern (erschlagen)? Fürwahr, du hast etwas Entsetzliches getan!«

76. Er antwortete: »Habe ich dir nicht gesagt, du würdest es nimmer vermögen, bei mir auszuharren in Geduld?«

77. (Moses) sprach: »Wenn ich dich hernach noch über etwas befrage, so begleite mich nicht weiter; von mir aus wärest du dann zu entschuldigen.«

78. So zogen sie weiter, bis sie zum Volk einer Stadt gelangten und Gastfreundschaft von ihrem Volk erbaten, diese aber weigerten sich, sie zu bewirten. Nun fanden sie dort eine Mauer, die einzustürzen drohte, und er richtete sie auf. (Moses) sprach: »Wenn du es gewollt, du hättest eine Belohnung dafür erhalten können.«

79. Er sprach: »Dies ist die Trennung zwischen mir und dir. Doch will ich dir die Deutung von dem sagen, was du nicht in Geduld zu ertragen vermochtest.

80. Was das Boot anlangt, so gehörte es armen Leuten, die auf dem Meer arbeiteten, und ich wollte es schadhaft machen, denn hinter ihnen war ein König, der jedes Boot kaperte.

81. Und was den Jüngling anlangt, so waren seine Eltern Gläubige, und wir fürchteten, er möchte Schmach über sie bringen durch Widersetzlichkeit und Unglauben.

82. So wünschten wir, daß ihr Herr ihnen zum Tausch (ein Kind) gebe, besser als dieser an Lauterkeit und näher in (kindlicher) Zuneigung.

83. Und was nun die Mauer anlangt, so gehörte sie zwei Waisenknaben in der Stadt, und darunter lag ein Schatz für sie, und ihr Vater war ein Rechtschaffener gewesen; so wünschte dein Herr, daß sie ihre Volljährigkeit erreichen und ihren Schatz heben möchten, als eine Barmherzigkeit von deinem Herrn; und ich tat es nicht aus eignem Ermessen. Das ist die Deutung dessen, was du nicht in Geduld zu ertragen vermochtest.«

84. Und sie fragen dich nach Dhul-Qarnän.* Sprich: »Ich will euch etwas von seiner Geschichte erzählen.«

85. Wir setzten ihn fest auf Erden und gaben ihm die Mittel zu allem.

86. So folgte er einem Wege[60],

87. Bis er den Ort des Sonnenuntergangs[61] erreichte; er fand sie in einem Quell von schlammigem Wasser untergehen, und nahebei fand er ein Volk. Wir sprachen: »O Dhul-Qarnän, entweder strafe oder behandle sie mit Güte.«

88. Er sprach: »Wer da frevelt, den werden wir sicherlich bestrafen; dann soll er zu seinem Herrn zurückgebracht werden, und Er wird ihn mit furchtbarer Strafe strafen.

89. Wer aber gläubig ist und das Gute tut, dem wird herrlicher Lohn werden; und Wir werden zu ihm (Worte) der Erleichterung Unseres Gebotes sprechen.«

90. Darauf folgte er einem Wege[62],

91. Bis er den Ort des Sonnenaufgangs erreichte; er fand sie über einem Volk aufgehen, dem Wir keinen Schutz gegen sie gemacht hatten.

92. Also (war es); und Wir umfaßten mit Wissen, wie es um ihn bestellt war.

93. Hierauf folgte er einem Weg,

94. Bis er zwischen die beiden Berge gelangte; er fand an ihrem Fuß ein Volk, das kaum ein Wort verstehen konnte.

95. Sie sprachen: »O Dhul-Qarnän, Gog und Magog stiften Unordnung im Lande; sollen wir dir nun Tribut zahlen unter der Bedingung, daß du zwischen uns und ihnen eine Schranke errichtest?«

96. Er antwortete: »Die Macht, die mein Herr mir dafür gegeben hat, ist besser, doch ihr mögt mir den Arm leihen, so will ich zwischen euch und ihnen eine starke Schranke errichten.

97. Bringt mir Eisenstücke.« Als er die Kluft zwischen den beiden Bollwerken** ausgefüllt hatte, sprach er: »Blaset!« Als er es feurig gemacht hatte, sprach er: »Bringt mir geschmolzenes Kupfer, ich will es darüber gießen!«

---

* Kyros.
** Dem Kaspischen Meer und dem Kaukasus-Gebirge.

98. So vermochten sie (Gog und Magog) nicht, sie (die Schranke) zu erklimmen, noch konnten sie sie durchlöchern.

99. Er sprach: »Das ist die Gnade meines Herrn; doch wenn die Verheißung meines Herrn in Erfüllung geht, Er wird sie zu Staub zerbrechen, und die Verheißung meines Herrn ist wahr.«

100. An jenem Tage werden Wir die einen von ihnen wie Wogen gegen die andern anstürmen lassen, und in die Trompete wird geblasen werden. Dann werden Wir sie versammeln allzumal.

101. Und vor Augen stellen Wir an jenem Tage den Ungläubigen die Hölle,

102. Ihnen, deren Augen vor Meiner Mahnung verhüllt waren und die nicht einmal hören konnten.

103. Wähnen die Ungläubigen etwa, sie könnten Meine Diener zu Beschützern nehmen statt Mich? Wahrlich, Wir haben den Ungläubigen die Hölle zur Gaststätte bereitet.

104. Sprich: »Sollen Wir euch die nennen, die in ihren Werken die größten Verlierer sind?

105. Die, deren Mühe verloren ist in irdischem Leben; und sie denken, sie täten gar Gutes.«

106. Das sind jene, die die Zeichen ihres Herrn und die Begegnung mit Ihm leugnen. Darum sind ihre Werke nichtig, und am Tage der Auferstehung werden Wir ihnen kein Gewicht geben.

107. Dies ist ihr Lohn – die Hölle –, weil sie ungläubig waren und Spott trieben mit Meinen Zeichen und Meinen Gesandten.

108. Wahrlich, jene, die da glauben und gute Werke tun, sie werden des Paradieses Gärten zur Gaststätte haben,

109. Darin sie weilen werden immerdar; von diesen werden sie keinen Wechsel begehren.

110. Sprich: »Wäre das Meer Tinte für die Worte meines Herrn, wahrlich, das Meer würde versiegen, ehe die Worte meines Herrn zu Ende gingen, auch wenn Wir noch ein gleiches zur Hilfe brächten.«

111. Sprich: »Ich bin nur ein Mensch wie ihr, doch mir ist es offenbart worden, daß euer Gott ein Einiger Gott ist. Möge denn der, der auf die Begegnung mit seinem Herrn hofft, gute Werke tun und keinen andern einbeziehen in den Dienst an seinem Herrn.«

1. Im Namen Allahs, des Gnädigen, des Barmherzigen.
2. Kāf Hā Yā 'Ain Sād.*
3. Ein lehrreicher Bericht über die Barmherzigkeit deines Herrn gegen Seinen Diener Zacharias.
4. Als dieser seinen Herrn mit leisem Ruf anrief,
5. Sprach er:»Mein Herr, das Gebein in mir ist nun schwach geworden, und mein Haupt schimmert in Grauhaarigkeit, doch niemals, mein Herr, bin ich enttäuscht worden in meinem Gebet zu Dir.
6. Nun aber fürchte ich meine Verwandten nach mir, und mein Weib ist unfruchtbar. Gewähre Du mir darum einen Nachfolger,
7. Auf daß er mein Erbe sei und Erbe von Jakobs Haus. Und mache ihn, mein Herr, (Dir) wohlgefällig.«
8. »O Zacharias, Wir geben dir frohe Botschaft von einem Sohn, dessen Name Yahya (Johannes) sein soll. Wir haben zuvor noch keinen dieses Namens geschaffen.«
9. Er sprach: »Mein Herr, wie soll mir ein Sohn werden, wo mein Weib unfruchtbar ist, und ich habe schon die Grenze des Greisenalters erreicht?«
10. Er sprach: »So ist's; dein Herr aber spricht: ›Es ist Mir ein leichtes, und Ich habe dich zuvor geschaffen, wo du ein Nichts warst.‹«
11. Er sprach: »Mein Herr, bestimme mir ein Zeichen.« Er sprach: »Dein Zeichen sei, daß du drei (Tage und) Nächte nacheinander nicht zu den Menschen reden sollst.«
12. So trat er heraus aus der Kammer vor sein Volk und forderte sie mit leiser Stimme auf, (Gott) zu preisen am Morgen und am Abend.
13. »O Yahya, halte das Buch kraftvoll fest.« Und Wir gaben ihm Weisheit im Kindesalter,
14. Und ein liebevolles Gemüt von Uns, und Reinheit. Und er war fromm
15. Und ehrerbietig, gegen seine Eltern. Und er war nicht hochfahrend, trotzig.
16. Friede war über ihm am Tage, da er geboren ward, und am

---

* O Allwissender, Wahrhaftiger! Du genügst, bist der Führer.

Tage, da er starb, und (Friede wird über ihm sein) am Tage, da er wieder zum Leben erweckt wird.

17. Erzähle, was in diesem Buch über Maria steht. Da sie sich zurückzog von den Ihren nach einem gen Osten gewandten Ort,

18. Und sich vor ihnen barg im Schleier, da sandten Wir Unseren Geist zu ihr, und er erschien ihr in Gestalt eines vollkommenen Menschen.

19. Sie sprach: »Ich nehme meine Zuflucht vor dir bei dem Allerbarmer; (laß ab von mir) wenn du Gottesfurcht hast.«

20. Er antwortete: »Ich bin nur ein Gesandter deines Herrn, auf daß ich dir einen reinen Sohn beschere.«*

21. Sie sprach: »Wie soll mir ein Sohn werden, wo mich kein Mann berührt hat und ich auch nicht unkeusch gewesen bin?«

22. Er antwortete: »So ist's; dein Herr aber spricht: ›Es ist Mir ein leichtes, und (Wir tun dies) auf daß Wir ihn zu einem Zeichen machen für die Menschen und zu einer Barmherzigkeit von Uns, und es ist eine beschlossene Sache.‹«

23. Und sie empfing ihn und zog sich mit ihm an einen entlegenen Ort zurück.

24. Und die Wehen der Geburt trieben sie zum Stamm einer Palme. Sie sprach: »O wäre ich doch zuvor gestorben und wäre ganz und gar vergessen!«

25. Da rief es ihr von unten her zu: »Betrübe dich nicht. Dein Herr hat unter dir ein Bächlein fließen lassen;

26. Schüttle nur den Stamm der Palme gegen dich, sie wird frische reife Datteln auf dich fallen lassen.

27. So iß und trink und kühle (dein) Auge. Und wenn du einen Menschen siehst, dann sprich: »Ich habe dem Allerbarmer ein Fasten gelobt, darum will ich heute zu keinem Wesen reden.‹«

28. Dann brachte sie ihn zu ihrem Volke, indem sie ihn tragen ließ. Sie sprachen: »O Maria, du hast etwas Seltsames getan.

29. O Schwester Aarons, dein Vater war kein Bösewicht, noch war deine Mutter ein unkeusches Weib!«

30. Da deutete sie auf ihn. Sie sprachen: »Wie sollen wir zu einem reden, der ein Kind in der Wiege ist?«

---

* D. h. die Geburt eines Sohnes verkünde.

31. Er sprach: »Ich bin ein Diener Allahs, Er hat mir das Buch gegeben und mich zu einem Propheten gemacht;

32. Er machte mich gesegnet, wo ich auch sein mag, und Er befahl mir Gebet und Almosen, solange ich lebe;

33. Und (Er machte mich) ehrerbietig gegen meine Mutter; Er hat mich nicht hochfahrend, elend gemacht.

34. Friede war über mir am Tage, da ich geboren ward, und (Friede wird über mir sein) am Tage, da ich sterben werde, und am Tage, da ich wieder zum Leben erweckt werde.«

35. So ist Jesus, Sohn der Maria – eine Aussage der Wahrheit, über die sie uneins sind.

36. Es ziemt Allah nicht, Sich einen Sohn zuzugesellen. Heilig ist Er! Wenn Er ein Ding beschließt, so spricht Er nur zu ihm: »Sei!«, und es ist.

37. »Wahrlich, Allah ist mein Herr und euer Herr. So dienet Ihm: das ist der gerade Weg.«

38. Doch die Parteien wurden uneinig untereinander; wehe drum denen, die das Beisein am Großen Tag leugnen.

39. Wie wunderbar wird ihr Hören und Sehen sein an dem Tage, wo sie zu Uns kommen werden! Heute aber sind die Frevler in offenbarem Irrtum.

40. Und warne sie vor dem Tag der Trauer, wenn der Spruch gefällt werden wird. Jetzt sind sie in Sorglosigkeit, daher glauben sie nicht.

41. Wir Selbst werden die Erde erben und alle, die auf ihr sind; und zu Uns werden sie zurückgebracht.

42. Erzähle, was in diesem Buch über Abraham steht. Er war ein Mann der Wahrheit, ein Prophet.

43. Da er zu seinem Vater sprach: »O mein Vater, warum verehrst du das, was nicht hört und nicht sieht und dir in nichts nützen kann?

44. O mein Vater, zu mir ist in Wahrheit eine Erkenntnis gekommen, die nicht zu dir kam; so folge mir, ich will dich auf den rechten Pfad leiten.

45. O mein Vater, diene nicht Satan, denn Satan ist ein Empörer wider den Allerbarmer.

46. O mein Vater, siehe, ich fürchte, es möchte dich Strafe vom

Allerbarmer treffen, und dann wirst du ein Freund Satans werden.«

47. Er antwortete: »Verlässest du meine Götter, o Abraham? Wenn du nicht aufhörst, so werde ich dich wahrlich steinigen. Verlasse mich auf lange Zeit.«

48. (Abraham) sprach: »Friede sei auf dir! Ich will von meinem Herrn Vergebung für dich erflehen; Er ist gnädig gegen mich.

49. Und ich werde mich fernhalten von euch und von dem, was ihr statt Allah anruft; und ich will zu meinem Herrn beten; ich werde im Gebet zu meinem Herrn bestimmt nicht enttäuscht.«

50. Als er sich nun von ihnen und von dem, was sie statt Allah verehrten, getrennt hatte, da bescherten Wir ihm Isaak und Jakob und machten beide zu Propheten.

51. Und Wir verliehen ihnen Unsere Barmherzigkeit; und Wir gaben ihnen einen wahren und hohen Ruf.

52. Erzähle, was in diesem Buch über Moses steht. Er war fürwahr ein Erwählter; und er war ein Gesandter, ein Prophet.

53. Wir riefen ihn von der rechten Seite des Berges und hießen ihn näher treten, zu geheimer Unterredung.

54. Und Wir bescherten ihm aus Unserer Barmherzigkeit seinen Bruder Aaron als einen Propheten.

55. Erzähle, was in diesem Buch über Ismael steht. Er war fürwahr getreu seinem Versprechen und war ein Gesandter, ein Prophet.

56. Er pflegte seinem Volk Gebet und Almosen ans Herz zu legen und war seinem Herrn wohlgefällig.

57. Erzähle, was in diesem Buch über Idris steht. Er war ein Mann der Wahrheit, ein Prophet.

58. Wir erhoben ihn zu hohem Rang.

59. Sie waren jene unter den Propheten, denen Allah Gnade erwiesen hatte aus der Nachkommenschaft Adams und derer, die Wir mit Noah (über Wasser) trugen, und aus der Nachkommenschaft Abrahams und Jakobs, und derer, die Wir richtig geführt und erwählt hatten. Wenn ihnen die Zeichen des Gnadenreichen verlesen wurden, fielen sie nieder, anbetend und weinend.

60. Dann aber kamen nach ihnen schlechte Nachfahren, die das

Gebet vernachlässigten und Leidenschaften folgten. So gehen sie nun sicherlich dem Untergang entgegen,

61. Außer denen, die bereuen und glauben und rechtschaffen handeln. Diese werden ins Paradies eingehen, und kein Unrecht werden sie leiden –

62. Gärten der Ewigkeit, die der Gnadenreiche Seinen Dienern im Ungesehenen verhieß. Wahrlich, Seine Verheißung muß in Erfüllung gehen.

. 63. Sie hören dort kein eitles Wort, sondern nur Frieden; und sie werden dort ihren Unterhalt empfangen des Morgens und des Abends.

64. So ist das Paradies, das Wir jenen Unserer Diener zum Erbe geben, die gottesfürchtig sind.

65. »Wir (Engel) kommen nur auf den Befehl deines Herrn hernieder. Sein ist alles, was vor uns und was hinter uns ist und was dazwischen; und dein Herr ist nicht vergeßlich.«

66. Herr der Himmel und der Erde und all dessen, was zwischen beiden liegt. Diene Ihm darum, und sei beharrlich in Seinem Dienst. Kennst du etwa einen, der Ihm gleich wäre?

67. Und es spricht der Mensch: »Wie! wenn ich tot bin, soll ich dann wirklich zum Leben erstehen?«

68. Bedenkt der Mensch denn nicht, daß Wir ihn zuvor erschufen, und er war ein Nichts?

69. Und, bei deinem Herrn, Wir werden sie ganz gewiß versammeln, und die Teufel (auch); dann werden Wir sie auf den Knien rund um die Hölle bringen.

70. Alsdann werden Wir aus jeder Gruppe die herausgreifen, die am trotzigsten waren in der Empörung wider den Gnadenreichen.

71. Und Wir kennen die am besten, die es am meisten verdienen, darein zu gehen.

72. Keiner ist unter euch, der nicht dahin[63] kommen wird – das ist ein endgültiger Erlaß bei deinem Herrn.

73. Dann werden Wir die Gerechten erretten, die Frevler aber werden Wir darinnen belassen auf den Knien.

74. Und wenn ihnen Unsere deutlichen Zeichen verlesen werden, sagen die Ungläubigen zu den Gläubigen: »Welche der bei-

den Parteien ist besser gestellt und ergibt eine eindrucksvollere Versammlung?«

75. Wie so manches Geschlecht vor ihnen haben Wir schon vernichtet, ansehnlicher an Besitz und an äußerer Erscheinung!

76. Sprich: »Der Gnadenreiche läßt diejenigen, die sich im Irrtum befinden, lange gewähren, bis sie das sehen, was ihnen angedroht – ob es nun Strafe ist oder die ›Stunde‹ –, und dann erkennen, wer in schlechterer Lage und schwächer an Streitmacht ist.

77. Allah mehrt die an Führung, die auf dem rechten Weg sind. Die bleibenden guten Werke aber sind lohnender bei deinem Herrn und fruchtbarer.«

78. Hast du wohl den gesehen, der Unsere Zeichen leugnet und spricht: »Ganz gewiß werde ich Vermögen und Kinder erhalten?«

79. Hatte er denn Zugang zum Ungesehenen, oder hat er vom Gnadenreichen ein Versprechen entgegengenommen?

80. Mitnichten! Wir werden aufschreiben, was er spricht, und verlängern werden Wir für ihn die Strafe.

81. Und Wir werden all das von ihm erben, wovon er redet, und er wird allein zu Uns kommen.

82. Sie haben sich Götter genommen statt Allah, auf daß sie ihnen zur Ehre würden.

83. Mitnichten! Sie werden einst ihre Verehrung verleugnen und ihnen Widersacher sein.

84. Siehst du nicht, daß Wir Teufel auf die Ungläubigen losgelassen haben, um sie anzureizen?

85. Darum habe es nicht eilig gegen sie; Wir führen schon Buch über sie.

86. (Gedenke) des Tags, da Wir die Gottesfürchtigen als ehrenvolle Gäste vor dem Gnadenreichen versammeln werden.

87. Und die Schuldigen werden Wir zur Hölle treiben wie eine Herde (Kamele).

88. Sie werden kein Anrecht auf Fürbitte haben, mit Ausnahme dessen, der vom Gnadenreichen ein Versprechen empfangen hat.

89. Und sie sprechen: »Der Gnadenreiche hat Sich einen Sohn beigesellt.«

90. Wahrhaftig, ihr habt da etwas Ungeheuerliches getan!

91. Die Himmel möchten wohl darob zerreißen und die Erde auseinanderbersten und die Berge in Trümmer zusammenstürzen,

92. Weil sie dem Gnadenreichen einen Sohn zugeschrieben haben,

92. Während es dem Gnadenreichen nicht ziemt, Sich einen Sohn beizugesellen.

94. Da ist keiner in den Himmeln noch auf der Erde, der dem Gnadenreichen anders nahen dürfte denn als Diener.

95. Wahrlich, Er kennt sie gründlich, und Er hat sie alle genau gezählt.

96. Und jeder von ihnen soll am Tage der Auferstehung allein zu Ihm kommen.

97. Diejenigen, die da glauben und gute Werke tun – ihnen wird der Gnadenreiche Liebe[64] bereiten.

98. Darum haben Wir ihn (den Koran) leicht gemacht in deiner Sprache, damit du durch ihn den Gottesfürchtigen frohe Botschaft verkündest und die Streitsüchtigen warnest.

99. Und wie so manches Geschlecht haben Wir vor ihnen vernichtet! Kannst du auch nur einen von ihnen entdecken oder auch nur ein Flüstern von ihnen vernehmen?

1. Im Namen Allahs, des Gnädigen, des Barmherzigen.

2. Ta Ha.*

3. Wir haben dir den Koran nicht darum hinabgesandt, daß du leiden sollst,

4. Sondern als eine Ermahnung für den, der (Gott) fürchtet.

5. Eine Offenbarung von Ihm, Der die Erde und die hohen Himmel erschuf.

6. Der Gnadenreiche, der Sich auf den Thron niederließ.

7. Sein ist, was in den Himmeln und was auf Erden ist und was zwischen beiden und was unter dem feuchten Erdreich liegt.

8. Wenn du das Wort laut sprichst, dann wahrlich, Er kennt das Geheime und was noch verborgener ist.

9. Allah – es ist kein Gott außer Ihm. Sein sind die schönsten Namen.

10. Ist Moses' Geschichte nicht zu dir gedrungen?

11. Als er ein Feuer sah, sprach er zu den Seinen: »Bleibt (hier), ich gewahre ein Feuer; vielleicht kann ich euch einen Brand davon bringen oder beim Feuer Weisungen finden.«

12. Und wie er näher herankam, ward er angerufen: »O Moses!

13. Siehe, Ich bin dein Herr. So zieh deine Schuhe aus, denn du bist in dem heiligen Tale Tuwā.

14. Ich habe dich erwählt; höre denn auf das, was offenbart wird.

15. Siehe, Ich bin Allah; es ist kein Gott außer Mir. Darum bete Mich an und verrichte das Gebet zu Meinem Gedächtnis.

16. Siehe, die ›Stunde‹ kommt fürwahr; bald werde Ich sie enthüllen, daß jede Seele belohnt werde nach ihrem Bemühen.

17. Drum laß nicht den, der hieran nicht glaubt und seinen bösen Gelüsten folgt, dich davon abwendig machen, damit du nicht untergehst.

18. Und was ist das in deiner Rechten, o Moses?«

19. Er antwortete: »Das ist mein Stab; ich stütze mich darauf und schlage damit Laub herab für meine Schafe, und ich habe noch andere Verwendung dafür.«

20. Er sprach: »Wirf ihn hin, o Moses!«

---

* O vollkommener Mensch.

21. Da warf er ihn hin, und siehe, er ward eine laufende Schlange.

22. (Gott) sprach: »Ergreife ihn und fürchte dich nicht. Wir werden ihn in seinen früheren Zustand zurückbringen.

23. Und stecke deine Hand dicht unter deinen Arm, sie wird weiß hervorkommen, ohne ein Übel – ein weiteres Zeichen,

24. Auf daß Wir dir Unsere größeren Zeichen zeigen.

25. Gehe zu Pharao, denn er hat das Maß überschritten.«

26. Er sprach: »Mein Herr, öffne mir meine Brust,

27. Und erleichtere mir meine Aufgabe,

28. Und löse den Knoten meiner Zunge,

29. Daß sie meine Rede verstehen.

30. Und gib mir einen Helfer von meiner Sippe,

31. Aaron, meinen Bruder;

32. Mehre meine Kraft durch ihn,

33. Und laß ihn Anteil haben an meinem Werk,

34. Auf daß wir Dich oft preisen mögen

35. Und Deiner oft gedenken;

36. Denn Du siehst uns wohl.«

37. (Gott) sprach: »Dein Wunsch ist gewährt, o Moses!

38. Und sicherlich haben Wir dir ein andermal Gnade erwiesen,

39. Als Wir deiner Mutter eine klare Offenbarung sandten:

40. ›Lege ihn in einen Kasten und wirf ihn in den Fluß, dann wird der Fluß ihn ans Ufer spülen, so daß ein Feind von Mir und ein Feind von ihm (Moses) ihn aufnehmen wird.‹ Und ich hüllte dich ein in Meine Liebe; und (das tat Ich) damit du unter Meinem Auge aufgezogen würdest.

41. Da deine Schwester gegangen kam und sprach: ›Soll ich euch jemanden weisen, der ihn betreuen würde?‹ So gaben Wir dich deiner Mutter wieder, daß ihr Auge gekühlt werde und sie sich nicht gräme. Und du erschlugst einen Menschen, Wir aber erretteten dich aus der Trübsal. Dann prüften Wir dich auf mannigfache Art. Und du verweiltest jahrelang unter dem Volke von Midian. Dann gelangtest du zu der Stufe, o Moses.

42. Also habe Ich dich für Mich ausgewählt.

43. Gehe denn hin, du und dein Bruder, mit Meinen Zeichen, und seid nicht schlaff darin, Meiner zu gedenken.

44. Gehet beide zu Pharao, denn er hat das Maß überschritten.

45. Jedoch redet zu ihm auf milde Art; vielleicht läßt er sich mahnen oder fürchtet sich.«

46. Sie antworteten: »Unser Herr, wir fürchten, er möchte sich an uns vergreifen oder noch ärger werden im Übertreten.«

47. Er sprach: »Fürchtet euch nicht; denn Ich bin mit euch beiden. Ich höre und Ich sehe.

48. So gehet denn beide hin zu ihm und sprecht: ›Wir sind zwei Gesandte deines Herrn; so lasse die Kinder Israels mit uns ziehn; und bedränge sie nicht. Wir haben dir in Wahrheit ein Zeichen von deinem Herrn gebracht; und Frieden auf den, der der Führung folgt!

49. Es ist uns offenbart worden, daß Strafe über den kommen wird, der verwirft und sich abwendet.‹«

50. (Pharao) sprach: »Wer ist euer beider Herr, o Moses?«

51. Er sprach: »Unser Herr ist Der, Der jedem Ding seine Gestalt gab (und es) dann (zu seiner Bestimmung) leitete.«

52. (Pharao) sprach: »Und wie steht es dann um die früheren Geschlechter?«

53. Er sprach: »Das Wissen davon ist bei meinem Herrn in einem Buch. Weder irrt mein Herr, noch vergißt Er.«

54. (Er ist es) Der die Erde für euch gemacht hat als eine Wiege und Straßen über sie hinlaufen läßt für euch und Regen herniedersendet vom Himmel; und damit bringen Wir mannigfache Arten von Pflanzen hervor.

55. Esset denn und weidet euer Vieh. Wahrlich, hierin sind Zeichen für Leute von Vernunft.

56. Aus ihr haben Wir euch erschaffen, und in sie werden Wir euch zurückkehren lassen, und aus ihr bringen Wir euch abermals hervor.

57. Und Wir ließen ihn Unsere Zeichen schauen allesamt; doch er verwarf (sie) und weigerte sich.

58. Er sprach: »Bist du zu uns gekommen, o Moses, uns aus unserem Land zu treiben durch deinen Zauber?

59. Aber wir werden dir sicherlich Zauber gleich diesem bringen; so setze eine Zusammenkunft zwischen uns fest, die wir nicht verfehlen werden – weder wir noch du –, an einem Orte der Gleichheit.«

60. (Moses) sprach: »Eure Zusammenkunft sei am Tage des Fe-

stes, und lasset die Leute versammelt sein, wenn die Sonne hoch steht.«

61. Da wandte sich Pharao und richtete seinen Anschlag ein, und dann kam er.

62. Moses sprach zu ihnen: »Wehe euch, ersinnet nicht Lüge wider Allah, damit Er euch nicht durch eine Strafe vernichtet. Wer eine Lüge ersinnt, der wird zuschanden kommen.«

63. Da stritten sie miteinander über ihre Sache und berieten insgeheim.

64. Sie sprachen: »Diese beiden sind sicherlich Zauberer, die euch durch ihren Zauber aus eurem Land treiben und mit euren besten Überlieferungen aufräumen wollen.

65. Richtet darum euren Anschlag ein und kommt dann wohlgereiht vorwärts. Und wer heute die Oberhand gewinnt, der wird Erfolg haben.«

66. Sie sprachen: »O Moses, entweder wirf du (zuerst), oder wir werden die ersten sein zum Werfen.«

67. Er sprach: »Nein; werfet nur ihr!« Da siehe, ihre Stricke und ihre Stäbe erschienen ihm, durch ihre Zauberei, als ob sie umherliefen.

68. Und Moses empfand Furcht in seiner Seele.

69. Wir sprachen: »Fürchte dich nicht, denn du wirst obsiegen.

70. Wirf nur, was in deiner Rechten ist; es wird verschlingen, was sie gemacht haben, denn das, was sie gemacht haben, ist nur eines Zauberers List. Und ein Zauberer soll nicht Erfolg haben, woher er auch kommen mag.«

71. Da wurden die Zauberer veranlaßt, sich niederzuwerfen. Sie sprachen: »Wir glauben an den Herrn Aarons und Moses'.«

72. (Pharao) sprach: »Glaubt ihr an ihn, bevor ich es euch erlaube? Er muß wohl euer Meister sein, der euch die Zauberei lehrte. Wahrhaftig, für den Ungehorsam will ich euch darum Hände und Füße abhauen, und wahrhaftig, ich will euch an den Stämmen von Palmbäumen kreuzigen; dann werdet ihr bestimmt erfahren, wer von uns strenger und nachhaltiger im Strafen ist.«

73. Sie sprachen: »Wir wollen dir auf keine Weise den Vorzug geben vor den deutlichen Zeichen, die zu uns gekommen sind, noch [vor Dem] Der uns erschaffen hat. Gebiete, was du gebie-

ten magst: du kannst ja doch nur für dieses irdische Leben gebieten.

74. Wir glauben an unseren Herrn, auf daß Er uns unsere Sünden vergebe und die Zauberei, zu der du uns zwangst. Allah ist der Beste und der Beständigste.«

75. Fürwahr, wer im Zustande der Sündigkeit zu seinem Herrn kommt, für den ist die Hölle; darin soll er weder sterben noch leben.

76. Die aber als Gläubige zu Ihm kommen, die gute Taten vollbracht haben, ihnen sollen die höchsten Rangstufen zuteil werden –

77. Gärten der Ewigkeit, von Strömen durchflossen; darin werden sie weilen immerdar. Und das ist der Lohn derer, die sich reinigen.

78. Wir sandten Moses die Offenbarung: »Führe Meine Diener hinweg bei Nacht und schlage ihnen einen trockenen Pfad durch das Meer. Du wirst nicht fürchten, eingeholt zu werden, noch wirst du sonst Sorge haben.«

79. Darauf verfolgte sie Pharao mit seinen Heerscharen, und es kam über sie aus dem Meere, was sie überwältigte.

80. Und Pharao führte sein Volk in den Untergang und wies den Weg nicht.

81. »O ihr Kinder Israels, Wir erretteten euch von eurem Feinde, und Wir schlossen einen Bund mit euch an der rechten Seite des Berges und sandten Manna und Salwa* auf euch herab.

82. Esset nun von den guten Dingen, die Wir euch gegeben haben, doch überschreitet nicht das Maß dabei, damit Mein Zorn nicht auf euch niederfahre; denn der, auf den Mein Zorn niederfährt, soll stürzen;

83. Doch siehe, verzeihend bin Ich gegen den, der bereut und glaubt und das Gute tut, und dann der Führung folgt.

84. Und was hat dich so eilig von deinem Volke weggetrieben, o Moses?«

85. Er sprach: »Sie folgen mir auf dem Fuße. Und ich bin zu Dir geeilt, mein Herr, damit Du wohl zufrieden bist.«

---

* Vgl. Anmerkung 7.

86. (Gott) sprach:»Siehe, Wir haben dein Volk in deiner Abwesenheit geprüft und der Sāmirī hat sie irregeführt.«

87. Da kehrte Moses zu seinem Volke zurück, zornig und bekümmert. Er sprach:»O mein Volk, hat euer Herr euch nicht eine schöne Verheißung gegeben? Erschien euch etwa die anberaumte Zeit zu lang, oder wolltet ihr, daß Zorn von eurem Herrn auf euch niederfahre, daß ihr das Versprechen gegen mich brachet?«

88. Sie sprachen:»Nicht aus freien Stücken haben wir das Versprechen gegen dich gebrochen; allein wir waren beladen mit der Last der Schmucksachen des Volks; wir warfen sie fort, und so tat auch der Sāmirī.«

89. Dann brachte er für sie ein blökendes Kalb hervor – ein Bildwerk. Und sie sprachen:»Das ist euer Gott, und der Gott Moses'; er hat (ihn) vergessen.«

90. Konnten sie denn nicht sehen, daß es ihnen keine Antwort gab und nicht die Macht hatte, ihnen zu schaden oder zu nützen?

91. Und doch hatte Aaron zuvor zu ihnen gesprochen:»O mein Volk, durch dies seid ihr nur geprüft worden. Wahrlich, euer Herr ist einzig der Gnadenreiche; darum folget mir und gehorchet meinem Befehl.«

Sie antworteten:»Wir werden keineswegs aufhören, es anzubeten, bis Moses zu uns zurückkehrt.«

93. (Moses) sprach:»O Aaron, was hinderte dich, als du sie irregehen sahst,

94. Mir zu folgen? Bist du denn meinem Befehl ungehorsam gewesen?«

95. Er antwortete:»O Sohn meiner Mutter, greife nicht an meinen Bart, noch an mein Haupt[haar]. Ich fürchtete, du möchtest sprechen: ›Du hast Spaltung unter den Kindern Israels hervorgerufen und mein Wort nicht beachtet.‹«

96. (Moses) sprach:»Und was hast du zu sagen, o Sāmirī?«

97. Er sprach:»Ich gewahrte, was sie nicht gewahren konnten. Ich nahm nur weniges von der Lehre des Gesandten (Moses) an, aber ich gab auch das auf. Das ist's, was mir mein Sinn vortäuschte.«

98. (Moses) sprach:»Geh denn hin! Du sollst (dein) ganzes Leben lang sprechen müssen: ›Berührt (mich) nicht‹; und dann

ist da eine Androhung (von Strafe) für dich, der du nicht entgehen wirst. So schaue nun auf deinen ›Gott‹, dessen ergebener Anbeter du geworden bist. Wir werden ihn ganz gewiß verbrennen und ihn darauf ins Meer streuen.«

99. Euer Gott ist einzig Allah, außer Dem es keinen Gott gibt. Er umfaßt alle Dinge mit Wissen.

100. Also erzählen Wir dir so manche Geschichte von dem, was zuvor geschah. Und Wir haben dir von Uns eine Ermahnung gegeben.

101. Wer sich von ihr abkehrt, der wird fürwahr am Tage der Auferstehung eine Last tragen,

102. Darin verweilend; und schwer wird ihnen die Bürde sein am Tage der Auferstehung –

103. Dem Tage, da in die Trompete geblasen wird. An jenem Tage werden Wir die Schuldigen versammeln, die blauäugigen.

104. Sie werden einander heimlich zuflüstern: »Ihr weiltet nur zehn.«

105. Wir wissen am besten, was sie sagen werden. Dann wird der Gläubigste unter ihnen sprechen: »Nur einen Tag verweiltet ihr.«

106. Sie werden dich nach den Bergen fragen. Sprich: »Mein Herr wird sie entwurzeln und zerstreuen.

107. Und Er wird sie als eine leere Ebene zurücklassen,

108. Worin du weder Vertiefung noch Erhöhung sehen wirst.«

109. An jenem Tage werden sie dem Rufer folgen, der keine Krümme hat; alle Stimmen werden gesenkt sein vor dem Gnadenreichen, und nichts wirst du hören als ein leises Tappen von Füßen.

110. An jenem Tage wird Fürsprache keinem frommen, außer jenem, dem der Gnadenreiche Erlaubnis gibt und dessen Wort Ihm wohlgefällig ist.

111. Er kennt alles, was vor ihnen ist und was hinter ihnen ist, sie aber können es nicht umfassen mit Wissen.

112. Alle Gesichter werden sich demütig neigen vor dem Lebendigen, dem Ewigen, Erhaltenden. Und hoffnungslos fürwahr ist jener, der an Frevel trägt.

113. Wer aber gute Werke übt und dabei gläubig ist, wird weder vor Ungerechtigkeit Furcht empfinden noch Verlust fürchten.

114. So haben Wir ihn niedergesandt als einen arabischen Koran, und Wir haben darin gewisse Warnungen klargemacht, auf daß sie Gott fürchten mögen oder daß er ihnen eine Ermahnung sei.

115. Hoch erhaben ist Allah, der wahre König! Und überhaste dich nicht mit dem Koran, ehe seine Offenbarung dir vollständig zuteil geworden, sondern sprich: »O mein Herr, mehre mich an Wissen.«

116. Wahrlich, Wir schlossen einen Bund mit Adam zuvor, aber er vergaß; Wir fanden jedoch in ihm keine Absicht (zum Bösen).

117. Und als Wir zu den Engeln sprachen: »Bezeuget Adam Ehrerbietung«, da bezeugten sie (ihm) Ehrerbietung. Nur Iblis nicht. Er weigerte sich.

118. Darum sprachen Wir: »O Adam, dieser ist dir ein Feind und deinem Weibe; daß er euch nicht beide aus dem Garten treibe! Sonst würdest du elend.

119. Es ist für dich (gesorgt), daß du darin weder Hunger fühlen noch nackend sein sollst.

120. Und daß du darin nicht dürsten noch der Sonnenhitze ausgesetzt sein sollst.«

121. Jedoch Satan flüsterte ihm Böses ein; er sprach: »O Adam, soll ich dich zum Baume der Ewigkeit führen und zu einem Königreich, das nimmer vergeht?«

122. Da aßen sie beide davon, so daß ihre Blöße ihnen offenbar wurde, und sie begannen, die Blätter des Gartens über sich zusammenzustecken. Und Adam befolgte nicht das Gebot seines Herrn und ging irre.

123. Dann erwählte ihn sein Herr und wandte Sich ihm zu mit Erbarmen und leitete (ihn).

124. Er sprach: »Gehet aus von hier allzumal, dieweil einer von euch des andern Feind ist! Und wenn von Mir Führung zu euch kommt, dann wird, wer Meiner Führung folgt, nicht zugrunde gehen, noch wird er elend.

125. Wer sich jedoch abkehrt von Meiner Ermahnung, dem wird ein Leben in Drangsal sein, und am Tage der Auferstehung werden Wir ihn blind auferwecken.«

126. Er wird sprechen: »Mein Herr, warum hast Du mich blind auferweckt, obwohl ich (vordem) sehen konnte?«

127. Er wird sprechen: »Also sind ja Unsere Zeichen zu dir gekommen, und du hast sie mißachtet: also wirst du nun heute mißachtet sein.«

128. Und ebenso lohnen Wir auch dem, der maßlos ist und nicht an die Zeichen seines Herrn glaubt; und die Strafe des Jenseits ist wahrlich strenger und nachhaltiger.

129. Leuchtet es ihnen nicht ein, wie viele Geschlechter vor ihnen Wir schon vernichteten, in deren Wohnstätten sie (nun) wandeln? Darin sind wahrlich Zeichen für Leute, die mit Vernunft begabt sind.

130. Und wäre nicht zuvor ein Wort[65] von deinem Herrn ergangen und eine Frist festgesetzt worden, (die Strafe) wäre lang dauernd.

131. Ertrage denn geduldig, was sie sagen, und lobpreise deinen Herrn vor Aufgang der Sonne und vor ihrem Untergang; und verherrliche (Ihn) in den Stunden der Nacht und an den Enden des Tags, auf daß du wahre Glückseligkeit finden mögest.

132. Und richte deine Blicke nicht auf das, was Wir einigen von ihnen zu (kurzem) Genuß gewährten – den Glanz des irdischen Lebens –, um sie dadurch zu prüfen. Denn deines Herrn Versorgung ist besser und bleibender.

133. Und fordere die Deinen zum Gebet auf und sei (selbst) ausdauernd darin. Wir verlangen nicht Unterhalt von dir; Wir Selbst sorgen für dich. Und der Ausgang ist für Rechtschaffenheit.

134. Sie sagen: »Warum bringt er uns nicht ein Zeichen von seinem Herrn?« Ist ihnen denn nicht der klarste Beweis gekommen für das, was in den früheren Schriften steht?

135. Und hätten Wir sie vor ihm (dem Propheten) durch eine Strafe vernichtet, dann hätten sie gewiß gesagt: »Unser Herr, warum schicktest Du uns nicht einen Gesandten, daß wir Deine Gebote hätten befolgen mögen, ehe wir gedemütigt und beschämt würden?«

136. Sprich: »Ein jeder wartet; so wartet auch ihr, und ihr werdet erfahren, wer die Befolger des rechten Pfades und rechtgeleitet sind.«

1. Im Namen Allahs, des Gnädigen, des Barmherzigen.

2. Genaht ist den Menschen ihre Abrechnung, und doch wenden sie sich in Achtlosigkeit ab.

3. Keine neue Ermahnung kommt zu ihnen von ihrem Herrn, die sie nicht spöttelnd anhörten.

4. Ihre Herzen sind vergeßlich. Und sie besprechen sich insgeheim – sie, die da freveln – (dann sagen sie): »Ist dieser etwas anderes als ein Mensch wie ihr? Wollt ihr denn zur Zauberei kommen, wo ihr seht?«

5. Er sprach: »Mein Herr weiß, was im Himmel und auf Erden gesprochen wird, und Er ist der Allhörende, der Allwissende.«

6. »Nein«, sagen sie, »aber wirre Träume; nein, er hat ihn erdichtet; nein, er ist (nur) ein Dichter. Möge er uns doch ein Zeichen bringen in der Art, wie die früheren (Propheten) entsandt wurden.«

7. Nie hat vor ihnen irgendeine Stadt je geglaubt, die Wir zerstörten. Würden sie denn glauben?

8. Und Wir entsandten vor dir lediglich Männer, denen Wir Offenbarung zuteil werden ließen – fragt nur diejenigen*, die die Ermahnung besitzen, wenn ihr nicht wisset.

9. Und Wir machten ihnen nicht einen Leib, daß sie keine Speise äßen, noch daß sie ewig lebten.

10. Dann erfüllten Wir ihnen das Versprechen; und Wir erretteten sie und wen Wir wollten; die Übertreter aber vernichteten Wir.

11. Wir haben euch ein Buch herniedergesandt, worin eure Ehre liegt; wollt ihr denn nicht begreifen?

12. Wie so manche Stadt, voll der Ungerechtigkeit, haben Wir schon niedergebrochen und nach ihr ein anderes Volk erweckt!

13. Und da sie Unsere Strafe verspürten, siehe, da begannen sie davor zu fliehen.

14. »Fliehet nicht, sondern kehret zurück zu dem Behagen, das ihr genießen durftet, und zu euren Wohnstätten, damit ihr befragt werdet.«

15. Sie sprachen: »O weh uns, wir waren wahrlich Frevler!«

---

* Juden und Christen.

16. Und dieser Ruf hörte nicht eher auf, als bis Wir sie niedermähten, in Asche verwandelnd.

17. Wir erschufen den Himmel und die Erde und was zwischen beiden ist nicht zum Spiel.

18. Hätten Wir Uns einen Zeitvertreib schaffen wollen, so konnten Wir ihn wohl mit Uns treiben, wenn Wir das überhaupt wollten.

19. Nein, Wir schleudern die Wahrheit wider die Lüge, und sie zerschmettert ihr das Haupt, und siehe, sie vergeht. Und wehe euch ob dessen, was ihr aussagt!

20. Sein ist, wer in den Himmeln und auf der Erde ist. Und die bei Ihm sind, die sind nicht zu stolz, Ihm zu dienen, noch werden sie müde;

21. Sie verherrlichen (Ihn) Nacht und Tag; sie lassen nicht nach.

22. Haben sie sich Götter von der Erde angenommen, die lebendig machen?

23. Gäbe es in ihnen (Himmel und Erde) Götter außer Allah, dann wären wahrlich beide zerrüttet. Gepriesen sei denn Allah, der Herr des Thrones, hoch erhaben über das, was sie aussagen!

24. Er kann nicht befragt werden nach dem, was Er tut, sie aber werden befragt werden.

25. Haben sie sich Götter angenommen außer Ihm? Sprich: »Bringt euren Beweis herbei. Dieser (Koran) ist eine Ehre für jene, die mit mir sind, und eine Ehre für die, die vor mir waren.« Doch die meisten von ihnen kennen die Wahrheit nicht, und so wenden sie sich ab.

26. Und Wir schickten keinen Gesandten von dir, dem Wir nicht offenbart: »Es gibt keinen Gott außer Mir; darum dienet nur Mir.«

27. Und sie sprechen: »Der Gnadenreiche hat Sich einen Sohn zugesellt.« Heilig ist Er! Nein, aber sie sind (nur) geehrte Diener.

28. Sie sprechen vor Ihm kein Wort, und sie handeln nur nach Seinem Befehl.

29. Er weiß, was vor ihnen und was hinter ihnen ist, und sie legen nicht Fürbitte ein, außer für den, der Ihm genehm ist, und sie zittern in Furcht vor Ihm.

30. Und wer von ihnen sagen wollte: »Ich bin ein Gott neben

Ihm«, dem würden Wir es mit der Hölle vergelten. Also vergelten Wir den Frevlern.

31. Haben die Ungläubigen nicht gesehen, daß die Himmel und die Erde in einem einzigen Stück waren, dann zerteilten Wir sie? Und Wir machten aus Wasser alles Lebendige. Wollen sie denn nicht glauben?

32. Und feste Berge haben Wir in der Erde gemacht, auf daß sie nicht mit ihnen wanke; und breite Straßen schufen Wir auf ihr, damit sie die rechte Richtung befolgen möchten.

33. Und Wir machten den Himmel zu einem wohlgeschützten Dach; dennoch kehren sie sich ab von seinen Zeichen.

34. Und Er ist es, Der die Nacht und den Tag erschuf und die Sonne und den Mond. Sie schweben, ein jedes in (seiner) Sphäre.

35. Wir gewährten keinem Menschenwesen vor dir immerwährendes Leben. Drum, wenn du sterben solltest, können sie immerwährend leben?

36. Jedes Lebewesen soll den Tod kosten; und Wir stellen euch auf die Probe mit Bösem und Gutem als eine Prüfung; und zu Uns sollt ihr zurückgebracht werden.

37. Wenn die Ungläubigen dich sehen, so treiben sie nur Spott mit dir: »Ist das der, der eurer Götter Erwähnung tut?«, während sie es doch selbst sind, die der Erwähnung des Gnadenreichen ausweichen.

38. Der Mensch ist aus Übereilung gemacht. Ich werde euch Meine Zeichen zeigen, aber fordert nicht von Mir, daß ich Mich übereile.

39. Und sie sagen: »Wann wird diese Verheißung (in Erfüllung gehen), wenn ihr wahrhaftig seid?«

40. Wenn die Ungläubigen nur die Zeit wüßten, wo sie nicht imstande sein werden, das Feuer von ihren Gesichtern oder von ihren Rücken fernzuhalten, und keine Hilfe wird ihnen zuteil!

41. Nein, es wird über sie kommen unversehens, so daß es sie in Verwirrung stürzt; und sie werden es nicht abwehren können, noch werden sie Aufschub erlangen.

42. Es sind fürwahr schon vor dir Gesandte verspottet worden, dann aber traf jene, die gehöhnt, das, worüber sie spotteten.

43. Sprich: »Wer beschützt euch vor dem Gnadenreichen bei

Nacht und bei Tag?« Und doch kehren sie sich ab von der Ermahnung ihres Herrn.

44. Haben sie etwa Götter, die sie beschützen können vor Uns? Sie vermögen sich selbst nicht zu helfen, noch kann ihnen geholfen werden wider Uns.

45. Nein, Wir ließen diese und ihre Väter leben, bis das Leben ihnen lang wurde. Sehen sie denn nicht, daß Wir in das Land kommen und es einengen an seinen Enden? Können sie denn obsiegen?

46. Sprich: »Ich warne euch nur mit der Offenbarung.« Jedoch die Tauben hören nicht den Ruf, wenn sie gewarnt werden.

47. Und wenn sie ein Hauch von der Strafe deines Herrn berührt, dann werden sie sicherlich sprechen: »O wehe uns, wir waren fürwahr Frevler!«

48. Und Wir werden (genaue) Waagen der Gerechtigkeit aufstellen für den Tag der Auferstehung, so daß keine Seele in irgend etwas Unrecht erleiden wird. Und wäre es das Gewicht eines Senfkorns, Wir wollen es hervorbringen. Und Wir genügen als Rechner.

49. Wir gaben Moses und Aaron das Entscheidende, und Licht und Ermahnung für die Rechtschaffenen,

50. Die ihren Herrn fürchten im verborgenen und vor der »Stunde« bangen.

51. Dieser (Koran) ist eine Ermahnung, voll des Segens, die Wir hinabgesandt haben: wollt ihr sie nun verwerfen?

52. Und vordem gaben Wir Abraham seine Rechtschaffenheit, denn Wir kannten ihn.

53. Da er zu seinem Vater und seinem Volke sprach: »Was sind das für Bildwerke, denen ihr so ergeben seid?«

54. Sie antworteten: »Wir fanden unsere Väter bei ihrer Verehrung.«

55. Er sprach: »Wahrlich, ihr selbst sowohl wie eure Väter seid in offenbarem Irrtum gewesen.«

56. Sie sprachen: »Bringst du uns die Wahrheit, oder gehörst du zu denen, die Scherz treiben?«

57. Er antwortete: »Nein, euer Herr ist der Herr der Himmel und der Erde, Der sie erschuf; und ich bin einer der davon Zeugenden.

58. Und, bei Allah, ich will gewißlich gegen eure Götzen verfahren, nachdem ihr kehrend weggegangen seid.«

59. So schlug er sie in Stücke, (alle) außer ihrem Obersten, damit sie sich an ihn wenden könnten.

60. Sie sprachen: »Wer hat unseren Göttern dies angetan? Er muß fürwahr ein Frevler sein.«

61. Sie sprachen: »Wir hörten einen Jüngling von ihnen reden; Abraham heißt er.«

62. Sie sprachen: »So bringt ihn vor die Augen des Volkes, damit sie urteilen.«

63. Sie sprachen: »Bist du es, der unseren Göttern dies angetan hat, o Abraham?«

64. Er antwortete: »Irgend jemand hat es getan. Ihr Oberster ist hier. Fragt sie doch, wenn sie reden können.«

65. Da wandten sie sich zueinander und sprachen: »Ihr selber seid wahrhaftig im Unrecht.«

66. Und ihre Köpfe mußten sie hängen lassen in bitterer Scham: »Du weißt recht wohl, daß diese nicht reden.«

67. Er sprach: »Verehrt ihr denn statt Allah das, was euch nicht den geringsten Nutzen bringen noch euch schaden kann?

68. Pfui über euch und über das, was ihr statt Allah anbetet! Wollt ihr denn nicht begreifen?«

69. Sie sprachen: »Verbrennt ihn und helft euren Göttern, wenn ihr etwas tun wollt.«

70. Wir sprachen: »O Feuer, sei kühl und ohne Harm für Abraham!«

71. Und sie strebten, ihm Böses zu tun, allein Wir machten sie zu den größten Verlierern.

72. Und Wir retteten ihn und Lot nach dem Land, das Wir für die Welten gesegnet hatten.

73. Und Wir schenkten ihm Isaak und als Sohnessohn Jakob, und Wir machten sie alle rechtschaffen.

74. Und Wir machten sie zu Führern, die (die Menschen) leiteten nach Unserem Geheiß, und Wir sandten ihnen Offenbarung, Gutes zu tun, das Gebet zu verrichten und Almosen zu geben. Und sie verehrten Uns allein.

75. Und Lot gaben Wir Weisheit und Wissen. Und Wir retteten

ihn aus der Stadt, die Schändlichkeiten beging. Sie waren fürwahr ein ruchloses Volk und Empörer.

76. Und Wir ließen ihn eingehen in Unsere Barmherzigkeit; denn er war einer der Rechtschaffenen.

77. Und (gedenke) Noahs, da er vordem (zu Uns) rief. Wir erhörten ihn und retteten ihn und seine Angehörigen aus der großen Drangsal.

78. Und Wir halfen ihm wider das Volk, das Unsere Zeichen verwarf. Sie waren fürwahr ein ruchloses Volk; so ertränkten Wir sie alle.

79. Und (gedenke) Davids und Salomos, da sie über den Acker richteten, worin die Schafe eines Volkes sich zur Nachtzeit verliefen und weideten; und Wir waren Zeugen für ihren Spruch.

80. Wir gaben Salomo volle Einsicht in die Sache, und jedem (von ihnen) gaben Wir Weisheit und Wissen. Und Wir machten die Berge und die Vögel dienstbar, mit David zusammen (Gottes) Preis zu verkünden, und Wir konnten das tun.

81. Und Wir lehrten ihn das Verfertigen von Panzerhemden für euch, daß sie euch schützen möchten in euren Kriegen. Wollt ihr denn nicht dankbar sein?

82. Und Salomo den Sturmwind[66], der in seinem Auftrage nach dem Lande blies, das Wir gesegnet hatten. Und Wir haben Kenntnis von allen Dingen.

83. Und Teufel, die für ihn tauchten und dazu noch andere Werke verrichteten; und Wir Selbst beaufsichtigten sie.

84. Und (gedenke) Hiobs, da er zu seinem Herrn rief: »Unheil hat mich geschlagen, und Du bist der Barmherzigste aller Barmherzigen.«

85. Da erhörten Wir ihn und nahmen sein Unheil hinweg, und Wir gaben ihm seine Familie (wieder) und noch einmal so viele dazu, als Barmherzigkeit von Uns und als Ermahnung für die Verehrenden.

86. Und (gedenke) Ismaels und Idris' und Dhul-Kifls.* Sie alle zählten zu den Standhaften.

---

* Hesekiel.

87. Wir ließen sie eingehen in Unsere Barmherzigkeit, denn sie gehörten zu den Rechtschaffenen.

88. Und (gedenke) Dhul-Nūns (Jonas), da er im Zorn hinwegging und überzeugt war, daß Wir ihn nie in Betrübnis bringen würden, und er rief in der dichten Finsternis: »Es gibt keinen Gott außer Dir. Heilig bist du! Ich bin fürwahr einer der Frevler gewesen.«

89. Da erhörten Wir ihn und retteten ihn aus der Trübsal; also retten Wir die Gläubigen.

90. Und (gedenke) Zacharias', da er zu seinem Herrn rief: »Mein Herr, lasse mich nicht einsam, und Du bist der Beste der Erben.«

91. Da erhörten Wir ihn und schenkten ihm Johannes und heilten ihm sein Weib. Sie pflegten miteinander zu wetteifern in guten Taten, und sie riefen Uns an in Hoffnung und in Furcht und waren demütig vor Uns.

92. Und die ihre Keuschheit wahrte – Wir hauchten ihr von Unserem Geist ein* und machten sie und ihren Sohn zu einem Zeichen für die Welt.

93. Diese eure Gemeinde ist die einige Gemeinde; und Ich bin euer Herr, darum dienet Mir.

94. Sie aber sind untereinander zerbrochen; alle werden sie zu Uns zurückkehren.

95. Wer also gute Werke tut und gläubig ist, dessen Bemühen wird nicht unbelohnt bleiben. Wir werden es gewißlich verzeichnen.

96. Und es ist ein unwiderruflicher Bann für eine Stadt, die Wir zerstört, daß sie nicht wiederkehren sollen,

97. Bis dann, wenn Gog und Magog freigelassen werden, sie von allen Höhen herbeieilen.

98. Und die wahre Verheißung naht; dann siehe, es werden die Augen derer, die ungläubig waren, starr blicken: »O wehe uns, wir waren in der Tat uneingedenk dessen; ja, wir waren Frevler!«

99. Wahrlich, ihr und das, was ihr anbetet statt Allah, Brennstoff der Hölle ist's. Dahin werdet ihr kommen müssen.

---

* D. h. sandten Unsere Offenbarung.

100. Wären diese Götter gewesen, sie wären nicht dahin gekommen; doch sie müssen alle darin bleiben.

101. Ihr Los darin wird Stöhnen sein, und darin werden sie nicht hören.

102. Die aber, an welche (die Verheißung) eines herrlichen Lohns schon vordem von Uns ergangen ist, diese werden von ihr (der Hölle) weit entfernt sein.

103. Sie werden nicht den leisesten Laut davon hören, während sie in dem verweilen, was ihre Seelen begehren.

104. Der große Schrecken wird sie nicht betrüben, und die Engel werden ihnen entgegenkommen: »Das ist euer Tag, der euch verheißen ward.«

105. An dem Tage, da Wir die Himmel zusammenrollen werden, wie die Schriftrollen zusammengerollt werden. Wie Wir die erste Schöpfung begannen, (so) werden Wir sie erneuern – bindend für Uns ist die Verheißung; wahrlich, Wir werden (sie) erfüllen.

106. Und bereits haben Wir in dem Buche (Davids), nach der Ermahnung, geschrieben, daß Meine rechtschaffenen Diener das Land erben sollen.

107. Hierin ist wahrlich eine Botschaft für ein Volk, das (Gott) dient.

108. Wir entsandten dich nur als eine Barmherzigkeit für alle Welten.

109. Sprich: »Mir ward lediglich offenbart, daß euer Gott nur der Einige Gott ist. Wollt ihr denn nicht annehmen?«

110. Doch wenn sie den Rücken kehren, so sprich: »Ich habe die Kunde euch gleichmäßig entboten, und ich weiß nicht, ob nah oder ferne ist, was euch verheißen ward.

111. Wahrlich, Er kennt, was offen ist in der Rede, und Er weiß, was ihr verheimlicht.

112. Und ich weiß nicht, ob es vielleicht nur eine Prüfung für euch ist und ein Nießbrauch auf eine Weile.«

113. Er sprach: »Mein Herr, richte in Wahrheit. Unser Herr ist der Gnadenreiche, Dessen Hilfe anzuflehen ist wider das, was ihr behauptet.«

1. Im Namen Allahs, des Gnädigen, des Barmherzigen.
2. O ihr Menschen, fürchtet euren Herrn; denn das Erdbeben der »Stunde« ist ein schreckliches Ding.
3. An dem Tage, da ihr es seht, wird jede Säugende ihren Säugling vergessen und jede Schwangere sich ihrer Last entledigen; und du wirst die Menschen als Trunkene sehen, obwohl sie nicht trunken sein werden, allein die Strafe Allahs wird streng sein.
4. Und unter den Menschen ist manch einer, der über Allah streitet ohne Wissen und jedem in der Empörung hartnäckigen Bösling folgt,
5. Über den beschlossen ist, daß, wer ihn zum Freund nimmt, den wird er irreführen und wird ihn zur Strafe des Feuers leiten.
6. O ihr Menschen, wenn ihr im Zweifel seid über die Auferstehung, so (bedenkt) daß Wir euch aus Erde erschaffen haben, dann aus einem Samentropfen, dann aus einem Blutgerinnsel, dann aus einem Klumpen Fleisch, teils geformt und teils ungeformt, auf daß Wir es euch deutlich machen. Und Wir lassen in den Mutterschößen ruhen, was Wir wollen, bis zu einer bestimmten Frist; dann bringen Wir euch als Kindchen hervor; dann (ziehen Wir euch groß) daß ihr eure Vollkraft erreicht. Und mancher unter euch wird abberufen, und mancher unter euch wird zu einem hinfälligen Greisenalter zurückgeführt, so daß er, nach dem Wissen, nichts mehr weiß. Und du siehst die Erde leblos, doch wenn Wir Wasser über sie niedersenden, dann regt sie sich und schwillt und läßt alle Arten von entzükkenden (Pflanzen) hervorsprießen.
7. Dies, weil Allah die Wahrheit ist und weil Er es ist, Der die Toten lebendig macht, und weil Er die Macht über alles hat;
8. Und weil die »Stunde« kommt – daran ist kein Zweifel – und weil Allah alle erwecken wird, die in den Gräbern sind.
9. Und unter den Menschen ist manch einer, der über Allah streitet ohne Wissen oder Führung oder ein erleuchtendes Buch,
10. Sich hochmütig abwendend, daß er wegführe von Allahs Pfad. Ihm ist Schande bestimmt hienieden; und am Tage der Auferstehung werden Wir ihn die Strafe des Verbrennens kosten lassen:
11. »Das geschieht um dessentwillen, was deine Hände voraus-

geschickt haben; denn Allah ist nicht ungerecht gegen die Diener.«

12. Und unter den Menschen ist manch einer, der Allah (sozusagen) am Rande dient. Wenn ihn Gutes trifft, so ist er damit zufrieden; trifft ihn aber eine Prüfung, dann kehrt er zu seinem (früheren) Weg zurück. Er verliert diese Welt so gut wie die künftige. Das ist ein offenbarer Verlust.

13. Er ruft statt Allah das an, was ihm weder zu schaden noch zu nützen vermag. Das heißt zu weit irregehen!

14. Er ruft den an, dessen Schaden näher ist als sein Nutzen. Übel ist fürwahr der Beschützer und übel fürwahr der Freund.

15. Wahrlich, Allah wird jene, die glauben und gute Werke tun, in Gärten führen, durch die Ströme fließen; siehe, Allah tut, was Er will.

16. Wer da meint, daß Allah ihm (dem Propheten) niemals helfen wird hienieden und im Jenseits, der soll doch mit Hilfe eines Seils zum Himmel emporsteigen und es abschneiden. Dann soll er sehen, ob sein Anschlag das hinwegnehmen wird, was (ihn) erzürnt.

17. Also haben Wir ihn (den Koran) hinabgesandt als deutliche Zeichen, und gewiß, Allah weist den Weg, wem Er will.

18. Siehe, die gläubig sind, und die Juden, und die Sabäer, und die Christen, und die Magier, und die Götzendiener – wahrlich, Allah wird richten zwischen ihnen am Tage der Auferstehung, denn Allah ist Zeuge über alle Dinge.

19. Hast du nicht gesehen, daß sich vor Allah anbetend beugt, wer in den Himmeln und wer auf Erden ist, und die Sonne, und der Mond, und die Sterne, und die Berge, und die Bäume, und die Tiere, und viele der Menschen? Vielen aber gebührt die Strafe. Und wen Allah erniedrigt, dem kann keiner Ehre geben. Wahrlich, Allah tut, was Er will.

20. Diese beiden* sind zwei Streitende, die hadern über ihren Herrn. Die nun ungläubig sind, Kleider aus Feuer werden für sie zurechtgeschnitten werden; siedendes Wasser wird über ihre Köpfe gegossen werden,

---

* Die Gläubigen und die Ungläubigen.

21. Wodurch das, was in ihren Bäuchen ist, und die Haut schmelzen wird;

22. Und ihnen sind eiserne Keulen bestimmt.

23. Sooft sie vor Angst daraus zu entrinnen streben, sollen sie wieder dahin zurückgetrieben werden; und (es wird zu ihnen gesprochen werden): »Kostet die Strafe des Verbrennens.«

24. Doch Allah wird jene, die gläubig sind und gute Werke tun, in Gärten führen, durch welche Ströme fließen. Sie sollen darin geschmückt sein mit Armspangen von Gold und Perlen, und ihre Gewänder darinnen sollen von Seide sein.

25. Und sie werden zu lauterster Rede geleitet werden, und sie werden geleitet werden zu dem Pfade des Preiswürdigen.

26. Die aber ungläubig sind und abhalten vom Wege Allahs und von der Heiligen Moschee – die Wir zum Wohl aller Menschen bestimmt haben, gleich ob sie dort angesiedelt oder Wüstenbewohner sind –, und wer hier irgendeine Krümme sucht durch Ruchlosigkeit: Wir werden ihn schmerzliche Strafe kosten lassen.

27. Und (bedenke) wie Wir für Abraham die Städte des Hauses bestimmten (und sprachen): »Setze Mir nichts zur Seite, und halte Mein Haus rein für diejenigen, die den Umgang vollziehen und die stehen und sich beugen und niederfallen (im Gebet);

28. Und verkündige den Menschen die Pilgerfahrt: Sie werden zu dir kommen zu Fuß und auf jedem hageren Kamel, auf allen fernen Wegen,

29. Auf daß sie ihre Vorteile wahrnehmen und des Namens Allahs gedenken während der bestimmten Tage für das, was Er ihnen gegeben hat an Vieh. Darum esset davon und speist den Notleidenden, den Bedürftigen.

30. Dann sollen sie ihrer persönlichen Reinigung obliegen und ihre Eide erfüllen und um das Altehrwürdige Haus* wandeln.«

31. Das (ist so). Und wer die heiligen Dinge Allahs ehrt, es wird gut für ihn sein vor seinem Herrn. Erlaubt ist euch alles Vieh, mit Ausnahme dessen, was euch angesagt worden ist. Meidet darum den Greuel der Götzen und meidet das Wort der Lüge.

32. Ganz Allah ergeben, ohne Ihm etwas zur Seite zu stellen.

---

* Die Ka'ba.

Denn wer Allah etwas zur Seite stellt, es ist, als falle er von einer Höhe und die Vögel erhaschten ihn und der Wind verwehe ihn an einen fernen Ort.

33. Das (ist so). Und wer die Zeichen Allahs ehrt – das rührt wahrlich von der Rechtschaffenheit der Herzen her.

34. In ihnen (Opfertieren) sind Vorteile für euch auf eine bestimmte Frist, dann aber ist ihr Opferplatz bei dem Altehrwürdigen Haus.

35. Und für jedes Volk gaben Wir Anleitung zur Opferung, daß sie des Namens Allahs gedenken für das, was Er ihnen gegeben hat an Vieh. So ist euer Gott ein Einiger Gott; darum ergebt euch Ihm. Und gib frohe Botschaft den Demütigen,

36. Deren Herzen mit Furcht erfüllt sind, wenn Allah erwähnt wird, und die geduldig tragen, was sie trifft, und das Gebet verrichten und spenden von dem, was Wir ihnen gegeben haben.

37. Und unter den Zeichen Allahs haben Wir für euch die Opferkamele bestimmt. An ihnen habt ihr viel Gutes. So sprechet den Namen Allahs über sie aus, wenn sie gereiht dastehen. Und wenn ihre Seiten niederfallen, so esset davon und speiset den Bedürftigen und den Bittenden. Also haben Wir sie euch dienstbar gemacht, daß ihr dankbar seiet.

38. Ihr Fleisch erreicht Allah nicht, noch tut es ihr Blut, sondern eure Ehrfurcht ist es, die Ihn erreicht. Also hat Er sie euch dienstbar gemacht, daß ihr Allah dafür preiset, daß Er euch geleitet hat. Und gib frohe Botschaft denen, die Gutes tun.

39. Wahrlich, Allah schirmt jene, die gläubig sind. Gewiß, Allah liebt keinen Treulosen, Undankbaren.

40. Erlaubnis (sich zu verteidigen) ist denen gegeben, die bekämpft werden, weil ihnen Unrecht geschah – und Allah hat fürwahr die Macht, ihnen zu helfen –,

41. Jenen, die schuldlos aus ihren Häusern vertrieben wurden, nur weil sie sprachen: »Unser Herr ist Allah.« Und würde Allah nicht die einen Menschen durch die anderen im Zaum halten, so wären gewiß Klöster und Kirchen und Synagogen und Moscheen niedergerissen worden, worin der Name Allahs oft genannt wird. Allah wird sicherlich dem beistehen, der Ihm beisteht. Allah ist fürwahr allmächtig, gewaltig.

42. Jenen, die, wenn Wir sie auf der Erde ansiedelten, das

Gebet verrichten und die Zakāt zahlen und Gutes gebieten und Böses verbieten würden. Und bei Allah ruht der Ausgang aller Dinge.

43. Wenn sie dich der Lüge bezichtigen, so haben schon vor ihnen das Volk Noahs und die 'Ād und die Thamūd (ihre Propheten) der Lüge bezichtigt;

44. Wie auch das Volk Abrahams und das Volk des Lot,

45. Und die Bewohner von Midian. Auch Moses ward der Lüge geziehen. Allein Ich gewährte Aufschub den Ungläubigen; dann erfaßte Ich sie, und wie war (die Folge) Meiner Verleugnung!

46. Wie so manche Stadt haben Wir zerstört, weil sie voll des Frevels war, daß ihre Dächer mit ihr eingestürzt sind, und manch verlassenen Brunnen und manch hochragendes Schloß!

47. Sind sie denn nicht im Lande umhergereist, so daß sie Herzen haben könnten, damit zu begreifen, oder Ohren, damit zu hören? Denn fürwahr, es sind ja nicht die Augen, die blind sind, sondern blind sind die Herzen, die in den Busen sind.

48. Und sie fordern dich auf, die Strafe zu beschleunigen, doch Allah wird nie Sein Versprechen brechen. Wahrlich, ein Tag bei deinem Herrn ist gleich tausend Jahren nach eurer Rechnung.

49. Und manch einer Stadt gab Ich Aufschub, ob sie gleich des Frevels voll war. Zuletzt aber erfaßte Ich sie, und zu Mir ist die Heimkehr.

50. Sprich: »O ihr Menschen, ich bin euch nur ein aufklärender Warner.«

51. Diejenigen, die glauben und gute Werke tun, für sie ist Vergebung und eine ehrenvolle Versorgung.

52. Die aber, die gegen Unsere Zeichen eifern und obzusiegen versuchen, sollen die Bewohner des Feuers sein.

53. Und Wir schickten vor dir keinen Gesandten oder Propheten, dem, wenn er etwas wünschte, Satan seinen Wunsch nicht durchkreuzte. Doch Allah macht zunichte, was Satan unternimmt. Dann setzt Allah Seine Zeichen ein. Und Allah ist allwissend, allweise.

54. (Er läßt dies zu) damit Er das, was Satan unternimmt, zur Prüfung für die machen kann, in deren Herzen Krankheit ist

und deren Herzen verhärtet sind – wahrlich, die Frevler sind in äußerster Auflehnung.

55. Und damit die, denen das Wissen gegeben ward, erkennen, daß es die Wahrheit ist von deinem Herrn, so daß sie daran glauben und ihre Herzen Ihm unterwürfig werden mögen. Und siehe, Allah leitet jene, die gläubig sind, auf den geraden Weg.

56. Und die Ungläubigen werden nicht aufhören, Zweifel daran zu hegen, bis die »Stunde« unerwartet über sie hereinbricht oder die Strafe eines unheilvollen Tags zu ihnen kommt.

57. Das Reich wird an jenem Tage Allahs sein. Er wird zwischen ihnen richten. Also werden jene, die gläubig sind und gute Werke tun, in Gärten der Seligkeit sein.

58. Die aber ungläubig sind und Unsere Zeichen verwerfen, denen wird schmähliche Strafe.

59. Diejenigen, die auswandern um Allahs willen und dann erschlagen werden oder sterben, denen wird Allah fürwahr eine stattliche Versorgung bereiten. Wahrlich, Allah, Er ist der beste Versorger.

60. Er wird sie gewiß in einen Ort eingehen lassen, mit dem sie wohl zufrieden sind. Und Allah ist wahrlich allwissend, langmütig.

61. Das (soll so sein). Und wer Vergeltung übt nach dem Maße dessen, womit er gekränkt worden ist, und dann (wiederum) Unrecht leidet, dem wird Allah sicherlich beistehen. Wahrlich, Allah ist allvergebend, allverzeihend.

62. Das ist, weil Allah die Nacht unmerklich folgen läßt auf den Tag und den Tag unmerklich folgen läßt auf die Nacht, und weil Allah allhörend, allsehend ist.

63. Das ist, weil Er, Allah, die Wahrheit ist, und das, was sie statt Ihm anrufen, die Lüge ist und weil Allah der Erhabene ist, der Große.

64. Hast du denn nicht gesehen, daß Allah Wasser herabsendet vom Himmel und die Erde grün wird? Allah ist fürwahr gütig, allwissend.

65. Sein ist, was in den Himmeln und was auf der Erde ist, und Allah ist fürwahr der Sich Selbst Genügende, der Preiswürdige.

66. Hast du denn nicht gesehen, daß Allah euch dienstbar gemacht hat, was auf Erden ist, und die Schiffe, die das Meer

durchsegeln nach Seinem Geheiß? Und Er hält den Regen[67] zurück, daß er nicht auf die Erde falle, außer mit Seiner Erlaubnis. Wahrlich, Allah ist gütig und barmherzig gegen die Menschen.

67. Und Er ist es, Der euch das Leben gab, dann wird Er euch sterben lassen, dann wird Er euch (wieder) lebendig machen. Wahrlich, der Mensch ist höchst undankbar.

68. Einem jeden Volke haben Wir Andachtsübungen gegeben, die sie befolgen; sie sollen daher nicht mit dir streiten in dieser Sache; sondern rufe (sie) zu deinem Herrn. Wahrlich, du folgst der rechten Führung.

69. Wenn sie jedoch mit dir hadern, so sprich: »Allah weiß am besten, was ihr tut.

70. Allah wird richten zwischen euch am Tage der Auferstehung über das, worüber ihr uneinig wart.«

71. Weißt du nicht, daß Allah kennt, was im Himmel und was auf der Erde ist? Fürwahr, das steht in einem Buch, das ist für Allah ein leichtes.

72. Sie verehren statt Allah das, wofür Er keine Ermächtigung herabgesandt hat und wovon sie keine Kenntnis haben. Und für die Ungerechten gibt es keinen Helfer.

73. Wenn Unsere klaren Zeichen ihnen vorgetragen werden, dann kannst du auf dem Antlitz derer, die ungläubig sind, Verneinung wahrnehmen. Sie möchten am liebsten über die herfallen, die ihnen Unsere Zeichen vortragen. Sprich: »Soll ich euch von etwas Schlimmerem als diesem Kunde geben? Dem Feuer! Allah hat es denen verheißen, die ungläubig sind. Und eine üble Bestimmung ist es!«

74. O ihr Menschen, ein Gleichnis ist geprägt, so höret darauf: Gewiß, jene, die ihr anruft statt Allah, werden in keiner Weise vermögen, (auch nur) eine Fliege zu erschaffen, wenn sie sich dazu auch zusammentäten. Und wenn die Fliege ihnen etwas raubte, sie können es ihr nicht entreißen. Schwach ist der Suchende wie der Gesuchte.

75. Sie schätzen Allah nicht, wie es Ihm gebührt. Gewiß, Allah ist stark, allmächtig.

76. Allah erwählt aus den Engeln Gesandte und aus den Menschen. Siehe, Allah ist allhörend, allsehend.

77. Er weiß, was vor ihnen ist und was hinter ihnen ist; und zu Allah sollen alle Sachen zurückgebracht werden.

78. O die ihr glaubt, beuget euch und fallet nieder und verehret euren Herrn, und tut das Gute, auf daß ihr Erfolg habt.

79. Und eifert in Allahs Sache, wie dafür geeifert werden soll. Er hat euch erwählt und hat euch keine Härte auferlegt in der Religion; (folget) dem Bekenntnis eures Vaters Abraham. Er ist es, Der euch vordem schon Muslims nannte und (nun) in diesem (Buche), damit der Gesandte Zeuge sei über euch und damit ihr Zeugen seiet über die Menschen. Drum verrichtet das Gebet und zahlet die Zakāt und haltet fest an Allah. Er ist euer Gebieter. Ein vortrefflicher Gebieter und ein vortrefflicher Helfer!

1. Im Namen Allahs, des Gnädigen, des Barmherzigen.
2. Erfolg fürwahr krönt die Gläubigen,
3. Die sich demütigen in ihren Gebeten
4. Und die sich fernhalten von allem Eitlen,
5. Und die nach Reinheit streben*
6. Und die ihre Sinnlichkeit im Zaum halten –
7. Es sei denn mit ihren Gattinnen oder denen, die ihre Rechte besitzt, denn dann sind sie nicht zu tadeln;
8. Die aber darüber hinaus Gelüste tragen, die sind die Übertreter –,
9. Und die ihre Treue und ihre Verträge wahren
10. Und die streng auf ihre Gebete achten.
11. Das sind die Erben,
12. Die das Paradies ererben werden. Ewig werden sie darin weilen.
13. Wahrlich, Wir erschufen den Menschen aus reinstem Ton;
14. Dann setzten Wir ihn als Samentropfen an eine sichere Ruhestätte;
15. Dann bildeten Wir den Tropfen zu geronnenem Blut; dann bildeten Wir das geronnene Blut zu einem Fleischklumpen; dann bildeten Wir aus dem Fleischklumpen Knochen; dann bekleideten Wir die Knochen mit Fleisch; dann entwickelten Wir es zu einer anderen Schöpfung. So sei denn Allah gepriesen, der beste Schöpfer.
16. Dann, nach diesem, müßt ihr sicherlich sterben.
17. Dann werdet ihr am Tage der Auferstehung erweckt werden.
18. Und Wir haben über euch sieben Wege geschaffen, und nie sind Wir nachlässig gegen die Schöpfung.
19. Wir sandten Wasser vom Himmel nieder nach bestimmtem Maß, und Wir ließen es in der Erde ruhen; aber Wir vermögen es wieder hinwegzunehmen.
20. Und Wir brachten damit Gärten für euch hervor von Dattelpalmen und Trauben; in ihnen habt ihr reichlich Früchte; und aus ihnen esset ihr;

---

* Oder: die Zakāt zahlen.

21. Und einen Baum, der aus dem Berge Sinai emporwächst; er gibt Öl und Soße für die Essenden.

22. Und im Vieh ist eine Lehre für euch. Wir geben euch zu trinken von dem, was in ihren Leibern ist, und ihr habt an ihnen vielerlei Nutzen, und von ihnen esset ihr;

23. Und auf ihnen sowohl wie in Schiffen werdet ihr getragen.

24. Wir sandten Noah zu seinem Volk, und er sprach: »O mein Volk, dienet Allah. Ihr habt keinen anderen Gott als Ihn. Wollt ihr also nicht rechtschaffen werden?«

25. Aber die Häupter seines Volks, die ungläubig waren, sprachen: »Er ist nur ein Mensch wie ihr; er möchte sich bloß über euch erheben. Hätte Allah gewollt, Er hätte doch gewiß Engel hinabsenden können. Wir haben nie von solchem unter unseren Vorvätern gehört.

26. Er ist nur ein Verrückter; wartet darum eine Weile mit ihm.«

27. Er sprach: »Mein Herr, hilf mir, denn sie haben mich einen Lügner genannt.«

28. So offenbarten Wir ihm: »Mache die Arche unter Unseren Augen und gemäß Unserer Offenbarung. Und wenn Unser Befehl ergeht und die Oberfläche der Erde (Wasser) hervorwallen läßt, dann nimm an Bord ein Paar von jeglicher Art, männlich und weiblich, sowie deine Angehörigen, mit Ausnahme derer unter ihnen, wider die das Wort bereits ergangen ist. Und sprich Mir nicht von denen, die gefrevelt haben, denn sie sollen ertränkt werden.

29. Und wenn du dich in der Arche eingerichtet hast – du und die bei dir sind –, dann sprich: ›Aller Preis gehört Allah, Der uns errettet hat von dem ruchlosen Volk!‹

30. Und sprich: ›Mein Herr, gewähre mir eine gesegnete Landung, denn Du bist der beste Lotse.‹«

31. Wahrlich, hierin sind Zeichen, und Wir stellen nur auf die Probe.

32. Dann ließen Wir nach ihnen ein anderes Geschlecht erstehen.

33. Und Wir entsandten unter sie einen Gesandten aus ihrer Mitte (der sprach): »Dienet Allah, Ihr habt keinen anderen Gott als Ihn. Wollt ihr also nicht rechtschaffen werden?«

34. Die Häupter seines Volks, die ungläubig waren und die Be-

gegnung im Jenseits leugneten und denen Wir die guten Dinge des irdischen Lebens beschert hatten, sprachen: »Das ist nur ein Mensch wie ihr. Er ißt von dem, was ihr esset, und trinkt von dem, was ihr trinket.

35. Und wenn ihr einem Menschen euresgleichen gehorcht, dann werdet ihr gewiß Verlierende sein.

36. Verheißt er euch, daß ihr, wenn ihr tot seid und Staub und Gebeine geworden, wiedererstehen werdet?

37. Weit, weit gesucht ist das, was euch da verheißen wird!

38. Es gibt kein anderes Leben als unser Leben hienieden; wir sterben und wir leben, doch wir werden nicht wiedererweckt werden.

39. Er ist nur ein Mensch, der eine Lüge wider Allah erdichtet hat; und wir wollen ihm nicht glauben.«

40. Er sprach: »Mein Herr, hilf mir, denn sie haben mich einen Lügner genannt.«

41. (Gott) sprach: »In einer kleinen Weile werden sie sicherlich reuig werden.«

42. Da faßte sie der Wirbel nach Gebühr, und Wir machten sie zur Spreu. Verflucht denn sei das Volk, das Frevel begeht!

43. Dann ließen Wir nach ihnen andere Geschlechter erstehen.

44. Kein Volk kann seine festgesetzte Zeit beschleunigen, noch kann es (sie) verzögern.

45. Dann entsandten Wir Unsere Gesandten, einen nach dem andern. Sooft sein Gesandter zu einem Volke kam, nannten sie ihn einen Lügner. So ließen Wir sie einander folgen und machten sie zu Geschichten. Verflucht denn sie das Volk, das nicht glaubt!

46. Dann sandten Wir Moses und seinen Bruder Aaron mit Unseren Zeichen und einer klaren Vollmacht

47. Zu Pharao und seinen Häuptern; doch sie wandten sich verächtlich ab, und sie waren ein hochmütiges Volk.

48. Sie sprachen: »Sollen wir an zwei Menschen gleich uns glauben, wo ihr Volk uns untertänig ist?«

49. So schalten sie sie Lügner, und sie gehörten zu denen, die vernichtet wurden.

50. Wir gaben Moses das Buch, daß sie dem rechten Weg folgen möchten.

51. Und Wir machten den Sohn der Maria und seine Mutter zu einem Zeichen und gaben ihnen Zuflucht auf einem Hügel mit einer grünen Talmulde* und dem fließenden Wasser von Quellen.

52. O ihr Gesandten, esset von den reinen Dingen und tut Gutes. Wahrlich, Ich weiß recht wohl, was ihr tut.

53. Diese eure Gemeinde ist die einige Gemeinde, und Ich bin euer Herr. So nehmet Mich zum Beschützer.

54. Aber sie wurden uneinig untereinander und spalteten sich in Parteien, und jede Partei freute sich über das, was sie selbst hatte.

55. Darum überlasse sie eine Zeitlang ihrer Unwissenheit.

56. Wähnen sie etwa, daß durch die Glücksgüter und die Söhne, womit Wir ihnen helfen,

57. Wir Uns beeilen, ihnen Gutes zu tun? Nein, sie verstehen nicht.

58. Wahrlich, jene, die erbeben in Ehrfurcht vor ihrem Herrn,

59. Und jene, die an die Zeichen ihres Herrn glauben,

60. Und jene, die ihrem Herrn nicht Götter zur Seite stellen,

61. Und jene, die da spenden, was sie spenden; und ihre Herzen zittern, weil sie zu ihrem Herrn zurückkehren werden –

62. Sie sind es, die sich beeilen in guten Werken und die ihnen darin voran sind.

63. Wir belasten niemanden über sein Vermögen. Wir haben ein Buch, das die Wahrheit spricht; und es soll ihnen kein Unrecht geschehen.

64. Nein, ihre Herzen sind gänzlich unachtsam dieses (Buches), und außerdem sind da Tätigkeiten von ihnen, die sie fortführen,

65. Bis daß, wenn Wir die Reichen unter ihnen mit Strafe erfassen; siehe, dann schreien sie um Hilfe.

66. »Schreit nicht um Hilfe heute, denn ihr sollt bei Uns keine Hilfe finden.

67. Meine Zeichen wurden euch vorgetragen, ihr aber pflegtet euch umzukehren auf euren Fersen**,

---

* Oder: Ort, der zum Verweilen einladet.
** Den Glauben zu verleugnen.

68. Verächtlich, und ihr faseltet nächtlicherweile über ihn (den Koran).«

69. Haben sie denn das Wort nicht bedacht, oder ist zu ihnen gekommen, was nicht zu ihren Vorvätern kam?

70. Oder kennen sie ihren Gesandten nicht, daß sie ihn verleugnen?

71. Oder sprechen sie: »Er ist ein Besessener«? Nein, er hat ihnen die Wahrheit gebracht, und die meisten von ihnen hassen die Wahrheit.

72. Und wenn die Wahrheit sich nach ihren Begierden gerichtet hätte, wahrlich, die Himmel und die Erde und wer darinnen ist, wären in Unordnung gestürzt worden. Nein, Wir haben ihnen ihre Ehre gebracht, doch von ihrer eigenen Ehre kehren sie sich ab.

73. Oder forderst du von ihnen irgend Lohn? Doch der Lohn deines Herrn ist besser; und Er ist der beste Versorger.

74. Und gewiß, du lädst sie zu einem geraden Weg;

75. Und jene, die nicht an das Jenseits glauben, weichen wahrlich ab von dem Weg.

76. Und hätten Wir uns ihrer erbarmt und sie von ihrer Drangsal befreit, sie würden dennoch in ihrer Widerspenstigkeit verharren, verblendet irre wandernd.

77. Wir haben sie mit Strafe erfaßt, doch sie haben sich ihrem Herrn nicht unterworfen, noch haben sie sich gedemütigt –

78. Bis Wir vor ihnen ein Tor zu strenger Strafe öffnen werden. Siehe, da werden sie in Verzweiflung darüber sein.

79. Er ist es, Der euch Ohren und Augen und Herzen geschaffen hat. Ihr wißt wenig Dank.

80. Und Er ist es, Der euch auf der Erde gemehrt hat, und zu Ihm werdet ihr versammelt werden.

81. Und Er ist es, Der Leben gibt und Tod verursacht, und in Seinen Händen ist der Wechsel von Nacht und Tag. Wollt ihr denn nicht begreifen?

82. Sie aber sprechen, wie schon die Alten sprachen.

83. Sie sagen: »Wie! wenn wir gestorben und Staub und Knochen geworden sind, sollen wir dann wirklich auferweckt werden?

84. Dies ist uns verheißen worden, uns und unseren Vätern zuvor. Das sind ja nichts als Fabeln der Alten.«

85. Sprich: »Wessen ist die Erde und wer auf ihr ist, wenn ihr es wisset?«

86. Sie werden sprechen: »Allahs.« Sprich: »Wollt ihr denn nicht nachdenken?«

87. Sprich: »Wer ist der Herr der sieben Himmel und der Herr des Großen Throns?«

88. Sie werden sprechen: »(Sie sind) Allahs.« Sprich: »Wollt ihr denn nicht (Ihn) zum Beschützer nehmen?«

89. Sprich: »Wer ist es, in Dessen Hand die Herrschaft über alle Dinge ist und Der Schutz gewährt, aber gegen Den es keinen Schutz gibt, wenn ihr es wisset?«

90. Sie werden sprechen: »(All dies ist) Allah vorbehalten.« Sprich: »Wie also seid ihr verblendet?«

91. Ja, Wir haben ihnen die Wahrheit gebracht, doch wahrhaftig, sie leugnen sie.

92. Allah hat Sich keinen Sohn zugesellt, noch ist irgendein Gott neben Ihm: sonst würde jeder »Gott« mit sich fortgenommen haben, was er erschaffen, und die einen von ihnen hätten sich sicherlich gegen die anderen erhoben. Gepriesen sei Allah über all das, was sie behaupten!

93. Der Kenner des Verborgenen und des Offenbaren! Erhaben ist Er darum über das, was sie anbeten.

94. Sprich: »Mein Herr, wenn Du mich schauen lassen willst, was ihnen angedroht ward,

95. Dann, mein Herr, setze mich nicht unter das Volk der Frevler.«

96. Wir haben wahrlich die Macht, dich schauen zu lassen, was Wir ihnen androhen.

97. Wehre das Böse ab mit dem, was das Beste ist. Wir wissen recht wohl, was für Dinge sie sagen.

98. Und sprich: »Mein Herr, ich nehme meine Zuflucht bei Dir vor den Einflüsterungen der Teufel.

99. Und ich nehme meine Zuflucht bei Dir, mein Herr, daß sie sich mir nicht nähern.«

100. Wenn der Tod an einen von ihnen herantritt, spricht er: »Mein Herr, sende mich zurück,

101. Auf daß ich recht handeln möge in dem, was ich zurück-
ließ.« Keineswegs, es ist nur ein Wort, das er ausspricht. Und
hinter ihnen ist eine Schranke bis zum Tage, an dem sie auferweckt werden.
102. Und wenn in die Posaune gestoßen wird, dann werden
keine Verwandtschaftsbande zwischen ihnen sein an jenem
Tage, noch werden sie einander befragen.
103. Dann werden die, deren gute Werke gewichtig sind, die Erfolgreichen sein.
104. Jene aber, deren gute Werke leicht wiegen, werden die
sein, die ihre Seelen verlieren; in der Hölle müssen sie bleiben.
105. Das Feuer wird ihre Gesichter verbrennen, und sie werden
darin schwarze Gesichter haben.
106. »Wurden euch Meine Zeichen nicht vorgetragen, und ihr
verwarfet sie?«
107. Sie werden sprechen: »Unser Herr, unsere Ruchlosigkeit
überkam uns, und wir waren ein irrendes Volk.
108. Unser Herr, führe uns heraus aus diesem. Wenn wir (zum
Ungehorsam) zurückkehren, dann werden wir wahrlich Frevler
sein.«
109. Er wird sprechen: »Hinab mit euch darein, und redet nicht
mit Mir.
110. Es gab eine Anzahl unter Meinen Dienern, die zu sprechen
pflegten: ›Unser Herr, wir glauben; vergib uns darum und erbarme Dich unser, denn Du bist der beste Erbarmer.‹
111. Ihr aber habt sie mit Spott empfangen, so sehr, daß sie euch
Meine Ermahnung vergessen ließen, während ihr sie verlachtet.
112. Ich habe sie heute belohnt, denn sie waren standhaft.
Wahrlich, sie sind es, die den Sieg erreicht haben.«
113. (Gott) wird sprechen: »Wie viele Jahre verweiltet ihr auf
Erden?«
114. Sie werden sprechen: »Wir verweilten einen Tag oder den
Teil eines Tags, doch frage die Rechnungführenden.«
115. Er wird sprechen: »Ihr verweiltet nur ein weniges, wenn ihr
es nur wüßtet!
116. Glaubtet ihr denn, Wir hätten euch in Sinnlosigkeit geschaffen, und daß ihr nicht zu Uns zurückgebracht würdet?«

117. Doch hoch erhaben ist Allah, der wahre König. Es gibt keinen Gott außer Ihm, dem Herrn des herrlichen Throns.
118. Und wer neben Allah einen anderen Gott anruft, für den er
keinen Beweis hat, der wird seinem Herrn Rechenschaft abzulegen haben. Wahrlich, die Ungläubigen haben keinen Erfolg.
119. Und sprich: »Mein Herr, vergib und habe Erbarmen, denn
Du bist der beste Erbarmer.«

1. Im Namen Allahs, des Gnädigen, des Barmherzigen.

2. Eine Sure, die Wir hinabsandten und die Wir zum Gesetz erhoben. Wir haben darin deutliche Zeichen hinabgesandt, auf daß ihr ermahnt seiet.

3. Wcib und Mann, die des Ehebruchs schuldig sind, geißelt beide mit einhundert Streichen. Und laßt nicht Mitleid mit den beiden euch überwältigen vor dem Gesetze Allahs, so ihr an Allah und an den Jüngsten Tag glaubt. Und eine Anzahl der Gläubigen soll ihrer Strafe beiwohnen.

4. Ein Ehebrecher wohnt nur einer Ehebrecherin oder einer Götzendienerin bei, und einer Ehebrecherin wohnt nur ein Ehebrecher oder Götzendiener bei; den Gläubigen ist das verwehrt.

5. Und diejenigen, die züchtige Frauen verleumden, jedoch nicht vier Zeugen beibringen – geißelt sie mit achtzig Streichen und lasset ihre Aussage niemals gelten, denn sie sind es, die ruchlose Frevler sind.

6. Außer jenen, die hernach bereuen und sich bessern; denn wahrlich, Allah ist allvergebend, barmherzig.

7. Und jene, die ihre Gattinnen verleumden und keine Zeugen haben außer sich selber – die Aussage eines Mannes allein von solchen Leuten soll (genügen), wenn er viermal im Namen Allahs Zeugenschaft leistet, daß er zweifelsohne die Wahrheit redet;

8. Und (sein) fünfter (Eid) soll sein, daß der Fluch Allahs auf ihm sein möge, falls er ein Lügner ist.

9. Von ihr aber soll es die Strafe abwenden, wenn sie viermal im Namen Allahs Zeugenschaft leistet, daß er ein Lügner ist.

10. Und (ihr) fünfter (Eid) soll sein, daß Allahs Zorn auf ihr sein möge, falls er die Wahrheit redet.

11. Wäre nicht Allahs Huld und Seine Barmherzigkeit über euch und (wäre es nicht) daß Allah vielvergebend, allweise ist (ihr wäret verloren gewesen).

12. Diejenigen, welche die große Lüge vorbrachten, sind eine Gruppe unter euch. Glaubt nicht, es sei ein Übel für euch; im Gegenteil, es ist euch zum Guten. Jedem von ihnen soll die Sünde, die er begangen hat; und der unter ihnen, der den Hauptanteil daran hatte, soll eine schwere Strafe erleiden.

13. Warum dachten die gläubigen Männer und Frauen, als ihr es hörtet, nicht Gutes von ihren eigenen Leuten und sprachen: »Das ist eine offenkundige Lüge«?

14. Warum brachten sie nicht vier Zeugen dafür? Da sie keine Zeugen gebracht haben, sind sie es also, die vor Allah die Lügner sind.

15. Wäre nicht Allahs Huld und Seine Barmherzigkeit über euch, hienieden und im Jenseits, eine schwere Strafe hätte euch getroffen für das, worin ihr euch einließet.

16. Als ihr es übernahmt mit euren Zungen und ihr mit eurem Munde das aussprachet, wovon ihr keine Kenntnis hattet, da hieltet ihr es für eine geringe Sache, indes es vor Allah eine große war.

17. Und warum sprachet ihr nicht, als ihr es hörtet: »Es kommt uns nicht zu, darüber zu reden. Heilig bist du! dies ist eine arge Verleumdung«?

18. Allah ermahnt euch, nie wieder dergleichen zu begehen, wenn ihr Gläubige seid.

19. Und Allah erklärt euch die Gebote; denn Allah ist allwissend, allweise.

20. Jenen, die wünschen, daß Unsittlichkeit unter den Gläubigen sich verbreite, wird hienieden und im Jenseits schmerzliche Strafe. Allah weiß, und ihr wisset nicht.

21. Wäre nicht Allahs Huld und Seine Barmherzigkeit über euch und daß Allah gütig, erbarmend ist (ihr wäret zugrunde gegangen).

22. O die ihr glaubt, folget nicht den Fußstapfen Satans. Und wer den Fußstapfen Satans folgt – er gebietet gewiß Schändliches und Unrechtes. Und wäre nicht Allahs Huld und Seine Barmherzigkeit über euch, nicht einer von euch wäre je rein geworden; doch Allah spricht rein, wen Er will. Und Allah ist allhörend, allwissend.

23. Und die unter euch, die Reichtum und Überfluß besitzen, sollen nicht schwören, den Anverwandten und den Bedürftigen und den auf Allahs Pfad Ausgewanderten nicht zu geben. Sie sollen vergeben und verzeihen. Wünscht ihr nicht, daß Allah euch vergebe? Und Allah ist allvergebend, barmherzig.

24. Diejenigen, welche züchtige, ahnungslose, gläubige Frauen

verleumden, sind verflucht hienieden und im Jenseits. Ihrer harrt schwere Strafe

25. An dem Tage, wo ihre Zungen und ihre Hände und ihre Füße wider sie zeugen werden von dem, was sie getan.

26. An dem Tag wird Allah ihnen heimzahlen nach Gebühr, und sie werden erfahren, daß Allah allein die lautere Wahrheit ist.

27. Schlechte Dinge sind für schlechte Menschen, und schlechte Menschen sind für schlechte Dinge. Und gute Dinge sind für gute Menschen, und gute Menschen sind für gute Dinge; sie sind frei von all dem, was sie (die Verleumder) sprechen. Ihrer harrt Vergebung und eine ehrenvolle Versorgung.

28. O die ihr glaubt, betretet nicht andere Häuser als die euren, bevor ihr um Erlaubnis gebeten und ihre Bewohner begrüßt habt. Das ist besser für euch, auf daß ihr achtsam seiet.

29. Und wenn ihr niemanden darin findet, so tretet nicht eher ein, als bis euch Erlaubnis gegeben wird. Und wenn zu euch gesprochen wird: »Kehret um«, dann kehret um; das ist reiner für euch. Und Allah weiß wohl, was ihr tut.

30. Es ist eurerseits keine Sünde, wenn ihr in unbewohnte Häuser tretet, worin sich eure Güter befinden. Allah weiß, was ihr kundtut und was ihr verhehlt.

31. Sprich zu den gläubigen Männern, daß sie ihre Blicke zu Boden schlagen und ihre Keuschheit wahren sollen. Das ist reiner für sie. Wahrlich, Allah ist recht wohl kundig dessen, was sie tun.

32. Und sprich zu den gläubigen Frauen, daß sie ihre Blicke zu Boden schlagen und ihre Keuschheit wahren sollen und daß sie ihre Reize nicht zur Schau tragen sollen, bis auf das, was davon sichtbar sein muß, und daß sie ihre Tücher über ihre Busen ziehen sollen und ihre Reize vor niemandem enthüllen als vor ihren Gatten, oder ihren Vätern, oder den Vätern ihrer Gatten, oder ihren Brüdern, oder den Söhnen ihrer Brüder, oder den Söhnen ihrer Schwestern, oder ihren Frauen, oder denen, die ihre Rechte besitzt, oder solchen von ihren männlichen Dienern, die keinen Geschlechtstrieb haben, und den Kindern, die von der Blöße der Frauen nichts wissen. Und sie sollen ihre Füße nicht zusammenschlagen, so daß bekannt wird, was sie von ihrem

Zierat verbergen. Und bekehret euch zu Allah insgesamt, o ihr Gläubigen, auf daß ihr erfolgreich seiet.

33. Und verheiratet eure Witwen und die (heirats)fähigen unter euren Sklaven (Kriegsgefangenen), männliche wie weibliche. Wenn sie arm sind, so wird Allah sie aus Seiner Fülle reich machen, denn Allah ist freigebig, allwissend.

34. Und diejenigen, die keine (Gelegenheit) zur Ehe finden, sollen sich keusch halten, bis Allah sie aus Seiner Fülle reich macht. Und jene, die eure Rechte besitzt – wenn welche von ihnen eine Freilassungsurkunde begehren, stellt sie ihnen aus, falls ihr in ihnen Gutes wisset; und gebet ihnen von Allahs Reichtum, den Er euch gegeben hat. Und zwingt eure Mägde nicht zur Unzucht (indem ihr sie nicht verheiratet), wenn sie keusch zu bleiben wünschen, nur damit ihr die Güter des irdischen Lebens erlanget. Zwingt sie aber einer, dann wird Allah gewiß allvergebend und barmherzig (zu ihnen) sein nach ihrem Zwang.

35. Wir haben euch deutliche Zeichen niedergesandt und das Beispiel derer, die vor euch dahingingen, und eine Ermahnung für die Gottesfürchtigen.

36. Allah ist das Licht der Himmel und der Erde. Das Gleichnis Seines Lichts ist wie eine Nische, worin sich eine Lampe befindet. Die Lampe ist in einem Glas. Das Glas ist gleichsam ein glitzernder Stern – angezündet von einem gesegneten Baum, einem Ölbaum, weder vom Osten noch vom Westen, dessen Öl beinah leuchten würde, auch wenn das Feuer es nicht berührte. Licht über Licht. Allah leitet zu Seinem Licht, wen Er will. Und Allah prägt Gleichnisse für die Menschen, denn Allah kennt alle Dinge.

37. (Es ist) in Häusern, für die Allah verordnet hat, sie sollten erhöht und Sein Name sollte darin verkündet werden. Darin preisen Ihn am Morgen und am Abend

38. Männer, die weder Ware noch Handel abhält von dem Gedenken an Allah und der Verrichtung des Gebets, und dem Geben der Zakāt. Sie fürchten einen Tag, an dem sich Herzen und Augen verdrehen werden,

39. Daß Allah sie belohne für die besten ihrer Taten und ihnen

Mehrung gebe aus Seiner Fülle. Allah versorgt ja, wen Er will, ohne zu rechnen.

40. Die aber ungläubig sind – ihre Taten sind wie eine Luftspiegelung in einer Ebene. Der Dürstende hält sie für Wasser, bis er, wenn er hinzutritt, sie als Nichts findet. Doch er findet Allah nahebei, Der ihm seine Rechnung voll bezahlt; und Allah ist schnell im Abrechnen.

41. Oder wie Finsternisse in einem tiefen Meer, eine Woge bedeckt es, über ihr ist eine Woge, darüber ist eine Wolke: Finsternisse, eine über der anderen. Wenn er seine Hand ausstreckt, kann er sie kaum sehen; und wem Allah kein Licht gibt – für den ist kein Licht.

42. Hast du nicht gesehen, daß es Allah ist, Den alle lobpreisen, die in den Himmeln und auf Erden sind, und die Vögel auch mit ausgebreiteten Schwingen? Jedes kennt seine eigene (Weise von) Gebet und Lobpreisung. Und Allah weiß wohl, was sie tun.

43. Allahs ist das Königreich der Himmel und der Erde, und zu Allah wird die Heimkehr sein.

44. Hast du nicht gesehen, daß Allah die Wolken einhertreibt, dann sie zusammenfügt, dann sie aufeinanderschichtet, daß du Regen hervorströmen siehst aus ihrer Mitte? Und Er sendet vom Himmel Berge (von Wolken) nieder, in denen Hagel ist, und Er trifft damit, wen Er will, und wendet ihn ab, von wem Er will. Der Glanz seines Blitzes benimmt fast das Augenlicht.

45. Allah läßt wechseln die Nacht und den Tag. Hierin ist wahrlich eine Lehre für solche, die Augen haben.

46. Und Allah hat jedes Lebewesen aus Wasser erschaffen. Unter ihnen sind manche, die auf ihren Bäuchen gehen, und unter ihnen sind manche, die auf zwei Beinen gehen, und unter ihnen sind manche, die auf vieren gehn. Allah schafft, was Er will. Wahrlich, Allah hat Macht über alle Dinge.

47. Wir haben deutliche Zeichen herabgesandt. Und Allah leitet, wen Er will, auf den geraden Weg.

48. Sie sprechen: »Wir glauben an Allah und an den Gesandten, und wir gehorchen«; hierauf aber wenden sich einige von ihnen ab. Und dies sind keine Gläubigen.

49. Und wenn sie zu Allah und Seinem Gesandten gerufen wer-

den, damit er richten möge zwischen ihnen, siehe, dann wendet sich eine Gruppe unter ihnen ab.

50. Doch wenn das Recht auf ihrer Seite ist, dann kommen sie zu ihm gelaufen in aller Unterwürfigkeit.

51. Ist es, daß Krankheit in ihren Herzen ist? Oder zweifeln sie, oder fürchten sie, daß Allah und Sein Gesandter ungerecht gegen sie sein würden? Nein, sie sind es nicht, die Unrecht begehen.

52. Die Rede der Gläubigen, wenn sie zu Allah und Seinem Gesandten gerufen werden, damit er richten möge zwischen ihnen, ist nur, daß sie sprechen: »Wir hören und wir gehorchen.« Und sie sind es, die Erfolg haben werden.

53. Wer Allah und Seinem Gesandten gehorcht und Allah fürchtet und Ihn zum Schild nimmt: solche sind es, die Glückseligkeit erlangen werden.

54. Sie schwören bei Allah ihre feierlichsten Eide, sie würden, wenn du es ihnen befiehlst, gewißlich ausziehen. Sprich: »Schwört nicht! Geziemender Gehorsam!« Wahrlich, Allah ist wohl kundig dessen, was ihr tut.

55. Sprich: »Gehorchet Allah und gehorchet dem Gesandten.« Doch wenn ihr euch abkehrt, dann ist er nur für das verantwortlich, was ihm auferlegt wurde, und ihr seid nur für das verantwortlich, was euch auferlegt wurde. Und wenn ihr ihm gehorcht, so werdet ihr dem rechten Weg folgen. Und dem Gesandten obliegt nur die deutliche Verkündigung.

56. Verheißen hat Allah denen unter euch, die glauben und gute Werke tun, daß Er sie gewißlich zu Nachfolgern auf Erden machen wird, wie Er jene, die vor ihnen waren, zu Nachfolgern machte; und daß Er gewißlich für sie ihre Religion befestigen wird, die Er für sie auserwählt hat; und daß Er gewißlich ihren (Stand), nach ihrer Furcht, in Frieden und Sicherheit verwandeln wird: Sie werden Mich verehren, (und) sie werden Mir nichts zur Seite stellen. Wer aber hernach undankbar ist, das werden die Empörer sein.

57. Und verrichtet das Gebet und zahlet die Zakāt und gehorchet dem Gesandten, auf daß ihr Barmherzigkeit empfangen möget.

58. Wähne nicht, die da ungläubig sind, könnten auf Erden ent-

rinnen; ihr Aufenthalt ist die Hölle; und eine schlimme Bestimmung ist das fürwahr.

59. O die ihr glaubt, es sollen die, welche eure Rechte besitzt, und die unter euch, die noch nicht die Reife erlangt haben, euch um Erlaubnis bitten zu dreien Zeiten: vor dem Morgengebet, und wenn ihr eure Kleider ablegt wegen der Mittagshitze, und nach dem Abendgebet – für euch drei Zeiten der Zurückgezogenheit. Nach diesen ist es für euch und für sie keine Sünde, wenn die einen von euch sich um die andern zu schaffen machen. Also macht euch Allah die Gebote klar, denn Allah ist allwissend, allweise.

60. Wenn die Kinder unter euch ihre Reife erlangen, dann sollen sie (auch) um Erlaubnis bitten, gerade so wie die vor ihnen um Erlaubnis baten. Also macht euch Allah Seine Gebote klar, denn Allah ist allwissend, allweise.

61. (Was nun) die älteren Frauen (betrifft), die nicht mehr auf Heirat hoffen können, so trifft sie kein Vorwurf, wenn sie ihre Tücher ablegen, ohne ihre Zierde zur Schau zu stellen. Daß sie sich dessen enthalten, ist besser für sie. Und Allah ist allhörend, allwissend.

62. Kein Vorwurf trifft den Blinden, noch trifft ein Vorwurf den Lahmen, kein Vorwurf trifft den Kranken oder euch selbst, wenn ihr in euren eignen Häusern esset, oder den Häusern eurer Väter, oder den Häusern eurer Mütter, oder den Häusern eurer Brüder, oder den Häusern eurer Schwestern, oder den Häusern eurer Vatersbrüder, oder den Häusern eurer Vatersschwestern, oder den Häusern eurer Mutterbrüder, oder den Häusern eurer Mutterschwestern, oder in einem (Haus), dessen Schlüssel in eurer Obhut sind, oder (in dem Haus) eures Freundes. Es ist keine Sünde für euch, ob ihr zusammen esset oder gesondert. Doch wenn ihr Häuser betretet, so grüßet einander mit einem gesegneten, lauteren Gruß von Allah. Also macht euch Allah die Gebote klar, auf daß ihr begreifet.

63. Nur die sind Gläubige, die an Allah glauben und an Seinen Gesandten und die, wenn sie in einer für alle wichtigen Angelegenheit bei ihm sind, nicht eher fortgehen, als bis sie ihn um Erlaubnis gebeten haben. Die dich um Erlaubnis bitten, das sind diejenigen, die (wirklich) an Allah und Seinen Gesandten glau-

ben. Wenn sie dich also um Erlaubnis bitten für irgendein eignes Geschäft, so gib Erlaubnis, wem du willst von ihnen, und bitte Allah für sie um Verzeihung. Wahrlich, Allah ist allverzeihend, barmherzig.

64. Erachtet nicht den Ruf des Gesandten unter euch gleich dem Ruf des einen von euch nach dem andern. Allah kennt diejenigen unter euch, die sich hinwegstehlen, indem sie sich verstekken. So mögen die, die sich seinem Befehl widersetzen, sich hüten, daß sie nicht Drangsal befalle oder eine schmerzliche Strafe sie ereile.

65. Höret: Allahs ist, was in den Himmeln und auf der Erde ist. Er kennt euren Zustand wohl. Und an dem Tage, wo sie zu Ihm zurückgebracht werden, da wird Er ihnen ankündigen, was sie getan. Und Allah weiß alle Dinge wohl.

1. Im Namen Allahs, des Gnädigen, des Barmherzigen.

2. Segensreich ist Er, Der das Entscheidende[68] hinabgesandt hat zu Seinem Diener, daß er ein Warner sei für die Welten –

3. Er, Des das Königreich der Himmel und der Erde ist, Der Sich keinen Sohn zugesellt hat und Der keinen Mitregenten hat in der Herrschaft und Der jegliches Ding erschaffen und ihm das rechte Maß gegeben hat.

4. Doch haben sie sich Götter genommen neben Ihm, die nichts erschaffen, sondern selbst erschaffen sind, und die für sich selber keine Macht haben über Schaden oder Nutzen, noch haben sie Macht über Leben und Tod und Erweckung.

5. Jene, die ungläubig sind, sprechen: »Dies ist ja nichts als eine Lüge, die er erdichtet hat, und andere Leute haben ihm dabei geholfen.« Zweifellos haben sie da Ungerechtigkeit und Lüge gebracht.

6. Und sie sagen: »Fabeln der Alten; er hat sie aufschreiben lassen, und sie werden ihm vorgelesen am Morgen und am Abend.«

7. Sprich: »Er, Der das Geheimnis in den Himmeln und auf Erden kennt, hat ihn herabgesandt. Er ist wahrlich allverzeihend, barmherzig.«

8. Und sie sagen: »Was ist mit diesem Gesandten, daß er Speise ißt und in den Gassen umherwandelt? Warum ist nicht ein Engel zu ihm herabgesandt worden, daß er als Warner bei ihm wäre?

9. Oder ihm ein Schatz herabgeworfen worden oder ihm ein Garten gegeben worden, wovon er essen könnte?« Und die Frevler sprechen: »Ihr folgt nur einem behexten Menschen.«

10. Schau, wie sie Gleichnisse von dir prägen! Sie sind irregegangen und vermögen keinen Weg zu finden.

11. Segensreich ist Er, Der, wenn Er will, dir Besseres als all dies gewähren wird – Gärten, durch die Ströme fließen – und dir (auch) Paläste geben wird.

12. Nein, sie leugnen die »Stunde«, und denen, welche die »Stunde« leugnen, haben Wir ein flammendes Feuer bereitet.

13. Wenn es sich ihnen aus der Ferne anzeigt, werden sie sein Rasen und Brüllen hören.

14. Und wenn sie, zusammengekettet, in seinen engen Raum

(des Feuers) geworfen werden, dann werden sie dort den Tod wünschen.

15. »Wünschet heute den Tod nicht einmal, sondern wünschet den Tod mehrere Male!«

16. Sprich: »Ist dies nun besser oder der Garten der Ewigkeit, der den Gerechten verheißen ward? Er wird ihre Belohnung und Bestimmung sein.«

17. Darin werden sie haben, was immer sie begehren, (und) ewig weilen. Eine Verheißung ist es, die bindend ist für deinen Herrn.

18. Und an dem Tage, da Er sie versammeln wird und jene, die sie statt Allah verehren, da wird Er fragen: »Wart ihr es, die diese Meine Diener irreführten, oder sind sie selbst abgeirrt von dem Pfad?«

19. Sie werden sprechen: »Preis Dir! Es geziemte uns nicht, andere Beschützer als Dich anzunehmen; Du aber beschertest ihnen und ihren Vätern die guten Dinge (dieses Lebens), bis sie die Ermahnung vergaßen und ein verlorenes Volk wurden.«

20. »Nun haben sie euch Lügen gestraft für das, was ihr sagtet, und ihr könnt weder (die Strafe) abwenden noch (euch) helfen.« Und wer von euch Unrecht tut, den werden Wir eine harte Strafe kosten lassen.

21. Auch vor dir schickten Wir keine Gesandten, die nicht Speise aßen und in den Gassen umherwandelten. Allein Wir machen die einen unter euch zur Prüfung für die anderen. Wollt ihr denn standhaft sein? Und dein Herr ist allsehend.

22. Und diejenigen, die nicht auf die Begegnung mit Uns harren, sprechen: »Warum werden nicht Engel zu uns herniedergesandt? Oder wir sollten unseren Herrn schauen.« Wahrlich, sie denken zu hoch von sich und haben die Schranken arg überschritten.

23. Am Tage, wenn sie die Engel sehen: Keine frohe Botschaft für die Schuldigen an dem Tage! Und sie werden sprechen: »Das sei ferne!«

24. Und Wir werden Uns den Werken zuwenden, die sie gewirkt, und werden sie zunichte machen wie verwehte Stäubchen.

25. Die Bewohner des Himmels werden an jenem Tage bessere Wohnstatt und würdigeren Ruheplatz haben.

26. Und an dem Tage, da der Himmel sich spalten wird mitsamt den Wolken und die Engel herabgesandt werden in großer Zahl –

27. Das Königreich, das wahrhaftige, an jenem Tage wird es des Gnadenreichen sein; und ein Tag soll es sein, schwer für die Ungläubigen.

28. Am Tage, da der Frevler sich die Hände beißen wird, da wird er sprechen: »O hätte ich doch den Weg mit dem Gesandten genommen!

29. O wehe mir! hätte ich doch nimmermehr einen solchen zum Freunde genommen!

30. Er führte mich irre, hinweg von der Ermahnung, nachdem sie zu mir gekommen war.« Und Satan läßt den Menschen im Stich.

31. Und der Gesandte wird sprechen: »O mein Herr, mein Volk hat wirklich diesen Koran von sich gewiesen.«

32. Also gaben Wir jedem Propheten einen Feind aus den Reihen der Sünder; doch dein Herr genügt als Führer und als Helfer.

33. Und jene, die ungläubig sind, sprechen: »Warum ist ihm der Koran nicht auf einmal herabgesandt worden?« Dies, damit Wir dein Herz dadurch stärken möchten, und Wir haben seine Anordnung recht gut gemacht.

34. Sie legen dir keinen Einwand vor, ohne daß Wir dir die Wahrheit und die schönste Erklärung brächten.

35. Diejenigen, die auf ihren Gesichtern zur Hölle versammelt werden – sie werden in der schlimmsten Lage und vom Wege am weitesten abgeirrt sein.

36. Wir gaben Moses die Schrift, und zugleich machten Wir seinen Bruder Aaron zum Gehilfen.

37. Und Wir sprachen: »Gehet beide zum Volk, das Unsere Zeichen verworfen hat«; dann zerstörten Wir sie samt und sonders.

38. Und das Volk Noahs: Als sie die Gesandten verleugneten, ertränkten Wir sie und machten sie zu einem Zeichen für die Menschen. Und Wir haben für die Frevler eine schmerzliche Strafe bereitet.

39. Und so auch die 'Ād, die Thamūd und die Leute vom Brunnen und so manches Geschlecht zwischen ihnen.

40. Ihnen allen prägten Wir Gleichnisse, und sie alle zerstörten Wir samt und sonders.

41. Und sie* müssen die Stadt besucht haben, auf die ein böser Regen niederregnete.** Haben sie denn sie nicht gesehen? Nein, sie harren nicht auf die Auferstehung.

42. Wenn sie dich sehen, treiben sie nur Spott mit dir: »Ist das der, den Allah als Gesandten erweckt hat?

43. Fürwahr, er hätte uns beinahe irregeführt, hinweg von unseren Göttern, hätten wir nicht standhaft an ihnen festgehalten.« Und sie werden es erfahren, wenn sie die Strafe sehen, wer mehr vom Weg abgeirrt ist.

44. Hast du den gesehen, der sein Gelüst zu seinem Gott nimmt? Könntest du wohl ein Wächter über ihn sein?

45. Meinst du etwa, daß die meisten von ihnen hören oder verstehen? Sie sind nur wie das Vieh – nein, sie sind mehr vom Weg abgeirrt.

46. Hast du nicht gesehen, wie dein Herr den Schatten verlängert? Und hätte Er gewollt, Er hätte ihn stillstehen lassen. Dann haben Wir die Sonne zu seinem Weiser gemacht.

47. Dann ziehen Wir ihn allmählich zu Uns.

48. Und Er ist es, Der euch die Nacht zu einem Gewand macht und den Schlaf zur Ruhe und den Tag zur Auferweckung macht.

49. Und Er ist es, Der die Winde sendet als Freudenboten her vor Seiner Barmherzigkeit; und Wir senden reines Wasser von den Wolken nieder,

50. Auf daß Wir damit ein totes Land lebendig machen und es zu trinken geben Unserer Schöpfung – dem Vieh und den Menschen in großer Zahl.

51. Wir haben es (das Wasser) unter ihnen verteilt, damit sie ermahnt wären, allein die meisten Menschen lehnen alles ab, nur nicht den Unglauben.

52. Hätten Wir es gewollt, Wir hätten gewiß in jeder Stadt einen Warner erwecken können.

---

  * Die Ungläubigen von Mekka.
 ** Bezieht sich auf das Volk des Lot.

53. So gehorche nicht den Ungläubigen, sondern eifere mit ihm (dem Koran) wider sie in großem Eifer.

54. Er ist es, Der den beiden Gewässern freien Lauf gelassen hat, zu fließen, das eine wohlschmeckend, süß, und das andere salzig, bitter; und zwischen ihnen hat Er eine Schranke gemacht und eine Scheidewand.

55. Und Er ist es, Der den Menschen aus Wasser erschaffen hat und ihm Blutsverwandtschaft und Schwägerschaft gab; allmächtig ist dein Herr.

56. Dennoch verehren sie statt Allah das, was ihnen weder nützen noch schaden kann. Der Ungläubige ist ein Helfer wider seinen Herrn.

57. Und Wir haben dich nur als Bringer froher Botschaft und als Warner gesandt.

58. Sprich: »Ich verlange von euch keinen Lohn dafür, nur daß jeder, der will, den Weg zu seinem Herrn einschlagen mag.«

59. Und vertraue auf den Lebendigen, Der nicht stirbt, und erhebe Seine Herrlichkeit in Lobpreisung. Er ist der Sünden Seiner Diener zur Genüge kundig.

60. Er, Der die Himmel und die Erde und was zwischen beiden ist, in sechs Zeiten erschuf; dann setzte Er sich auf den Thron. Der Gnadenreiche: Frage nach Ihm einen, der Kenntnis hat.

61. Und wenn zu ihnen gesprochen wird: »Fallet nieder vor dem Gnadenreichen«, sagen sie: »Und was ist der Gnadenreiche? Sollen wir niederfallen vor irgend etwas, wem du uns heißest?« Und es vermehrt nur ihren Widerwillen.

62. Segensreich ist Er, Der Burgen im Himmel gemacht hat und eine Lampe darein gestellt und einen leuchtenden Mond.

63. Und Er ist es, Der die Nacht und den Tag gemacht hat, einander folgend, für einen, der eingedenk oder dankbar sein möchte.

64. Die Diener des Gnadenreichen sind diejenigen, die in würdiger Weise auf Erden wandeln, und wenn die Unwissenden sie anreden, sprechen sie: »Frieden«;

65. Und die Nacht vor ihrem Herrn hinbringen, sich niederwerfend und stehend,

66. Und die sprechen: »Unser Herr, wende von uns die Strafe der Hölle; denn wahrlich, ihre Strafe ist lang währende Pein.

67. Sie ist fürwahr schlimm als Ruhestatt und als Aufenthalt.«
68. Und die, wenn sie spenden, weder verschwenderisch noch geizig sind, sondern maßvoll dazwischen,
69. Und die, welche keinen andern Gott anrufen neben Allah, noch das Leben töten, das Allah unverletzlich gemacht hat, es sei denn nach Recht, noch Ehebruch begehen – und wer das tut, der soll Strafe erleiden.
70. Verdoppelt soll ihm die Strafe werden am Tage der Auferstehung, und er soll darin bleiben in Schmach,
71. Außer denen, die bereuen und glauben und gute Werke tun, denn deren böse Taten wird Allah in gute umwandeln; Allah ist ja allverzeihend, barmherzig;
72. Und wer bereut und Gutes tut, der wendet sich in wahrhafter Reue Allah zu. –
73. Und diejenigen, die nicht Falsches bezeugen, und wenn sie an etwas Eitlem vorübergehen, mit Würde gehen sie vorüber.
74. Und diejenigen, die, wenn sie mit den Zeichen ihres Herrn ermahnt werden, nicht taub und blind darüber niederfallen,
75. Und diejenigen, welche sprechen: »Unser Herr, gewähre uns an unseren Frauen und Kindern Augentrost, und mache uns zu einem Vorbild für die Rechtschaffenen«:
76. Sie alle werden belohnt werden mit der höchsten Stätte (im Paradies), weil sie standhaft waren, und Gruß und Frieden werden sie dort empfangen,
77. Ewig darin verweilend: herrlich ist es als Ruhestatt und als Aufenthalt.
78. Sprich: »Was kümmert Sich mein Herr um euch, wenn ihr nicht (zu Ihm) betet? Ihr habt ja geleugnet, und das wird (euch) nun anhaften.«

1. Im Namen Allahs, des Gnädigen, des Barmherzigen.
2. Tā Sīn Mīm.*
3. Das sind die Verse des deutlichen Buches.
4. Vielleicht grämst du dich noch zu Tode darüber, daß sie nicht glauben.
5. Wenn Wir wollen, Wir können ihnen ein Zeichen vom Himmel niedersenden, so daß ihre Nacken sich demütig davor beugen.
6. Aber nie kommt ihnen eine neue Ermahnung von dem Gnadenreichen, ohne daß sie sich davon abkehren.
7. Sie haben tatsächlich (die Ermahnung) verworfen; bald aber wird Kunde zu ihnen kommen von dem, was sie verspotteten.
8. Haben sie nicht die Erde betrachtet – wieviel Wir auf ihr wachsen ließen von jeglicher trefflichen Art?
9. Darin ist fürwahr ein Zeichen; jedoch die meisten von ihnen glauben nicht.
10. Und dein Herr. Er ist wahrlich der Allmächtige, der Barmherzige.
11. Und (gedenke der Zeit) da dein Herr Moses rief: »Geh zu dem Volk der Frevler,
12. Dem Volke Pharaos. Wollen sie denn nicht gottesfürchtig sein?«
13. Er sprach: »Mein Herr, ich fürchte, sie werden mich einen Lügner schelten;
14. Und meine Brust ist beengt, und meine Zunge ist nicht beredt; schicke darum zu Aaron.
15. Auch haben sie eine Schuldklage wider mich, so fürchte ich, daß sie mich töten würden.«
16. Er sprach: »Keineswegs! Gehet nur beide hin mit Unseren Zeichen. Wir sind mit euch; Wir werden hören.
17. Gehet denn zu Pharao und sprechet: ›Wir sind die Boten des Herrn der Welten.
18. Lasse die Kinder Israels mit uns ziehen.‹«
19. (Pharao) sprach: »Haben wir dich nicht als Kind unter uns erzogen? Und du verweiltest unter uns viele Jahre deines Lebens.

---

* Der Reinigende, der Erhörende, der Erhabene!

20. Und du begingst jene deine Tat, die du begangen, und du warst ein Undankbarer.«

21. (Moses) sprach: »Ich tat es damals, als ich verwirrt war.

22. So floh ich von euch, da ich euch fürchtete; doch (nun) hat mir mein Herr Weisheit geschenkt und mich zu einem der Gesandten bestimmt.

23. Und das ist die Huld, die du mir vorhältst, daß du die Kinder Israels geknechtet hast.«

24. Pharao sprach: »Und was ist der Herr der Welten?«

25. (Moses) sprach: »Der Herr der Himmel und der Erde und dessen, was zwischen den beiden ist, wenn ihr nur glauben wolltet.«

26. (Pharao) sprach zu denen um ihn: »Hört ihr nicht?«

27. (Moses) sprach: »Euer Herr und der Herr eurer Vorväter.«

28. (Pharao) sprach: »Dieser euer Gesandter, der zu euch entsandt ward, ist fürwahr ein Wahnsinniger.«

29. (Moses) sprach: »Der Herr des Ostens und des Westens und dessen, was zwischen den beiden ist, wenn ihr es nur begreifen würdet.«

30. (Pharao) sprach: »Wenn du einen anderen Gott als mich annimmst, so werde ich dich ganz gewiß ins Gefängnis werfen.«

31. (Moses) sprach: »Wie! selbst wenn ich dir etwas bringe, das offenkundig ist?«

32. (Pharao) sprach: »So bringe es, wenn du die Wahrheit redest!«

33. Da warf (Moses) seinen Stab hin, und siehe, er ward deutlich eine Schlange.

34. Und er zog seine Hand hervor, und siehe, sie ward den Zuschauern weiß.

35. (Pharao) sprach zu den Häuptern um ihn: »Das ist fürwahr ein erfahrener Zauberer.

36. Er möchte euch durch seine Zauberei aus eurem Lande treiben. Was ratet ihr nun an?«

37. Sie sprachen: »Halte ihn und seinen Bruder hin und sende Ausrufer in die Städte,

38. Die dir jeden erfahrenen Zauberer bringen sollen.«

39. So wurden die Zauberer zur anberaumten Zeit an einem bestimmten Tage versammelt.

40. Und es ward zu dem Volk gesprochen: »Wollt ihr euch (auch) versammeln,

41. So daß wir den Zauberern folgen können, wenn sie die Sieger sind?«

42. Als die Zauberer kamen, da sprachen sie zu Pharao: »Wird es auch eine Belohnung für uns geben, wenn wir die Sieger sind?«

43. Er sprach: »Ja, und dann werdet ihr zu den Nächsten gehören.«

44. Moses sprach zu ihnen: »Werfet hin, was ihr zu werfen habt.«

45. Da warfen sie ihre Stricke und ihre Stäbe hin und sprachen: »Bei Pharaos Macht, wir sind es, die sicherlich siegen werden.«

46. Dann warf Moses seinen Stab hin, und siehe, er verschlang (all) das, was sie vorgetäuscht hatten.

47. Da mußten die Zauberer anbetend niederfallen.

48. Sie sprachen: »Wir glauben an den Herrn der Welten,

49. Den Herrn Moses' und Aarons.«

50. (Pharao) sprach: »Glaubt ihr an ihn, bevor ich es euch erlaube? Er ist sicher euer Meister, der euch die Zauberei gelehrt hat. Aber bald sollt ihr es erfahren. Wahrhaftig, für den Ungehorsam will ich euch Hände und Füße abhauen, und wahrhaftig, ich will euch alle ans Kreuz schlagen.«

51. Sie sprachen: »Da ist kein Leid; denn zu unserem Herrn werden wir zurückkehren.

52. Wir hoffen ernstlich, unser Herr werde uns unsere Sünden vergeben, da wir die ersten der Gläubigen sind.«

53. Und Wir offenbarten Moses: »Führe Meine Diener nachts hinweg, denn ihr werdet verfolgt werden.«

54. Und Pharao sandte Ausrufer in die Städte (zu sprechen):

55. »Diese sind nur eine kleine Gemeinde,

56. Dennoch haben sie uns erzürnt;

57. Und wir sind eine wachsame Menge.«

58. So vertrieben Wir sie aus Gärten und Quellen,

59. Und Schätzen und ehrenvoller Ruhestatt.

60. So (geschah es); und Wir gaben sie den Kindern Israels zum Erbe.

61. Und sie verfolgten sie bei Sonnenaufgang;

62. Als die beiden Scharen einander ansichtig wurden, sprachen die Gefährten Moses': »Wir werden sicherlich eingeholt.«

63. »Keineswegs!« sprach er, »mein Herr ist mit mir. Er wird mich richtig führen.«

64. Darauf offenbarten Wir Moses: »Schlage das Meer mit deinem Stab.« Und es teilte sich, und jeder Teil war wie ein gewaltiger Berg,

65. Und Wir ließen die andern herankommen.

66. Und Wir erretteten Moses und alle, die mit ihm waren.

67. Dann ertränkten Wir die anderen.

68. Hierin ist wahrlich ein Zeichen; doch die meisten von ihnen glauben nicht.

69. Dein Herr aber, Er ist der Allmächtige, der Barmherzige.

70. Und trage ihnen die Geschichte Abrahams vor,

71. Da er zu seinem Vater und seinem Volke sprach: »Was betet ihr an?«

72. Sie sprachen: »Wir beten Götzen an, und wir sind ihnen stets zugetan.«

73. Er sprach: »Hören sie euch, wenn ihr (sie) anrufet?

74. Oder nützen sie oder schaden sie euch?«

75. Sie sprachen: »Nein, aber wir fanden unsere Väter bei dem gleichen Tun.«

76. Er sprach: »Seht ihr denn nicht, was ihr da angebetet habt,

77. Ihr und eure Vorväter?

78. Sie sind mir feind; nicht so der Herr der Welten,

79. Der mich erschaffen hat, und Er ist es, Der mich richtig führt,

80. Und Der mir Speise und Trank gibt.

81. Und wenn ich krank bin, ist Er es, Der mich heilt,

82. Und Der mich sterben lassen wird und mich dann wieder zum Leben zurückbringt,

83. Und Der, ich hoffe, mir meine Fehler verzeihen wird am Tage des Gerichts.

84. Mein Herr, schenke mir Weisheit und füge mich zu den Rechtschaffenen;

85. Und gib mir einen bleibenden Ruf bei den künftigen Geschlechtern.

86. Und mache mich zu einem der Erben des Gartens der Glückseligkeit;

87. Und vergib meinem Vater; denn er war einer der Irrenden;

88. Und überlasse mich nicht der Schande an dem Tage, da (die Menschen) auferweckt werden,

89. Dem Tage, da weder Besitz noch Söhne frommen,

90. Sondern nur der (gerettet werden wird), der ein heiles Herz zu Allah bringt.«

91. Und das Paradies wird den Rechtschaffenen nahe gebracht werden,

92. Und die Hölle wird sichtbar gemacht werden den Irrenden.

93. Und es wird zu ihnen gesprochen werden: »Wo ist nun das, was ihr anzubeten pflegtet

94. Statt Allah? Können sie euch helfen oder sich helfen?«

95. Dann werden sie kopfüber hineingestürzt werden, sie und die Irrenden,

96. Und Iblis' Scharen, allesamt.

97. Sie werden sprechen, indem sie miteinander darinnen hadern:

98. »Bei Allah, wir waren in offenkundigem Irrtum,

99. Als wir euch dem Herrn der Welten gleichsetzten.

100. Und es waren nur die Schuldigen, die uns irreführten.

101. Und nun haben wir keine Fürsprecher

102. Noch einen liebenden Freund.

103. Gäbe es doch für uns eine Rückkehr (in die Welt), wären wir unter den Gläubigen!«

104. Hierin ist wahrlich ein Zeichen, jedoch die meisten von ihnen glauben nicht.

105. Wahrlich, dein Herr, Er ist der Allmächtige, der Barmherzige.

106. Das Volk Noahs verwarf die Gesandten,

107. Da ihr Bruder Noah zu ihnen sprach: »Wollt ihr nicht gottesfürchtig sein?

108. In Wahrheit, ich bin euch ein Gesandter, treu der Sendung.

109. So fürchtet Allah und gehorchet mir.

110. Und ich verlange von euch keinen Lohn dafür; mein Lohn ist allein beim Herrn der Welten.

111. So fürchtet Allah und gehorchet mir.«

112. Sie sprachen: »Sollen wir dir glauben, wo es (nur) die Niedrigsten sind, die dir folgen?«

113. Er sprach: »Und welche Kenntnis habe ich von dem, was sie getan haben?

114. Ihre Rechenschaft ist einzig meines Herrn Sache, wenn ihr es nur verstündet!

115. Und ich werde gewiß nicht die Gläubigen verstoßen.

116. Ich bin nichts als ein aufklärender Warner.«

117. Sie sprachen: »Wenn du nicht ablässest, o Noah, so wirst du sicherlich gesteinigt werden.«

118. Er sprach: »Mein Herr, mein Volk hat mich verworfen.

119. Darum richte entscheidend zwischen mir und ihnen; und rette mich und die Gläubigen, die mit mir sind.«

120. So erretteten Wir ihn und jene, die mit ihm in der beladenen Arche waren.

121. Dann ertränkten Wir hernach jene, die zurückblieben.

122. Hierin ist wahrlich ein Zeichen, jedoch die meisten von ihnen glauben nicht.

123. Wahrlich, dein Herr, Er ist der Allmächtige, der Barmherzige.

124. Die ’Ād verwarfen die Gesandten,

125. Da ihr Bruder Hūd zu ihnen sprach: »Wollt ihr nicht gottesfürchtig sein?

126. In Wahrheit, ich bin euch ein Gesandter, treu der Sendung.

127. So fürchtet Allah und gehorchet mir.

128. Und ich verlange von euch keinen Lohn dafür; mein Lohn ist allein beim Herrn der Welten.

129. Bauet ihr Malsteine auf jeder Anhöhe, um euch zu vergnügen?

130. Und errichtet ihr Burgen, als solltet ihr lange leben?

131. Und wenn ihr (auf irgendwen) die Hände legt, so legt ihr die Hände als Tyrannen.

132. So fürchtet Allah und gehorchet mir.

133. Ja, fürchtet Den, Der euch geholfen hat mit dem, was ihr wisset.

134. Geholfen hat Er euch mit Vieh und Söhnen.

135. Und Gärten, und Quellen.

136. Wahrlich, ich fürchte für euch die Strafe eines schrecklichen Tags.«

137. Sie sprachen: »Es ist uns gleich, ob du predigst oder ob du nicht predigst.

138. Dies ist nichts als eine Sitte der Altvordern,

139. Und wir werden nicht bestraft werden.«

140. So verwarfen sie ihn, und Wir vernichteten sie. Hierin ist wahrlich ein Zeichen, jedoch die meisten von ihnen glauben nicht.

141. Wahrlich, dein Herr, er ist der Allmächtige, der Barmherzige.

142. Die Thamūd verwarfen die Gesandten,

143. Da ihr Bruder Sāleh zu ihnen sprach: »Wollt ihr nicht gottesfürchtig sein?

144. In Wahrheit, ich bin euch ein Gesandter, treu der Sendung.

145. So fürchtet Allah und gehorchet mir.

146. Und ich verlange von euch keinen Lohn dafür. Mein Lohn ist allein beim Herrn der Welten.

147. Werdet ihr etwa sicher zurückbleiben unter den Dingen, die hier sind,

148. Unter Gärten und Quellen

149. Und Kornfeldern und Dattelpalmen mit Blütendolden, die fast brechen?

150. Und ihr grabt frohlockend Häuser in die Berge.

151. So fürchtet Allah und gehorchet mir.

152. Und gehorcht nicht dem Geheiß derer, die die Grenzen übertreten,

153. Die Unordnung auf Erden stiften und nichts bessern.«

154. Sie sprachen: »Du bist nur der Behexten einer;

155. Du bist nichts als ein Mensch wie wir. So bringe ein Zeichen, wenn du zu den Wahrhaftigen gehörst.«

156. Er sprach: »Hier ist eine Kamelstute; sie hat (ihre) Trinkzeit, und ihr habt (eure) Trinkzeit an einem bestimmten Tag.

157. Berührt sie nicht mit Bösem, damit euch nicht die Strafe eines schrecklichen Tags ereile.«

158. Sie aber schnitten ihr die Sehnen durch; und danach wurden sie reuig.

159. Allein die Strafe ereilte sie. Hierin ist wahrlich ein Zeichen, jedoch die meisten von ihnen glauben nicht.

160. Wahrlich, dein Herr, Er ist der Allmächtige, der Barmherzige.

161. Das Volk des Lot verwarf die Gesandten,

162. Da ihr Bruder Lot zu ihnen sprach: »Wollt ihr nicht gottesfürchtig sein?

163. In Wahrheit, ich bin euch ein Gesandter, treu der Sendung.

164. So fürchtet Allah und gehorchet mir.

165. Und ich verlange von euch keinen Lohn dafür. Mein Lohn ist allein beim Herrn der Welten.

166. Naht ihr, unter allen Geschöpfen, Männern,

167. Und lasset eure Frauen, die euer Herr für euch geschaffen hat? Nein, ihr seid ein Volk, das die Schranken überschreitet.«

168. Sie sprachen: »Wenn du nicht abllässest, o Lot, so wirst du gewiß der Verbannten einer sein.«

169. Er sprach: »Ich verabscheue euer Treiben.

170. Mein Herr, rette mich und die Meinen vor dem, was sie tun.«

171. So erretteten Wir ihn und die Seinen allesamt,

172. Bis auf ein altes Weib unter denen, die zurückblieben.

173. Dann vernichteten Wir die andern.

174. Und Wir ließen einen Regen auf sie niederregnen; und schlimm war der Regen den Gewarnten.

175. Hierin ist wahrlich ein Zeichen, jedoch die meisten von ihnen glauben nicht.

176. Wahrlich, dein Herr, Er ist der Allmächtige, der Barmherzige.

177. Das Volk vom Walde verwarf die Gesandten,

178. Da Schoäb zu ihnen sprach: »Wollt ihr nicht gottesfürchtig sein?

179. In Wahrheit, ich bin euch ein Gesandter, treu der Sendung.

180. So fürchtet Allah und gehorchet mir.

181. Und ich verlange von euch keinen Lohn dafür. Mein Lohn ist allein beim Herrn der Welten.

182. Gebt volles Maß und gehöret nicht zu denen, die weniger geben;

183. Und wägt mit rechter Waage.

184. Und vermindert den Menschen nicht ihr Gut und handelt nicht verderbt im Lande, Unheil anrichtend.

185. Und fürchtet Den, der euch erschuf und die früheren Geschlechter.«

186. Sie sprachen: »Du bist nur der Behexten einer.

187. Und du bist nichts als ein Mensch wie wir, und wir halten dich für einen Lügner.

188. So lasse ein Stück Wolke auf uns niederfallen, wenn du zu den Wahrhaftigen gehörst.«

189. Er sprach: »Mein Herr weiß am besten, was ihr tut.«

190. Und sie erklärten ihn für einen Lügner. So ereilte sie die Strafe des Tags des überschattenden Düsters. Das war fürwahr die Strafe eines schrecklichen Tags.

191. Hierin ist wahrlich ein Zeichen, jedoch die meisten von ihnen glauben nicht.

192. Wahrlich, dein Herr, Er ist der Allmächtige, der Barmherzige.

193. Siehe, dies ist eine Offenbarung vom Herrn der Welten.

194. Der Geist, der die Treue hütet, ist mit ihm (dem Koran) hinabgestiegen

195. Auf dein Herz, daß du einer der Warner seiest,

196. In deutlicher arabischer Sprache.

197. Und ganz gewiß ist er in den Schriften der Früheren (erwähnt).

198. Ist es ihnen denn nicht ein Zeichen, daß die Kundigen unter den Kindern Israels ihn kennen?

199. Und hätten Wir ihn zu einem Nichtaraber hinabgesandt,

200. Und er hätte ihn ihnen vorgelesen, sie würden nie an ihn geglaubt haben.

201. So haben Wir ihn einziehen lassen in die Herzen der Sünder;

202. Sie werden nicht an ihn glauben, bis sie die schmerzliche Strafe erschauen;

203. Doch sie wird über sie kommen unversehens, ohne daß sie es merken;

204. Dann werden sie sprechen: »Wird uns Frist gewährt werden?«

205. Ist es denn Unsere Strafe, die sie beschleunigen wollen?

206. Siehst du es nicht? Wenn Wir sie jahrelang genießen lassen,

207. Dann aber kommt zu ihnen das, was ihnen angedroht ward,

208. Nichts nützt ihnen dann all das, was sie genießen durften.

209. Und nie zerstörten Wir eine Stadt, ohne daß sie Warner gehabt hätte

210. Zur Ermahnung; und nie sind Wir ungerecht.

211. Die Teufel haben ihn nicht herabgebracht,

212. Noch schickt es sich für sie, noch vermöchten sie es;

213. Denn sie sind ausgeschlossen vom Hören.

214. Rufe daher keinen anderen Gott an neben Allah, damit du nicht zu denen gehörst, die bestraft werden.

215. Und warne deine nächsten Verwandten,

216. Und senke deinen Fittich über die Gläubigen, die dir folgen.

217. Sind sie dir dann aber ungehorsam, so sprich: »Ich bin schuldlos an dem, was ihr tut.«

218. Und vertraue auf den Allmächtigen, den Barmherzigen,

219. Der dich sieht, wenn du dastehst (im Gebet),

220. Und deine Bewegungen inmitten derer, die sich (vor Ihm) niederwerfen;

221. Denn Er ist der Allsehende, der Allwissende.

222. Soll Ich euch verkünden, auf wen die Teufel herniederfahren?

223. Sie fahren hernieder auf jeden gewohnheitsmäßigen Lügner und Sünder.

224. Sie sind ganz Ohr, und die meisten von ihnen sind Lügner.

225. Und die Dichter – es sind die Irrenden, die ihnen folgen.

226. Hast du nicht gesehen, wie sie verwirrt in jedem Tal umherwandern,

227. Und wie sie reden, was sie nicht tun?

228. Die ausgenommen, die glauben und gute Werke verrichten und Allahs häufig gedenken und sich (nur) verteidigen, nachdem ihnen Unbill widerfuhr. Und die Frevler werden bald erfahren, zu welchem Ort sie zurückkehren werden.

1. Im Namen Allahs, des Gnädigen, des Barmherzigen.
2. Tā Sīn.* Dies sind Verse des Korans und eines deutlichen Buches,
3. Eine Führung und frohe Botschaft denen, die glauben,
4. Die das Gebet verrichten und die Zakāt zahlen und fest auf das Jenseits vertrauen.
5. Die aber nicht an das Jenseits glauben – Wir haben ihnen ihre Werke schön erscheinen lassen; so wandern sie nur in Verwirrung.
6. Das sind die, deren eine schlimme Strafe harrt, und sie allein sind es, die im Jenseits die größten Verlierer sein werden.
7. Wahrlich, du empfängst den Koran von einem Allweisen, Allwissenden.
8. (Denke daran) da Moses zu den Seinen sprach: »Ich gewahre ein Feuer. Ich will euch von dort Kunde bringen, oder ich will euch eine Flamme bringen, einen Feuerbrand, auf daß ihr euch wärmen möget.«
9. Und da er zu ihm kam, ward er angerufen: »Gesegnet soll sein, wer im Feuer ist und wer darum herum ist; und gepriesen sei Allah, der Herr der Welten!
10. O Moses, Ich bin Allah, der Allmächtige, der Allweise.
11. Wirf deinen Stab hin.« Doch da er ihn sich regen sah, als wäre er eine Schlange, da wandte er sich zur Flucht und schaute nicht zurück. »O Moses, fürchte dich nicht. Wahrlich, Ich – in Meiner Gegenwart brauchen die Gesandten keine Furcht zu hegen;
12. Wer aber Unrecht tut und dann Gutes an Stelle des Bösen setzt, dann fürwahr, Ich bin allverzeihend, barmherzig.
13. Und stecke deine Hand in deinen Busen; sie wird weiß hervorkommen ohne ein Übel – (eines) der neun Zeichen für Pharao und sein Volk, denn sie sind ein frevelndes Volk.«
14. Doch als Unsere erleuchtenden Zeichen zu ihnen kamen, sprachen sie: »Das ist offenkundige Zauberei.«
15. Und sie verwarfen sie in Ungerechtigkeit und Hochmut, während ihre Seelen doch von ihnen überzeugt waren. Sieh nun, wie das Ende derer war, die verderbt handelten!

---

* Der Reinigende, der Erhörende!

16. Und Wir gaben David und Salomo Wissen, und sie sprachen: »Aller Preis gebührt Allah, Der uns erhöht hat über viele Seiner gläubigen Diener.«

17. Salomo ward Davids Erbe, und er sprach: »O ihr Menschen, der Vögel Sprache ist uns gelehrt worden; und alles ward uns beschert. Das ist fürwahr die offenbare Huld.«

18. Und versammelt wurden dort vor Salomo dessen Heerscharen der Dschinn und Menschen und Vögel, und sie waren in geschlossene Abteilungen geordnet,

19. Bis dann, als sie zum Tale Naml kamen, ein Weib von dem Naml sprach: »O ihr Naml, geht hinein in eure Wohnungen, damit nicht Salomo und seine Heerscharen euch zertreten, ohne daß sie es merken.«

20. Da lächelte er heiter über ihre Worte und sprach: »Mein Herr, gib mir ein, dankbar zu sein für Deine Gnade, die Du mir und meinen Eltern gewährt hast, und Gutes zu tun, das Dir wohlgefällig sei, und nimm mich, durch Deine Barmherzigkeit, unter Deine rechtschaffenen Diener auf.«

21. Und er musterte die Vögel und sprach: »Wie kommt es, daß ich den Hudhud nicht sehe? Ist er unter den Abwesenden?

22. Ich will ihn gewißlich strafen mit strenger Strafe, oder ich will ihn töten, es sei denn, er bringt mir einen triftigen Grund vor.«

23. Und er säumte nicht lange (bis daß Hudhud kam) und sprach: »Ich habe erfaßt, was du nicht erfaßt hast; und ich bin aus Sabā zu dir gekommen mit sicherer Kunde.

24. Ich fand eine Frau über sie herrschen, und ihr ist alles beschert worden, und sie hat einen mächtigen Thron.

25. Ich fand sie und ihr Volk die Sonne anbeten statt Allah; und Satan hat ihnen ihre Werke ausgeschmückt und hat sie abgehalten von dem Weg, so daß sie dem Weg nicht folgen;

26. (Und Satan hat sie geheißen) nicht Allah zu verehren, Der ans Licht bringt, was verborgen ist in den Himmeln und auf Erden, und Der weiß, was ihr verhehlt und was ihr offenbart.«

27. Allah! es gibt keinen Gott außer Ihm, dem Herrn des erhabenen Throns.

28. (Salomo) sprach: »Wir werden sehen, ob du die Wahrheit gesprochen hast oder ob du ein Lügner bist.

29. Geh mit diesem Briefe von mir und lege ihn vor sie hin; dann ziehe dich von ihnen zurück und schau, was sie erwidern.«

30. (Die Königin) sprach: »Ihr Häupter, ein ehrenvoller Brief ist mir überbracht worden.

31. Er ist von Salomo, und er ist: ›Im Namen Allahs, des Gnädigen, des Barmherzigen.

32. Seid nicht überheblich gegen mich, sondern kommet zu mir in Ergebenheit.‹«

33. Sie sprach: »O ihr Häupter, ratet mir in meiner Sache. Ich entscheide keine Angelegenheit, solange ihr nicht zugegen seid.«

34. Sie antworteten: »Wir besitzen Kraft und besitzen starke Kriegsmacht, aber dir obliegt der Befehl; sieh nun zu, was du befehlen willst.«

35. Sie sprach: »Fürwahr, Könige, wenn sie in ein Land eindringen, sie verwüsten es und machen die höchsten unter seinen Bewohnern zu den niedrigsten. So verfahren sie.

36. Ich aber will ihnen ein Geschenk schicken und will abwarten, was die Boten zurückbringen.«

37. Als nun (ihr Botschafter) zu Salomo kam, sprach (dieser): »Schüttet ihr Reichtümer über mich aus? Jedoch was Allah mir gegeben hat, ist besser als das, was Er euch gegeben. Nein, ihr seid es, die sich ihrer Gabe freuen.

38. Kehre zu ihnen zurück, denn wir werden ganz gewiß mit Heerscharen zu ihnen kommen, gegen die sie keine Macht haben werden, und wir werden sie von dort austreiben in Schmach, und sie werden sich gedemütigt fühlen.«

39. Er sprach: »O ihr Häupter, wer von euch bringt mir ihren Thron, bevor sie zu mir kommen in Ergebenheit?«

40. Da sprach ein Kraftvoller unter den Dschinn: »Ich will ihn dir bringen, ehe du dich von deinem Feldlager erhebst; wahrlich, ich habe die Stärke dazu und bin vertrauenswürdig.«

41. Da sprach einer, der Kenntnis von der Schrift hatte: »Ich bringe ihn dir, ehe dein Blick zu dir zurückkehrt.« Und da er ihn vor sich stehen sah, sprach er: »Dies ist durch die Gnade meines Herrn, daß Er mich prüfen möge, ob ich dankbar oder undankbar bin. Und wer dankbar ist, der ist dankbar zum Heil seiner ei-

genen Seele; wer aber undankbar ist – siehe, mein Herr ist Sich
Selbst genügend, freigebig.«

42. Er sprach:»Laßt ihr ihren Thron gering erscheinen; wir wollen sehen, ob sie dem rechten Weg folgt oder ob sie zu denen gehört, die nicht dem rechten Wege folgen.«

43. Als sie kam, da ward gesprochen:»Ist dein Thron wie dieser?« Sie antwortete:»Es ist, als wäre er ein und derselbe. Und uns ward schon vordem Kenntnis verliehen, und wir hatten uns bereits ergeben.«

44. Und er hielt sie ab von dem, was sie statt Allah zu verehren pflegte, denn sie gehörte zu einem ungläubigen Volk.

45. Es ward zu ihr gesprochen:»Tritt ein in den Palast.« Und da sie ihn sah, hielt sie ihn für einen Wasserspiegel und entblößte ihre Schenkel. (Salomo) sprach:»Es ist ein Palast, getäfelt und gepflastert mit geglättetem Glas.« Sie sprach:»Mein Herr, ich habe fürwahr wider meine eigene Seele gesündigt; und ich ergebe mich, mit Salomo, Allah, dem Herrn der Welten.«

46. Wir entsandten zu den Thamūd ihren Bruder Sāleh (der sprach):»Verehret Allah!« Doch siehe, sie wurden zwei Parteien, die miteinander stritten.

47. Er sprach:»O mein Volk, weshalb wollt ihr lieber das Böse beschleunigt sehen als das Gute? Warum bittet ihr nicht Allah um Verzeihung, damit euch Barmherzigkeit zuteil werde?«

48. Sie sprachen:»Wir ahnen Böses von dir und von denen, die mit dir sind.« Er sprach:»Euer Unheil ist bereits bei Allah. Nein, ihr seid ein Volk, das geprüft wird.«

49. Und es waren in der Stadt neun Leute, die Unheil im Lande stifteten, und sie wollten sich nicht bessern.

50. Sie sprachen:»Schwöret einander bei Allah zu, daß wir gewißlich ihn (Sāleh) und seine Angehörigen nachts überfallen wollen, und dann wollen wir zu seinem Hinterlassenen sagen: ›Wir waren nicht Zeugen beim Untergang seiner Familie, und wir reden bestimmt die Wahrheit.‹«

51. Sie schmiedeten einen Plan, auch Wir schmiedeten einen Plan, aber sie gewahrten es nicht.

52. Sieh nun, wie der Ausgang ihres Planes war, denn Wir vernichteten sie und all ihr Volk ganz und gar.

53. Und dort sind ihre Häuser, verfallen ob ihres Frevelns. Hierin ist wahrlich ein Zeichen für Leute, die wissen.

54. Und Wir erretteten jene, die glaubten und gottesfürchtig waren.

55. Und (gedenke) Lots, da er zu seinem Volke sprach: »Wollt ihr geflissentlich Schändlichkeit begehen?

56. Wollt ihr euch wirklich Männern in Begierde nähern statt Frauen? Nein, ihr seid ein unwissendes Volk.«

57. Doch die Antwort seines Volkes war nur, daß sie sprachen: »Treibet Lots Familie hinaus aus eurer Stadt; denn sie sind Leute, die rein sein möchten.«

58. Also erretteten Wir ihn und die Seinen, bis auf seine Frau; sie ließen Wir unter denen sein, die zurückblieben.

59. Und Wir ließen einen Regen auf sie niederregnen; und schlimm war der Regen den Gewarnten.

60. Sprich: »Aller Preis gebührt Allah, und Frieden sei über jenen von Seinen Dienern, die Er auserwählt hat. Ist Allah besser oder das, was sie anbeten?«

61. Wer hat denn Himmel und Erde geschaffen, und wer sendet Wasser für euch vom Himmel nieder, durch das Wir Gärten, in Schönheit prangend, sprießen lassen? Ihr vermöchtet nicht, ihre Bäume sprießen zu lassen. Ist wohl ein Gott neben Allah? Nein, sie sind ein Volk, das Götter neben Gott stellt.

62. Wer hat denn die Erde zu einer Ruhestatt gemacht und Flüsse durch ihre Mitte geführt und feste Berge auf ihr errichtet und eine Schranke zwischen die beiden Meere gesetzt? Ist wohl ein Gott neben Allah? Nein, die meisten von ihnen wissen es nicht.

63. Wer antwortet denn dem Bedrängten, wenn er Ihn anruft, und nimmt das Übel hinweg und macht euch zu Nachfolgern auf Erden? Ist wohl ein Gott neben Allah? Gering ist, wessen ihr gedenkt.

64. Wer leitet euch in den Finsternissen zu Land und Meer, und wer sendet die Winde als Herolde froher Botschaft Seiner Barmherzigkeit voraus? Ist wohl ein Gott neben Allah? Hoch erhaben ist Allah über das, was sie anbeten.

65. Wer ruft denn Schöpfung hervor und läßt sie dann wieder erstehen, und wer versorgt euch vom Himmel und von der Erde?

Ist wohl ein Gott neben Allah? Sprich: »Bringt euren Beweis herbei, wenn ihr wahrhaftig seid.«

66. Sprich: »Niemand in den Himmeln und auf Erden kennt das Ungesehene, außer Allah; und sie wissen nicht, wann sie auferweckt werden.«

67. Nein, ihr Wissen über das Jenseits hat gänzlich versagt; nein, sie sind im Zweifel darüber; nein, sie sind ihm gegenüber blind.

68. Und jene, die ungläubig sind, sagen: »Wie! wenn wir und unsere Väter Staub geworden sind, sollen wir dann wirklich wieder hervorgebracht werden?

69. Verheißen ward uns dies zuvor – uns und unseren Vätern; dies sind ja nur Fabeln der Alten.«

70. Sprich: »Reiset umher auf der Erde und seht, wie der Ausgang der Sündigen war!«

71. Betrübe dich nicht um sie, noch sei bedrängt ob dessen, was sie an Ränken schmieden.

72. Und sie sagen: »Wann wird diese Verheißung (erfüllt werden), wenn ihr die Wahrheit redet?«

73. Sprich: »Vielleicht ist ein Teil von dem, was ihr beschleunigen möchtet, schon nahe an euch herangekommen.«

74. Und fürwahr, dein Herr ist huldreich gegen die Menschen, doch die meisten von ihnen sind nicht dankbar.

75. Und dein Herr kennt wohl, was ihre Herzen verhehlen und was sie offenkund tun.

76. Und nichts Verborgenes ist im Himmel oder auf Erden, das nicht in einem deutlichen Buch stünde.

77. Wahrlich, dieser Koran erklärt den Kindern Israels das meiste von dem, worüber sie uneins sind.

78. Und er ist fürwahr eine Führung und eine Barmherzigkeit für die Gläubigen.

79. Dein Herr wird zwischen ihnen entscheiden durch Seinen Spruch, und Er ist der Allmächtige, der Allwissende.

80. Vertraue also auf Allah, denn du ruhst in lauterer Wahrheit.

81. Du kannst die Toten nicht hörend machen, noch kannst du bewirken, daß die Tauben den Anruf hören, wenn sie den Rükken kehren;

82. Noch kannst du die Blinden aus ihrem Irrtum leiten. Du

kannst nur die hörend machen, die an Unsere Zeichen glauben und die sich ergeben.

83. Und wenn der Spruch gegen sie fällt, dann werden Wir für sie einen Keim aus der Erde hervorbringen, der sie stechen soll, weil die Menschen an Unsere Zeichen nicht glaubten.

84. Und (mahne sie an) den Tag, da Wir aus jedem Volk eine Schar derer versammeln werden, die Unsere Zeichen verwarfen, und sie sollen in Reih und Glied gehalten werden,

85. Bis, wenn sie kommen, Er sprechen wird: »Habt ihr Meine Zeichen verworfen, obwohl ihr sie nicht mit Wissen umfaßt habt? Oder was war es, das ihr tatet?«

86. Und der Spruch wird gegen sie fallen ob ihres Frevelns, und sie werden nicht reden.

87. Haben sie denn nicht gesehen, daß Wir die Nacht geschaffen haben, damit sie darin ruhen möchten, und den Tag zum Sehen? Hierin sind wahrlich Zeichen für Leute, die glauben.

88. Und an dem Tage, wenn in die Posaune gestoßen wird, dann wird, wer in den Himmeln und wer auf Erden ist, mit Schrecken geschlagen werden, ausgenommen der, den Allah will. Und alle sollen demütig zu Ihm kommen.

89. Und du siehst die Berge, die du fest gegründet glaubst, doch sie bewegen sich wie die Bewegung der Wolken: das Wirken Allahs, Der alles vollendet hat. Wahrlich, Er weiß wohl, was ihr tut.

90. Wer Gutes vollbringt, dem wird Besseres als das; und sie werden sicher sein vor Schrecken an jenem Tage.

91. Und die Schlechtes vollbringen, derer Anführer sollen ins Feuer gestürzt werden: »Euch ist gelohnt worden nur nach dem, was ihr gewirkt.«

92. (Sprich:) »Mir ist nur geheißen, dem Herrn dieser Stadt zu dienen, die Er geheiligt hat, und Sein sind alle Dinge; und mir ist geheißen, einer der Gottergebenen zu sein,

93. Und den Koran vorzutragen.« Wer also dem rechten Weg folgt, der folgt ihm nur zu seinem eigenen Besten; und wer irregeht, so sprich: »Ich bin nur einer der Warner.«

94. Und sprich: »Aller Preis gebührt Allah; Er wird euch Seine Zeichen zeigen, und ihr werdet sie erkennen.« Und dein Herr ist nicht unachtsam dessen, was ihr tut.

1. Im Namen Allahs, des Gnädigen, des Barmherzigen.

2. Tā Sīn Mīm.*

3. Das sind die Verse des deutlichen Buches.

4. Wir wollen dir ein Stück aus der Geschichte von Moses und Pharao vortragen, der Wahrheit gemäß, für Leute, die glauben.

5. Siehe, Pharao betrug sich hoffärtig im Land und teilte das Volk darin in Gruppen: einen Teil von ihnen versuchte er zu schwächen, indem er ihre Söhne erschlug und ihre Frauen leben ließ. Fürwahr, er war einer der Unheilstifter!

6. Und Wir wünschten, denen, die im Lande als schwach erachtet worden waren, Huld zu erweisen und sie zu Führern zu machen und zu Erben einzusetzen,

7. Und sie festzusetzen im Land und Pharao und Hāmān und ihren Heerscharen durch sie das zu zeigen, was sie befürchteten.

8. Da offenbarten Wir der Mutter von Moses: »Säuge ihn; und wenn du für ihn fürchtest, so wirf ihn in den Fluß und fürchte dich nicht und betrübe dich nicht; denn Wir werden ihn dir wiedergeben und ihn zu einem der Gesandten machen.«

9. Und die Angehörigen Pharaos lasen ihn auf, daß er ihnen zum Feind und zum Kummer würde; denn Pharao und Hāmān und ihre Heerscharen waren Missetäter.

10. Eine Frau von Pharaos Familie sprach: »Eine Augenweide mir und dir! Tötet ihn nicht. Vielleicht erweist er sich nützlich für uns, oder wir nehmen ihn als Sohn an.« Aber sie waren ahnungslos.

11. Und das Herz von Moses' Mutter wurde leicht. Fast hätte sie ihn öffentlich anerkannt, hätten Wir nicht ihr Herz gestärkt, damit sie am Glauben zunehmen möchte.

12. Sie sprach zu seiner Schwester: »Spüre ihm nach.« So beobachtete sie ihn von weitem; und jene ahnten nichts.

13. Und vordem hatten Wir ihm die Ammen verboten. Da sprach sie (seine Schwester): »Soll ich euch einen Haushalt nennen, wo man ihn für euch aufziehen und ihm wohlgesinnt sein würde?«

14. So gaben Wir ihn seiner Mutter zurück, damit ihr Auge gekühlt werde und damit sie sich nicht gräme und damit sie wisse,

---

* Der Reinigende, der Erhörende, der Erhabene!

daß Allahs Verheißung wahr ist. Jedoch die meisten von ihnen wissen es nicht.

15. Und als er seine Vollkraft erreicht hatte und reif geworden war, verliehen Wir ihm Weisheit und Wissen; also belohnen Wir jene, die Gutes tun.

16. Und er betrat die Stadt um eine Zeit, da ihre Bewohner in einem Zustand von Unachtsamkeit waren; und er fand da zwei Männer, die miteinander kämpften, der eine von seiner eigenen Partei und der andere von seinen Feinden. Jener, der von seiner Partei war, rief ihn zu Hilfe gegen den, der von seinen Feinden war. So schlug Moses ihn zurück; doch es führte zu seinem Tod. Er sprach: »Das ist ein Werk Satans; er ist ein Feind, ein offenbarer Verführer.«

17. Er sprach: »Mein Herr, ich habe an meiner Seele Unrecht getan, so vergib mir.« So verzieh Er ihm; denn Er ist der Allverzeihende, der Barmherzige.

18. Er sprach: »Mein Herr, da Du mir gnädig gewesen bist, will ich nie ein Helfer der Sünder sein.«

19. Und der Morgen fand ihn in der Stadt, furchtsam, auf der Hut; und siehe, jener, der ihn tags zuvor zu Hilfe gerufen hatte, schrie (wiederum) zu ihm um Beistand. Da sprach Moses zu ihm: »Du bist fürwahr ein Irregegangener.«

20. Und da er sich entschloß, Hand an den Mann zu legen, der ihrer beider Feind war, sprach er: »O Moses, willst du mich töten, wie du gestern einen Menschen getötet hast? Du suchst nur ein Tyrann im Land zu werden, und du willst nicht ein Friedensstifter sein.«

21. Da kam ein Mann von dem äußersten Ende der Stadt gelaufen. Er sprach: »O Moses, die Häupter beraten sich gegen dich, um dich zu töten. Darum mache dich fort, ich bin dir ein aufrichtiger Freund.«

22. Da ging er hinaus von dort, furchtsam, auf der Hut. Er sprach: »Mein Herr, rette mich vor dem ruchlosen Volk.«

23. Und als er sein Antlitz gegen Midian wandte, sprach er: »Ich hoffe, mein Herr wird mich auf den rechten Weg leiten.«

24. Als er zum Wasser von Midian kam, fand er dort eine Schar von Leuten, die (ihr Vieh) tränkten. Und neben ihnen fand er zwei Frauen, die (ihr Vieh) zurückhielten. Er sprach: »Was ist

mit euch?« Sie antworteten: »Wir können (unser Vieh) nicht eher tränken, als bis die Hirten (ihre Herden) fortgetrieben haben, und unser Vater ist ein Greis, hochbetagt.«

25. Da tränkte er (ihre Herden) für sie. Dann zog er sich in den Schatten zurück und sprach: »Mein Herr, ich bedarf des Guten, was immer es sei, das Du auf mich herabsenden magst.«

26. Und eine der beiden kam schamhaft zu ihm gegangen. Sie sprach: »Mein Vater ruft dich, damit er dir Lohn geben kann dafür, daß du (unser Vieh) für uns getränkt hast.« Als er nun zu ihm kam und ihm seine Geschichte erzählte, sprach er: »Fürchte dich nicht; du bist dem ruchlosen Volk entronnen.«

27. Da sprach eine der beiden: »O mein Vater, dinge ihn; denn der beste Mann, den du dingen kannst, ist einer, der stark ist, ehrlich.«

28. Er sprach: »Ich will dir eine von diesen meinen zwei Töchtern zur Frau geben unter der Bedingung, daß du dich mir auf acht Jahre zum Dienst verpflichtest. Willst du dann zehn (Jahre) vollmachen, so steht es bei dir. Ich möchte aber nicht hart sein zu dir; du wirst mich, so Allah will, als einen der Rechtschaffenen erfinden.«

29. Er sprach: »Das sei zwischen mir und dir. Welche der beiden Fristen ich auch erfülle, es soll mich kein Vorwurf treffen; und Allah ist Zeuge dessen, was wir sagen.«

30. Als Moses nun die Frist erfüllt hatte und mit seinen Angehörigen reiste, gewahrte er in der Richtung des Berges ein Feuer. Er sprach zu den Seinen: »Bleibt zurück, ich gewahre ein Feuer; vielleicht kann ich euch eine Kunde davon bringen oder einen Feuerbrand, so daß ihr euch wärmen könnt.«

31. Und als er zu ihm kam, da ward er angerufen von der rechten Seite des Tales, aus dem Baume, am gesegneten Ort: »O Moses, wahrlich Ich, Ich bin Allah, der Herr der Welten.

32. Wirf deinen Stab hin.« Als er ihn sich regen sah, als wäre er eine Schlange, da wandte er sich zur Flucht und schaute nicht zurück. »O Moses, tritt vor und fürchte dich nicht; denn du gehörst zu jenen, die sicher sind.

33. Stecke deine Hand in deinen Busen; sie wird weiß hervorkommen ohne Übel, und ziehe deinen Arm ohne Furcht an

dich. Das sollen nun zwei Beweise von deinem Herrn für Pharao und seine Häupter sein, denn sie sind ein frevelndes Volk.«

34. Er sprach:»Mein Herr, ich habe einen von ihnen erschlagen, und ich fürchte, sie werden mich töten.

35. Und mein Bruder Aaron, er ist beredter als ich mit der Zunge; sende ihn darum mit mir als einen Helfer, daß er mich beglaubige, denn ich fürchte, sie werden mich der Falschheit zeihen.«

36. Er sprach:»Wir wollen deinen Arm stärken mit deinem Bruder, und Wir wollen euch beiden Macht geben, so daß sie euch nicht erreichen werden. (Gehet nun) mit Unseren Zeichen. Ihr beide und die, welche euch folgen, werden die Sieger sein.«

37. Als Moses zu ihnen kam mit Unseren deutlichen Zeichen, da sprachen sie:»Das ist nichts als ein Zaubertrug, und wir haben unter unseren Vorvätern nie dergleichen gehört.«

38. Moses sprach:»Mein Herr weiß am besten, wer es ist, der Führung von Ihm gebracht hat, und wem der glückselige Lohn der Wohnstatt zuteil werden wird. Wahrlich, die Frevler haben nie Erfolg.«

39. Und Pharao sprach:»O ihr Häupter, ich kenne keinen anderen Gott für euch außer mir; so brenne mir, o Hāmān, (Ziegel aus) Ton und mache mir einen Turm, damit ich den Gott Moses' erblicken kann, ob ich ihn gleich gewißlich für einen Lügner erachte.«

40. Er und seine Heerscharen betrugen sich hoffärtig im Land ohne irgendeine Rechtfertigung. Und sie wähnten, daß sie nie zu Uns zurückgebracht werden würden.

41. So erfaßten Wir ihn und seine Heerscharen und setzten sie aus inmitten des Meeres. Schau darum, wie der Ausgang der Missetäter war!

42. Und Wir machten sie zu Führern, welche (Menschen) zum Feuer luden; und am Tage der Auferstehung werden sie keinen Beistand finden.

43. Und Wir ließen ihnen einen Fluch folgen in dieser Welt; und am Tage der Auferstehung werden sie unter den Verabscheuten sein.

44. Und Wir gaben Moses die Schrift, nachdem Wir die früheren Geschlechter vernichtet hatten, als ein Mittel zur Erleuchtung

für die Menschen und als Führung und Barmherzigkeit, auf daß sie ermahnt wären.

45. Und du warst nicht auf der westlichen Seite, als Wir Moses den Auftrag gaben, noch warst du unter den Anwesenden.

46. Jedoch Wir ließen (nach Moses) Geschlechter erstehen, und das Leben wurde ihnen lang. Und du verweiltest nicht unter dem Volke von Midian, ihnen Unsere Zeichen vorzutragen; doch Wir, Wir schickten Gesandte.

47. Und du warst nicht auf der Seite des Berges, da Wir riefen. Doch (Wir haben dich entsandt) als eine Barmherzigkeit von deinem Herrn, damit du ein Volk warnen möchtest, dem vor dir kein Warner gekommen war, auf daß sie ermahnt seien.

48. Und wäre es nicht, daß sie, wenn ein Unglück sie treffen sollte um dessentwillen, was ihre Hände vorausgesandt, sprechen könnten:»Unser Herr, warum hast Du uns nicht einen Gesandten geschickt, daß wir Deine Zeichen hätten befolgen mögen, und wir wären unter den Gläubigen gewesen?« (Wir hätten dich nicht entsandt.)

49. Doch als ihnen nun die Wahrheit von Uns kam, da sprachen sie:»Warum ist ihm nicht das gleiche gegeben worden wie das, was Moses gegeben ward?« Haben sie denn nicht das geleugnet, was Moses zuvor gegeben ward? Sie hatten gesagt:»Zwei Zauberwerke, die einander stützen.« Und sie sagten:»Wir leugnen beide.«

50. Sprich:»So bringet ein Buch von Allah herbei, das eine bessere Führung ist als diese beiden*, damit ich ihm folge, wenn ihr wahrhaftig seid.«

51. Doch wenn sie dir nicht antworten, dann wisse, daß sie nur ihren eigenen bösen Gelüsten folgen. Und wer ist irrender als der, der seinen bösen Gelüsten folgt ohne Führung von Allah? Wahrlich, Allah leitet das ungerechte Volk nicht.

52. Und Wir haben ihnen das Wort immer wieder übermittelt, auf daß sie ermahnt seien.

53. Diejenigen, denen Wir die Schrift zuvor gegeben – sie glauben daran.

54. Und wenn sie ihnen vorgetragen wird, sagen sie:»Wir glau-

---

* Die Thora und der Koran.

ben daran. Wahrlich, es ist die Wahrheit von unserem Herrn; wir hatten uns schon vordem (Gott) ergeben.«

55. Diese werden ihren Lohn zweimal erhalten, weil sie standhaft waren und das Böse abwehren durch das Gute und spenden von dem, was Wir ihnen gegeben haben.

56. Und wenn sie eitles Gerede hören, so wenden sie sich davon ab und sprechen: »Für uns unsere Werke und für euch eure Werke. Friede sei mit euch! Wir suchen nicht die Unwissenden.«

57. Du kannst nicht dem den Weg weisen, den du liebst; Allah aber weist den Weg, wem Er will; und Er kennt am besten jene, die die Führung annehmen.

58. Sie sprechen: »Wenn wir der Führung mit dir folgten, so würden wir von unserem Land weggerissen werden.« Haben Wir ihnen denn nicht eine sichere Freistatt aufgerichtet, zu der die Früchte aller Dinge gebracht werden, als eine Versorgung von Uns? Jedoch die meisten von ihnen wissen es nicht.

59. Und wie so manche Stadt haben Wir zerstört, die in ihrer Fülle des Unterhalts frohlockte! Und dort stehen ihre Wohnstätten, die nicht bewohnt worden sind nach ihnen. Und Wir, Wir wurden die Erben.

60. Und dein Herr würde nie die Städte zerstören, Er hätte denn zuvor in derer Mutterstadt einen Gesandten erweckt, ihnen Unsere Zeichen vorzutragen; noch zerstören Wir Städte, ohne daß ihre Bewohner voll Ungerechtigkeit sind.

61. Und was euch auch an Dingen gegeben ward, es ist nur ein zeitweiliger Genuß dieses Lebens und sein Schmuck; und das, was bei Allah ist, ist besser und bleibender. Wollt ihr denn nicht begreifen?

62. Ist denn der, dem Wir eine schöne Verheißung gaben, die er erfüllt sehen wird, gleich jenem, den Wir mit den guten Dingen dieses Lebens versorgt haben? Doch dann, am Tage der Auferstehung, wird er unter den Vorgeladenen sein.

63. An jenem Tage wird Er sie rufen und sprechen: »Wo sind nun Meine Nebengötter, die ihr wähntet?«

64. Diejenigen, über die der Spruch fällig ist, werden sprechen: »Unser Herr, dies sind jene, die wir irreführten. Wir führten sie

irre, wie wir selbst irregingen. Wir sprechen uns los vor Dir. Nicht wir waren es, die sie anbeteten.«

65. Und es wird gesprochen werden: »Ruft eure Götter an.« Und sie werden sie anrufen, doch jene werden ihnen nicht antworten. Und sie werden die Strafe schauen. Wären sie doch dem rechten Weg gefolgt!

66. An jenem Tage wird Er sie rufen und sprechen: »Welche Antwort gabet ihr den Gesandten?«

67. Dann werden alle Ausreden ihnen dunkel werden an jenem Tage, und sie werden einander nicht befragen können.

68. Der aber bereut und glaubt und das Rechte wirkt – wohl möglich, daß er unter den Erfolgreichen sein wird.

69. Dein Herr erschafft und erwählt, was Ihm gefällt. Nicht ihnen steht die Wahl zu. Gepriesen sei Allah und hoch erhaben über das, was sie anbeten!

70. Dein Herr weiß, was ihre Herzen verbergen und was sie offenbaren.

71. Und Er ist Allah; es gibt keinen Gott außer Ihm. Ihm gebührt aller Preis am Anfang und am Ende. Sein ist die Herrschaft, und zu Ihm sollt ihr zurückgebracht werden.

72. Sprich:»Saget mir, wenn Allah die Nacht dauern ließe über euch bis zum Tage der Auferstehung, welcher Gott außer Allah könnte euch ein Licht bringen? Wollt ihr denn nicht hören?«

73. Sprich:»Saget mir, wenn Allah den Tag dauern ließe über euch bis zum Tage der Auferstehung, welcher Gott außer Allah könnte euch eine Nacht bringen, worin ihr ruhtet? Wollt ihr denn nicht einsehen?«

74. Aus Seiner Barmherzigkeit schuf Er für euch die Nacht und den Tag, daß ihr darin ruhen möchtet und daß ihr nach Seiner Huld trachtet und daß ihr dankbar wäret.

75. An jenem Tage wird Er sie rufen und sprechen: »Wo sind nun Meine Nebengötter, die ihr wähntet?«

76. Und Wir werden aus jedem Volke einen Zeugen holen und sprechen: »Bringt euren Beweis herbei.« Dann werden sie erkennen, daß die Wahrheit Allahs ist. Und das, was sie zu erdichten pflegten, wird für sie verloren sein.

77. Korah gehörte zum Volke Moses', doch er bedrückte sie. Und Wir hatten ihm so viel an Schätzen gegeben, daß ihre

Schlüssel sicherlich eine Bürde für eine Schar von Starken gewesen wären. Da sein Volk zu ihm sprach: »Frohlocke nicht, denn Allah liebt nicht die Frohlockenden,

78. Sondern suche in dem, was Allah dir gegeben, die Wohnstatt des Jenseits; und vernachlässige deinen Teil an der Welt nicht; und tue Gutes, wie Allah dir Gutes getan hat; und begehre nicht Unheil auf Erden, denn Allah liebt die Unheilstifter nicht.«

79. Er antwortete: »Es ward mir nur um des Wissens willen, das ich besitze, gegeben.« Wußte er denn nicht, daß Allah vor ihm schon Geschlechter vernichtet hatte, die stärker waren als er an Kraft und größer an Reichtum? Und die Schuldigen werden nicht nach ihren Sünden befragt.

80. So ging er denn hinaus zu seinem Volk in seinem Schmuck. Jene nun, die nach dem Leben in dieser Welt begierig waren, sprachen: »O daß wir doch das gleiche besäßen wie das, was Korah gegeben ward! Fürwahr, er ist der Herr gewaltigen Glückes.«

81. Die aber, denen Wissen zuteil geworden war, sprachen: »Wehe euch, Allahs Lohn ist besser für den, der glaubt und gute Werke übt; und keiner wird ihn erlangen außer den Standhaften.«

82. Dann ließen Wir die Erde ihn und sein Haus verschlingen; und er hatte keine Schar, ihm zu helfen gegen Allah, noch konnte er sich retten.

83. Und jene, die noch tags zuvor sich an seine Stelle gewünscht hatten, sprachen: »Ah sieh! es ist fürwahr Allah, Der die Mittel zum Unterhalt weitet und beschränkt, wem Er will unter Seinen Dienern. Wäre uns Allah nicht gnädig gewesen, Er hätte (die Erde) uns verschlingen lassen. Ah sieh! die Undankbaren haben nie Erfolg.«

84. Jene Wohnstatt im Jenseits! Wir geben sie denen, die weder Selbsterhöhung auf Erden begehren noch irgendeine Verderbnis. Und der Ausgang ist für die Rechtschaffenen.

85. Wer Gutes vollbringt, soll Besseres als das erhalten; wer jedoch eine böse Tat vollbringt – jene, die böse Werke tun, sollen nur nach dem belohnt werden, was sie getan.

86. Wahrlich, Er, Der den Koran bindend für dich gemacht hat, Er wird dich zurückbringen zur Stätte der Wiederkehr.

Sprich: »Mein Herr weiß am besten, wer es ist, der auf dem rechten Weg ist, und wer in offenbarem Irrtum ist.«

87. Und du hattest selbst keine Hoffnung, daß dir das Buch offenbart würde; allein es ist eine Barmherzigkeit von deinem Herrn; darum sei den Ungläubigen nie ein Beistand.

88. Laß niemand dich abwendig machen von den Zeichen Allahs, nachdem sie zu dir niedergesandt worden; und rufe zu deinem Herrn und sei nicht der Götzendiener einer.

89. Und rufe neben Allah nicht einen andern Gott an. Es gibt keinen Gott außer Ihm. Alle Dinge sind vergänglich, bis auf Sein Angesicht. Sein ist die Herrschaft und zu Ihm werdet ihr zurückgebracht werden.

1. Im Namen Allahs, des Gnädigen, des Barmherzigen.

2. Alif Lām Mīm.*

3. Meinen die Menschen, sie würden in Ruhe gelassen werden, wenn sie bloß sagen: »Wir glauben«, und sie würden nicht auf die Probe gestellt?

4. Wir stellten doch die auf die Probe, die vor ihnen waren. Also wird Allah gewiß die bezeichnen, die wahrhaftig sind, und gewiß wird Er die Lügner bezeichnen.

5. Oder glauben diejenigen, die böse Taten begehen, daß sie Uns entrinnen werden? Übel ist, wie sie urteilen.

6. Wer auf die Begegnung mit Allah hofft (der wisse, daß) Allahs angesetzte Frist sicher abläuft. Und Er ist der Allhörende, der Allwissende.

7. Wer da strebt, strebt nur für seine eigene Seele; denn Allah ist unabhängig von allen Welten.

8. Und jene, die glauben und gute Werke tun – wahrlich, Wir werden ihre Übel von ihnen nehmen und ihnen den besten Lohn für ihre Taten geben.

9. Wir haben dem Menschen auf die Seele gebunden, seinen Eltern Gutes zu tun. Doch wenn sie dich bestimmen möchten, daß du Mir das zur Seite stellst, wovon du keine Kenntnis hast, so gehorche ihnen nicht. Zu Mir ist eure Heimkehr, dann will Ich euch verkünden, was ihr getan.

10. Und jene, die glauben und gute Werke tun – wahrlich, Wir werden sie unter die Rechtschaffenen einführen.

11. Unter den Menschen sind manche, die sprechen: »Wir glauben an Allah«, doch wenn sie für Allahs Sache leiden müssen, so betrachten sie die Anfeindung durch Menschen gleich der Strafe Allahs. Kommt aber Hilfe von deinem Herrn, dann sprechen sie gewiß: »Wahrlich, wir waren mit euch.« Weiß Allah nicht am besten, was in den Herzen aller Geschöpfe ist?

12. Allah wird sicherlich die bezeichnen, die glauben, und Er wird sicherlich die Heuchler bezeichnen.

13. Und die Ungläubigen sprechen zu denen, die glauben: »Folget unserem Weg, so wollen wir eure Sünden tragen.« Sie kön-

---

* Ich bin Allah, der Allwissende.

nen doch nichts tragen von ihren Sünden. Sie sind gewißlich Lügner.

14. Aber sie sollen wahrlich ihre eigenen Lasten tragen und Lasten zu ihren Lasten hinzu. Und sie werden gewißlich befragt werden am Tage der Auferstehung um das, was sie erdichtet.

15. Wir sandten Noah zu seinem Volke, und er weilte unter ihnen tausend Jahre weniger fünfzig Jahre. Da ereilte sie die Sintflut, weil sie Missetäter waren.

16. Aber Wir erretteten ihn und die Insassen der Arche; und Wir machten sie zu einem Zeichen für alle Völker.

17. (Wir entsandten) auch Abraham, als er zu seinem Volke sprach: »Verehret Allah und fürchtet Ihn. Das ist besser für euch, wenn ihr es wüßtet.

18. Ihr verehret nur Götzen statt Allah, und ihr ersinnt eine Lüge. Jene, die ihr statt Allah verehrt, vermögen euch nicht zu versorgen. Suchet darum Versorgung bei Allah und verehret Ihn und seid Ihm dankbar. Zu Ihm werdet ihr zurückgebracht werden.

19. Und wenn ihr verwerft, so haben Geschlechter vor euch (auch) schon verworfen. Und dem Gesandten obliegt nur die deutliche Verkündigung.«

20. Sehen sie nicht, wie Allah Schöpfung hervorbringt und sie dann wiederholt? Das ist fürwahr ein leichtes für Allah.

21. Sprich: »Reiset umher auf Erden und sehet, wie Er das erstemal die Schöpfung hervorbrachte. Dann ruft Allah die nächste Schöpfung hervor.« Wahrlich, Allah hat Macht über alle Dinge.

22. Er straft, wen Er will, und erweist Barmherzigkeit, wem Er will; und zu Ihm werdet ihr gewendet werden.

23. Und ihr könnet (die Absichten Gottes) auf Erden oder im Himmel nicht vereiteln, noch habt ihr einen Freund oder Helfer außer Allah.

24. Diejenigen, die nicht an die Zeichen Allahs und an die Begegnung mit Ihm glauben – sie sind es, die an Meiner Barmherzigkeit verzweifeln. Und ihnen wird eine schmerzliche Strafe.

25. Die Antwort seines Volkes war nur, daß sie sprachen: »Erschlagt ihn oder verbrennt ihn.« Doch Allah errettete ihn aus

dem Feuer. Hierin sind wahrlich Zeichen für ein Volk, das glaubt.

26. Und er sprach: »Ihr habt euch nur Götzen angenommen statt Allah, aus Liebe zueinander in diesem irdischen Leben. Dann aber, am Tage der Auferstehung, werdet ihr einander verleugnen und einander verfluchen. Euer Aufenthalt wird das Feuer sein; und ihr werdet keine Helfer finden.«

27. Und Lot glaubte ihm; und (Abraham) sprach: »Ich fliehe zu meinem Herrn*; Er ist der Allmächtige, der Allweise.«

28. Und Wir schenkten ihm Isaak und Jakob und gaben seinen Nachkommen das Prophetentum und die Schrift, und Wir gaben ihm seinen Lohn in diesem Leben, und im Jenseits wird er gewiß unter den Rechtschaffenen sein.

29. Und (Wir entsandten) Lot, da sprach er zu seinem Volk: »Ihr begeht eine Schändlichkeit, die keiner von allen Menschen je vor euch begangen hat.

30. Naht ihr euch tatsächlich Männern (in Begierde) und raubet ihr auf der Landstraße? Und in euren Versammlungen begeht ihr Abscheuliches!« Jedoch die Antwort seines Volkes war nur, daß sie sprachen: »Bringe Allahs Strafe über uns, wenn du die Wahrheit redest.«

31. Er sprach: »Hilf mir, mein Herr, wider das ruchlose Volk.«

32. Und da Unsere Gesandten Abraham die frohe Botschaft brachten, sprachen sie: »Wir schicken uns an, die Bewohner dieser Stadt zu vernichten; denn ihre Bewohner sind Missetäter.«

33. Er sprach: »Doch Lot ist dort.« Sie sprachen: »Wir wissen recht wohl, wer dort ist. Gewiß, wir werden ihn und die Seinen erretten, bis auf seine Frau, die zu denen gehört, die zurückbleiben.«

34. Und da Unsere Gesandten zu Lot kamen, ward er besorgt ihretwegen und fühlte sich hilflos für sie. Sie sprachen: »Fürchte dich nicht und betrübe dich nicht; wir wollen sicherlich dich und die Deinen retten, bis auf deine Frau, die zu denen gehört, die zurückbleiben.

35. Wir wollen über die Bewohner dieser Stadt ein Strafgericht

---

* D. h. werde auswandern.

vom Himmel niedergehen lassen, weil sie unbotmäßig gewesen sind.«

36. Und Wir haben davon ein klares Zeichen zurückgelassen für Leute, die verstehen.

37. Und zu Midian (entsandten Wir) ihren Bruder Schoäb, der sprach: »O mein Volk, dienet Allah und fürchtet den Jüngsten Tag und begehet nicht Unheil auf Erden, indem ihr Unfrieden stiftet.«

38. Jedoch sie erklärten ihn für einen Lügner. Da erfaßte sie ein heftiges Erdbeben, und sie lagen in ihren Wohnungen hingestreckt auf dem Boden.

39. Und (Wir vernichteten) die 'Ād und die Thamūd; und es ist klar ersichtlich für euch aus ihren Wohnstätten. Satan ließ ihnen ihre Werke wohlgefällig erscheinen und machte sie abwendig von dem Pfad, wiewohl sie gute Beobachter waren.

40. Und (Wir vernichteten) Korah und Pharao und Hāmān. Moses kam wahrlich zu ihnen mit offenbaren Zeichen, doch sie betrugen sich hoffärtig auf Erden, (Uns) aber konnten sie nicht entrinnen.

41. So erfaßten Wir einen jeden in seiner Sünde; es waren unter ihnen welche, gegen die Wir einen Steinhagel schickten, und welche, die eine Windsbraut ereilte, und welche, die Wir von der Erde verschlingen ließen, und welche, die Wir ertränkten. Und Allah wollte nicht ihnen Unrecht tun, sondern sich selbst haben sie Unrecht getan.

42. Das Gleichnis derer, die sich Helfer nehmen neben Allah, ist wie das Gleichnis der Spinne, die sich ein Haus macht; und das gebrechlichste der Häuser ist gewiß das Haus der Spinne – wenn sie es nur begriffen!

43. Wahrlich, Allah kennt all das, was sie statt Ihn anrufen; und Er ist der Allmächtige, der Allweise.

44. Dies sind Gleichnisse, die Wir für die Menschheit aufstellen, doch es verstehen sie nur jene, die Wissen haben.

45. Allah erschuf die Himmel und die Erde in Weisheit. Hierin ist wahrlich ein Zeichen für die Gläubigen.

46. Verlies, was dir von dem Buche offenbart ward, und verrichte das Gebet. Wahrlich, das Gebet hält ab von Schändlich-

keiten und Unrecht; und an Allah denken ist gewiß die höchste (Tugend). Und Allah weiß, was ihr tut.

47. Und streitet nicht mit dem Volk der Schrift, es sei denn in der besten Art; doch (streitet überhaupt nicht) mit denen von ihnen, die ungerecht sind. Und sprecht: »Wir glauben an das, was zu uns herabgesandt ward und was zu euch herabgesandt ward; und unser Gott und euer Gott ist Einer; und Ihm sind wir ergeben.«

48. Also haben Wir dir das Buch herniedergesandt, und so glauben die daran, denen Wir das Buch gegeben; und (auch) unter diesen* sind einige, die daran glauben. Es sind aber nur die Ungläubigen, die Unsere Zeichen leugnen.

49. Und nie verlasest du vordem ein Buch, noch konntest du eines schreiben mit deiner rechten Hand; sonst hätten die Lügner zweifeln können.

50. Nein, es sind klare Zeichen in den Herzen derer, denen das Wissen gegeben ward. Es sind aber nur die Ungerechten, die Unsere Zeichen leugnen.

51. Dennoch sprechen sie: »Warum wurden nicht Zeichen zu ihm herabgesandt von seinem Herrn?« Sprich: »Die Zeichen sind allein bei Allah, und ich bin nur ein aufklärender Warner.«

52. Genügt es ihnen denn nicht, daß Wir dir das Buch herniedergesandt haben, das ihnen verlesen wird? Fürwahr, hierin ist Barmherzigkeit und Ermahnung für ein Volk, das glaubt.

53. Sprich: »Allah genügt als Zeuge zwischen mir und euch. Er weiß, was in den Himmeln und was auf Erden ist. Und diejenigen, die das Falsche annehmen und Allah ablehnen, das sind die Verlierenden.«

54. Sie verlangen von dir, daß du die Strafe beschleunigst. Wäre nicht eine Frist festgesetzt, die Strafe hätte sie schon ereilt, und sie wird gewiß unerwartet über sie kommen, da sie es nicht gewahren.

55. Sie verlangen von dir, daß du die Strafe beschleunigst; doch wahrlich, die Hölle wird die Ungläubigen einschließen

56. An dem Tage, da die Strafe sie überwältigen wird von oben

---

* Juden und Christen.

her und von ihren Füßen her, und Er wird sprechen: »Kostet nun (die Früchte) eurer Taten.«

57. O Meine Diener, die ihr glaubt, weit ist Mein Land. Darum verehret Mich allein.

58. Jedes Lebewesen soll den Tod kosten; zu Uns sollt ihr dann zurückgebracht werden.

59. Und jene, die glauben und gute Werke tun, sie beherbergen Wir in den oberen Gemächern des Paradieses, durch das Ströme fließen. Darin werden sie weilen immerdar. Herrlich ist der Lohn der (Gutes) Wirkenden,

60. Die da standhaft sind und auf ihren Herrn vertrauen.

61. Und wie so manches Tier gibt's, das nicht seinen eigenen Unterhalt trägt! Allah versorgt es und euch. Und Er ist der Allhörende, der Allwissende.

62. Und wenn du sie fragst: »Wer hat die Himmel und die Erde geschaffen und die Sonne und den Mond dienstbar gemacht?« – dann werden sie gewißlich sagen: »Allah.« Wieso lassen sie sich dann abwendig machen?

63. Allah weitet und beschränkt die Mittel zum Unterhalt, wem Er will von Seinen Dienern. Wahrlich, Allah hat volle Kenntnis von allen Dingen.

64. Und wenn du sie fragst: »Wer sendet Wasser vom Himmel nieder und belebt damit die Erde nach ihrem Tod?« – dann werden sie gewißlich sagen: »Allah.« Sprich: »Aller Preis gebührt Allah.« Jedoch die meisten von ihnen verstehen es nicht.

65. Dieses irdische Leben ist nichts als ein eitles Getändel und ein Spiel; die Wohnstatt des Jenseits aber – das ist Leben fürwahr, wenn sie es nur wüßten!

66. Und wenn sie ein Schiff besteigen, dann rufen sie Allah an, in lauterem Gehorsam gegen Ihn. Bringt Er sie dann aber heil ans Land, siehe, dann stellen sie (Ihm) Götter zur Seite,

67. Damit sie das leugnen, was Wir ihnen beschert haben, und damit sie sich ergötzen mögen. Bald aber werden sie es erfahren!

68. Haben sie denn nicht gesehen, daß Wir eine Freistatt* sicher gemacht haben, während rings um sie die Menschen hinwegge-

---

* Mekka.

rissen werden? Wollen sie da noch an Falsches glauben und die
Huld Allahs leugnen?

69. Und wer ist ungerechter als jener, der eine Lüge wider Allah
erdichtet oder die Wahrheit verwirft, wenn sie zu ihm kommt?
Ist denn nicht eine Wohnstatt in der Hölle für die Ungläubigen?

70. Und diejenigen, die in Unserer Sache bestrebt sind – Wir
werden sie gewiß leiten auf Unseren Wegen. Wahrlich, Allah ist
mit denen, die Gutes tun.

1. Im Namen Allahs, des Gnädigen, des Barmherzigen.
2. Alif Lām Mīm.*
3. Besiegt sind die Römer[69]
4. In dem Land nahebei, doch nach ihrer Niederlage werden sie siegreich sein
5. In wenigen Jahren – Allahs ist die Herrschaft vorher und nachher –, und an jenem Tage werden die Gläubigen frohlocken
6. Mit Allahs Hilfe. Er hilft, wem Er will; und Er ist der Allmächtige, der Barmherzige.
7. Die Verheißung Allahs – Allah bricht Seine Verheißung nicht –, allein die meisten Menschen wissen es nicht.
8. Sie kennen nur die Außenseite des Lebens in dieser Welt, des Jenseits aber sind sie gänzlich achtlos.
9. Haben sie denn nicht nachgedacht in ihrem Innern? Allah hat die Himmel und die Erde und was zwischen den beiden ist nur in Weisheit geschaffen und auf eine bestimmte Frist. Doch wahrlich, viele unter den Menschen glauben nicht an die Begegnung mit ihrem Herrn.
10. Sind sie denn nicht auf der Erde umhergereist, so daß sie sehen konnten, wie das Ende derer war, die vor ihnen waren? Jene waren stärker als sie an Kraft, und sie bebauten das Land und bevölkerten es mehr, als diese es bevölkert haben. Und ihre Gesandten kamen zu ihnen mit offenkundigen Zeichen. Und Allah wollte ihnen kein Unrecht antun, sondern sich selbst haben sie Unrecht getan.
11. Übel war alsdann das Ende derer, die Übles taten, da sie die Zeichen Allahs verwarfen und über sie zu spotten pflegten.
12. Allah bringt die Schöpfung hervor; dann läßt Er sie wiederkehren; zu Ihm dann werdet ihr zurückgebracht werden.
13. Und an dem Tage, da die »Stunde« herankommt, werden die Schuldigen von Verzweiflung übermannt werden.
14. Denn keiner von ihren Göttern wird ihnen Fürsprecher sein; und sie werden ihre Götter verleugnen.
15. Und an dem Tage, da die »Stunde« herankommt, an jenem Tage sollen sie voneinander getrennt werden.

---

* Ich bin Allah, der Allwissende.

16. Was nun die betrifft, die glaubten und gute Werke übten, so werden sie in einem Garten glücklich gemacht werden.

17. Jene aber, die ungläubig waren und Unsere Zeichen und die Begegnung im Jenseits leugneten, diese sollen zur Strafe herbeigebracht werden.

18. Preis sei denn Allah, wenn ihr den Abend antretet und wenn ihr den Morgen antretet –

19. Denn Ihm gebührt aller Preis in den Himmeln und auf Erden – und am Nachmittag und wenn ihr das Sinken der Sonne seht.

20. Er läßt das Lebendige hervorgehen aus dem Toten und läßt das Tote hervorgehen aus dem Lebendigen; Er belebt die Erde nach ihrem Tode, und in gleicher Weise sollt ihr wieder hervorgebracht werden.

21. Und unter Seinen Zeichen ist dies, daß Er euch aus Erde erschuf, alsdann, siehe, seid ihr Menschen, die sich (weithin) verbreiten.

22. Und unter Seinen Zeichen ist dies, daß Er Gattinnen für euch schuf aus euch selber, auf daß ihr Frieden in ihnen fändet, und Er hat Liebe und Zärtlichkeit zwischen euch gesetzt. Hierin sind wahrlich Zeichen für ein Volk, das nachdenkt.

23. Und unter Seinen Zeichen ist die Schöpfung der Himmel und der Erde und die Verschiedenheit eurer Sprachen und Farben. Hierin sind wahrlich Zeichen für die Wissenden.

24. Und unter Seinen Zeichen ist euer Schlafen bei Nacht und Tag und euer Trachten nach Seiner Gnadenfülle. Hierin sind wahrlich Zeichen für ein Volk, das hört.

25. Und unter Seinen Zeichen ist dies, daß Er euch den Blitz zeigt zu Furcht und Hoffen und Wasser vom Himmel herniedersendet und damit die Erde belebt nach ihrem Tode. Hierin sind wahrlich Zeichen für ein Volk, das versteht.

26. Und unter Seinen Zeichen ist dies, daß Himmel und Erde fest stehen auf Sein Geheiß. Alsdann, wenn Er euch ruft, mit einem Ruf aus der Erde, siehe, dann werdet ihr hervorgehen.

27. Sein ist, wer in den Himmeln und auf der Erde ist. Alle sind Ihm gehorsam.

28. Und Er ist es, Der die Schöpfung hervorbringt, dann wiederholt Er sie, und dies ist Ihm noch leichter. Sein ist das schönste

Gleichnis in den Himmeln und auf der Erde; und Er ist der Allmächtige, der Allweise.

29. Er setzt euch ein Gleichnis von euch selber. Habt ihr unter
denen, die eure Rechte besitzt, Teilhaber an dem, was Wir euch
gaben? Seid ihr darin also gleich (und) fürchtet ihr sie, wie ihr
einander fürchtet? Also machen Wir die Zeichen klar für ein
Volk, das versteht.

30. Die Ungerechten aber folgen ihren bösen Gelüsten ohne
Einsicht. Und wer kann den leiten, den Allah zum Irrenden erklärt? Für solche wird es keine Helfer geben.

31. So richte dein Antlitz auf den Glauben wie ein Aufrechter
(und folge) der Natur, die Allah geschaffen, der Natur, mit welcher Allah die Menschen erschaffen hat. Es gibt kein Ändern an
Allahs Schöpfung. Das ist der beständige Glaube. Allein die
meisten Menschen wissen es nicht. –

32. Zu Ihm euch wendend, und fürchtet Ihn und verrichtet das
Gebet und seid nicht unter den Götzendienern,

33. Unter denen, die ihren Glauben spalten und in Parteien zer-
fallen, und jede Partei freut sich über das, was sie selbst besitzt.

34. Und wenn eine Drangsal die Menschen befällt, dann rufen
sie zu ihrem Herrn, sich reuig zu Ihm wendend; hernach aber,
wenn Er sie Seine Barmherzigkeit kosten läßt, siehe, dann stellen einige von ihnen ihrem Herrn Götter zur Seite,

35. Um das zu verleugnen, was Wir ihnen gegeben. Ergötzet
euch denn eine Weile, bald jedoch werdet ihr es erfahren!

36. Haben Wir ihnen etwa Ermächtigung niedergesandt, die für
das spräche, was sie Ihm zur Seite stellen?

37. Und wenn Wir die Menschen Barmherzigkeit kosten lassen,
freuen sie sich ihrer; doch wenn sie ein Übel befällt um dessentwillen, was ihre eignen Hände vorausgesandt, siehe, dann verzweifeln sie.

38. Haben sie nicht gesehen, daß Allah die Mittel zum Unterhalt
weitet und beschränkt, wem Er will? Hierin sind wahrlich Zeichen für ein Volk, das glaubt.

39. So gib dem Verwandten, was ihm zukommt, wie auch dem
Bedürftigen und dem Wanderer. Das ist das Beste für die, die
nach Allahs Antlitz verlangen, und sie sind die Erfolgreichen.

40. Was immer ihr auf Zinsen verleiht, damit es sich vermehre

mit dem Gut der Menschen, es vermehrt sich nicht vor Allah; doch was ihr an Zakāt gebt, indem ihr nach Allahs Antlitz verlangt – sie sind es, die vielfache Mehrung empfangen werden.

41. Allah ist es, Der euch erschaffen hat, und dann hat Er euch versorgt; dann wird Er euch sterben lassen, und dann wird Er euch wieder lebendig machen. Ist etwa unter euren Göttern einer, der etwas von diesem vollbringen könnte? Gepriesen sei Er und hoch erhaben über das, was sie anbeten!

42. Verderbnis ist gekommen über Land und Meer um dessentwillen, was die Hände der Menschen gewirkt, auf daß Er sie kosten lasse die (Früchte) so mancher ihrer Handlungen, damit sie umkehren.

43. Sprich: »Reiset umher auf Erden und seht, wie das Ende derer zuvor war! Die meisten von ihnen waren Götzendiener.«

44. Richte dein Antlitz auf den beständigen Glauben, bevor der Tag kommt, für den es keine Wehr gibt gegen Allah. An jenem Tage werden sie gespalten sein.

45. Wer ungläubig ist: auf ihn sein Unglaube! Und wer Rechtes tut, der bereitet es sich selbst.

46. Daß Er lohnen möge aus Seiner Gnadenfülle denen, die glauben und das Rechte tun. Wahrlich, Er liebt nicht die Leugner.

47. Und unter Seinen Zeichen ist dies, daß Er die Winde entsendet mit froher Botschaft, auf daß Er euch von Seiner Barmherzigkeit kosten lasse, und daß die Schiffe segeln auf Sein Geheiß, und daß ihr nach Seiner Gnadenfülle trachtet, und daß ihr dankbar seiet.

48. Wir schickten schon Gesandte vor dir zu ihrem eigenen Volk. Sie brachten ihnen klare Beweise. Dann straften Wir die Schuldigen; und es oblag Uns, den Gläubigen zu helfen.

49. Allah ist es, Der die Winde entsendet, so daß sie eine Wolke hochtreiben. Dann breitet Er sie am Himmel aus, wie Er will, und häuft sie auf, Schicht auf Schicht, und du siehst den Regen hervorbrechen aus ihrer Mitte. Und wenn Er ihn fallen läßt auf wen Er will von Seinen Dienern, siehe, dann jauchzen sie,

50. Wiewohl sie zuvor, ehe er auf sie niedergesandt ward, in Verzweiflung waren.

51. Drum schau hin auf die Spuren von Allahs Barmherzigkeit:

wie Er die Erde belebt nach ihrem Tode. Wahrlich, derselbe (Gott) wird auch die Toten beleben; denn Er vermag alle Dinge zu tun.

52. Und wenn Wir einen Wind entsendeten und sie sähen (ihre Ernte) vergilben, so würden sie gewißlich danach undankbar sein.

53. Und du kannst die Toten nicht hörend machen, noch kannst du die Tauben den Ruf hören machen, wenn sie den Rücken kehren,

54. Noch kannst du die Blinden aus ihrem Irrtum leiten. Nur die wirst du hörend machen, die an Unsere Zeichen glauben und sich ergeben.

55. Allah ist es, Der euch in Schwäche erschaffen hat, und nach der Schwäche gab Er Stärke. Dann wiederum, nach der Stärke, gab Er Schwäche und graues Haar. Er schafft, was Er will. Und Er ist der Allwissende, der Allmächtige.

56. Und an dem Tage, da die »Stunde« herankommt, werden die Missetäter schwören, daß sie nicht länger als eine Stunde gesäumt – so haben sie sich immer getäuscht.

57. Doch die, denen Kenntnis und Glauben verliehen ward, werden sprechen: »Ihr habt fürwahr, gemäß dem Buche Allahs, bis zum Tage des Wiederaufstieges gesäumt. Und das ist der Tag des Wiederaufstieges, allein ihr wolltet es nicht wissen.«

58. So werden denn an jenem Tage ihre Ausreden den Frevlern nichts fruchten, noch werden sie Gunst finden.

59. Wahrlich, Wir haben den Menschen in diesem Koran alle Art Gleichnis aufgestellt; aber wenn du ihnen ein Zeichen bringst, dann werden jene, die ungläubig sind, sicherlich sagen: »Ihr seid nur Lügner.«

60. Also versiegelt Allah die Herzen derer, die unwissend sind.

61. So sei geduldig. Traun, die Verheißung Allahs ist wahr. Und laß nicht jene, die keine Gewißheit haben, dich ins Wanken bringen.

1. Im Namen Allahs, des Gnädigen, des Barmherzigen.

2. Alif Lām Mīm.*

3. Dies sind die Verse des weisen Buches.

4. Eine Führung und eine Barmherzigkeit für jene, die Gutes tun,

5. Die das Gebet verrichten und die Zakāt zahlen und die fest ans Jenseits glauben.

6. Sie sind es, die der Führung ihres Herrn folgen, und sie sind es, die Erfolg haben werden.

7. Unter den Menschen gibt es einen, der eitle Geschichten erhandelt, um (die Leute) irrezuleiten, hinweg von Allahs Pfad, ohne Wissen, und um damit Spott zu treiben. Solcher harrt eine schmähliche Strafe.

8. Und wenn ihm Unsere Zeichen vorgetragen werden, so kehrt er sich verächtlich ab, als hätte er sie nicht gehört, als wäre eine Schwerhörigkeit in seinen Ohren. So künde ihm eine schmerzliche Strafe an.

9. Die aber glauben und gute Werke tun, ihnen werden Gärten der Wonne,

10. Darin sie weilen werden immerdar. Eine Verheißung Allahs in Wahrheit! Und Er ist der Allmächtige, der Allweise.

11. Er hat die Himmel erschaffen ohne Stützen, die ihr zu sehen vermöchtet, und Er hat in der Erde feste Berge gegründet, damit sie nicht mit euch bebe, und hat allerlei Getier über sie verstreut. Und Wir senden Wasser aus den Wolken nieder und lassen jede edle Art auf ihr sprießen.

12. Dies ist Allahs Schöpfung. Zeigt mir nun, was andere, außer Ihm, geschaffen haben. Nein, die Frevler sind in offenkundigem Irrtum.

13. Wir verliehen Luqmān Weisheit, auf daß er Allah dankbar sein möchte: denn wer da dankbar ist, der ist dankbar zum Besten seiner eigenen Seele. Ist aber einer undankbar, dann ist wahrlich Allah Sich Selbst genügend, preiswürdig.

14. Und (denke daran) da Luqmān zu seinem Sohn sprach, indem er ihn ermahnte: »O mein lieber Sohn, setze Allah keine

---

* Ich bin Allah, der Allwissende.

Götter zur Seite, denn Götzendienst ist fürwahr eine schwere Sünde.«

15. Und Wir haben dem Menschen für seine Eltern ans Herz gelegt – seine Mutter trug ihn in Schwäche über Schwäche, und seine Entwöhnung erfordert zwei Jahre –: »Sei dankbar Mir und deinen Eltern. Zu Mir ist die Heimkehr.

16. Doch wenn sie mit dir eifern, damit du Mir das zur Seite setzest, wovon du keine Kenntnis hast, dann gehorche ihnen nicht. In weltlichen Dingen aber verkehre mit ihnen auf geziemende Weise. Doch folge dem Weg dessen, der sich zu Mir wendet. Dann werdet ihr zu Mir zurückkehren, und Ich werde euch verkünden, was ihr getan.«

17. »O mein lieber Sohn, hätte es auch nur das Gewicht eines Senfkorns und wäre es in einem Felsen oder in den Himmeln oder in der Erde, Allah wird es gewißlich hervorbringen. Wahrlich, Allah ist scharfsinnig, allwissend.

18. O mein lieber Sohn, verrichte das Gebet und gebiete Gutes und verbiete Böses und ertrage geduldig, was dich auch treffen mag. Das ist fürwahr ein Merkmal einer festen Gemütsart.

19. Und weise deine Wange nicht verächtlich den Menschen und wandle nicht hochmütig auf Erden; denn Allah liebt keinen eingebildeten Prahler.

20. Und wandle gemessenen Schritts und dämpfe deine Stimme; denn wahrlich, die widerwärtigste der Stimmen ist der Eselsschrei.«

21. Habt ihr nicht gesehen, daß Allah euch alles dienstbar gemacht hat, was in den Himmeln und was auf der Erde ist, und Seine Wohltaten reichlich über euch ergossen hat, äußerlich wie innerlich? Und doch gibt es unter den Menschen so manchen, der über Allah streitet, ohne Kenntnis und ohne Führung und ohne ein erleuchtendes Buch.

22. Und wenn zu ihnen gesprochen wird: »Folget dem, was Allah herniedergesandt hat«, dann sagen sie: »Nein, wir wollen dem folgen, wobei wir unsere Väter vorfanden.« Wie! selbst wenn der Satan sie zu der Strafe des brennenden Feuers lädt?

23. Wer aber sein Antlitz auf Allah richtet und Gutes tut, der hat fürwahr die festeste Handhabe ergriffen. Und bei Allah ruht das Ende aller Dinge.

24. Und jener, der ungläubig ist, laß seinen Unglauben dich nicht bekümmern. Zu Uns wird ihre Heimkehr sein, dann werden Wir ihnen verkünden, was sie getan; denn Allah weiß recht wohl, was in den Herzen ist.

25. Wir werden sie eine kleine Weile sich ergötzen lassen; dann aber werden Wir sie zu strenger Strafe treiben.

26. Und wenn du sie fragst: »Wer schuf die Himmel und die Erde?« – dann werden sie gewiß antworten: »Allah.« Sprich: »Aller Preis gebührt Allah.« Jedoch die meisten von ihnen wissen es nicht.

27. Allahs ist, was in den Himmeln und auf Erden ist. Wahrlich, Allah ist der Sich Selbst Genügende, der Preiswürdige.

28. Und wenn alle Bäume, die auf der Erde sind, Federn wären, und der Ozean (Tinte), und sieben Ozeane würden nachträglich ihm zugefügt, selbst dann könnten Allahs Zeichen nicht erschöpft werden. Wahrlich, Allah ist allmächtig, allweise.

29. Eure Erschaffung und eure Auferweckung sind nur die eines einzigen Wesens. Wahrlich, Allah ist allhörend.

30. Hast du denn nicht gesehen, daß Allah die Nacht in den Tag übergehen läßt und den Tag übergehen läßt in die Nacht und daß Er die Sonne und den Mond dienstbar gemacht, so daß jedes seine Bahn läuft zu einem bestimmten Ziel, und daß Allah wohl kundig ist dessen, was ihr tut?

31. Dies, weil Allah allein die Wahrheit ist – und was sie sonst außer Ihm anrufen, ist Falsches – und weil Allah, Er, der Erhabene ist, der Große.

32. Hast du denn nicht gesehen, daß die Schiffe über das Meer hinsegeln mit Allahs Gaben, auf daß Er euch von Seinen Zeichen zeige? Hierin sind wahrlich Zeichen für jeden Standhaften, Dankbaren.

33. Und wenn Wogen sie bedecken gleich Hüllen, dann rufen sie Allah an, in lauterem Gehorsam gegen Ihn; doch rettet Er sie dann ans Land, so folgen (nur) einige von ihnen der rechten Bahn. Und niemand leugnet Unsere Zeichen, außer allen Treulosen, Undankbaren.

34. O ihr Menschen, fürchtet euren Herrn und fürchtet den Tag, da der Vater nicht Buße leisten wird für seinen Sohn, noch wird der Sohn im geringsten Buße leisten können für seinen Vater.

Allahs Verheißung ist wahr. Das Leben dieser Welt soll euch nicht täuschen, noch soll der Verführer euch täuschen über Allah.

35. Wahrlich, bei Allah allein ist die Kenntnis der »Stunde«. Er sendet den Regen nieder, und Er weiß, was in den Mutterschößen ist. Niemand weiß, was er sich morgen eintragen wird, und niemand weiß, in welchem Lande er sterben wird. Wahrlich, Allah ist allwissend, allkundig.

1. Im Namen Allahs, des Gnädigen, des Barmherzigen.

2. Alif Lām Mīm.*

3. Die Offenbarung des Buches ist vom Herrn der Welten, daran ist kein Zweifel.

4. Sagen sie: »Er hat es erdichtet«? Nein, es ist die Wahrheit von deinem Herrn, auf daß du ein Volk warnen mögest, zu dem vor dir kein Warner gekommen ist, damit sie dem rechten Weg folgen mögen.

5. Allah ist es, Der die Himmel und die Erde und alles, was zwischen den beiden ist, in sechs Zeiten schuf; dann setzte Er sich auf den Thron. Ihr habt weder einen wahren Freund noch Fürsprecher außer Ihm. Wollt ihr denn nicht ermahnt sein?

6. Er wird den Ratschluß vom Himmel zur Erde lenken, dann wird er wieder zu Ihm emporsteigen in einem Tage, dessen Länge tausend Jahre ist nach eurer Zeitrechnung.

7. Das ist der Kenner des Verborgenen und des Sichtbaren, der Allmächtige, der Barmherzige,

8. Der alles vollkommen gemacht hat, was Er schuf. Und Er begann die Schöpfung des Menschen aus Ton.

9. Dann bildete Er seine Nachkommenschaft aus dem Auszug einer verächtlichen Flüssigkeit.

10. Dann formte Er ihn und hauchte ihm von Seinem Geiste ein. Und Er hat euch Ohren und Augen und Herzen gegeben. Aber wenig Dank wißt ihr!

11. Und sie sprechen: »Wie! wenn wir in der Erde verloren sind, sollen wir dann in neuer Schöpfung sein?« Nein, vielmehr glauben sie an die Begegnung mit ihrem Herrn nicht.

12. Sprich: »Der Engel des Todes, der über euch eingesetzt ward, wird eure Seelen hinnehmen; zu eurem Herrn dann werdet ihr zurückgebracht.«

13. Könntest du nur sehen, wie die Schuldigen ihre Köpfe hängen lassen werden vor ihrem Herrn: »Unser Herr, nun haben wir gesehen und gehört, so sende uns zurück, daß wir Gutes tun; denn nun sind wir gewiß.«

14. Und hätten Wir gewollt, Wir hätten jedem seinen Weg zei-

---

* Ich bin Allah, der Allwissende.

gen können; jedoch Mein Wort ist wahr geworden: »Füllen will Ich die Hölle mit Dschinn und Menschen allzumal.«

15. So kostet (die Strafe), denn ihr vergaßt das Eintreffen dieses eures Tages. (Auch) Wir haben euch vergessen. Kostet denn die lang dauerndc Strafe um dessentwillen, was ihr zu tun pflegtet.

16. Nur jene glauben an Unsere Zeichen, die, wenn sie an sie gemahnt werden, anbetend niederfallen und das Lob ihres Herrn verkünden; und sie sind nicht hochmütig.

17. Ihre Seiten halten sich fern von (ihren) Betten; sie rufen ihren Herrn an in Furcht und Hoffnung und spenden von dem, was Wir ihnen gegeben haben.

18. Doch niemand weiß, was für Augenweide für sie verborgen ist als Lohn für ihre Taten.

19. Ist wohl jener, der gläubig ist, dem gleich, der ungehorsam ist? Sie sind nicht gleichen Rangs.

20. Jene, die glauben und gute Werke tun, sie werden Gärten der Heimstatt haben als eine Ergötzung für das, was sie getan.

21. Jene aber, die ungehorsam sind – ihre Wohnstatt wird das Feuer sein. Sooft sie daraus entfliehen möchten, werden sie wieder dahin zurückgetrieben werden, und es wird zu ihnen gesprochen werden: »Kostet nun die Strafe des Feuers, die ihr zu leugnen pflegtet!«

22. Wahrlich, Wir werden sie von der näheren Strafe (hienieden) kosten lassen vor der größeren Strafe, ob sie sich vielleicht doch noch bekehren.

23. Und wer verübt ärgeren Frevel als jener, der an die Zeichen seines Herrn gemahnt wird und sich dann doch davon abwendet? Wahrlich, Wir werden die Sünder streng bestrafen.

24. Ganz gewiß gaben Wir Moses das Buch – sei darum nicht im Zweifel darüber, daß auch du es bekommst –, und Wir machten es zu einer Führung für die Kinder Israels.

25. Und Wir erweckten Führer aus ihrer Mitte, die (das Volk) leiteten nach Unserem Gebot, weil sie standhaft waren und fest an Unsere Zeichen glaubten.

26. Wahrlich, dein Herr wird richten zwischen ihnen am Tage der Auferstehung über das, worin sie uneinig sind.

27. Ist ihnen nicht klar, wie so manches Geschlecht Wir schon vor ihnen vernichtet haben, in deren Wohnstätten sie nun wan-

deln? Hierin sind wahrlich Zeichen. Wollen sie also nicht hören?

28. Haben sie nicht gesehen, daß Wir das Wasser treiben auf das dürre Land und dadurch Gewächs hervorbringen, an dem ihr Vieh sich labt und sie selber auch? Wollen sie also nicht sehen?

29. Und sie sprechen: »Wann wird diese Entscheidung[71] (stattfinden), wenn ihr die Wahrheit redet?«

30. Sprich: »Am Tage der Entscheidung soll den Ungläubigen ihr Glaube nichts nützen, noch sollen sie Aufschub erlangen.«

31. So wende dich denn ab von ihnen und warte; auch sie warten.

1. Im Namen Allahs, des Gnädigen, des Barmherzigen.

2. O Prophet, suche Schutz bei Allah und gehorche nicht den Ungläubigen und den Heuchlern. Wahrlich, Allah ist allwissend, allweise.

3. Und folge dem, was dir von deinem Herrn offenbart ward. Wahrlich, Allah ist wohl kundig all dessen, was ihr tut;

4. Und vertraue auf Allah, denn Allah genügt als Hüter.

5. Allah hat keinem Manne zwei Herzen in seinem Innern gegeben, noch hat Er jene unter euren Frauen, die ihr Mütter nennt, zu euren Müttern gemacht, noch hat Er eure angenommenen Söhne zu euren Söhnen gemacht. Das ist Gerede aus euren Mündern; Allah aber spricht die Wahrheit, und Er zeigt den Weg.

6. Nennt sie nach ihren Vätern. Das ist billiger vor Allah. Wenn ihr jedoch ihre Väter nicht kennt, so sind sie eure Brüder im Glauben und eure Freunde. Und was ihr versehentlich darin gefehlt habt, das ist euch keine Sünde, sondern nur das, was eure Herzen vorsätzlich tun. Und Allah ist allverzeihend, barmherzig.

7. Der Prophet steht den Gläubigen näher als sie sich selber, und seine Frauen sind ihre Mütter. Und Blutsverwandte sind einander näher, gemäß dem Buche Allahs, als die (übrigen) Gläubigen und die Ausgewanderten, es sei denn, daß ihr euren Freunden Güte erweist. Das ist in dem Buche niedergeschrieben.

8. Und (gedenke der Zeit) da Wir mit den Propheten den Bund eingingen, und mit dir, und mit Noah und Abraham und Moses und mit Jesus, dem Sohn der Maria. Wir gingen mit ihnen einen feierlichen Bund ein;

9. Auf daß Er die Wahrhaftigen nach ihrer Wahrhaftigkeit befragen möchte. Und für die Ungläubigen hat Er eine schmerzliche Strafe bereitet.

10. O die ihr glaubt! Gedenket der Gnade Allahs gegen euch, da Heerscharen wider euch heranrückten; und Wir sandten gegen sie einen Wind und Heerscharen, die ihr nicht saht. Und Allah sieht, was ihr tut.

11. Da sie über euch kamen von oben her und von unten her, und da (eure) Blicke wild waren und die Herzen in die Kehlen stiegen und ihr verschiedene Gedanken hegtet über Allah.

12. Da wurden die Gläubigen geprüft, und sie wurden erschüttert in heftiger Erschütterung.

13. Und da die Heuchler und die, in deren Herzen Krankheit ist, sprachen: »Allah und Sein Gesandter haben uns bloßen Trug verheißen.«

14. Und da eine Anzahl von ihnen sprach: »O ihr Leute von Jathrib*, ihr könnt nicht standhalten, drum fallet (vom Islam) ab.« Und ein Teil von ihnen bat (sogar) den Propheten um Erlaubnis und sprach: »Unsere Häuser sind entblößt.« Und sie waren nicht entblößt. Sie wollten eben nur fliehen.

15. Und wenn der Zutritt (zu der Stadt Medina) erzwungen würde wider sie** von allen Seiten her und würden sie dann aufgefordert, (vom Islam) abzufallen, sie würden es sogleich tun; dann würden sie darin (in der Stadt) nicht lange weilen können.

16. Und sie hatten doch in Wahrheit schon mit Allah den Bund geschlossen, daß sie nicht den Rücken (zur Flucht) wenden würden. Und über den Bund mit Allah muß Rechenschaft abgelegt werden.

17. Sprich: »Die Flucht wird euch nimmermehr nützen, wenn ihr dem Tod entflieht oder der Niedermetzelung; und dann werdet ihr nur wenig genießen.«

18. Sprich: »Wer ist es, der euch vor Allah schützen kann, wenn Er wünscht, euch zu strafen, oder wenn Er wünscht, euch Barmherzigkeit zu erweisen?« Und sie werden für sich außer Allah keinen wahren Freund noch Helfer finden.

19. Allah kennt diejenigen unter euch, die (die Menschen) behindern, und diejenigen, die zu ihren Brüdern sprechen: »Kommt her zu uns«; und sie lassen sich nur wenig in Krieg ein,

20. Geizig euch gegenüber. Naht aber Gefahr, dann siehst du sie nach dir ausschauen, mit rollenden Augen wie einer, der in Ohnmacht fällt vor Todesfurcht. Doch wenn dann die Angst vorbei ist, dann treffen sie euch mit scharfen Zungen in ihrer Gier nach Gut. Diese haben nicht geglaubt; darum hat Allah ihre Werke zunichte gemacht. Und das ist Allah ein leichtes.

---

* So hieß Medina vor der Hidschra.
** Die Heuchler.

21. Sie hoffen, daß die Verbündeten* noch nicht abgezogen seien; und wenn die Verbündeten (wieder) kommen sollten, so würden sie lieber bei den nomadischen Arabern in der Wüste sein und dort um Nachrichten über euch fragen. Und wenn sie bei euch wären, so würden sie nur wenig kämpfen.

22. Wahrlich, ihr habt an dem Propheten Allahs ein schönes Vorbild für jeden, der auf Allah und den Letzten Tag hofft und Allahs häufig gedenkt.

23. Als die Gläubigen die Verbündeten sahen, da sprachen sie: »Das ist's, was Allah und Sein Gesandter uns verheißen haben; und Allah und Sein Gesandter sprachen wahr.«** Und es mehrte sie nur an Glauben und Ergebung.

24. Unter den Gläubigen sind Leute, die dem Bündnis, das sie mit Allah geschlossen, die Treue hielten. Es sind welche unter ihnen, die ihre Gelübde erfüllt haben, und welche, die noch warten, und sie haben sich nicht im geringsten verändert;

25. Daß Allah die Wahrhaftigen belohne für ihre Wahrhaftigkeit und die Heuchler bestrafe, wenn es Ihm gefällt, oder Sich ihnen zuwende in Barmherzigkeit. Wahrlich, Allah ist allverzeihend, barmherzig.

26. Und Allah schlug die Ungläubigen in ihrem Grimm zurück; sie erlangten keinen Vorteil. Und Allah genügte den Gläubigen im Kampf. Allah ist gewaltig, allmächtig.

27. Und Er brachte die aus dem Volk der Schrift, die ihnen halfen, herunter von ihren Burgen und warf Schrecken in ihre Herzen. Einen Teil erschlugt ihr, und einen Teil nahmt ihr gefangen.

28. Und Er ließ euch ihr Land erben und ihre Häuser und ihren Besitz und ein Land, in das ihr nie den Fuß gesetzt. Und Allah vermag alle Dinge zu tun.

29. O Prophet! sprich zu deinen Frauen: »Wenn ihr das Leben in dieser Welt begehrt und seinen Schmuck, so kommt, ich will euch eine Gabe reichen und euch dann entlassen auf geziemende Weise.

30. Doch wenn ihr Allah begehrt und Seinen Gesandten und die

---

* Die angreifenden Heerscharen der Ungläubigen.
** Prophezeiung über die Schlacht von Ahzāb.

Wohnstatt im Jenseits, dann, fürwahr, hat Allah für die unter euch, die Gutes tun, einen herrlichen Lohn bereitet.«

31. O Frauen des Propheten! wer von euch offenkundig unziemlicher Aufführung schuldig ist, so würde ihr die Strafe verdoppelt werden. Und das ist Allah ein leichtes.

32. Doch wer von euch Allah und Seinem Gesandten gehorsam ist und Gutes tut – ihr werden Wir ihren Lohn zwiefach geben; und Wir haben für sie eine ehrenvolle Versorgung bereitet.

33. O Frauen des Propheten, ihr seid nicht wie andere Frauen! Wenn ihr rechtschaffen seid, dann seid nicht geziert im Reden, damit nicht der, in dessen Herzen Krankheit ist, Erwartungen hege, sondern redet in geziemenden Worten.

34. Und bleibt in euren Häusern und prunkt nicht wie in den Zeiten der Unwissenheit, und verrichtet das Gebet und zahlet die Zakāt, und gehorchet Allah und Seinem Gesandten. Allah wünscht nur Unreinheit von euch zu nehmen, ihr Angehörigen des Hauses, und euch rein und lauter zu machen.

35. Und gedenket der Zeichen Allahs und der Worte der Weisheit, die in euren Häusern verlesen werden; denn Allah ist gütig, allwissend.

36. Wahrlich, die muslimischen Männer und die muslimischen Frauen, die gläubigen Männer und die gläubigen Frauen, die gehorsamen Männer und die gehorsamen Frauen, die wahrhaftigen Männer und die wahrhaftigen Frauen, die standhaften Männer und die standhaften Frauen, die demütigen Männer und die demütigen Frauen, die Männer, die Almosen geben, und die Frauen, die Almosen geben, die Männer, die fasten, und die Frauen, die fasten, die Männer, die ihre Keuschheit wahren, und die Frauen, die ihre Keuschheit wahren, die Männer, die Allahs häufig gedenken, und die Frauen, die gedenken – Allah hat ihnen Vergebung und herrlichen Lohn bereitet.

37. Und es ziemt sich nicht für einen gläubigen Mann oder eine gläubige Frau, wenn Allah und Sein Gesandter eine Sache entschieden haben, daß sie in ihrer Angelegenheit eine Wahl haben sollten. Und wer Allah und Seinem Gesandten nicht gehorcht, der geht wahrlich irre in offenkundigem Irrtum.

38. Und (gedenke der Zeit) da du zu dem sprachst, dem Allah Gnade erwiesen hatte und dem (auch) du Gnade erwiesen hat-

test: »Behalte deine Frau für dich und fürchte Allah.« Und du verbargest in deiner Seele, was Allah ans Licht bringen wollte, und du fürchtetest die Menschen, während Allah mehr verdient, daß du Ihn fürchtest. Dann aber, als Zaid[72] tat, was er mit ihr zu tun wünschte, verbanden Wir sie ehelich mit dir, damit für die Gläubigen keine Beunruhigung bestünde in bezug auf die Frauen ihrer angenommenen Söhne, wenn sie ihren Wunsch ausgeführt haben.* Allahs Ratschluß muß vollzogen werden.

39. Es trifft den Propheten kein Vorwurf für das, was Allah ihm auferlegt hat. Das war Allahs Vorgehen gegen jene, die vordem hingingen – und Allahs Befehl ist ein unabänderlicher Beschluß –,

40. Jene, die Allahs Botschaften ausrichteten und Ihn fürchteten, und niemanden fürchteten außer Allah. Und Allah genügt als ein Rechner.

41. Mohammad ist nicht der Vater eines eurer Männer, sondern der Gesandte Allahs und das Siegel der Propheten; und Allah hat volle Kenntnis aller Dinge.

42. O die ihr glaubt! gedenket Allahs in häufigem Gedenken;

43. Und lobpreiset Ihn morgens und abends.

44. Er ist es, Der euch segnet, und Seine Engel beten für euch, daß Er euch aus den Finsternissen zum Licht führe. Und Er ist barmherzig gegen die Gläubigen.

45. Ihr Gruß an dem Tage, da sie Ihm begegnen, wird sein: »Frieden!« Und Er hat für sie einen ehrenvollen Lohn bereitet.

46. O Prophet, Wir haben dich als einen Zeugen entsandt, und als Bringer froher Botschaft, und als Warner,

47. Und als einen Aufrufer zu Allah nach Seinem Gebot, und als eine leuchtende Sonne.

48. Verkünde den Gläubigen die frohe Botschaft, daß ihnen von Allah große Huld zuteil werden soll.

49. Und gehorche nicht den Ungläubigen und den Heuchlern, und beachte ihre Belästigung nicht, und vertraue auf Allah; denn Allah genügt als Beschützer.

50. O die ihr glaubt! wenn ihr gläubige Frauen heiratet und euch dann von ihnen scheidet, ehe ihr sie berührt habt, so besteht für

---

* D. h. wenn sie geschieden sind.

euch ihnen gegenüber keine Wartefrist, die ihr rechnet. Drum beschenkt sie und entlaßt sie auf geziemende Weise.

51. O Prophet, Wir erlaubten dir deine Gattinnen*, denen du ihre Mitgift zu geben dich verpflichtet hast, und jene, die deine Rechte besitzt aus (dcr Zahl) derer, die Allah dir als Kriegsbeute gegeben, und die Töchter deines Vatersbruders, und die Töchter deiner Vaterschwestern, und die Töchter deines Mutterbruders, und die Töchter deiner Mutterschwestern, die mit dir ausgewandert sind, und jedwede gläubige Frau, wenn sie sich dem Propheten anvertraut, vorausgesetzt, daß der Prophet sie zu heiraten wünscht; (dies) nur für dich und nicht für die Gläubigen. Wir haben bereits bekanntgegeben, was Wir ihnen verordnet haben über ihre Frauen und jene, die ihre Rechte besitzt, so daß sich keine Schwierigkeit für dich ergäbe (in der Ausführung deines Werks). Und Allah ist allverzeihend, barmherzig.

52. Du darfst die unter ihnen hinhalten*, die du wünschest, und du darfst die zu dir nehmen, die du wünschest; und wenn du eine, die du entlassen, wieder nehmen willst, dann trifft dich kein Vorwurf. Das ist dazu angetan, daß ihre Augen gekühlt werden und daß sie sich nicht grämen und daß sie alle zufrieden sein mögen mit dem, was du ihnen zu geben hast. Allah weiß, was in euren Herzen ist, denn Allah ist allwissend, langmütig.

53. Es ist dir nicht erlaubt, hinfort (andere) Frauen** (zu heiraten) noch sie mit (anderen) Frauen zu vertauschen, auch wenn ihre Güte dir gefällt, die nur ausgenommen, die deine Rechte besitzt. Und Allah wacht über alle Dinge.

54. O die ihr glaubt! betretet nicht die Häuser des Propheten, es sei denn, daß euch Erlaubnis gegeben ward zu einer Mahlzeit, ohne auf deren Zubereitung zu warten. Sondern wann immer ihr eingeladen seid, tretet ein (zur rechten Zeit); und wenn ihr gespeist habt, so gehet auseinander und säumt nicht zu (weiterer) Unterhaltung. Das verursacht dem Propheten Ungelegen-

---

* Dieser Vers ist in Verbindung mit Vers 29 zu lesen.
** Außer der bereits erwähnten Kategorie.

heit, und er ist scheu vor euch*, jedoch Allah ist nicht scheu vor der Wahrheit. Und wenn ihr sie** um irgend etwas zu bitten habt, so bittet sie hinter einem Vorhang. Das ist reiner für eure Herzen und ihre Herzen. Und es geziemt euch nicht, den Gesandten Allahs zu belästigen, noch daß ihr je seine Frauen nach ihm heiraten solltet. Fürwahr, das würde vor Allah eine Ungeheuerlichkeit sein.

55. Ob ihr eine Sache offenbart oder sie verhehlt, wahrlich, Allah kennt alle Dinge.

56. Es ist kein Vergehen von ihnen** (sich zu zeigen) ihren Vätern oder ihren Söhnen oder ihren Brüdern oder den Söhnen ihrer Brüder oder den Söhnen ihrer Schwestern oder ihren Frauen oder denen, die ihre Rechte besitzt. Und fürchtet Allah; wahrlich, Allah ist Zeuge aller Dinge.

57. Allah sendet Segnungen auf den Propheten, und Seine Engel beten für ihn. O die ihr glaubt, betet (auch) ihr für ihn und wünschet ihm Frieden mit aller Ehrerbietung.

58. Wahrlich, diejenigen, die Allah und Seinen Gesandten belästigen – Allah hat sie von Sich gewiesen in dieser Welt und im Jenseits und hat ihnen eine schmähliche Strafe bereitet.

59. Und diejenigen, die gläubige Männer und gläubige Frauen belästigen unverdienterweise, laden gewißlich (die Schuld) der Verleumdung und offenkundige Sünde auf sich.

60. O Prophet! sprich zu deinen Frauen und deinen Töchtern und zu den Frauen der Gläubigen, sie sollen ihre Tücher tief über sich ziehen. Das ist besser, damit sie erkannt und nicht belästigt werden. Und Allah ist allverzeihend, barmherzig.

61. Wenn die Heuchler und die, in deren Herzen Krankheit ist, und die, welche Gerüchte in der Stadt*** aussprengen, nicht ablassen, so werden Wir dich sicherlich gegen sie antreiben; dann werden sie nicht als deine Nachbarn darin weilen, es sei denn für kurze Zeit.

62. Weit sind sie von der Gnade! Wo immer sie gefunden werden, sollen sie ergriffen und hingerichtet werden.

---

   * Mit Rücksicht auf eure Gefühle.
  ** Frauen des Propheten.
*** Medina.

63. (Folget) dem Brauch Allahs im Falle derer, die vordem hingingen; und du wirst in Allahs Brauch nie einen Wandel finden.
64. Die Menschen befragen dich über die »Stunde«. Sprich: »Das Wissen um sie ist allein bei Allah«, und wie kannst du wissen? Vielleicht ist die »Stunde« nahe.
65. Allah hat die Ungläubigen von Sich gewiesen und hat für sie ein flammendes Feuer bereitet,
66. Worin sie auf lange Zeit bleiben sollen. Sie werden keinen Freund noch Helfer finden.
67. An dem Tage, da ihre Führer im Feuer gewendet werden, da werden sie sprechen: »O daß wir doch Allah gehorcht hätten und gehorcht dem Gesandten!«
68. Und sie* werden sprechen: »Unser Herr, wir gehorchten unseren Häuptern und unseren Großen, und sie führten uns irre, ab von dem Weg.
69. Unser Herr, gib ihnen verdoppelte Strafe und verfluche sie mit einem gewaltigen Fluch.«
70. O die ihr glaubt! seid nicht wie jene, die Moses kränkten; jedoch Allah reinigte ihn von dem, was sie (gegen ihn) äußerten. Und er ist ehrenwert vor Allah.
71. O die ihr glaubt! fürchtet Allah, und redet das rechte** Wort.
72. Er wird eure Werke recht machen für euch und euch eure Sünden vergeben. Und wer Allah und Seinem Gesandten gehorcht, wird gewiß einen gewaltigen Erfolg erreichen.
73. Wir boten das vollkommene Vertrauenspfand den Himmeln und der Erde und den Bergen, doch sie weigerten sich, es zu tragen, und schreckten davor zurück. Aber der Mensch nahm es auf sich. Fürwahr, er ist sehr ungerecht, unwissend.
74. (Die Folge ist) daß Allah Heuchler und Heuchlerinnen strafen wird sowie Götzendiener und Götzendienerinnen; und Allah kehrt Sich in Barmherzigkeit zu gläubigen Männern und gläubigen Frauen; denn Allah ist allverzeihend, barmherzig.

---

* Die verführten Massen.
** Vgl. Anmerkung 25.

1. Im Namen Allahs, des Gnädigen, des Barmherzigen.

2. Aller Preis gehört Allah, Dessen ist, was in den Himmeln und was auf Erden ist, und Sein ist aller Preis im Jenseits; und Er ist der Allweise, der Allkundige.

3. Er weiß, was in die Erde eingeht und was aus ihr hervorkommt, und was vom Himmel herniedersteigt und was zu ihm aufsteigt; und Er ist der Barmherzige, der Allverzeihende.

4. Die ungläubig sind, sprechen: »Wir werden die ›Stunde‹* nicht erleben.« Sprich: »Ja doch, bei meinem Herrn, dem Wisser des Ungesehenen, sie wird gewißlich über euch kommen! Nicht einmal das Gewicht eines Stäubchens ist vor Ihm verborgen in den Himmeln oder auf Erden; noch gibt es etwas Kleineres oder Größeres als dieses, das nicht in einem deutlichen Buch stünde,

5. Auf daß Er diejenigen belohne, die glauben und gute Werke tun. Solche sind es, die Vergebung und eine ehrenvolle Versorgung erhalten werden.«

6. Die aber versuchen, Unsere Zeichen zu entkräften, sie sind es, denen eine Strafe schmerzlicher Pein wird.

7. Und die, denen das Wissen gegeben ward, sehen, daß das, was dir von deinem Herrn offenbart worden, die Wahrheit selbst ist und zu dem Pfade des Allmächtigen, des Preiswürdigen leitet.

8. Und jene, die ungläubig sind, sprechen: »Sollen wir euch einen Mann zeigen, der euch berichtet, ihr würdet, wenn ihr in Stücke zerstückt seid, auch dann noch neue Schöpfung werden?

9. Hat er eine Lüge wider Allah ersonnen, oder ist er ein Wahnbesessener?« Nein, sondern jene, die nicht an das Jenseits glauben, sie befinden sich in der Strafe und im großen Irrtum.

10. Haben sie denn nicht gesehen, was vor ihnen ist und was hinter ihnen ist vom Himmel und von der Erde? Wenn Wir wollten, könnten Wir sie im Lande zunichte machen oder Stücke von Wolken** auf sie fallen lassen. Hierin ist wahrlich ein Zeichen für jeden Diener, der sich bekehrt.

11. Und fürwahr, Wir verliehen David Unsere Gnade: »O ihr

---

 * Den Untergang.
 ** Unaufhaltsamer Regen, der alles zerstört.

(Bewohner der) Berge, singet mit ihm (Gottes) Lob, und ihr Vögel (ebenfalls)!« Und Wir machten das Eisen weich für ihn

12. (Und sprachen:) »Verfertige lange Panzerhemden und füge die Menschen des Kettengewirks fein ineinander. Und tut das Rechte, denn Ich sehe alles, was ihr tut.«

13. Und Salomo (machten Wir) den Wind (dienstbar); sein Morgenweg dauerte einen Monat, und sein Abendweg dauerte einen Monat.[73] Und Wir ließen eine Quelle von geschmolzenem Erz für ihn fließen. Und von den Dschinn waren etwelche, die unter ihm arbeiteten auf seines Herrn Geheiß, und sollte einer von ihnen sich wegwenden von Unserem Gebot, so würden Wir ihn die Strafe des flammenden Feuers kosten lassen.

14. Sie machten für ihn, was er begehrte: Bethäuser und Bildsäulen, Becken wie Teiche und eingebaute Kochbottiche: »Wirket, ihr, vom Hause Davids, in Dankbarkeit.« Und nur wenige von Meinen Dienern sind dankbar.

15. Und als Wir seinen (Salomos) Tod herbeigeführt hatten, da zeigte ihnen nichts seinen Tod an als ein Wurm der Erde, der sein Zepter[74] zerfraß; also gewahrten die Dschinn deutlich, wie er fiel, daß sie, hätten sie das Verborgene gekannt, nicht in schmählicher Pein hätten bleiben müssen.

16. Es gab fürwahr ein Zeichen für Sabā in ihrem Heimatland: zwei Gärten zur Rechten und zur Linken: »Esset von den Gaben eures Herrn und seid Ihm dankbar. (Euer ist) eine gute Stadt und ein allverzeihender Herr!«

17. Jedoch sie kehrten sich ab; da sandten Wir gegen sie eine reißende Flut. Und Wir gaben ihnen, an Stelle ihrer Gärten, zwei Gärten mit bitterer Frucht und Tamarisken und wenigen Lotusbäumen.

18. Solches gaben Wir ihnen zum Lohn für ihre Undankbarkeit; und so lohnen Wir es keinem als den Undankbaren.

19. Und Wir setzten zwischen sie und die Städte, die Wir gesegnet hatten, (andere) hochragende Städte, und Wir machten das Reisen zwischen ihnen leicht: »Reiset in ihnen umher bei Nacht und Tag in Sicherheit.«

20. Jedoch sie sprachen: »Unser Herr, setze größere Entfernung zwischen die Stationen unserer Reise.«[75] Und sie sündigten

wider sich selber; so machten Wir sie zu Geschichten und zerstückten sie in Stücke. Hierin sind wahrlich Zeichen für jeden Standhaften, Dankbaren.

21. Und Iblis bewies fürwahr die Richtigkeit seiner Meinung von ihnen; dann folgten sie ihm mit Ausnahme eines Teils der Gläubigen.

22. Und er hatte keine Macht über sie, allein Wir wünschten denjenigen, der ans Jenseits glaubte, vor dem auszuzeichnen, der Zweifel darüber hegte. Und dein Herr ist wachsam über alle Dinge.

23. Sprich:»Rufet doch jene an, die ihr neben Allah wähnt! Sie haben nicht einmal über das Gewicht eines Stäubchens Macht in den Himmeln oder auf Erden, noch haben sie einen Anteil an beiden, noch hat Er einen Helfer unter ihnen.«

24. Auch nützt bei Ihm keine Fürbitte, außer für den, bei dem Er es erlaubt, so daß, wenn der Schrecken aus ihren Seelen gewichen ist und sie fragen:»Was hat euer Herr gesprochen?«, sie antworten werden:»Die Wahrheit.« Und Er ist der Erhabene, der Große.

25. Sprich:»Wer gibt euch Nahrung von den Himmeln und der Erde?« Sprich:»Allah. Entweder wir sind oder ihr seid auf dem rechten Weg oder in offenkundigem Irrtum.«

26. Sprich:»Ihr sollt nicht befragt werden ob unserer Sünden, noch werden wir befragt werden nach dem, was ihr tut.«

27. Sprich:»Unser Herr wird uns alle zusammenbringen; dann wird Er zwischen uns richten nach Gerechtigkeit; und Er ist der beste Richter, der allwissende.«

28. Sprich:»Zeigt mir jene, die ihr Ihm als Götter zur Seite gesetzt habt! Nichts! Er aber ist Allah, der Allmächtige, der Allweise.«

29. Und Wir haben dich entsandt nur als Bringer froher Botschaft und Warner für die ganze Menschheit; jedoch die meisten Menschen verstehen es nicht.

30. Und sie sprechen:»Wann wird diese Verheißung (in Erfüllung gehen), wenn ihr die Wahrheit redet?«

31. Sprich:»Euch ist die Frist von einem Tag festgesetzt, von der ihr nicht einen Augenblick säumen noch (ihr) vorauseilen könnt.«

32. Und jene, die ungläubig sind, sprechen: »Wir wollen keineswegs an diesen Koran glauben, noch an das, was vor ihm ist.« Und könntest du nur sehen, wenn die Frevler vor ihren Herrn gestellt werden, wie sie sich wechselseitig die Schuld zuwerfen! Diejenigen, die verachtet waren, werden dann zu denen, die hochmütig waren, sprechen: »Wäret ihr nicht gewesen, ganz gewiß wären wir Gläubige geworden.«

33. Jene, die hochmütig waren, werden zu denen, die verachtet waren, sprechen: »Waren wir es etwa, die euch vom rechten Weg abwendig machten, nachdem er zu euch gekommen? Nein, ihr selbst wart die Schuldigen.«

34. Und jene, die verachtet waren, werden zu denen, die hochmütig waren, sprechen: »Nein, aber es war (euer) Ränkeschmieden bei Nacht und Tag, als ihr uns hießet, nicht an Allah zu glauben und Ihm Götter zur Seite zu setzen.« Und in ihrem Innern werden sie von Reue erfüllt sein, wenn sie die Strafe sehen; und Wir werden Fesseln um die Nacken derer legen, die ungläubig waren. Sie werden nur für das belohnt werden, was sie getan.

35. Und Wir entsandten keinen Warner zu einer Stadt, ohne daß die Reichen darin gesprochen hätten: »Gewiß, wir leugnen das, womit ihr gesandt seid.«

36. Und sie sprachen: »Wir sind reicher an Gut und an Kindern; und wir werden nicht bestraft werden.«

37. Sprich: »Fürwahr, mein Herr weitet und beschränkt die Mittel zum Unterhalt, wem Er will; jedoch die meisten Menschen wissen es nicht.«

38. Und es ist nicht euer Gut, noch sind es eure Kinder, die euch Uns nahe bringen werden; die aber, die glauben und gute Werke tun, die sollen vielfachen Lohn erhalten für das, was sie getan. Und in den hohen Hallen (des Paradieses) sollen sie sicher wohnen.

39. Doch jene, die versuchen, Unsere Zeichen zu entkräften, sie sind es, die der Strafe zugeführt werden sollen.

40. Sprich: »Fürwahr, mein Herr weitet und beschränkt die Mittel zum Unterhalt, wem Er will von Seinen Dienern. Und was immer ihr spendet, Er wird es vergelten; und Er ist der beste Versorger.«

41. Und am Tage, da Er sie alle versammeln, dann zu den Engeln sprechen wird: »Wahrt ihr es, denen diese Menschen dienten?«

42. Sie werden sprechen: »Preis Dir! Du, nicht sie, bist unser Freund. Nein, sie dienten den Dschinn; an sie haben die meisten von ihnen geglaubt.«

43. (Gott wird sprechen:) »So sollt ihr heute einander weder nützen noch schaden können.« Und zu denen, die frevelten, werden Wir sprechen: »Kostet die Strafe des Feuers, das ihr zu leugnen pflegtet.«

44. Und wenn Unsere deutlichen Zeichen ihnen vorgetragen werden, sagen sie: »Dieser ist nichts weiter als ein Mann, der euch von dem abwendig machen möchte, was eure Väter verehrten.« Und sie sprechen: »Dieser (Koran) ist nichts als eine erdichtete Lüge.« Und diejenigen, die ungläubig sind, sagen von der Wahrheit, wenn sie ihnen kommt: »Das ist nichts als offenkundige Zauberei.«

45. Und Wir gaben ihnen keine Bücher, die sie studierten, noch sandten Wir ihnen einen Warner vor dir.

46. Jene, die vor ihnen waren, leugneten ebenfalls – und diese haben nicht den zehnten Teil von dem erreicht, was Wir jenen gegeben –, und doch ziehen sie Meine Gesandten der Lüge. Doch wie war (die Folge) Meiner Verleugnung!

47. Sprich: »Ich mahne euch nur an eines: daß ihr vor Allah hintretet zu zweit oder einzeln und dann nachdenket. Es ist kein Wahnsinn in eurem Gefährten (dem Propheten); er ist euch nur ein Warner vor einer bevorstehenden strengen Strafe.«

48. Sprich: »Was ich auch an Lohn* von euch verlangt haben mag, das ist euer. Mein Lohn ist allein bei Allah; und Er ist Zeuge über alle Dinge.«

49. Sprich: »Wahrlich, mein Herr, der Wisser des Verborgenen, zerstückelt (die Lüge) mit der Wahrheit.«

50. Sprich: »Die Wahrheit ist gekommen, und das Falsche kann weder etwas erschaffen noch etwas zurückbringen.«

51. Sprich: »Wenn ich irre, so irre ich nur wider mich selbst; und

---

* Für die Verkündigung der Botschaft.

wenn ich rechtgeleitet bin, so ist es durch das, was mein Herr mir offenbart hat. Wahrlich, Er ist der Allhörende, der Nahe.«

52. Könntest du nur sehen, wenn sie mit Furcht geschlagen sein werden! Dann wird es kein Entrinnen geben, denn sie werden aus nächster Nähe erfaßt werden.

53. Und sie werden sprechen: »(Nun) glauben wir daran.« Allein wie kann das Erlangen (des Glaubens) ihnen an einem (so) fernen Orte möglich sein,

54. Wenn sie zuvor nicht daran geglaubt hatten? Und sie äußern Mutmaßungen von einem fernen Ort aus.

55. Und ein Abgrund ist gelegt zwischen ihnen und ihren Begierden, wie es ihresgleichen schon zuvor widerfuhr. Sie auch waren fürwahr in beunruhigendem Zweifel.

1. Im Namen Allahs, des Gnädigen, des Barmherzigen.
2. Aller Preis gehört Allah, dem Schöpfer der Himmel und der Erde. Der die Engel zu Boten macht, versehen mit Flügeln, zweien, dreien und vieren. Er fügt der Schöpfung hinzu, was Ihm gefällt: Allah hat Macht über alle Dinge.
3. Was Allah den Menschen an Barmherzigkeit gewährt, das kann keiner zurückhalten; und was Er zurückhält, das kann nach Ihm keiner entsenden; und Er ist der Allmächtige, der Allweise.
4. O ihr Menschen, gedenket der Gnade Allahs gegen euch. Gibt es einen Schöpfer außer Allah, der euch vom Himmel und von der Erde her versorgt? Es gibt keinen Gott außer Ihm. Wie könnt ihr euch da abwendig machen lassen?
5. Und wenn sie dich der Lüge zeihen: schon die Gesandten (Gottes) vor dir sind der Lüge geziehen worden; und zu Allah werden (alle) Dinge zurückgebracht.
6. O ihr Menschen, traun, die Verheißung Allahs ist wahr, darum laßt das Leben hienieden euch nicht betrügen, und laßt den Betrüger euch nicht betrügen über Allah.
7. Wahrlich, Satan ist euch ein Feind; so haltet ihn für einen Feind. Er ruft seine Anhänger nur herbei, damit sie Bewohner des flammenden Feuers werden.
8. Denen, die ungläubig sind, wird strenge Strafe. Die aber glauben und gute Werke tun, ihnen wird Verzeihung und großer Lohn.
9. Ist etwa der, dem das Böse seines Tuns schön gemacht wird, so daß er es für gut ansieht (rechtgeleitet)? Gewiß, Allah erklärt zum Irrenden, wen Er will, und leitet, wen Er will. Laß drum deine Seele nicht hinschwinden in Seufzern für diese. Allah weiß, was sie tun.
10. Und Allah ist es, der die Winde sendet, die das Gewölk hochtreiben. Dann treiben Wir es über ein totes Gelände und beleben damit die Erde nach ihrem Tode. Ebenso wird die Auferstehung sein.
11. Wer da Ruhm begehrt (der sollte wissen), daß aller Ruhm bei Allah ist. Zu Ihm steigen gute Worte empor, und rechtschaffenes Werk wird sie emporsteigen lassen. Und diejenigen, die

Böses planen – für sie ist eine strenge Strafe: und ihr Planen wird hinfällig sein.

12. Allah hat euch aus Erde erschaffen, dann aus einem Samentropfen, dann machte Er euch zu Paaren. Und kein Weib wird schwanger oder gebiert ohne Sein Wissen. Und keiner, dem das Leben verlängert wird, (sieht) sein Leben verlängert, noch wird sein Leben irgend verringert, ohne daß es in einem Buch* stünde. Das ist ein leichtes für Allah.

13. Und die beiden Gewässer sind nicht gleich: dieses wohlschmeckend, süß und angenehm zu trinken, und das andere salzig, bitter. Und aus beiden esset ihr frisches Fleisch und holt Schmuck hervor, den ihr tragt. Und du siehst die Schiffe darauf (die Wellen) durchpflügen, daß ihr nach Seiner Huld trachten mögt und daß ihr vielleicht doch dankbar seiet.

14. Er läßt die Nacht übergehen in den Tag und den Tag übergehen in die Nacht. Und Er hat die Sonne und den Mond dienstbar gemacht; ein jedes läuft seine Bahn auf eine bestimmte Zeit. Dies ist Allah, euer Herr; Sein ist das Reich, und jene, die ihr statt Ihn anruft, haben nicht Macht über das Häutchen eines Dattelkernes.

15. Wenn ihr sie anruft, sie werden euren Ruf nicht hören; und hörten sie ihn sogar, sie könnten euch nicht antworten. Und am Tage der Auferstehung werden sie leugnen, daß ihr (sie) zu Göttern nahmt. Niemand kann dich unterweisen wie der Allwissende.

16. O ihr Menschen, ihr seid Allahs bedürftig, Allah aber ist der Sich Selbst Genügende, der Preiswürdige.

17. Wenn Er will, kann Er euch hinwegnehmen und eine neue Schöpfung hervorbringen.

18. Und das ist für Allah gar nicht schwer.

19. Und keine Lasttragende kann die Last einer andern tragen; und wenn eine Schwerbeladene um (Erleichterung) ihrer Last ruft, nichts davon soll getragen werden, und wäre es auch ein Verwandter. Du kannst die allein warnen, die ihren Herrn im geheimen fürchten und das Gebet verrichten. Und wer sich rei-

---

* D. h. nach einem Gesetz.

nigt, der reinigt sich nur zu seinem eigenen Vorteil; und zu Allah soll die Heimkehr sein.

20. Der Blinde ist dem Sehenden nicht gleich,

21. Noch ist es die Finsternis dem Lichte,

22. Noch ist es der Schatten der Sonnenglut,

23. Noch sind die Lebenden den Toten gleich. Wahrlich, Allah macht hörend, wen Er will; und du kannst die nicht hörend machen, die in den Gräbern sind.

24. Du bist ein Warner bloß.

25. Wahrlich, Wir haben dich mit der Wahrheit entsandt, als Bringer froher Botschaft und als Warner; und es gibt kein Volk, bei dem nicht früher schon ein Warner erschienen wäre.

26. Und wenn sie dich der Lüge zeihen, so haben auch jene schon, die vor ihnen waren, (die Propheten) der Lüge geziehen. Ihre Gesandten kamen zu ihnen mit klaren Beweisen, und mit Lehren und mit dem erleuchtenden Buch.

27. Dann erfaßte Ich jene, die ungläubig waren, und wie war (die Folge) Meiner Verleugnung!

28. Hast du nicht gesehen, daß Allah Wasser von den Wolken heruntersendet; dann bringen Wir damit Früchte von mannigfachen Farben hervor; und in den Bergen sind weiße und rote Adern, buntfarbige und rabenschwarze;

29. Und auch bei Mensch und Tier und Vieh verschiedene Farben? So ist's. Nur die Wissenden unter Seinen Dienern fürchten Allah. Wahrlich, Allah ist allmächtig, allverzeihend.

30. Diejenigen, die Allahs Buch vortragen und das Gebet verrichten und von dem, was Wir ihnen gegeben haben, insgeheim und öffentlich spenden, hoffen auf einen Handel, der nie fehlschlagen wird;

31. Darum wird Er ihnen ihren vollen Lohn geben und ihnen Mehrung hinzugeben aus Seiner Huld; Er ist fürwahr allverzeihend, erkenntlich.

32. Das, was Wir dir in dem Buch offenbart haben, ist die Wahrheit selbst, das erfüllend, was ihm vorausging. Gewiß, Allah kennt (und) sieht Seine Diener recht wohl.

33. Dann gaben Wir das Buch jenen unter Unseren Dienern, die Wir erwählten, zum Erbe. Und unter ihnen sind einige, die ihr eigenes Selbst niederbrechen, und unter ihnen sind einige, die

immer den rechten Pfad einhalten, und unter ihnen sind einige, die (andere) übertreffen an Güte und Tugend mit Allahs Erlaubnis. Das ist die große Gnade.

34. Gärten der Ewigkeit! Sie werden sie betreten. Geschmückt werden sie darin sein mit Armspangen von Gold und (mit) Perlen; und ihr Gewand darin wird Seide sein.

35. Und sie werden sprechen: »Aller Preis gehört Allah, Der die Kümmernis von uns genommen. Unser Herr ist fürwahr allverzeihend, erkenntlich,

36. Der uns, in Seiner Huld, in der Wohnstatt der Ewigkeit ansässig machte. Keine Plage berührt uns darin, noch berührt uns darin ein Gefühl der Ermattung.«

37. Die aber, die ungläubig sind, für die ist das Feuer der Hölle. Tod wird nicht über sie verhängt, daß sie sterben könnten; noch wird ihnen etwas von ihrer Strafe erleichtert. So lohnen Wir jedem Undankbaren.

38. Und sie werden darin schreien: »Unser Herr, bringe uns heraus, wir wollen rechtschaffene Werke tun, anders als wir zu tun pflegten.« »Gaben Wir euch nicht ein genügend langes Leben, daß ein jeder, der sich besinnen wollte, sich darin besinnen konnte? Und (überdies) kam der Warner zu euch. So kostet nun (die Strafe): denn Frevler haben keinen Helfer.«

39. Wahrlich, Allah kennt die Geheimnisse der Himmel und der Erde. Wahrlich, Er kennt alles, was in den Herzen ist.

40. Er ist es, Der euch zu Statthaltern auf Erden gemacht hat. Wer aber ungläubig ist: auf ihn sein Unglaube! Und den Ungläubigen kann ihr Unglaube nichts als Widerwillen mehren vor ihrem Herrn, und ihr Unglaube kann den Ungläubigen nur den Verlust mehren.

41. Sprich: »Habt ihr eure Götter gesehen, die ihr statt Allah anruft? Zeigt mir, was sie von der Erde erschufen. Oder haben sie einen Anteil (an der Schöpfung) der Himmel?« Oder haben Wir ihnen ein Buch gegeben, daß sie einen Beweis daraus hätten? Nein, die Frevler verheißen einander nur Trug.

42. Allah allein hält die Himmel und die Erde, daß sie nicht wanken. Und wankten sie wirklich, so gäbe es keinen, der sie halten könnte nach Ihm. Fürwahr, Er ist langmütig, allverzeihend.

43. Und sie schworen bei Allah ihre feierlichsten Eide, wenn ein

Warner* zu ihnen käme, sie würden der Führung besser folgen
als die besten von den Völkern. Doch als dann in der Tat ein
Warner zu ihnen kam, so bestärkte sie das nur in der Abneigung,

44. In Hochmut auf Erden und im bösen Planen. Doch der böse
Plan fängt nur seine Urheber ein. Erwarten sie denn etwas ande-
res als das Verfahren gegenüber den Früheren? Aber in Allahs
Verfahren wirst du nie eine Änderung finden; und in Allahs
Verfahren wirst du nie einen Wechsel finden.

45. Sind sie nicht auf der Erde umhergereist, so daß sie sehen
konnten, wie der Ausgang derer war, die vor ihnen waren? Und
sie waren stärker an Kraft als sie selber. Und nichts vermöchte
Allah in den Himmeln oder auf Erden zu hemmen, denn Er ist
allwissend, allmächtig.

46. Und wollte Allah die Menschen strafen für alles, was sie tun,
Er würde nicht ein Lebewesen auf der Oberfläche (der Erde)
übriglassen; doch Er gewährt ihnen Aufschub bis zu einer bestimmten Frist; und wenn ihre Frist um ist, dann (werden sie erfahren, daß) Allah Seine Diener recht wohl sieht.

---

* Prophet.

1. Im Namen Allahs, des Gnädigen, des Barmherzigen.
2. Jā Sīn!*
3. Beim Koran, dem weisen,
4. Du bist fürwahr ein Gesandter
5. Auf einem geraden Weg.
6. (Dies ist) eine Offenbarung des Allmächtigen, des Barmherzigen,
7. Auf daß du ein Volk warnest, dessen Väter nicht gewarnt waren, und die daher achtlos sind.
8. Bereits hat das Wort** sich als wahr erwiesen gegen die meisten von ihnen, denn sie glauben nicht.
9. Um ihren Hals haben Wir Fesseln gelegt, die bis an das Kinn reichen, so daß ihr Haupt hochgezwängt ist.
10. Und Wir haben eine Schranke gelegt vor sie und eine Schranke hinter sie, und Wir haben sie verhüllt, so daß sie nicht sehen können.
11. Und ihnen ist es gleich, ob du sie warnst oder ob du sie nicht warnst: sie werden nicht glauben.
12. Du vermagst nur den zu warnen, der die Ermahnung befolgt und den Gnädigen im verborgenen fürchtet. Gib ihm darum frohe Botschaft von Vergebung und einem ehrenvollen Lohn.
13. Wahrlich, Wir Selbst beleben die Toten, und Wir schreiben das auf, was sie vor sich hersenden, zugleich mit dem, was sie zurücklassen; und alle Dinge haben Wir verzeichnet in einem deutlichen Buch.
14. Erzähle ihnen die Geschichte von den Leuten einer Stadt, als die Gesandten zu ihr kamen.
15. Als Wir zwei zu ihnen schickten, verwarfen sie beide; da stärkten Wir (sie) durch einen dritten, und sie sprachen: »Wir sind zu euch entsandt worden.«
16. Jene antworteten: »Ihr seid nur Menschen wie wir; und der Gnädige hat nichts herabgesandt. Ihr lügt bloß.«
17. Sie sprachen: »Unser Herr weiß, daß wir fürwahr (Seine) Abgesandten an euch sind;
18. Und uns obliegt nur die klare Verkündigung.«

---

* O Führer!
** Vgl. Vers 31.

19. Jene sprachen: »Wir ahnen Böses von euch; wenn ihr nicht ablasset, so werden wir euch gewißlich steinigen, und von uns wird euch sicherlich eine schmerzliche Strafe treffen.«

20. Sie antworteten: »Euer Unheil ist bei euch selbst. Liegt es daran, daß ihr ermahnt werdet? Nein, ihr seid Leute, die das Maß überschreiten.«

21. Und vom entferntesten Ende der Stadt kam ein Mann gerannt. Er sprach: »O mein Volk, folget den Gesandten!

22. Folget denen, die keinen Lohn von euch fordern und die rechtgeleitet sind.

23. Und warum sollte ich Den nicht verehren, Der mich erschaffen hat und zu Dem ihr zurückgebracht werden sollt?

24. Soll ich etwa andere neben Ihm zu Göttern nehmen? Wenn der Gnädige mir ein Leid zufügen will, so wird ihre Fürbitte mir nichts nützen, noch können sie mich retten.

25. Dann wäre ich wahrlich in offenkundigem Irrtum.

26. Ich glaube an euren Herrn; darum höret mich.«

27. Da ward (zu ihm) gesprochen: »Geh ein ins Paradies.« Er sprach: »O daß doch mein Volk es wüßte,

28. Wie (gnädig) mein Herr mir vergeben und mich zu einem der Hochgeehrten gemacht hat!«

29. Und nach ihm sandten Wir gegen sein Volk kein Heer vom Himmel herab, noch pflegen Wir (eins) zu senden.

30. Es war nur ein einziger Schall, und siehe, sie waren ausgelöscht.

31. Wehe über die Diener! Kein Gesandter kommt zu ihnen, den sie nicht verspotteten.

32. Haben sie nicht gesehen, wie viele Geschlechter Wir schon vor ihnen vernichtet haben (und) daß sie nicht zu ihnen zurückkehren?

33. Jedoch sie alle, versammelt insgemein, werden sicherlich vor Uns gebracht werden.

34. Und ein Zeichen ist ihnen die tote Erde: Wir beleben sie und bringen aus ihr Korn hervor, von dem sie essen.

35. Und Wir haben in ihr Gärten gemacht von Dattelpalmen und Trauben, und Wir ließen Quellen in ihr entspringen,

36. Auf daß sie von ihren Früchten essen können; und ihre Hände schufen sie nicht. Wollen sie da nicht dankbar sein?

37. Preis Ihm, Der die Arten alle paarweise geschaffen von dem, was die Erde sprießen läßt, und von ihnen selber, und von dem, was sie nicht kennen.

38. Und ein Zeichen ist ihnen die Nacht. Wir entziehen ihr das Tageslicht, und siehe, sie sind in Finsternis.

39. Und die Sonne eilt vorwärts zu einem ihr gesetzten Ziel. Das ist die Anordnung des Allmächtigen, des Allwissenden.

40. Und für den Mond haben Wir Lichtgestalten bestimmt, bis er wie ein alter Palmzweig wiederkehrt.

41. Nicht geziemte es der Sonne, daß sie den Mond einholte, noch darf die Nacht dem Tage zuvorkommen. Sie schweben ein jedes in (seiner) Sphäre.

42. Und ein Zeichen ist es ihnen, daß Wir ihre Nachkommenschaft in dem beladenen Schiffe tragen.

43. Und Wir werden für sie ein Gleiches ins Dasein rufen, darauf sie fahren werden.

44. Und wenn Wir wollten, so könnten Wir sie ertrinken lassen; dann würden sie keinen Helfer haben, noch könnten sie gerettet werden,

45. Außer durch Unsere Barmherzigkeit und zu einem Nießbrauch auf gewisse Zeit.

46. Und wenn zu ihnen gesprochen wird: »Hütet euch vor dem, was vor euch ist und was hinter euch ist, auf daß ihr Erbarmen findet« (dann kehren sie sich ab).

47. Und es kommt kein Zeichen zu ihnen von den Zeichen ihres Herrn, ohne daß sie sich davon abwenden.

48. Und wenn zu ihnen gesprochen wird: »Spendet von dem, was Allah euch gegeben hat«, sagen die Ungläubigen zu den Gläubigen: »Sollen wir einen speisen, den Allah hätte speisen können, wenn Er es gewollt? Ihr seid da zweifellos in offenkundigem Irrtum.«

49. Und sie sprechen: »Wann wird diese Verheißung* (in Erfüllung gehen), wenn ihr die Wahrheit redet?«

50. Sie warten nur auf einen einzigen Schall, der sie erfassen wird, während sie noch streiten.

---

* Über die Strafe.

51. Und sie werden nicht imstande sein, einander Rat zu geben, noch werden sie zu ihren Angehörigen zurückkehren.

52. Und in die Posaune soll geblasen werden, und siehe, aus den Gräbern eilen sie hervor zu ihrem Herrn.

53. Sie werden sprechen: »O wehe uns! wer hat uns erweckt von unserer Ruhestätte? Das ist's, was der Gnadenreiche (uns) verheißen hatte, und die Gesandten sprachen doch die Wahrheit.«

54. Es wird nur ein einziger Schall sein, und siehe, sie werden alle vor Uns gebracht werden.

55. Und an jenem Tage soll keinem etwas Unrecht geschehen; und ihr sollt nur für das belohnt werden, was ihr zu tun pflegtet.

56. Wahrlich, die Bewohner des Himmels sollen an jenem Tage Freude finden an einer Beschäftigung.

57. Sie und ihre Gefährten werden in angenehmem Schatten sein, hingelehnt auf erhöhten Sitzen.

58. Früchte werden sie darin haben, und sie werden haben, was immer sie begehren.

59. »Frieden« – eine Botschaft von einem erbarmenden Herrn.

60. Und: »Scheidet euch heute (von den Gerechten), o ihr Schuldigen.

61. Habe Ich euch nicht geboten, ihr Kinder Adams, daß ihr nicht Satan dienet – denn er ist euch ein offenkundiger Feind –,

62. Sondern daß ihr Mir allein dienet? Das ist der gerade Weg.

63. Und doch hat er eine große Menge von euch irregeführt. Hattet ihr denn keine Einsicht?

64. Das ist die Hölle, die euch angedroht ward.

65. Betretet sie denn heute, darum daß ihr ungläubig wart.«

66. An jenem Tage werden Wir ihre Münder versiegeln, jedoch ihre Hände werden zu Uns sprechen, und ihre Füße werden alle ihre Machenschaften bezeugen.

67. Und hätten Wir gewollt, Wir hätten ihre Augen auslöschen können; dann würden sie nach dem Weg geeilt sein. Aber wie hätten sie sehen können?

68. Und hätten Wir gewollt, Wir hätten sie verwandeln können, wo sie waren; dann wären sie nicht imstande gewesen, vorwärts oder rückwärts zu gehen.

69. Und wem Wir langes Leben gewähren, den wandeln Wir um

in der Schöpfung.* Wollen sie denn nicht begreifen?

70. Und Wir haben ihn nicht die Kunst der Dichtung gelehrt, noch ziemte sie sich für ihn. Dies ist einfach eine Ermahnung und ein Koran, der die Dinge deutlich macht,

71. Daß er jeden warne, der Leben hat, und daß der Spruch gerechtfertigt sei wider die Ungläubigen.

72. Haben sie nicht gesehen, daß Wir unter den Dingen, die Unsere Hände gebildet, für sie das Vieh schufen, über das sie Herr sind?

73. Und Wir haben es ihnen unterwürfig gemacht, so daß manche davon ihnen Reittiere sind, und manche essen sie.

74. Und sie haben noch (andere) Nutzen an ihnen und (auch) Trank. Wollen sie also nicht dankbar sein?

75. Und sie haben sich Götter genommen statt Allah, damit ihnen geholfen würde.

76. Sie vermögen ihnen nicht zu helfen, sondern sie werden selbst als ein Heer gegen sie gebracht werden.

77. Laß ihre Rede dich daher nicht betrüben. Wir wissen, was sie verbergen und was sie bekunden.

78. Weiß der Mensch nicht, daß Wir ihn aus einem Samentropfen erschufen? Und siehe da, er ist ein offenkundiger Widersacher!

79. Er erzählt Dinge über Uns und vergißt seine eigene Erschaffung. Er spricht: »Wer kann die Gebeine beleben, wenn sie vermodert sind?«

80. Sprich: »Er, Der sie das erstemal erschuf, Er wird sie beleben; denn Er kennt jegliche Schöpfung.

81. Er, Der für euch Feuer hervorbringt aus dem grünen Baum; und siehe, dann zündet ihr damit.

82. Ist nicht Er, Der die Himmel und die Erde erschuf, imstande, ihresgleichen zu schaffen?« Doch, und Er ist der größte Schöpfer, der Allwissende.

83. Sein Befehl, wenn Er ein Ding will, ist nur, daß Er spricht: »Sei!« – und es ist.

84. Preis denn Ihm, in Dessen Hand die Herrschaft über alle Dinge ist und zu Dem ihr zurückgebracht werdet!

---

* D. h. schwächen die körperliche Kraft.

1. Im Namen Allahs, des Gnädigen, des Barmherzigen.
2. Bei den in Reihen sich Reihenden
3. Und denen, die verwarnen,
4. Und denen, die Ermahnung verlesen,
5. Wahrlich, euer Gott ist Einig,
6. Herr der Himmel und der Erde und alles dessen, was zwischen beiden ist, und der Herr der Orte im Sonnenaufgang.
7. Wir haben den untersten Himmel ausgeschmückt mit einem Schmuck: den Planeten;
8. Und es gibt einen Schutz vor jedem aufrührerischen Teufel.
9. Sie (die Teufel) können nichts hören von der erhabenen Versammlung (der Engel), und sie werden beworfen von allen Seiten
10. Als Ausgestoßene, und für sie ist dauernde Strafe,
11. Mit Ausnahme dessen, der heimlich (ein paar Worte) aufschnappt, doch ihn verfolgt ein flammendes Feuer von durchbohrender Helle.
12. Frage sie darum, ob sie schwerer zu erschaffen sind oder (alle die andern) die Wir erschaffen haben? Sie haben Wir aus bildsamem Ton erschaffen.
13. Nein, du staunst, und sie spotten.
14. Und wenn sie ermahnt werden, so beachten sie's nicht.
15. Und wenn sie ein Zeichen sehen, so wenden sie's zu Spott.
16. Und sie sprechen: »Das ist nichts als offenkundige Zauberei.
17. Wie! wenn wir tot sind und Staub geworden und Gebeine, sollten wir dann wiedererweckt werden?
18. Und unsere Vorväter (ebenfalls)?«
19. Sprich: »Jawohl; und ihr werdet (dann) gedemütigt werden.«
20. Dann wird nur ein einziger Ruf des Vorwurfs sein, und siehe, sie beginnen zu sehen.
21. Und sie werden sprechen: »O wehe uns! das ist der Tag des Gerichts.«
22. »Das ist der Tag der Entscheidung, den ihr zu leugnen pflegtet.«
23. (Und es wird zu den Engeln gesprochen werden:) »Versammelt jene, die ungerecht handelten, und ihre Gefährten und was sie zu verehren pflegten

24. Statt Allah, und führt sie zum Pfade des Feuers

25. Und haltet sie an; denn sie sollen befragt werden.«

26. »Was ist euch, daß ihr einander nicht helfet?«

27. Nein, an jenem Tage werden sie sich unterwerfen.

28. Und einige von ihnen werden sich an die andern wenden, miteinander hadernd.

29. Sie werden sprechen: »Traun, ihr pflegtet zu uns zu kommen von rechts.«

30. Jene werden antworten: »Nein, ihr wart selbst nicht Gläubige.

31. Und wir hatten keine Macht über euch; ihr aber waret ein übertretend Volk.

32. Nun hat sich das Wort unseres Herrn gegen uns als wahr erwiesen: Wir werden gewißlich (die Strafe) kosten müssen.

33. Und wir verführten euch, weil wir selber Irrende waren.«

34. An jenem Tage werden sie alle Teilhaber an der Strafe sein.

35. Also verfahren Wir mit den Frevlern;

36. Denn da zu ihnen gesprochen ward: »Es gibt keinen Gott außer Allah«, da wandten sie sich verächtlich ab

37. Und sprachen: »Sollen wir unsere Götter aufgeben um eines besessenen Dichters willen?«

38. Nein, er hat die Wahrheit gebracht und hat die Wahrheit aller Gesandten bestätigt.

39. Ihr werdet sicherlich die peinvolle Strafe kosten.

40. Und ihr werdet belohnt werden nur für das, was ihr selbst gewirkt habt,

41. Ausgenommen die erwählten Diener Allahs;

42. Diese sollen eine zuvor bekannte* Versorgung erhalten:

43. Früchte; und sie sollen geehrt werden

44. In den Gärten der Wonne,

45. Auf Thronen (sitzend), einander gegenüber.

46. Kreisen soll unter ihnen ein Becher aus einem fließenden Born,

47. Weiß, wohlschmeckend den Trinkenden,

48. Darin keine Berauschung sein wird, noch werden sie dadurch erschöpft werden.

---

* Die im Koran beschriebene.

49. Und bei ihnen werden (Keusche) sein, züchtig blickend aus großen Augen,

50. Als ob sie verborgene Eier wären.

51. Und einige von ihnen werden sich an die andern wenden, sich wechselseitig befragend.

52. Einer ihrer Sprecher wird sagen: »Ich hatte einen Gefährten,

53. Der zu fragen pflegte: ›Hältst du tatsächlich (die Auferstehung) für wahr?

54. Wenn wir tot sind, und Staub geworden und Gebeine, soll uns dann wirklich vergolten werden?‹«

55. Er wird fragen: »Wollt ihr (ihn) schauen?«

56. Dann wird er schauen und ihn inmitten des Feuers sehen.

57. Er wird sprechen: »Bei Allah, beinahe hättest du mich ins Verderben gestürzt.

58. Und wäre nicht die Gnade meines Herrn gewesen, ich hätte sicherlich zu denen gehört, die (zum Feuer) gebracht werden.

59. Ist es nicht so, daß wir nicht sterben werden,

60. Außer unseren ersten Tod? Wir sollen nicht bestraft werden.

61. Wahrlich, das ist die höchste Glückseligkeit.

62. Für solches wie dies denn mögen die Wirkenden wirken.«

63. Ist dies besser als Bewirtung oder der Baum Saqqūm?

64. Denn Wir haben ihn zu einer Versuchung gemacht für die Missetäter.

65. Er ist ein Baum, der aus dem Grunde der Hölle emporwächst;

66. Seine Frucht ist, als wären es Schlangenköpfe.

67. Sie sollen davon essen und (ihre) Bäuche damit füllen.

68. Dann sollen sie darauf eine Mischung von siedendem Wasser (zum Trank) erhalten.

69. Danach soll ihre Rückkehr zur Hölle sein.

70. Sie fanden ihre Väter als Irrende vor,

71. Und sie folgten eilends in ihren Fußstapfen.

72. Und die meisten der Vorfahren waren irregegangen vor ihnen,

73. Und Wir hatten Warner unter sie gesandt.

74. Betrachte nun, wie der Ausgang derer war, die gewarnt worden waren,

75. Mit Ausnahme der erwählten Diener Allahs!

76. Und fürwahr, Noah rief Uns an, und wie gut erhören Wir!

77. Wir erretteten ihn und die Seinen aus der großen Bedrängnis;

78. Und Wir machten seine Nachkommenschaft zu den einzig Überlebenden.

79. Und Wir bewahrten seinen Namen unter den künftigen Geschlechtern.

80. Friede sei auf Noah unter den Völkern!

81. Also belohnen Wir jene, die Gutes wirken.

82. Er gehörte zu Unseren gläubigen Dienern.

83. Dann ließen Wir die andern ertrinken.

84. Und fürwahr, von seiner Gemeinde war Abraham;

85. Da er zu seinem Herrn kam mit heilem Herzen;

86. Da er zu seinem Vater sprach und zu seinem Volke: »Was verehrt ihr da?

87. Ist es eine Lüge – Götter außer Allah –, was ihr begehrt?

88. Welchen Begriff habt ihr denn von dem Herrn der Welten?«

89. Dann warf er einen Blick zu den Sternen

90. Und sprach: »Ich werde jetzt krank.«

91. Da kehrten sie ihm den Rücken (und) gingen fort.

92. Nun wandte er sich heimlich an ihre Götter und sprach: »Wollt ihr nicht essen?

93. Was ist euch, daß ihr nicht redet?«

94. Dann begann er sie plötzlich mit der Rechten zu schlagen.

95. Da kamen sie zu ihm geeilt.

96. Er sprach: »Verehret ihr das, was ihr gemeißelt habt,

97. Obwohl Allah euch erschaffen hat und das Werk eurer Hände?«

98. Sie sprachen: »Baut einen Bau für ihn und werft ihn ins Feuer!«

99. Sie planten einen Anschlag gegen ihn, allein Wir machten sie zu den Niedrigsten.

100. Und er sprach: »Siehe, ich gehe zu meinem Herrn, Der mich richtig führen wird.

101. Mein Herr, gewähre mir einen rechtschaffenen (Sohn).«

102. Dann gaben Wir ihm die frohe Kunde von einem sanftmütigen Sohn.

103. Als er alt genug war, um mit ihm zu arbeiten*, sprach (Abraham): »O mein lieber Sohn, ich habe im Traum gesehen, daß ich dich schlachte. Nun schau, was meinst du dazu?« Er antwortete: »O mein Vater, tu, wie dir befohlen; du sollst mich, so Allah will, standhaft finden.«

104. Als sie sich beide (Gott) ergeben hatten und er ihn mit der Stirn gegen den Boden hingelegt hatte,

105. Da riefen Wir ihm zu: »O Abraham,

106. Erfüllt hast du bereits das Traumgesicht.« Also lohnen Wir denen, die Gutes tun.

107. Das war in der Tat eine offenbare Prüfung.

108. Und Wir lösten ihn aus durch ein großes Opfer.

109. Und Wir bewahrten seinen Namen unter den künftigen Geschlechtern.

110. Friede sei auf Abraham!

111. Also lohnen Wir denen, die Gutes tun.

112. Er gehörte zu Unseren gläubigen Dienern.

113. Und Wir gaben ihm die frohe Kunde von Isaak, einem Propheten, der Rechtschaffenen einem.

114. Und Wir segneten ihn und Isaak. Unter ihren Nachkommen sind (manche), die Gutes tun, und (andere), die offenkundig gegen sich selbst freveln.

115. Wir hatten Uns auch gegen Moses und Aaron gnädig erwiesen.

116. Und Wir erretteten sie beide und ihr Volk aus der großen Bedrängnis;

117. Und Wir halfen ihnen, so waren sie es, die obsiegten.

118. Und Wir gaben ihnen das deutliche Buch;

119. Und Wir führten sie auf den geraden Weg.

120. Und Wir bewahrten ihren Namen unter den künftigen Geschlechtern.

121. Friede sei auf Moses und Aaron!

122. Also lohnen Wir denen, die Gutes tun.

123. Sie gehörten beide zu Unseren gläubigen Dienern.

---

* Oder: schnell zu gehen.

124. In Wahrheit war auch Elias einer der Gesandten.

125. Da er zu seinem Volke sprach: »Wollt ihr nicht rechtschaffen sein?

126. Wollt ihr Ba'l* anrufen und den besten Schöpfer verlassen,

127. Allah, euren Herrn und den Herrn eurer Vorväter?«

128. Jedoch sie verwarfen ihn, und sie werden bestimmt (zum Gericht) gebracht werden,

129. Ausgenommen die erwählten Diener Allahs.

130. Und Wir bewahrten seinen Namen unter den künftigen Geschlechtern.

131. Friede sei auf Il-Jāsin![76]

132. Also lohnen Wir denen, die Gutes tun.

133. Er (Elias) gehörte zu Unseren gläubigen Dienern.

134. In Wahrheit war auch Lot einer der Gesandten.

135. Da Wir ihn erretteten und die Seinen alle,

136. Ausgenommen ein altes Weib unter denen, die zurückblieben.

137. Dann vertilgten Wir die anderen ganz und gar.

138. Wahrlich, ihr geht an ihnen vorüber am Morgen

139. Und am Abend. Wollt ihr da nicht begreifen?

140. Und sicherlich war Jonas einer der Gesandten.

141. Da er zu dem beladenen Schiff floh

142. Und Lose warf (mit der Schiffsmannschaft) und den kürzeren zog.

143. Und der große Fisch verschlang ihn, indes er ([Jonas] sich selbst) tadelte.

144. Wenn er nicht zu jenen gehört hätte, die (Gott) preisen,

145. Er wäre gewiß in seinem Bauche geblieben bis zum Tage der Auferstehung.

146. Dann warfen Wir ihn auf einen öden Strand, und er war krank;

147. Und Wir ließen eine Kürbisstaude über ihm wachsen.

148. Und Wir entsandten ihn zu hunderttausend oder mehr,

149. Und sie wurden gläubig; so gewährten Wir ihnen Versorgung auf eine Weile.

---

* Den Götzen.

150. Nun frage sie, ob dein Herr Töchter hat, während sie Söhne haben.

151. Haben Wir etwa die Engel weiblich erschaffen, indes sie zugegen waren?

152. Horcht! Es ist bloß ihre eigene Erfindung, wenn sie sprechen:

153. »Allah hat gezeugt«; und sie sind wahrlich Lügner.

154. Hat Er Töchter vorgezogen vor den Söhnen?

155. Was verwirrt euch? Wie urteilt ihr nur?

156. Wollt ihr euch denn nicht besinnen?

157. Oder habt ihr einen klaren Beweis?

158. Dann bringt euer Buch herbei, wenn ihr wahrhaftig seid.

159. Und sie machen eine Blutsverwandtschaft aus zwischen Ihm und den Dschinn, während die Dschinn doch recht wohl wissen, daß sie (vor Ihn zum Gericht) gebracht werden sollen.

160. Gepriesen sei Allah hoch über all das, was sie behaupten –

161. Ausgenommen die erwählten Diener Allahs.

162. Wahrlich, ihr und was ihr verehret,

163. Ihr vermögt nicht (einen) gegen Ihn zu verführen,

164. Mit Ausnahme dessen, der bestimmt ist, in die Hölle einzugehen.

165. Da ist keiner unter uns, der nicht seinen zugewiesenen Platz hätte.

166. Und fürwahr, wir sind die in Reihen Geordneten.

167. Und fürwahr, wir preisen (Gott).

168. Und sie pflegten zu sagen:

169. »Hätten wir nur einen eigenen Gesandten gleich (den Gesandten) der Früheren,

170. So wären wir sicherlich Allahs erwählte Diener gewesen.«

171. Dennoch glauben sie nicht an Ihn, allein sie werden es bald erfahren.

172. Wahrlich, Unser Wort ist schon ergangen an Unsere Diener, die Gesandten,

173. Daß ihnen zweifellos geholfen wird,

174. Und daß Unsere Heerschar sicherlich siegreich sein wird.

175. Drum wende dich ab von ihnen für eine Weile,

176. Und beobachte sie, denn sie werden bald sehen.

177. Ist es etwa Unsere Strafe, die sie beschleunigen möchten?

178. Doch wenn sie in ihre Höfe hinabsteigt, übel wird dann der Morgen sein für die Gewarnten.
179. So wende dich ab von ihnen auf eine Weile,
180. Und beobachte, denn sie werden bald sehen.
181. Gepriesen sei dein Herr, der Herr der Ehre und Macht, hoch erhaben über das, was sie behaupten!
182. Und Friede sei mit den Gesandten!
183. Und aller Preis gehört Allah, dem Herrn der Welten.

1. Im Namen Allahs, des Gnädigen, des Barmherzigen.

2. Sād.* Beim Koran, voll der Ermahnung.

3. Die aber ungläubig sind, sind in falschem Stolz und Feindseligkeit.

4. Wie so manches Geschlecht haben Wir schon vor ihnen vertilgt! Sie schrien, da keine Zeit mehr war zum Entrinnen.

5. Und sie wundern sich, daß ein Warner zu ihnen gekommen ist aus ihrer Mitte; und die Ungläubigen sagen: »Das ist ein Zauberer, ein Lügner.

6. Macht er die Götter zu einem einzigen Gott? Dies ist fürwahr ein wunderbarlich Ding.«

7. Die Führer unter ihnen erklärten laut: »Geht und haltet fest an euren Göttern! Das ist eine abgekartete Sache.

8. Wir haben nie etwas hiervon gehört bei dem früheren Volk. Dies ist nichts als eine Erdichtung.

9. Ist die Ermahnung (gerade) zu ihm unter uns (allen) gesandt worden?« Nein, sie sind im Zweifel über Meine Ermahnung. Nein, sie haben Meine Strafe noch nicht gekostet.

10. Besitzen sie etwa die Schätze der Barmherzigkeit deines Herrn, des Allmächtigen, des Freigebigen?

11. Oder ist ihrer das Königreich der Himmel und der Erde und was zwischen beiden ist? Mögen sie nur weiter Mittel und Wege ersinnen.

12. Eine Heerschar der Verbündeten wird in die Flucht geschlagen werden.

13. Vor ihnen schon haben das Volk Noahs und die 'Ād und Pharao, der Herr der Pfähle, geleugnet;

14. Und die Thamūd und das Volk des Lot und die Bewohner des Waldes – diese waren die Verbündeten.

15. Ein jeder hatte die Gesandten der Lüge gezieben, drum war Meine Strafe gerecht.

16. Und diese erwarten nichts als einen einzigen Schrei, für den es keinen Aufschub gibt.

17. Sie sprechen: »Unser Herr, beschleunige uns unseren Teil (der Strafe) vor dem Tage der Abrechnung.«

18. Ertrage in Geduld, was sie reden, und gedenke Unseres

---

* Wahrhaftiger!

Knechtes David, des Herrn der Macht; er kehrte sich stets (zu Gott).

19. Wir machten (ihm) die (Bewohner der) Berge dienstbar, mit ihm zu lobpreisen am Abend und beim Sonnenaufgang;

20. Und die Vögel, die zusammengescharten: alle waren sie Ihm gehorsam.

21. Wir festigten sein Königreich und gaben ihm Weisheit und entscheidendes Urteil.

22. Ist die Geschichte von den Streitenden zu dir gelangt? Wie sie über die Mauer (seines) Gemachs kletterten;

23. Wie sie bei David eindrangen, und er fürchtete sich vor ihnen. Sie sprachen: »Fürchte dich nicht. (Wir sind) zwei Streitende, von denen einer sich vergangen hat gegen den andern; richte darum zwischen uns in Gerechtigkeit und handle nicht ungerecht und leite uns zu dem geraden Weg.

24. Dieser ist mein Bruder; er hat neunundneunzig Mutterschafe, und ich habe ein einziges Mutterschaf. Dennoch sagt er: ›Übergib es mir‹, und hat mich in der Rede überwunden.«

25. (David) sprach: »Wahrlich, er hat Unrecht an dir getan, daß er dein Mutterschaf zu seinen eignen Mutterschafen hinzu verlangte. Und gewiß, viele Teilhaber vergehen sich gegeneinander, die nur ausgenommen, die glauben und gute Werke üben; und das sind wenige.« Und David merkte, daß Wir ihn auf die Probe gestellt hatten; also bat er seinen Herrn um Verzeihung und fiel anbetend nieder und bekehrte sich.

26. Darum vergaben Wir ihm dies; wahrlich, er hatte nahen Zutritt zu Uns und eine herrliche Einkehr.

27. »O David, Wir haben dich zu einem Stellvertreter auf Erden gemacht; richte darum zwischen den Menschen in Gerechtigkeit, und folge nicht dem Gelüst, daß es dich nicht abseits führe vom Wege Allahs.« Jenen, die von Allahs Weg abirren, wird strenge Strafe, weil sie den Tag der Abrechnung vergaßen.

28. Wir haben den Himmel und die Erde, und was zwischen beiden ist, nicht sinnlos erschaffen. Das ist die Ansicht derer, die ungläubig sind. Wehe denn den Ungläubigen wegen des Feuers!

29. Sollen Wir etwa diejenigen, die glauben und gute Werke üben, gleich behandeln wie die, die Verderben auf Erden stiften? Sollen Wir die Gerechten behandeln wie die Ungerechten?

30. Ein Buch, das Wir zu dir hinabgesandt haben, voll des Segens, auf daß sie seine Verse betrachten möchten und daß die mit Verständnis Begabten ermahnt seien.

31. Wir bescherten David Salomo. Ein vortrefflicher Diener; stets wandte er sich (zu Gott).

32. Da vor ihn gebracht wurden zur Abendzeit Renner von edelster Zucht und schnellfüßig,

33. Sprach er: »Ich habe die guten Dinge dieser Welt sehr lieb um der Erinnerung meines Herrn willen« – bis sie hinter dem Schleier verborgen waren –

34. »Bringt sie zu mir zurück.« Dann begann er mit der Hand über (ihre) Beine und (ihre) Hälse zu fahren.

35. Wir stellten Salomo in der Tat auf die Probe, und Wir setzten eine bloße Figur* auf seinen Thron. Dann bekehrte er sich.

36. Er sprach: »O mein Herr, vergib mir und gewähre mir ein Königreich, wie es keinem nach mir geziemt; wahrlich, Du bist der Freigebige.«

37. Darauf machten Wir ihm den Wind dienstbar, daß er sanft wehte auf sein Geheiß, wohin er wollte,

38. Und die Draufgänger, alle die Erbauer und Taucher,

39. Wie auch andere, in Fesseln aneinander gekettet.

40. »Dies ist Unsere Gabe – sei nun freigebig oder zurückhaltend – ohne zu rechnen.«

41. Und sicherlich hatte er nahen Zutritt zu Uns und eine herrliche Einkehr.

42. Und gedenke Unseres Knechtes Hiob, da er zu seinem Herrn schrie: »Satan hat mich mit Unglück und Pein geschlagen.«

43. »Rühre (dein Reittier) mit deinem Fuß. Hier ist kühles Wasser, zum Waschen und zum Trinken.«

44. Wir bescherten ihm seine Angehörigen und noch einmal so viele dazu als eine Barmherzigkeit von Uns und als eine Ermahnung für Leute von Verstand.

45. Und: »Nimm in deine Hand eine Handvoll trockener Zweige und reise damit und neige nicht zum Bösen.« Fürwahr,

* Vgl. Anmerkung 74.

Wir fanden ihn standhaft. Ein vortrefflicher Diener: stets wandte er sich (zu Gott).

46. Und gedenke Unserer Knechte Abraham und Isaak und Jakob, Männer von Kraft und Einsicht.

47. Wir erwählten sie zu einem besonderen Zweck – zur Erinnerung an die Wohnstatt (des Jenseits).

48. Wahrlich, vor Uns gehören sie zu den Auserlesenen, den Guten.

49. Und gedenke Ismaels und Jesajas und Dhul-Kifls*; alle gehören sie zu den Guten.

50. Dies ist eine Ermahnung; den Rechtschaffenen wird gewißlich eine herrliche Stätte der Rückkehr:

51. Gärten immerwährender Wonne, aufgetan für sie (ihre) Pforten.

52. Dort werden sie rückgelehnt ruhn; dort können sie nach Früchten in Menge und nach reichlichem Trank rufen.

53. Und bei ihnen werden (Keusche) sein, züchtig blickend, Gefährtinnen gleichen Alters.

54. Dies ist, was euch verheißen ward für den Tag der Abrechnung.

55. Wahrlich, das ist Unsere Versorgung; nie wird sie sich erschöpfen.

56. Dies ist (für die Gläubigen). Doch für die Widerspenstigen ist eine üble Stätte der Rückkehr:

57. Die Hölle, die sie betreten werden; welch schlimme Stätte!

58. Dies ist (für die Ungläubigen). Mögen sie es denn kosten: eine siedende Flüssigkeit und einen übelriechenden Trank, fürchterlich kalt,

59. Und andere Gruppen von gleicher Art dazu.

60. »Hier ist eine Schar (von euren Anhängern), die mit euch zusammen hineingestürzt werden soll (ihr Rädelsführer).« Kein Willkomm ihnen! Sie sollen ins Feuer eingehen.

61. Sie werden sprechen: »Nein, ihr seid es. Kein Willkomm denn (auch) euch! Ihr seid es, die uns dies bereiteten. Und welch schlimmer Ort ist das!«

---

* Hesekiel.

62. Sie werden (ferner) sprechen: »Unser Herr, wer immer uns dies bereitete – füge ihm eine doppelte Strafe im Feuer hinzu.«

63. Und sie werden sprechen: »Was ist uns geschehen, daß wir nicht die Leute sehen, die wir zu den Bösen zu zählen pflegten?

64. Sollte es sein, daß wir sie (ungerechterweise) zum Gespött machten, oder haben die Augen sie verfehlt?«

65. Wahrlich, das ist eine Tatsache – der Redestreit der Bewohner des Feuers untereinander.

66. Sprich: »Ich bin nur ein Warner; und es gibt keinen Gott außer Allah, dem Einigen, dem Allbezwingenden,

67. Dem Herrn der Himmel und der Erde und dessen, was zwischen beiden ist, dem Allmächtigen, dem Allverzeihenden.«

68. Sprich: »Es ist eine große Kunde,

69. Ihr wendet euch jedoch ab davon.

70. Ich hatte keine Kunde von den erhabenen Engeln, da sie es untereinander beredeten;

71. Nur dies ward mir offenbart, daß ich bloß ein aufklärender Warner bin.«

72. Als dein Herr zu den Engeln sprach: »Ich bin im Begriffe, den Menschen aus Ton zu erschaffen,

73. Und wenn Ich ihn gebildet und von Meinem Geist* in ihn gehaucht habe, dann neiget euch und bezeugt ihm Ehrfurcht.«

74. Da beugten sich in Ehrfurcht alle Engel, ohne Ausnahme,

75. Bis auf Iblis. Er wandte sich hochmütig ab und war schon (vorher) ungläubig.

76. (Gott) sprach: »O Iblis, was hinderte dich daran, Ehrerbietung zu erweisen dem, den Ich mit Meinen beiden Händen geschaffen? Bist du zu stolz, oder bist du der Erhabenen einer?«

77. Er sprach: »Ich bin besser als er. Du erschufst mich aus Feuer, und ihn hast Du aus Ton erschaffen.«

78. (Gott) sprach: »So gehe hinaus von hier, denn du bist ein Ausgestoßener.

79. Und Mein Fluch soll auf dir sein bis zum Tag des Gerichts.«

80. Er sprach: »O mein Herr, gewähre mir Frist bis zum Tage, an dem sie auferweckt werden.«

---

* Göttliche Offenbarung.

81. (Gott) sprach: »Siehe, dir wird Frist gewährt,

82. Bis zum Tage der bestimmten Zeit.«

83. Er sprach: »Bei Deiner Ehre, ich will sie sicherlich alle in die Irre führen,

84. Ausgenommen Deine erwählten Diener unter ihnen.«

85. (Gott) sprach: »Dann ist dies die Wahrheit, und Ich rede die Wahrheit,

86. Daß Ich wahrlich die Hölle füllen werde mit dir und denen von ihnen, die dir folgen, insgesamt.«

87. Sprich: »Ich verlange von euch keinen Lohn dafür, noch bin ich der Heuchler einer.

88. Dieser (Koran) ist nichts als eine Ermahnung für die Welten.

89. Und ihr werdet sicherlich seine Kunde kennen nach einer Weile.«

1. Im Namen Allahs, des Gnädigen, des Barmherzigen.

2. Die Offenbarung des Buches ist von Allah, dem Allmächtigen, dem Allweisen.

3. Wahrlich, Wir haben dir das Buch mit der Wahrheit hinabgesandt; so diene denn Allah, in lauterem Gehorsam gegen Ihn.

4. Fürwahr, Allah (allein) gebührt lauterer Gehorsam. Und diejenigen, die sich andere zu Beschützern nehmen statt Ihn (sprechen): »Wir dienen ihnen nur, damit sie uns Allah nahe bringen.« Allah wird zwischen ihnen richten über das, worin sie uneins sind. Wahrlich, Allah weist nicht dem den Weg, der ein Lügner, ein Undankbarer ist.

5. Hätte Allah Sich einen Sohn zugesellen wollen, Er hätte wählen können, was Ihm beliebte, von dem, was Er erschafft. Preis Ihm! Er ist Allah, der Einige, der Allbezwingende.

6. Er schuf die Himmel und die Erde in Weisheit. Er faltet die Nacht über den Tag und faltet den Tag über die Nacht; und Er hat die Sonne und den Mond dienstbar gemacht; ein jedes verfolgt seine Bahn zu einem bestimmten Ziel. Fürwahr, Er allein ist der Allmächtige, der Allverzeihende.

7. Er schuf euch aus einem einzigen Wesen; dann machte Er aus diesem seine Gattin; und Er schuf für euch acht Haustiere in Paaren. Er erschaffte euch in den Schößen eurer Mütter, Schöpfung nach Schöpfung, in dreifacher Finsternis. Das ist Allah, euer Herr. Sein ist das Reich. Es gibt keinen Gott außer Ihm. Wie laßt ihr euch da abwendig machen?

8. Wenn ihr ungläubig seid, so ist Allah euer nicht bedürftig. Doch Ihm gefällt Unglauben an Seinen Dienern nicht. Seid ihr aber dankbar, so gefällt Ihm das an euch. Und keine Lasttragende kann die Last einer anderen tragen. Danach ist zu eurem Herrn eure Heimkehr; und Er wird euch verkünden, was ihr zu tun pflegtet. Fürwahr, Er weiß wohl, was in den Herzen ist.

9. Wenn den Menschen ein Unglück trifft, so fleht er zu seinem Herrn, sich zu Ihm wendend. Dann aber, wenn Er ihm eine Gnade von Sich aus gewährt hat, vergißt er, um was er zuvor zu Ihm zu bitten pflegte, und setzt Allah Götter zur Seite, daß er (die Menschen) von Seinem Wege ab in die Irre führe. Sprich: »Vergnüge dich mit deinem Unglauben für eine kleine Weile; denn du gehörst zu den Bewohnern des Feuers.«

10. Ist etwa jener, der zu Gott betet in den Stunden der Nacht, kniefällig und stehend, der sich vor dem Jenseits fürchtet und auf die Barmherzigkeit seines Herrn hofft (einem Ungehorsamen gleich)? Sprich: »Sind solche, die wissen, denen gleich, die nicht wissen?« Allein nur die mit Verstand Begabten lassen sich warnen.

11. Sprich: »O Meine Diener, die ihr gläubig seid, fürchtet euren Herrn. Für diejenigen, die in dieser Welt Gutes tun, ist Gutes. Und Allahs Erde ist weit. Wahrlich, den Standhaften wird ihr Lohn gewährt werden ohne zu rechnen.«

12. Sprich: »Mir ward geheißen, Allah zu dienen, in lauterem Gehorsam gegen Ihn.

13. Und mir ward geheißen, der erste der Gottergebenen zu sein.«

14. Sprich: »Siehe, ich fürchte die Strafe eines schrecklichen Tags, wenn ich meinem Herrn ungehorsam wäre.«

15. Sprich: »Allah ist es, Dem ich diene, in meinem lauteren Gehorsam gegen Ihn.

16. Verehret nur, was ihr wollt, statt Ihn.« Sprich: »Fürwahr, die Verlierenden werden jene sein, die sich selbst und die Ihren verlieren am Tage der Auferstehung.« Hütet euch! das ist ein offenkundiger Verlust.

17. Sie werden über sich Schichten von Feuer haben, und unter sich (ebensolche) Schichten. Das ist's, wovor Allah Seine Diener warnt: »O Meine Diener, nehmet drum Mich zu eurem Beschützer.«

18. Und diejenigen, die falsche Götter anzubeten scheuen und sich zu Allah wenden, für sie ist frohe Botschaft. Gib denn frohe Botschaft Meinen Dienern,

19. Die auf das Wort hören und dem Besten von ihm folgen. Sie sind es, denen Allah den Weg gewiesen hat, und sie sind es, die mit Verstand begabt sind.

20. Ist denn der, gegen den das Strafurteil fällig geworden ist (in der Lage, gerettet zu werden)? Kannst du etwa den retten, der im Feuer ist?

21. Für die jedoch, die ihren Herrn fürchten, sind Hochgemächer, über Hochgemächern erbaut, unter denen Ströme fließen. Eine Verheißung Allahs – Allah bricht das Versprechen nicht.

22. Hast du nicht gesehen, daß Allah Wasser niedersendet vom Himmel und es als Quellen in die Erde dringen läßt und dadurch Gewächs hervorbringt, mannigfach an Farben? Dann wird es reif, und du siehst es gelb werden; dann läßt Er es in Stücke zerbrechen. Hierin ist wahrlich eine Mahnung für Leute von Einsicht.

23. Ist denn der, dem Allah das Herz geweitet hat für den Islam, so daß er ein Licht von seinem Herrn empfängt (einem Ungläubigen gleich)? Wehe drum denen, deren Herzen verhärtet sind gegen den Gedanken an Allah! Sie sind es, die in offenkundigem Irrtum sind.

24. Allah hat die schönste Botschaft, ein Buch, hinabgesandt, ein im Einklang (mit andern Schriften) stehendes[77], oft wiederholtes, vor dem denen, die ihren Herrn fürchten, die Haut erschauert, dann erweicht sich ihre Haut und ihr Herz zum Gedenken Allahs. Das ist die Führung Allahs; Er leitet damit, wen Er will. Und wen Allah zum Irrenden erklärt, der soll keinen Führer haben.

25. Ist denn der, der mit seinem Angesicht Schutz sucht vor der schrecklichen Strafe am Tage der Auferstehung (dem gleich, der sicher ist)? Zu den Frevlern wird gesprochen werden: »Kostet nun, was ihr verdientet.«

26. Es leugneten jene, die vor ihnen waren; da kam die Strafe über sie, von wannen sie es nicht ahnten.

27. Und Allah ließ sie Schande kosten im irdischen Leben; doch die Strafe im Jenseits wird gewiß größer sein, wenn sie es nur wüßten!

28. Wir haben den Menschen in diesem Koran allerlei Gleichnisse aufgestellt, damit sie ermahnt sein möchten.

29. Den Koran auf arabisch, ohne irgendwelche Krümme, auf daß sie rechtschaffen würden.

30. Allah setzt ein Gleichnis: Ein Mann, der mehreren Herren gehört, die unter sich im Zwiespalt sind, und ein Mann, der einem einzigen Herrn gehört. Sind sie beide einander gleich? Aller Preis gebührt Allah. Jedoch die meisten von ihnen wissen es nicht.

31. Wahrlich, du wirst sterben, und auch sie werden sterben.

32. Am Tage der Auferstehung dann werdet ihr miteinander rechten vor eurem Herrn.

33. Wer begeht also größeres Unrecht als einer, der Lügen wider Allah vorbringt, oder einer, der die Wahrheit verwirft, wenn sie zu ihm kommt? Ist nicht in der Hölle eine Wohnstatt für die Ungläubigen?

34. Und der, der die Wahrheit bringt, und (der, welcher) sie bestätigt – das sind die Gerechten.

35. Sie werden alles, was sie wünschen, bei ihrem Herrn haben. Das ist der Lohn derer, die Gutes tun:

36. Daß Allah von ihnen das Schlimmste hinwegnehmen wird von dem, was sie getan, und ihnen ihren Lohn geben wird gemäß dem Besten, das sie zu tun pflegten.

37. Genügt Allah nicht für Seinen Diener? Und doch möchten sie dich in Furcht setzen mit jenen neben Ihm. Und für einen, den Allah zum Irrenden erklärt, gibt es keinen Führer.

38. Und für einen, den Allah richtig führt, gibt es keinen, der ihn irreführte. Ist Allah nicht allmächtig, der Herr der Vergeltung?

39. Und wenn du sie fragst: »Wer schuf die Himmel und die Erde?«, so werden sie sicherlich antworten: »Allah.« Sprich: »Wißt ihr dann, was ihr außer Allah anruft? Wenn Allah für mich Unglück will, können sie dessen Schaden entfernen? Oder wenn Er Barmherzigkeit für mich will, können sie Seine Barmherzigkeit hemmen?« Sprich: »Allah ist meine Genüge. Auf Ihn vertrauen die Vertrauenden.«

40. Sprich: »O mein Volk, handelt, wie ihr es vermögt; (auch) ich handle; bald aber werdet ihr erfahren,

41. Über wen eine Strafe kommt, die ihn schänden wird, und auf wen eine ewige Strafe niederfährt.«

42. Wahrlich, Wir haben dir das Buch mit der Wahrheit hinabgesandt zum Heil der Menschheit. Wer rechtgeleitet ist, der ist es zu seinem eigenen Besten; und wer irregeht, der geht irre zu seinem Schaden. Und du bist nicht Wächter über sie.

43. Allah nimmt die Seelen (der Menschen) hin zur Zeit ihres Absterbens und (auch) derer, die nicht gestorben sind, während ihres Schlafs. Dann hält Er die zurück, über die Er den Tod verhängt hat, und schickt die andere (wieder) bis zu einer bestimm-

ten Frist. Hierin sind sicherlich Zeichen für Leute, die nachdenken.

44. Haben sie Fürsprecher angenommen statt Allah? Sprich: »Selbst wenn sie keine Macht über irgend etwas haben und keinen Verstand?«

45. Sprich: »Alle Fürsprache ist Allahs. Sein ist das Königreich der Himmel und der Erde. Und zu Ihm sollt ihr zurückgebracht werden.«

46. Wenn Allah, der Einzige, genannt wird, dann krampfen sich die Herzen derer, die nicht ans Jenseits glauben, in Widerwillen zusammen; werden aber die genannt, die statt Ihn (verehrt werden), siehe, dann beginnen sie zu frohlocken.

47. Sprich: »O Allah! Schöpfer der Himmel und der Erde! Kenner des Verborgenen und des Offenbaren! Du allein wirst richten zwischen Deinen Dienern über das, worin sie uneins zu sein pflegten.«

48. Besäßen die Ungerechten auch alles, was auf Erden ist, und noch einmal soviel dazu, sie würden sich gewiß damit loskaufen wollen von der schlimmen Strafe am Tage der Auferstehung; aber es wird ihnen von Allah das erscheinen, was sie nimmermehr erwarteten.

49. Und das Böse dessen, was sie gewirkt, wird ihnen deutlich werden, und es wird sie das umfangen, worüber sie zu spotten pflegten.

50. Wenn nun den Menschen ein Unglück berührt, so ruft er Uns an. Dann aber, wenn Wir ihm eine Gnade von Uns zuteil werden lassen, spricht er: »Dies ward mir nur auf Grund (meines) Wissens gegeben.« Nein, es ist eine Prüfung bloß; jedoch die meisten von ihnen wissen es nicht.

51. Die vor ihnen waren, sprachen auch schon so, doch all das, was sie erworben, nützte ihnen nichts;

52. Und das Böse dessen, was sie gewirkt, erfaßte sie; und diejenigen unter diesen, die Unrecht tun, sie (auch) wird das Böse dessen, was sie gewirkt, erfassen; sie können nicht entrinnen.

53. Wissen sie nicht, daß Allah die Mittel zum Unterhalt weitet und beschränkt, wem Er will? Wahrlich, hierin sind Zeichen für Leute, die glauben.

54. Sprich: »O Meine Diener, die ihr euch gegen eure eignen Seelen vergangen habt, verzweifelt nicht an Allahs Barmherzigkeit, denn Allah vergibt alle Sünden; Er ist der Allverzeihende, der Barmherzige.

55. Kehrt euch zu curem Herrn, und ergebt euch Ihm, bevor die Strafe über euch kommt; (denn) dann werdet ihr keine Hilfe finden.

56. Und folget dem Besten*, das zu euch von eurem Herrn herabgesandt ward, bevor die Strafe unversehens über euch kommt, da ihr es nicht merkt;

57. Damit nicht etwa einer spräche: ›O wehe mir, um dessentwillen, was ich gegenüber Allah versäumte! denn wahrlich, ich gehörte zu den Spöttern‹;

58. Oder damit nicht einer spräche: ›Hätte mich Allah geleitet, so wäre auch ich unter den Rechtschaffenen gewesen‹;

59. Oder damit nicht einer spräche, wenn er die Strafe sieht: ›Gäbe es für mich doch Wiederkehr, dann wollte ich unter denen sein, die Gutes tun.‹«

60. (Gott wird antworten:) »Nein; es kamen zu dir Meine Zeichen, aber du verwarfest sie, und du warst stolz und warst der Ungläubigen einer.«

61. Am Tage der Auferstehung wirst du diejenigen, die über Allah logen, mit geschwärzten Gesichtern sehen. Ist nicht in der Hölle ein Aufenthalt für die Hoffärtigen?

62. Allah wird die Gerechten (von Bösem) befreien und ihnen Erfolg (verleihen); Unglück wird sie nicht berühren, noch werden sie trauern.

63. Allah ist der Schöpfer aller Dinge, und Er ist Wächter über alle Dinge.

64. Sein sind die Schlüssel der Himmel und der Erde; und jene, die nicht an die Zeichen Allahs glauben, sie sind die Verlierenden.

65. Sprich: »Heißt ihr mich etwas anderes als Allah anbeten, ihr Toren?«

66. Wo es dir offenbart worden ist, wie schon denen vor dir: »Wenn du Gott Nebengötter zur Seite stellst, so wird sich dein

---

* Nach eurem besten Können.

Werk sicherlich als eitel erweisen, und du wirst gewiß unter den Verlierenden sein.«

67. Nein, diene denn Allah und sei der Dankbaren einer.

68. Sie schätzen Allah nicht, wie es Ihm gebührt. Die ganze Erde gehört Ihm allein, und am Tage der Auferstehung werden die Himmel (und die Erde) zusammengerollt sein in Seiner Rechten. Preis Ihm! Hoch erhaben ist Er über das, was sie anbeten.

69. Und in die Posaune wird gestoßen, und alle, die in den Himmeln sind, und alle, die auf Erden sind, werden ohnmächtig (niederstürzen), mit Ausnahme derjenigen, die Allah will. Dann wird sie wiederum geblasen, und siehe, sie werden wartend stehen.

70. Und die Erde wird leuchten im Lichte ihres Herrn, und das Buch wird vorgelegt, und die Propheten und die Zeugen werden herbeigebracht; und es wird zwischen ihnen gerichtet werden nach Gerechtigkeit, und kein Unrecht sollen sie erleiden.

71. Und jedem wird voll vergolten werden, was er getan, denn Er weiß am besten, was sie tun.

72. Und die Ungläubigen werden in Scharen zur Hölle getrieben werden, bis daß, wenn sie sie erreichen, ihre Pforten sich öffnen und ihre Wächter zu ihnen sprechen: »Sind nicht Gesandte aus eurer Mitte zu euch gekommen, euch die Zeichen eures Herrn vorzutragen und euch zu warnen vor dem Eintreffen dieses eures Tags?« Sie werden sprechen: »Ja! Doch das Strafurteil ist fällig geworden nach Gerechtigkeit wider die Ungläubigen.«

73. Es wird gesprochen werden: »Geht denn ein in die Pforten der Hölle, darin zu bleiben! Und übel ist die Wohnstatt der Hoffärtigen.«

74. Und jene, die ihren Herrn fürchteten, werden in Scharen in den Himmel geführt werden, bis daß, wenn sie ihn erreichen, und seine Pforten sich öffnen, und seine Wächter zu ihnen sprechen: »Friede sei auf euch! seiet glücklich und gehet dort ein, ewig zu weilen.«

75. Sie werden sprechen: »Aller Preis gehört Allah, Der Seine Verheißung an uns erfüllt hat und uns das Land zum Erbe gegeben hat, daß wir in dem Garten wohnen können, wo immer es

uns gefällt.« Wie schön ist also der Lohn derer, die (Gerechtigkeit) wirken!
76. Und du wirst die Engel sich scharen sehen um den Thron,
den Preis ihres Herrn verkündend. Und es wird zwischen ihnen
gerichtet werden in Gerechtigkeit. Und es wird gesprochen werden: »Aller Preis gehört Allah, dem Herrn der Welten.«

1. Im Namen Allahs, des Gnädigen, des Barmherzigen.

2. Hā Mīm.*

3. Die Offenbarung des Buches ist von Allah, dem Allmächtigen, dem Allwissenden,

4. Dem Vergeber der Sünde und Empfänger der Reue, dem Strengen in der Bestrafung, dem Besitzer der Gnadenfülle. Es gibt keinen Gott außer Ihm. Zu Ihm ist die Heimkehr.

5. Niemand streitet über die Zeichen Allahs, außer denen, die ungläubig sind. Laß ihr Hinundherziehen im Lande dich darum nicht täuschen.

6. Vor ihnen schon leugneten das Volk Noahs und Stämme nach ihnen (die Gesandten), und jedes Volk plante, seinen Gesandten zu ergreifen, und sie stritten mit Falschheit, auf daß sie die Wahrheit damit widerlegen möchten. Dann erfaßte Ich sie, und wie war Meine Strafe!

7. Also ward das Wort deines Herrn bewahrheitet wider die Ungläubigen: daß sie die Bewohner des Feuers sind.

8. Die** den Thron tragen und die ihn umringen, sie verkünden den Preis ihres Herrn und glauben an Ihn und erbitten Vergebung für jene, die gläubig sind: »Unser Herr, Du umfassest alle Dinge mit Barmherzigkeit und Wissen. Vergib darum denen, die bereuen und Deinem Wege folgen; und bewahre sie vor der Strafe der Hölle.

9. Unser Herr, lasse sie eintreten in die Gärten der Ewigkeit, die Du ihnen verheißen hast, wie auch jene ihrer Väter und ihrer Frauen und ihrer Kinder, die rechtschaffen sind. Gewiß, Du bist der Allmächtige, der Allweise.

10. Und bewahre sie vor Übel, denn: wen Du vor Übel bewahrst an jenem Tage – ihm hast Du wahrlich Barmherzigkeit erwiesen. Und das ist die höchste Glückseligkeit.«

11. Den Ungläubigen wird zugerufen: »Allahs Widerwille ist größer als euer eigener Widerwille gegen euch. (Gedenket,) da ihr zum Glauben aufgerufen wurdet und im Unglauben verharrtet.«

12. Sie werden sprechen: »Unser Herr, Du hast uns zweimal

---

* Der Preiswürdige, der Erhabene!
** Die Engel.

sterben lassen und uns zweimal lebendig gemacht, und wir bekennen unsere Sünden. Ist da nun ein Weg zum Entkommen?«

13. »Dies ist so, weil ihr ungläubig bliebt, als Allah allein angerufen wurde, doch als Ihm Götter zur Seite gesetzt wurden, da glaubtet ihr. Die Entscheidung ist allein bei Allah, dem Hohen, dem Großen.«

14. Er ist es, Der euch Seine Zeichen zeigt und euch die Mittel zum Unterhalt hinabsendet vom Himmel; doch keiner läßt sich ermahnen, außer dem, der sich bekehrt.

15. Rufet denn Allah an, in lauterem Gehorsam gegen Ihn, und sollte es auch den Ungläubigen zuwider sein.

16. Der Erhabene über alle Rangstufen, der Herr des Thrones! Er sendet das Wort nach Seinem Geheiß zu wem Er will von Seinen Dienern, auf daß er warne vor dem Tag der Begegnung,

17. Dem Tage, an dem sie vortreten werden und nichts von ihnen vor Allah verborgen bleibt. Wessen ist das Reich an diesem Tage? Allahs, des Einigen, des Allbezwingenden.

18. An diesem Tage wird jedem vergolten werden, was er verdient. Keine Ungerechtigkeit an diesem Tage! Wahrlich, Allah ist schnell im Abrechnen.

19. Und warne sie vor dem immer näher kommenden Tage, da die Herzen zu den Kehlen emporsteigen werden, voller innerer Trauer. Die Frevler werden keinen vertrauten Freund haben noch einen Fürsprecher, auf den gehört werden könnte.

20. Er kennt die Verräterei der Blicke und alles, was die Herzen verbergen.

21. Allah richtet in Gerechtigkeit; die aber, die sie statt Ihn anrufen, können ganz und gar nicht richten. Wahrlich, Allah ist der Allhörende, der Allsehende.

22. Sind sie nicht auf der Erde umhergereist, um zu sehen, wie das Ende derer war, die vor ihnen waren? Diese waren stärker als sie an Macht und (bleibender) in den Spuren (die sie) auf Erden (hinterließen). Und doch erfaßte sie Allah um ihrer Sünden willen, und sie hatten keinen, der sie wider Allah hätte schützen können.

23. Das war, weil ihre Gesandten zu ihnen kamen mit offenbaren Zeichen, sie aber glaubten nicht; drum erfaßte sie Allah. Fürwahr, Er ist stark, streng im Strafen.

24. Wir entsandten wahrlich Moses mit Unseren Zeichen und mit einer klaren Vollmacht

25. Zu Pharao und Hāmān und Korah; jedoch sie sprachen: »Ein Zauberer, ein Betrüger!«

26. Und als er zu ihnen kam mit der Wahrheit von Uns, da sprachen sie: »Tötet die Söhne derer, die mit ihm glauben, und verschonet ihre Frauen.« Doch der Anschlag der Ungläubigen ist nichts als vergeblich.

27. Und Pharao sprach: »Lasset mich, ich will Moses töten; und laßt ihn seinen Herrn anrufen. Ich fürchte, er möchte sonst euren Glauben ändern oder Unfrieden im Land stiften.«

28. Und Moses sprach: »Ich nehme meine Zuflucht bei meinem Herrn und eurem Herrn vor jedem Hoffärtigen, der nicht an den Tag der Abrechnung glaubt.«

29. Ein gläubiger Mann von den Leuten Pharaos, der seinen Glauben geheimhielt, sprach: »Wollt ihr einen Menschen töten, weil er spricht: ›Mein Herr ist Allah‹, obwohl er zu euch gekommen ist mit klaren Beweisen von eurem Herrn? Wenn er ein Lügner ist, so ist seine Lüge auf ihm; ist er aber wahrhaftig, dann wird euch ein Teil von dem treffen, was er euch androht. Fürwahr, Allah weist nicht dem den Weg, der maßlos (und) ein Lügner ist.

30. O mein Volk, euer ist heute die unumschränkte Herrschaft, denn ihr seid die Oberherren im Land. Wer aber wird uns vor der Strafe Allahs schützen, wenn sie über uns kommt?« Pharao sprach: »Ich weise euch nur auf das hin, was ich selbst sehe, und ich leite euch nur auf den Pfad der Rechtschaffenheit.«

31. Da sprach jener, der gläubig war: »O mein Volk, ich fürchte für euch Gleiches, was den Verbündeten,

32. Gleiches, was dem Volke Noahs und den 'Ād und den Thamūd und denen nach ihnen widerfuhr. Und Allah will keine Ungerechtigkeit gegen die Diener.

33. O mein Volk, ich fürchte für euch den Tag der gegenseitigen Hilferufe,

34. Den Tag, an dem ihr den Rücken zur Flucht wenden sollt. Keinen Schirmer werdet ihr vor Allah haben. Und wen Allah zum Irrenden erklärt, der soll keinen Führer finden.«

35. Und Joseph kam ja vordem zu euch mit deutlichen Bewei-

sen, jedoch ihr hörtet nicht auf, im Zweifel zu sein über das, womit er zu euch kam, bis ihr dann, als er starb, sprachet: »Allah wird nimmermehr einen Gesandten erstehen lassen nach ihm.« Also erklärt Allah jene zu Irrenden, die maßlos (und) Zweifler sind –

36. Solche, die über die Zeichen Allahs streiten, ohne daß irgendeine Ermächtigung zu ihnen kam. Schmerzhaft hassenswert ist das vor Allah und vor jenen, die gläubig sind. Also versiegelt Allah das Herz eines jeden Hoffärtigen, Stolzen.

37. Und Pharao sprach: »O Hāmān, baue mir einen Turm, so daß ich die Wege der Annäherung erreiche,

38. Die Wege der Annäherung zu den Himmeln, damit ich über den Gott Moses' die Kunde hole, denn ich halte ihn wahrlich für einen Lügner.« Also wurde dem Pharao das Böse seines Tuns schön gemacht, und er wurde abgewendet von dem Pfade; und der Anschlag Pharaos endete bloß in Verderben.

39. Und jener, der gläubig war, sprach: »O mein Volk, folget mir. Ich will euch zu dem Pfade der Rechtschaffenheit leiten.

40. O mein Volk, dies Leben hienieden ist nur ein vergänglicher Genuß; und das Jenseits allein ist die dauernde Heimstatt.

41. Wer Böses tut, dem soll nur mit Gleichem vergolten werden; wer aber Gutes tut – sei es Mann oder Weib – und gläubig ist, diese werden in den Garten eintreten; darin werden sie versorgt werden mit Unterhalt ohne zu rechnen.

42. O mein Volk, wie (sonderbar) ist es für mich, daß ich euch zum Heil aufrufe, indes ihr mich zum Feuer ruft!

43. Ihr ruft mich auf, Allah zu verleugnen und Ihm Götter zur Seite zu stellen, wovon ich keine Kenntnis habe. Ich aber rufe euch zu dem Allmächtigen, dem Vergebungsreichen.

44. Kein Zweifel, das, wozu ihr mich ruft, hat keinen Anspruch in dieser Welt oder im Jenseits; und unsere Heimkehr ist zu Allah, und die Übertreter werden Bewohner des Feuers sein.

45. Bald werdet ihr an das denken, was ich euch sage. Und ich stelle meine Sache Allah anheim. Fürwahr, Allah schaut die Diener wohl.«

46. So schützte ihn Allah vor den Übeln dessen, was sie planten, und eine schlimme Strafe umfing die Leute Pharaos:

47. Das Feuer – sie sind ihm ausgesetzt morgens und abends.

Und am Tage, wenn die »Stunde« kommen wird (da wird gesprochen werden): »Laßt Pharaos Leute eingehn in die strengste Strafe.«

48. Wenn sie miteinander im Feuer streiten, werden die Schwachen zu den Hochmütigen sprechen: »Wir waren ja eure Anhänger: Wollt ihr uns da nicht einen Teil des Feuers abnehmen?«

49. Jene, die hochmütig waren, werden sprechen: »Wir sind alle darin. Allah hat nun gerichtet zwischen den Dienern.«

50. Und die in dem Feuer werden zu den Wächtern der Hölle sprechen: »Betet zu eurem Herrn, daß Er uns einen Tag von der Strafe erlasse.«

51. Sie werden sprechen: »Kamen nicht eure Gesandten zu euch mit klaren Beweisen?« Jene werden sprechen: »Doch.« (Die Wächter) werden sprechen: »So fahret fort zu beten.« Doch das Gebet der Ungläubigen ist umsonst.

52. Wahrlich, helfen werden Wir Unseren Gesandten und denen, die gläubig sind, im Leben hienieden und an dem Tage, da die Zeugen vortreten werden,

53. Dem Tage, da ihre Ausrede den Frevlern nichts nützen wird; und ihrer wird der Fluch sein und ihrer der schlimme Aufenthalt.

54. Wir gaben wahrlich Moses die Führung und machten die Kinder Israels zu Erben der Schrift –

55. Eine Führung und Ermahnung für die Verständigen.

56. Habe denn Geduld. Wahrlich, die Verheißung Allahs ist wahr. Und suche Schutz gegen deine Schwäche und verherrliche deinen Herrn mit Seiner Lobpreisung am Abend und am Morgen.

57. Diejenigen, die über die Zeichen Allahs streiten, ohne daß irgendeine Ermächtigung zu ihnen kam – nichts ist in ihren Herzen als Großmannssucht –, sie werden es nicht erreichen. So nimm Zuflucht bei Allah. Fürwahr, Er ist der Allhörende, der Allsehende.

58. Die Schöpfung der Himmel und der Erde ist größer als die Schöpfung der Menschen; allein die meisten Menschen wissen es nicht.

59. Der Blinde und der Sehende sind nicht gleich; noch sind

jene, die glauben und gute Werke tun, denen (gleich), die Böses tun. Wenig ist es, was ihr zu bedenken pflegt!

60. Die »Stunde« kommt gewiß; daran ist kein Zweifel; doch glauben die meisten Menschen nicht.

61. Euer Herr spricht: »Betet zu Mir; Ich will euer Gebet erhören. Die aber, die zu stolz sind, um Mich zu verehren, die werden in die Hölle eintreten, Erniedrigte.«

62. Allah ist es, Der für euch die Nacht gemacht hat, auf daß ihr darin ruhet, und den Tag zum Sehen. Wahrlich, Allah ist der Herr der Gnadenfülle gegenüber der Menschheit, jedoch die meisten Menschen danken nicht.

63. Das ist Allah, euer Herr, Schöpfer aller Dinge. Es gibt keinen Gott außer Ihm. Wie laßt ihr euch da abwendig machen!

64. Also lassen sich nur die abwendig machen, die Allahs Zeichen leugnen.

65. Allah ist es, Der die Erde für euch geschaffen hat zu einer Ruhestatt und den Himmel zu einem Zeltdach und Der euch Gestalt gegeben und eure Gestalten vollkommen gemacht hat und euch mit guten Dingen versorgt hat. Das ist Allah, euer Herr. Segensreich ist drum Allah, der Herr der Welten.

66. Er ist der Lebendige. Es gibt keinen Gott außer Ihm. So rufet Ihn an, in lauterem Gehorsam gegen Ihn. Aller Preis gehört Allah, dem Herrn der Welten.

67. Sprich: »Mir ward verboten, denen zu dienen, die ihr anruft statt Allah, nachdem mir deutliche Beweise von meinem Herrn gekommen sind; und mir ward geboten, mich zu ergeben dem Herrn der Welten.«

68. Er ist es, Der euch aus Erde erschuf, dann aus einem Samentropfen, dann aus einem Blutklumpen; dann läßt Er euch als ein Kindlein hervorgehen; dann (läßt Er euch wachsen) auf daß ihr eure Vollkraft erreicht; dann (läßt Er) euch alt werden – wenngleich einige unter euch vorher zum Sterben berufen werden –, und (Er läßt euch leben) damit ihr eine bestimmte Frist erreichet und damit ihr Weisheit lernet.

69. Er ist es, Der Leben gibt und Tod sendet. Und wenn Er ein Ding beschließt, so spricht Er zu ihm nur: »Sei!«, und es ist.

70. Hast du nicht die gesehen, die über Allahs Zeichen streiten? Wie lassen sie sich abwendig machen!

71. Jene, die nicht an das Buch glauben noch an das, womit Wir Unsere Gesandten geschickt. Bald aber werden sie es erfahren,

72. Wenn die Eisenfesseln um ihre Nacken sein werden, und Ketten. Sie werden gezerrt werden

73. In siedendes Wasser; dann werden sie ins Feuer geworfen werden.

74. Dann wird zu ihnen gesprochen werden: »Wo sind nun jene, die ihr anzubeten pfleget

75. Statt Allah?« Sie werden sprechen: »Sie sind von uns gewichen. Nein, wir riefen zuvor nichts an.« Also erklärt Allah die Ungläubigen zu Irrenden:

76. »Dies, weil ihr auf Erden frohlocktet ohne Recht und weil ihr übermütig waret.

77. Geht nun ein in die Tore der Hölle, darin zu bleiben. Übel ist nun die Wohnstatt der Hoffärtigen.«

78. Drum habe Geduld. Die Verheißung Allahs ist wahr. Und ob Wir dir (die Erfüllung) von einigen der Dinge zeigen, die Wir ihnen angedroht haben, oder Wir dich (vorher) sterben lassen, zu Uns werden sie (jedenfalls) zurückgebracht werden.

79. Und sicherlich entsandten Wir schon Gesandte vor dir; darunter sind manche, von denen Wir dir bereits erzählten, und es sind darunter manche, von denen Wir dir noch nicht erzählten; und kein Gesandter hätte ein Zeichen* bringen können ohne Allahs Erlaubnis. Doch wenn Allahs Befehl ergeht, da wird die Sache zu Recht entschieden, und dann sind die verloren, die der Falschheit folgen.

80. Allah ist es, Der für euch die Tiere gemacht hat, daß ihr auf den einen reiten und von den andern essen möchtet –

81. Und ihr habt noch (andere) Nutzen an ihnen – und daß ihr durch sie jegliches Bedürfnis befriedigen möchtet, das in euren Herzen sein mag. Und auf ihnen und auf Schiffen werdet ihr getragen.

82. Und Er zeigt euch Seine Zeichen; welches der Zeichen Allahs wollt ihr denn verleugnen?

83. Sind sie nicht auf der Erde umhergereist, um zu sehen, wie das Ende derer war, die vor ihnen waren? Sie waren zahlreicher

---

* Offenbarung.

als diese und stärker an Macht und in den Spuren (die sie) auf Erden (hinterließen). Doch alles, was sie erwarben, nützte ihnen nichts.

84. Und wenn ihre Gesandten zu ihnen kamen mit deutlichen Zeichen, so frohlockten sie über das Wissen, das sie (selbst) besaßen. Und das, worüber sie zu spotten pflegten, umfing sie.

85. Und da sie Unsere Strafe sahen, sprachen sie: »Wir glauben an Allah als den Einigen, und Wir verwerfen all das, was wir Ihm zur Seite zu stellen pflegten.«

86. Aber ihr Glaube, als sie Unsere Strafe sahen, konnte ihnen nichts mehr nützen. Dies ist Allahs Gesetz, das stets befolgt worden ist gegenüber Seinen Dienern. Und so gingen die Ungläubigen zugrunde.

1. Im Namen Allahs, des Gnädigen, des Barmherzigen.

2. Hā Mīm.*

3. Eine Offenbarung von dem Gnädigen, dem Barmherzigen.

4. Ein Buch, dessen Verse klar gemacht worden sind – es wird viel gelesen**; es ist in fehlerloser Sprache – für Leute, die Wissen besitzen.

5. Bringer froher Botschaft und Warner. Doch die meisten von ihnen kehren sich ab, so daß sie nicht hören.

6. Sie sprechen: »Unsere Herzen sind verhüllt gegen das, wozu du uns berufst, und in unseren Ohren ist Taubheit, und zwischen uns und dir ist ein Vorhang. So handle, auch wir handeln.«

7. Sprich: »Ich bin nur ein Mensch wie ihr. Mir ward offenbart, daß euer Gott ein Einiger Gott ist; so seiet aufrichtig gegen Ihn und bittet Ihn um Verzeihung.« Und wehe den Götzendienern,

8. Die nicht die Zakāt entrichten und die das Jenseits leugnen.

9. Die aber glauben und gute Werke tun, die werden einen nimmer endenden Lohn erhalten.

10. Sprich: »Leugnet ihr Den wirklich, Der die Erde schuf in zwei Zeiten? Und dichtet ihr ihm Nebengötter an?« Er nur ist der Herr der Welten.

11. Er gründete in ihr*** feste Berge, die sie überragen, und legte Überfluß in sie und ordnete auf ihr in richtigem Verhältnis ihre Nahrung in vier Zeiten – gleichmäßig für die Suchenden.

12. Dann wandte Er Sich zum Himmel, welcher noch Nebel war, und sprach zu ihm und zu der Erde: »Kommt ihr beide, willig oder widerwillig.« Sie sprachen: »Wir kommen willig.«

13. So vollendete Er sie als sieben Himmel in zwei Zeiten, und in jedem Himmel wies Er seine Aufgabe an. Und Wir schmückten den untersten Himmel mit Leuchten, und als Schutz. Das ist der Ratschluß des Allmächtigen, des Allwissenden.

14. Doch wenn sie sich abkehren, so sprich: »Ich habe euch gewarnt vor einem Unheil, gleich dem Unheil, das die 'Ād und die Thamūd (erreichte).«

15. Da ihre Gesandten zu ihnen kamen von vorn und von hinten

---

  * Der Preiswürdige, der Erhabene!

  ** Arabisch: Koran.

*** Erde.

(und sprachen): »Dienet keinem denn Allah«, da sprachen sie: »Hätte unser Herr es gewollt, Er würde zweifellos Engel herabgesandt haben. So lehnen wir das ab, womit ihr gesandt worden seid.«

16. Was nun die 'Ād anlangt, so betrugen sie sich hoffärtig auf Erden ohne Recht und sprachen: »Wer ist stärker als wir an Macht?« Konnten sie denn nicht sehen, daß Allah, Der sie erschuf, stärker an Macht war als sie? Jedoch sie fuhren fort, Unsere Zeichen zu leugnen.

17. Darum sandten Wir gegen sie einen rasenden Wind durch mehrere unheilvolle Tage, auf daß Wir sie die Strafe der Schmach in diesem Leben kosten ließen. Und die Strafe des Jenseits wird gewiß noch schmählicher sein, und es wird ihnen nicht geholfen werden.

18. Und was die Thamūd anlangt, so wiesen Wir ihnen den Weg, sie aber zogen die Blindheit dem rechten Weg vor, drum erfaßte sie das Unheil einer erniedrigenden Strafe um dessentwillen, was sie begangen.

19. Und Wir erretteten jene, die glaubten und Gerechtigkeit wirkten.

20. Und an dem Tage, da die Feinde Allahs zum Feuer versammelt werden allesamt, da werden sie in Gruppen geteilt werden,

21. Bis daß, wenn sie es erreichen, ihre Ohren und ihre Augen und ihre Haut Zeugnis gegen sie ablegen werden von dem, was sie zu tun pflegten.

22. Und sie werden zu ihrer Haut sprechen: »Warum zeugst du wider uns?« Sie wird sprechen: »Allah hat mir Rede verliehen – Er, Der einem jeden Ding Rede verleiht. Und Er ist es, Der euch erstmals erschuf, und zu Ihm seid ihr zurückgebracht.

23. Und ihr pflegtet (eure Sünden) nicht so zu verbergen, daß eure Ohren und eure Augen und eure Haut nicht Zeugnis ablegten wider euch; vielmehr wähntet ihr, Allah wüßte nicht vieles von dem, was ihr zu tun pflegtet.

24. Und das, was ihr wähntet von eurem Herrn, hat euch ins Verderben geführt: so wurdet ihr die Verlierenden.«

25. Wenn sie nun auszuhalten wagen, so ist doch das Feuer ihre Wohnstatt; und wenn sie um Gnade bitten, so wird ihnen keine Gnade erwiesen werden.

26. Wir hatten Gefährten für sie bestimmt, die ihnen als wohlgefällig erscheinen ließen, was vor ihnen war und was hinter ihnen war: und (so) ward der Spruch fällig gegen sie zusammen mit den Scharen der Dschinn und der Menschen, die vor ihnen hingegangen waren. Gewiß, sie waren Verlorene.

27. Und die Ungläubigen sprachen: »Höret nicht auf diesen Koran, sondern macht Lärm darein, damit ihr die Oberhand behaltet.«

28. Aber ganz gewiß werden Wir den Ungläubigen eine strenge Strafe zu kosten geben, und ganz gewiß werden Wir ihnen ihre schlimmsten Taten vergelten.

29. Das ist der Lohn der Feinde Allahs: das Feuer. Darin wird ihnen auf lange Zeit eine Wohnstatt sein – eine Vergeltung dafür, daß sie Unsere Zeichen zu leugnen pflegten.

30. Und die Ungläubigen werden sagen: »Unser Herr, zeige uns jene der Dschinn und der Menschen, die uns irreführten, damit wir sie mit unseren Füßen treten, so daß sie zu den Niedrigsten gehören.«

31. Die aber sprechen: »Unser Herr ist Allah«, und dann standhaft bleiben – zu ihnen steigen die Engel nieder (und sprechen): »Fürchtet euch nicht und seid nicht betrübt, sondern freuet euch des Paradieses, das euch verheißen ward.

32. Wir sind eure Freunde in diesem Leben und im Jenseits. In ihm werdet ihr alles haben, was eure Seelen begehren, und in ihm werdet ihr alles haben, wonach ihr verlangt –

33. Eine Gabe von einem Vergebungsreichen, Barmherzigen.«

34. Und wer ist besser in der Rede als einer, der zu Allah ruft und Gutes tut und spricht: »Ich bin einer der Gottergebenen«?

35. Gut und Böse sind nicht gleich. Wehre (das Böse) mit dem ab, was das Beste ist. Und siehe, der, zwischen dem und dir Feindschaft war, wird wie ein warmer Freund werden.

36. Aber dies wird nur denen gewährt, die standhaft sind; und keinem wird es gewährt als dem Besitzer großen Seelenadels.

37. Und wenn dich ein Anreiz von Satan berührt, dann nimm deine Zuflucht bei Allah. Wahrlich, Er ist der Allhörende, der Allwissende.

38. Unter Seinen Zeichen sind die Nacht und der Tag und die Sonne und der Mond. Werfet euch nicht vor der Sonne anbe-

tend nieder und auch nicht vor dem Mond, sondern werfet euch anbetend nieder vor Allah, Der sie erschuf, wenn Er es ist, Den ihr verehren möchtet.

39. Wenn sie sich aber in Hochmut abwenden, so lobpreisen Ihn Nacht und Tag diejenigen, die deinem Herrn nahe sind, und sie werden niemals müde.

40. Und unter Seinen Zeichen ist dies: daß du die Erde leblos und verdorrt siehst, doch wenn Wir Wasser auf sie niedersenden, dann regt sie sich und schwillt. Er, Der sie belebte, wird auch die Toten sicherlich lebendig machen, denn Er vermag alles zu tun.

41. Diejenigen, die Unsere Zeichen entstellen, sind Uns nicht verborgen. Ist etwa der, der ins Feuer geworfen wird, besser als jener, der sicher hervorgeht am Tage der Auferstehung? Tut, was ihr wollt, denn Er sieht alles, was ihr tut.

42. Diejenigen, die nicht an die Ermahnung glauben, wenn sie zu ihnen kommt (sind die Verlierenden). Und fürwahr, es ist ein ehrwürdiges Buch.

43. Falschheit kann nicht daran herankommen, weder von vorn noch von hinten. Es ist eine Offenbarung von einem Allweisen, Preiswürdigen.

44. Nichts anderes wird dir gesagt, als was schon den Gesandten vor dir gesagt ward. Dein Herr ist fürwahr der Eigner der Verzeihung, aber auch der Eigner schmerzlicher Züchtigung.

45. Hätten Wir es als einen Koran in einer fremden Sprache gemacht, sie hätten gesagt: »Warum sind seine Verse nicht klar gemacht worden? Wie! eine fremde Sprache und ein Araber!« Sprich: »Er ist eine Führung und eine Heilung für die Gläubigen.« Doch diejenigen, die nicht glauben – in ihren Ohren ist Taubheit, und er bleibt ihnen unsichtbar. Sie sind (wie) von einem weit entfernten Ort angerufen.

46. Und Wir gaben auch Moses die Schrift, doch dann entstand Uneinigkeit über sie. Wäre nicht ein Wort von deinem Herrn zuvor ergangen, es wäre gewiß zwischen ihnen entschieden worden; aber wahrhaftig, sie sind in beunruhigendem Zweifel über ihn (den Koran).

47. Wer das Rechte tut, es ist für seine eigene Seele; und wer

Böses tut, es ist wider sie. Und dein Herr ist niemals ungerecht gegen die Diener.

48. Ihm allein ist das Wissen um die »Stunde« vorbehalten. Keine Früchte kommen aus ihren Hüllen hervor, und kein Weib empfängt oder gebiert, wenn nicht mit Seinem Wissen. Und an dem Tage, da Er ihnen zurufen wird: »Wo sind Meine Nebengötter?«, da werden sie sprechen: »Wir gestehen Dir, keiner von uns ist Zeuge.«

49. Und alles, was sie zuvor anzurufen pflegten, wird sie im Stiche lassen, und sie werden einsehen, daß sie keine Zuflucht haben.

50. Der Mensch wird nicht müde, Gutes zu erbitten; doch wenn ihn Übel berührt, dann verzweifelt er, wird hoffnungslos.

51. Und wenn Wir ihn Unsere Barmherzigkeit kosten lassen, nachdem ihn ein Leid betroffen hat, so sagt er sicherlich: »Das gebührt mir; und ich glaube nicht, daß die ›Stunde‹ kommen wird. Doch wenn ich zu meinem Herrn zurückgebracht werden sollte, dann würde ich gewiß das Beste bei Ihm finden.« Aber Wir werden den Ungläubigen wahrlich alles ankündigen, was sie getan, und Wir werden sie sicherlich harte Strafe kosten lassen.

52. Wenn Wir dem Menschen Gnade erweisen, dann kehrt er sich ab und geht seitwärts; doch wenn ihn Übel berührt, siehe, dann beginnt er lange, lange Gebete zu sprechen.

53. Sprich: »Besinnt euch: Wenn es von Allah ist und ihr glaubt nicht daran – wer ist irrender als einer, der weit weg ist?«

54. Bald werden Wir sie Unsere Zeichen sehen lassen überall auf Erden und an ihnen selbst, bis ihnen deutlich wird, daß es die Wahrheit ist. Genügt es denn nicht, daß dein Herr Zeuge ist über alle Dinge?

55. Höret! sie sind im Zweifel über die Begegnung mit ihrem Herrn. Siehe, Er umfaßt alle Dinge.

1. Im Namen Allahs, des Gnädigen, des Barmherzigen.

2. Hā Mīm.*

3. 'Ain Sīn Qāf.**

4. Also hat Allah, der Allmächtige, der Allweise, dir und denen, die vor dir waren, offenbart.

5. Sein ist, was in den Himmeln und was auf Erden ist, und Er ist der Erhabene, der Große.

6. Fast möchten die Himmel sich spalten von oben her, auch wenn die Engel ihren Herrn verherrlichen mit Seiner Lobpreisung und Vergebung erflehen für die auf Erden. Siehe, fürwahr, Allah ist der Vergebungsreiche, der Barmherzige.

7. Und jene, die sich Beschützer nehmen statt Ihn, Allah gibt auf sie acht; und du bist nicht Hüter über sie.

8. Also haben Wir dir den Koran auf arabisch offenbart, daß du die Mutter der Städte*** warnest und alle rings um sie und (daß) du (sie) warnest vor dem Tag der Versammlung, an dem kein Zweifel ist. Ein Teil wird im Garten sein und ein Teil im flammenden Feuer.

9. Hätte Allah gewollt, Er hätte sie zu einer einzigen Gemeinde machen können; jedoch Er läßt in Seine Barmherzigkeit ein, wen Er will. Und die Frevler werden keinen Beschützer noch Helfer haben.

10. Haben sie sich Beschützer genommen statt Ihn? Doch Allah allein ist der Beschützer. Er macht die Toten lebendig, und Er vermag alle Dinge zu tun.

11. Und über was immer ihr uneins seid, die Entscheidung darüber ruht bei Allah. Das ist Allah, mein Herr; auf Ihn vertraue ich, und zu Ihm wende ich mich.

12. Der Schöpfer der Himmel und der Erde – Er hat aus euch selbst Gefährten für euch gemacht und Gefährten aus den Tieren. Dadurch vermehrt Er euch. Nichts gibt es Seinesgleichen; und Er ist der Allhörende, der Allsehende.

13. Sein sind die Schlüssel der Himmel und der Erde. Er weitet

---

* Der Preiswürdige, der Erhabene!

** Der Allwissende, der Allhörende, der Allmächtige!

*** Mekka.

und beschränkt die Mittel zum Unterhalt, wem Er will. Wahrlich, Er weiß alle Dinge wohl.

14. Er verordnete für euch eine Glaubenslehre, die Er Noah anbefahl und die Wir dir offenbart haben und die Wir Abraham und Moses und Jesus auf die Seele banden: Nämlich, bleibet standhaft im Gehorsam, und seid nicht gespalten darin. Hart ist für die Heiden das, wozu du sie aufrufst. Allah wählt dazu aus, wen Er will, und leitet dazu den, wer sich bekehrt.

15. Und sie zerfielen erst dann in Spaltung, nachdem das Wissen zu ihnen gekommen war, aus selbstsüchtigem Neid untereinander. Und wäre nicht bereits ein Wort von deinem Herrn ergangen für eine bestimmte Frist – gewiß wäre zwischen ihnen entschieden worden. Wahrlich, jene, denen nach ihnen das Buch zum Erbe gegeben ward, sind in beunruhigendem Zweifel darüber.

16. Zu diesem (Glauben) also rufe (sie) auf. Und bleibe standhaft, wie dir geheißen ward, und folge ihren bösen Gelüsten nicht, sondern sprich: »Ich glaube an das Buch, was immer es sei, das Allah herabgesandt hat, und mir ist befohlen, gerecht zwischen euch zu richten. Allah ist unser Herr und euer Herr. Für uns unsere Werke, und für euch eure Werke! Kein Streit ist zwischen uns und euch. Allah wird uns zusammenbringen, und zu Ihm ist die Heimkehr.«

17. Und diejenigen, die über Allah hadern, nachdem Er anerkannt worden ist – ihr Hader ist eitel vor ihrem Herrn; auf ihnen ist Zorn, und ihnen wird strenge Strafe.

18. Allah ist es, Der das Buch mit der Wahrheit herabgesandt hat und als Maßstab. Und wie kannst du wissen, daß die »Stunde« nahe ist?

19. Diejenigen, die nicht an sie glauben, wünschen sie zu beschleunigen; die aber, die glauben, sind in Furcht vor ihr und wissen, daß es die Wahrheit ist. Höret! diejenigen, die an der »Stunde« zweifeln, sind weit in der Irre.

20. Allah ist gütig gegen Seine Diener. Er versorgt, wen Er will. Und Er ist der Starke, der Allmächtige.

21. Wer die Ernte des Jenseits begehrt, dem geben Wir Mehrung in seiner Ernte; und wer die Ernte dieser Welt begehrt,

dem geben Wir davon, doch am Jenseits wird er keinen Anteil haben.

22. Haben sie Nebengötter, die ihnen eine Glaubenslehre vorgeschrieben haben, die Allah nicht verordnet hat? Und wäre es nicht für den Urteilsspruch, zwischen ihnen wäre schon gerichtet. Und gewiß, den Frevlern wird schmerzliche Strafe.

23. Du wirst die Frevler in Furcht sehen ob dessen, was sie begangen, und es wird sicherlich auf sie niederfallen. Jene aber, die glauben und gute Werke üben, werden in den Auen der Gärten sein. Sie sollen bei ihrem Herrn alles finden, was sie begehren. Das ist die große Huld.

24. Dies ist es, wovon Allah die frohe Botschaft gibt Seinen Dienern, die glauben und gute Werke tun. Sprich: »Ich verlange von euch keinen Lohn dafür, es sei denn die Liebe wie zu den Verwandten.« Und wer eine gute Tat begeht, dem machen Wir sie noch schöner. Wahrlich, Allah ist allverzeihend, voll der Erkenntlichkeit.

25. Sagen sie: »Er hat eine Lüge gegen Allah ersonnen«? Wenn Allah so wollte, Er könnte dein Herz versiegeln. Doch Allah löscht die Falschheit aus und bewährt die Wahrheit durch Seine Zeichen. Fürwahr, Er weiß recht wohl, was in den Herzen ist.

26. Er ist es, Der Reue annimmt von Seinen Dienern und Sünden vergibt und weiß, was ihr tut.

27. Und Er erhört diejenigen, die gläubig sind und gute Werke üben, und gibt ihnen Mehrung von Seiner Gnadenfülle; den Ungläubigen aber wird strenge Strafe.

28. Und wenn Allah Seinen Dienern die Mittel zum Unterhalt erweitern würde, sie würden übermütig werden auf Erden; doch Er sendet mit Maß hinab, wie es Ihm gefällt; denn Er kennt und schaut Seine Diener recht wohl.

29. Und Er ist es, Der den Regen hinabsendet, nachdem sie verzweifelten, und Seine Barmherzigkeit ausbreitet. Und Er ist der Beschützer, der Preiswürdige.

30. Und unter Seinen Zeichen ist die Schöpfung der Himmel und der Erde, und jeglicher Lebewesen, die Er in beiden verstreut hat. Und Er hat die Macht, sie zu versammeln allesamt, wenn es Ihm gefällt.

31. Was euch an Unglück treffen mag, es erfolgt ob dessen, was eure Hände gewirkt haben. Und Er vergibt vieles.

32. Ihr könnt auf Erden nicht obsiegen, noch habt ihr einen Freund oder Helfer außer Allah.

33. Und zu Seinen Zeichen gehören die gleich Bergspitzen auf dem Meere segelnden Schiffe;

34. Wenn Er will, so kann Er den Wind besänftigen, so daß sie reglos liegen auf seinem* Rücken – hierin sind wahrlich Zeichen für jeden Standhaften, Dankbaren –,

35. Oder Er kann sie untergehen lassen um dessentwillen, was sie (die Menschen) begangen haben – und Er vergibt vieles –,

36. Und damit jene, die über Allahs Zeichen streiten, begreifen, (daß) sie keine Zuflucht haben.

37. Was euch gegeben ward, es ist nur ein vorübergehender Genuß für dieses Leben, und das, was bei Allah ist, ist besser und bleibender für jene, die glauben und auf ihren Herrn vertrauen,

38. Und die schwersten Sünden und Schändlichkeiten meiden und, wenn sie zornig sind, vergeben;

39. Und die auf ihren Herrn hören und das Gebet verrichten und deren Handlungsweise (eine Sache) gegenseitiger Beratung ist, und die spenden von dem, was Wir ihnen gegeben haben;

40. Und die, wenn eine Unbill sie trifft, sich verteidigen.

41. Die Vergeltung für eine Schädigung soll eine Schädigung in gleichem Ausmaß sein; wer aber vergibt und Besserung bewirkt, dessen Lohn ist sicher bei Allah. Wahrlich, Er liebt die Ungerechten nicht.

42. Jedoch trifft kein Tadel jene, die sich verteidigen, nachdem ihnen Unrecht widerfuhr.

43. Tadel trifft nur solche, die den Menschen Unrecht zufügen und auf Erden freveln ohne Rechtfertigung. Ihnen wird schmerzliche Strafe.

44. Und fürwahr, wer geduldig ist und vergibt – das ist gewiß Zeichen eines starken Geistes.

45. Und wen Allah zum Irrenden erklärt, für ihn gibt es außer Ihm keinen Beschützer. Und du wirst die Frevler sehen, wie sie,

---

* Des Meeres.

wenn sie die Strafe schauen, sprechen: »Ist denn kein Weg zur Rückkehr?«

46. Und du wirst sie ihr ausgesetzt sehen, gedemütigt ob der Schmach, mit verstohlenem Blicke schauend. Die aber gläubig sind, werden sprechen: »Fürwahr, die Verlierenden sind diejenigen, die sich selbst und ihre Angehörigen verlieren am Tage der Auferstehung.« Höret! die Frevler sind wahrlich in lang dauernder Pein.

47. Und sie haben keine Helfer, ihnen gegen Allah zu helfen. Und für einen, den Allah zum Irrenden erklärt, ist kein Ausweg.

48. Höret auf euren Herrn, bevor ein Tag kommt, den niemand gegen Allah verwehren kann. An jenem Tag wird es für euch keine Zuflucht geben, noch gibt es für euch irgendwelche Möglichkeit des Leugnens.

49. Kehren sie sich jedoch ab, so haben Wir dich nicht als Wächter über sie entsandt. Deine Pflicht ist nur die Verkündigung. Wenn Wir dem Menschen Unsere Barmherzigkeit zu kosten geben, so freut er sich über sie. Doch wenn sie ein Unheil trifft um dessentwillen, was ihre Hände vorausgesandt, siehe, dann ist der Mensch undankbar.

50. Allahs ist das Königreich der Himmel und der Erde. Er schafft, was Ihm beliebt. Er beschert Mädchen, wem Er will, und Er beschert Knaben, wem Er will;

51. Oder Er gibt beides, Knaben und Mädchen; und Er macht unfruchtbar, wen Er will; Er ist allwissend (und) bestimmt das Maß.

52. Keinem Menschen steht es zu, daß Allah zu ihm sprechen sollte, außer durch Offenbarung oder hinter einem Schleier oder indem Er einen Boten* schickt, zu offenbaren auf Sein Geheiß, was Ihm gefällt; Er ist erhaben, allweise.

53. Also haben Wir dir ein Wort offenbart nach Unserem Gebot. Du wußtest nicht, was das Buch war noch was der Glaube. Doch Wir haben sie (die Offenbarung) zu einem Lichte gemacht, mit dem Wir jenen von Unseren Dienern den Weg

---

* Engel.

weisen, denen Wir wollen. Wahrlich, du leitest auf den geraden Weg,

54. Den Weg Allahs, Dem alles gehört, was in den Himmeln und was auf Erden ist. Höret! zu Allah kehren alle Dinge zurück.

1. Im Namen Allahs, des Gnädigen, des Barmherzigen.

2. Hā Mīm.*

3. Bei dem deutlichen Buch,

4. Wir haben es zu einem Koran** in fehlerloser Sprache gemacht, auf daß ihr verstehen möchtet.

5. Wahrlich, er ist bei Uns, in der Mutter[78] der Schrift, erhaben, voll der Weisheit.

6. Sollen Wir da die Ermahnung von euch abwenden, weil ihr ein zügelloses Volk seid?

7. Wie so manchen Propheten entsandten Wir unter die früheren Völker!

8. Und nie kam ein Prophet zu ihnen, den sie nicht verspottet hätten.

9. Darum vertilgten Wir, die stärker an Macht waren als diese, und das Beispiel der Früheren ist zuvor ergangen.

10. Und wenn du sie fragst: »Wer schuf die Himmel und die Erde?«, werden sie sicherlich sagen: »Der Allmächtige, der Allwissende hat sie erschaffen.«

11. (Er) Der die Erde für euch gemacht hat zu einer Wiege und Straßen für euch gemacht hat darauf, daß ihr dem rechten Wege folgen möget;

12. Und Der Wasser herniedersendet vom Himmel nach Maß, durch das Wir ein totes Land zum Leben erwecken – ebenso sollt auch ihr auferweckt werden –;

13. Und Der alle Arten paarweise erschaffen hat und für euch Schiffe gemacht hat und Tiere, auf denen ihr reitet,

14. So daß ihr fest auf ihren Rücken sitzen (und) dann, wenn ihr euch fest auf sie gesetzt habt, der Gnade eures Herrn eingedenk sein möget, und sprechet: »Preis Ihm, Der uns dies dienstbar gemacht hat, und wir (selbst) hätten es nicht meistern können.

15. Und zu unserem Herrn müssen wir sicherlich zurückkehren.«

16. Und aus Seinen Dienern machen sie einen Teil Seiner Selbst. Der Mensch ist wahrlich offenkundig undankbar.

---

* Der Preiswürdige, der Erhabene!

** Koran: Was gelesen wird.

17. Hat Er etwa Töchter genommen von dem, was Er erschafft, und euch mit Söhnen ausgezeichnet?

18. Und doch, wenn ihrer einem Kunde gegeben wird von dem*, was er dem Gnadenreichen zuschreibt, so wird sein Gesicht schwarz, und er erstickt vor Gram.

19. Etwa wer im Glanz aufgezogen wird und nicht beredt ist im Wortstreit?

20. Und sie machen die Engel, die des Gnadenreichen Diener sind, zu weiblichen Wesen. Waren sie etwa Zeugen ihrer Erschaffung? Ihr Zeugnis wird aufgezeichnet, und sie werden befragt werden.

21. Und sie sprechen: »Hätte der Gnadenreiche es gewollt, wir würden sie nicht verehrt haben.« Sie haben keinerlei Kenntnis hiervon; sie vermuten nur.

22. Haben Wir ihnen ein Buch gegeben vor diesem (Koran), an dem sie festhalten?

23. Nein, sie sprechen: »Wir fanden unsere Väter auf einem Weg, und wir lassen uns durch ihre Fußstapfen leiten.«

24. Und ebenso sandten Wir keinen Warner vor dir in irgendeine Stadt, ohne daß die Reichen darin gesprochen hätten: »Wir fanden unsere Väter auf einem Weg, und wir treten in ihre Fußstapfen.«

25. (Ihr Warner) sprach: »Wie! auch wenn ich euch eine bessere Führung bringe als die, bei deren Befolgung ihr eure Väter fandet?« Sie sprachen: »Wir leugnen das, womit ihr gesandt seid.«

26. Also vergalten Wir ihnen. Sieh nun, wie das Ende der Leugner war!

27. Und (gedenke der Zeit) da Abraham zu seinem Vater und seinem Volke sprach: »Ich sage mich los von dem, was ihr anbetet

28. Statt Dessen, Der mich erschuf; denn Er wird mich richtig führen.«

29. Und er machte es zu einem bleibenden Wort unter seiner Nachkommenschaft, auf daß sie sich bekehren möchten.

30. Nein, aber Ich ließ sie und ihre Väter in Fülle leben, bis die Wahrheit zu ihnen kam und ein beredter Gesandter.

---

* D. h. von der Geburt einer Tochter.

31. Doch als die Wahrheit zu ihnen kam, da sprachen sie: »Das ist Zauberei, und wir verwerfen sie.«

32. Und sie sprechen: »Warum ist dieser Koran nicht einem angesehenen Mann aus den beiden Städten* herabgesandt worden?«

33. Sind sie es, die die Barmherzigkeit deines Herrn zu verteilen haben? Wir Selbst verteilen unter ihnen ihren Unterhalt im irdischen Leben, und Wir erhöhen einige von ihnen über die andern in den Rängen, auf daß die einen die andern in Pflicht nehmen mögen. Und die Barmherzigkeit deines Herrn ist besser als das, was sie anhäufen.

34. Und wenn nicht wäre, daß alle Menschen zu einer einzigen Gemeinde geworden wären, hätten Wir denen, die nicht an den Gnadenreichen glauben, Dächer von Silber für ihre Häuser gegeben und Treppen, um hinaufzusteigen,

35. Und Türen zu ihren Häusern und Ruhebetten, darauf zu liegen,

36. Sogar aus Gold. Doch all das ist nichts als eine Versorgung für dieses Leben. Und das Jenseits bei deinem Herrn ist für die Rechtschaffenen.

37. Wer sich vom Gedenken des Gnadenreichen abwendet, für den bestimmen Wir einen Teufel, der sein Gefährte werden soll.

38. Und fürwahr, sie machen sie abwendig von dem Weg, jedoch sie denken, sie seien rechtgeleitet,

39. Bis zuletzt, wenn ein solcher zu Uns kommt, er zu (seinem Gefährten) spricht: »O wäre doch zwischen mir und dir die Entfernung des Ostens und des Westens!« Was für ein schlimmer Gefährte ist er doch!

40. »Daß ihr Gefährten seid in der Strafe, soll euch an diesem Tag nichts nützen, denn ihr habt gefrevelt.«

41. Kannst du etwa die Tauben hörend machen oder die Blinden leiten oder den, der in offenkundigem Irrtum ist?

42. Und sollten Wir dich hinwegnehmen, Wir werden sicherlich an ihnen Vergeltung üben.

43. Oder Wir werden dir zeigen, was Wir ihnen angedroht haben; denn Wir haben völlige Macht über sie.

---

* Tā'if und Mekka.

44. Drum halte fest an dem, was dir offenbart worden, denn du bist auf dem geraden Weg.

45. Und es ist wahrlich eine Ehre für dich und für dein Volk, und ihr werdet bald gefragt werden.

46. Und frage jene Unserer Gesandten, die Wir vor dir entsandt haben: »Bestimmten Wir etwa Götter, außer dem Gnadenreichen, die verehrt wurden?«

47. Wir sandten Moses mit Unseren Zeichen zu Pharao und seinen Häuptern; da sprach er: »Ich bin ein Gesandter vom Herrn der Welten.«

48. Doch als er zu ihnen kam mit Unseren Zeichen, siehe, da lachten sie über sie.

49. Und Wir zeigten ihnen nicht ein Zeichen, das nicht größer gewesen wäre als sein Vorgänger, und Wir erfaßten sie mit Strafe, auf daß sie sich bekehren möchten.

50. Aber sie sprachen: »O du Zauberer, bete für uns zu deinem Herrn, gemäß dem, was Er dir verheißen, denn wir werden dann rechtgeleitet sein.«

51. Doch als Wir die Strafe von ihnen nahmen, siehe, da brachen sie das Wort.

52. Und Pharao verkündete unter seinem Volk: »O mein Volk, sind nicht mein das Königreich von Ägypten und diese Ströme, die unter mir fließen? Könnt ihr denn nicht sehen?

53. Bin ich nicht besser als dieser da, der verächtlich.ist und sich kaum verständlich ausdrücken kann?

54. Warum sind ihm dann nicht Armbänder von Gold angelegt worden oder Engel mit ihm im Geleite gekommen?«

55. So verleitete er sein Volk zur Narrheit, und sie gehorchten ihm. Sie waren ein unbotmäßiges Volk.

56. Drum nahmen Wir Vergeltung an ihnen, als sie Uns erzürnten, und ertränkten sie allesamt.

57. Und Wir machten sie zum Vergangenen und zu einem Exempel für die Kommenden.

58. Wenn immer die Rede von dem Sohn* der Maria ist, siehe, dann bricht dein Volk darüber in Geschrei aus;

59. Und sie sagen: »Sind unsere Götter besser oder er?« Sie er-

---

* Gemeint ist die geistige Wiederkunft Jesus'.

wähnen das vor dir nur aus Widerspruchsgeist. Nein, aber sie sind ein streitsüchtiges Volk.

60. Er war nur ein Diener, dem Wir Gnade erwiesen, und Wir machten ihn zu einem Beispiel für die Kinder Israels.

61. Und wenn Wir es wollten, Wir könnten aus euren Reihen Engel hervorgehen lassen, (euch) zu ersetzen auf Erden.

62. Doch wahrlich, er (der Koran) ist Wissen über die »Stunde«. So bezweifelt sie nicht, sondern folget mir. Das ist der gerade Weg.

63. Und laßt Satan euch nicht abwendig machen. Gewiß, er ist euch ein offenkundiger Feind.

64. Wenn Jesus mit klaren Beweisen kommen wird*, wird er sprechen: »Traun, ich komme zu euch mit der Weisheit und um euch etwas von dem zu verdeutlichen, worüber ihr uneinig seid. So fürchtet Allah und gehorchet mir.

65. Allah allein ist mein Herr und euer Herr. Drum dienet Ihm. Das ist der gerade Weg.«

66. Doch werden die Parteien unter ihnen in Zwietracht verfallen. Drum wehe den Frevlern ob der Strafe eines schmerzlichen Tages!

67. Sie warten nur darauf, daß die »Stunde« plötzlich über sie komme, dieweil sie's nicht merken.

68. Freunde werden an jenem Tage einer des anderen Feind sein, außer den Rechtschaffenen.

69. »O Meine Diener, keine Furcht soll auf euch sein an diesem Tage, noch sollt ihr trauern,

70. (Ihr,) die an Unsere Zeichen glaubtet und euch ergabt,

71. Tretet ein in den Garten, ihr und eure Gefährten, geehrt, glückselig!« –

72. Schüsseln von Gold und Becher werden unter ihnen kreisen, und darin wird alles sein, was die Seelen begehren und (woran) die Augen sich ergötzen – »und ewig sollt ihr darinnen weilen.

73. Das ist der Garten, zu dessen Erben ihr berufen wurdet um dessentwillen, was ihr zu tun pflegtet.

74. Darinnen sind Früchte für euch in Menge, von denen ihr essen könnt.«

---

* Die Wiederkunft.

75. Die Schuldigen werden in der Strafe der Hölle bleiben.

76. Sie wird für sie nicht gemildert werden, und sie werden in ihr von Verzweiflung erfaßt werden.

77. Nicht Wir taten ihnen Unrecht, sondern sie selbst taten Unrecht.

78. Und sie werden schreien: »O Vogt, laß deinen Herrn ein Ende mit uns machen!« Er wird sprechen: »Ihr müßt bleiben.

79. Wir brachten euch gewißlich die Wahrheit; jedoch die meisten von euch verabscheuten die Wahrheit.«

80. Haben sie sich für einen Plan entschlossen? Nun, auch Wir haben Uns entschlossen.

81. Wähnen sie denn, daß Wir ihre Geheimnisse und ihre verhohlenen Beratungen nicht hören? Doch, und Unsere Boten bei ihnen schreiben auf.[79]

82. Sprich: »Hätte der Gnadenreiche einen Sohn gehabt, ich wäre der erste der Anbetenden gewesen.«

83. Der Herr der Himmel und der Erde, der Herr des Thrones, ist frei von all dem, was sie behaupten.

84. So laß sie sich ergehen in eitler Rede und sich vergnügen, bis sie ihrem Tag begegnen, der ihnen angedroht ward.

85. Er ist Gott im Himmel und Gott auf Erden, und Er ist der Allweise, der Allwissende.

86. Segensreich ist Er, Des das Königreich der Himmel und der Erde ist und all das, was zwischen beiden ist; und bei Ihm ist die Kenntnis der »Stunde«, und zu Ihm sollt ihr zurückgebracht werden.

87. Und jene, die ihr statt Ihn anrufet, haben kein Fürspracherecht, mit Ausnahme dessen, der die Wahrheit bezeugt, und sie wissen es.

88. Und wenn du sie fragst: »Wer schuf sie?«, werden sie sicherlich sagen: »Allah.« Wie lassen sie sich da abwendig machen!

89. Bei seinem (des Propheten) Ruf: »O mein Herr! dies ist ein Volk, das nicht glauben will.«

90. Drum wende dich ab von ihnen und sprich: »Frieden!« Und bald werden sie erkennen.

1. Im Namen Allahs, des Gnädigen, des Barmherzigen.
2. Hā Mīm.*
3. Bei dem deutlichen Buch,
4. Wahrlich, Wir offenbarten es in einer gesegneten Nacht – wahrlich, Wir haben immer gewarnt –,
5. In der jegliche weise Sache bis ins einzelne erklärt wird
6. Gemäß Unserem Befehl. Wahrlich, Wir haben stets Gesandte geschickt
7. Als eine Barmherzigkeit von deinem Herrn – Er ist der Allhörende, der Allwissende –,
8. Dem Herrn der Himmel und der Erde und alles dessen, was zwischen beiden ist, wenn ihr Gewißheit im Glauben hättet.
9. Es gibt keinen Gott außer Ihm. Er gibt Leben und Tod – euer Herr und der Herr eurer Vorväter.
10. Und doch sind sie im Zweifel, treiben Spiel.
11. Du aber erwarte den Tag, an dem der Himmel einen sichtbaren Rauch hervorbringt,
12. Der die Menschen einhüllen wird. Das wird eine schmerzliche Qual sein.
13. »Unser Herr, nimm von uns die Pein; wir wollen glauben.«
14. Wie können sie lernen, wenn ein aufklärender Gesandter zu ihnen gekommen ist,
15. Und sie haben sich von ihm abgewandt und gesprochen: »Ein Unterrichteter, ein Besessener«?
16. »Wir werden die Strafe für ein weniges hinwegnehmen, ihr aber werdet rückfällig sein.
17. An dem Tage, wo Wir (euch) streng anfassen werden, werden Wir vergelten.«
18. Und Wir haben schon das Volk Pharaos vor ihnen geprüft, und es kam zu ihnen ein ehrenwerter Gesandter,
19. (Der sprach:) »Übergebt mir die Diener Allahs. Ich bin euch ein vertrauenswürdiger Gesandter.
20. Und überhebt euch nicht gegen Allah. Ich komme zu euch mit offenkundigem Beweis.
21. Und ich nehme meine Zuflucht bei meinem Herrn und eurem Herrn, auf daß ihr mich nicht steinigt.

---

* Der Preiswürdige, der Erhabene!

22. Und wenn ihr mir nicht glaubt, so haltet euch fern von mir.«

23. Dann betete er* zu seinem Herrn (und sprach): »Diese sind ein sündhaftes Volk.«

24. (Gott sprach:) »Nimm Meine Diener des Nachts hinfort; ihr werdet verfolgt werden.

25. Und verlasse das Meer, (wenn es) reglos ist. Sie sind ein Heer, sie werden ertränkt.«

26. Wie zahlreich waren die Gärten und die Quellen, die sie zurückließen!

27. Und die Kornfelder und die ehrenvollen Stätten!

28. Und die Annehmlichkeiten, die sie genossen!

29. So geschah's. Und Wir gaben diese Dinge einem andern Volk zum Erbe.

30. Und Himmel und Erde weinten nicht über sie, noch ward ihnen Frist gegeben.

31. Und Wir erretteten die Kinder Israels vor der schimpflichen Pein

32. Vor Pharao; denn er war hochmütig, einer der Maßlosen.

33. Und Wir erwählten sie, auf Grund (Unseres) Wissens, vor den Völkern.

34. Und Wir gaben ihnen eines der Zeichen, in welchem eine offenkundige Prüfung war.

35. Fürwahr, diese behaupten:

36. »Es gibt nur unseren ersten Tod, und wir werden nicht wiedererweckt werden.

37. So bringt doch unsere Väter (zurück), wenn ihr die Wahrheit redet!«

38. Sind sie besser oder das Volk des Tubba** und jene, die vor ihnen waren? Wir vertilgten sie, denn sie waren Sünder.

39. Und Wir schufen die Himmel und die Erde, und was zwischen beiden ist, nicht im Spiel.

40. Wir erschufen sie allein in Weisheit, jedoch die meisten von ihnen verstehen es nicht.

41. Der Tag der Entscheidung ist die festgesetzte Zeit für sie alle,

---

* Moses.
** Name der Könige von Jemen.

42. Der Tag, an dem der Freund dem Freunde nichts nützen kann, noch sollen sie Hilfe finden,

43. Die ausgenommen, deren Allah Sich erbarmt; denn Er ist der Allmächtige, der Barmherzige.

44. Siehe, der Baum Saqqūm

45. Ist die Speise des Sünders.

46. Wie geschmolzenes Erz wird er brodeln in (ihren) Bäuchen,

47. Wie das Brodeln kochenden Wassers.

48. »Ergreift ihn und zerrt ihn in die Mitte des flammenden Feuers;

49. Dann gießet auf sein Haupt die Pein des siedenden Wassers.

50. Koste! Du hieltest dich für den Mächtigen, den Angesehenen.

51. Siehe, dies ist nun das, woran ihr zu zweifeln pflegtet.«

52. Wahrlich, die Rechtschaffenen werden in einer Stätte der Sicherheit sein,

53. Unter Gärten und Quellen:

54. Gekleidet in feine Seide und schweren Brokat, einander gegenübersitzend.

55. So (wird es sein). Und Wir werden sie mit holdseligen Mädchen vermählen, die große, herrliche Augen haben.

56. Sie werden dort nach Früchten jeder Art rufen, in Frieden und Sicherheit.

57. Den Tod werden sie dort nicht kosten, außer dem ersten Tod. Und Er wird sie vor der Strafe des flammenden Feuers bewahren,

58. Als eine Gnade von deinem Herrn. Das ist die höchste Glückseligkeit.

59. Wir haben ihn (den Koran) leicht gemacht in deiner Zunge, damit sie sich ermahnen lassen.

60. Warte drum; auch sie warten.

1. Im Namen Allahs, des Gnädigen, des Barmherzigen.
2. Hā Mīm.*
3. Die Offenbarung des Buches ist von Allah, dem Allmächtigen, dem Allweisen.
4. Wahrlich, in den Himmeln und auf der Erde sind Zeichen für jene, die glauben.
5. Und in eurer Erschaffung und all der Geschöpfe, die Er (über die Erde) ausstreut, sind Zeichen für Leute, die festen Glauben haben.
6. Und in dem Wechsel von Nacht und Tag und in der Versorgung, die Allah vom Himmel niedersendet, wodurch Er die Erde neu belebt nach ihrem Tod, und in dem Wandel der Winde sind Zeichen für Leute, die Verstand besitzen.
7. Dies sind die Zeichen Allahs, die Wir dir mit der Wahrheit vortragen. An welches Wort wollen sie denn glauben nach Allah und Seinen Zeichen?
8. Wehe jedem sündigen Lügner,
9. Der Allahs Zeichen hört, wie sie ihm vorgetragen werden, und dann im Hochmut verharrt, als hätte er sie nicht gehört – darum verkünde ihm qualvolle Strafe! –,
10. Und der, wenn er etwas von Unseren Zeichen kennenlernt, Spott damit treibt. Für solche ist schmähliche Strafe.
11. Vor ihnen ist die Hölle; und das, was sie erworben haben, soll ihnen nichts nützen, noch die Beschützer, die sie sich statt Allah angenommen haben. Und ihnen wird gewaltige Strafe.
12. Das ist die Führung. Und denjenigen, die die Zeichen ihres Herrn leugnen, wird eine qualvolle Strafe für den Götzendienst.
13. Allah ist es, Der euch das Meer dienstbar gemacht hat, daß die Schiffe darauf hinsegeln nach Seinem Geheiß und daß ihr nach Seiner Gnadenfülle trachtet und daß ihr dankbar seiet.
14. Und Er hat euch dienstbar gemacht, was in den Himmeln und was auf Erden ist; alles ist von Ihm. Hierin sind wahrlich Zeichen für Leute, die nachdenken.
15. Sprich zu denen, die glauben, sie möchten denen vergeben, die nicht die Strafe Allahs fürchten, auf daß Er die Leute belohne für das, was sie verdienen.

---

* Der Preiswürdige, der Erhabene!

16. Wer das Rechte tut, der tut es für seine eigene Seele, und wer Unrecht tut, der tut es wider sie. Zuletzt werdet ihr zu eurem Herrn zurückgebracht werden.

17. Wir gaben den Kindern Israels die Schrift und Herrschaft und Prophetentum, und Wir versorgten sie mit guten Dingen und bevorzugten sie vor den Völkern.

18. Und Wir gaben ihnen deutliche Weisungen in der Sache. Und sie wurden nicht eher uneins, als bis das Wissen zu ihnen gekommen war – durch selbstsüchtigen Neid untereinander. Dein Herr wird zwischen ihnen richten am Tage der Auferstehung über das, worin sie uneins waren.

19. Dann brachten Wir dich auf einen klaren Pfad in der Sache des Glaubens: so befolge ihn, und folge nicht den Launen derer, die nichts wissen.

20. Sie werden dir nichts nützen wider Allah. Und was die Frevler anbelangt, so sind einige von ihnen Freunde anderer: Allah aber ist der Freund der Rechtschaffenen.

21. Diese (Lehren) sind die Mittel zur Erleuchtung für die Menschheit und eine Führung und Barmherzigkeit für Leute, die festen Glauben haben.

22. Wähnen die, die Böses verüben, etwa, daß Wir sie denen gleich behandeln werden, die glauben und gute Werke tun, so daß ihr Leben und ihr Tod gleich sein wird? Schlimm ist, wie sie urteilen!

23. Allah hat die Himmel und die Erde in Weisheit geschaffen, und daher wird jeder belohnt werden für das, was er verdient; und kein Unrecht sollen sie leiden.

24. Hast du den gesehen, der sich sein eigen Gelüst zum Gott nimmt und den Allah zum Irrenden erklärt auf Grund (Seines) Wissens und dem Er Ohren und Herz versiegelt und auf dessen Augen Er eine Decke gelegt hat? Wer sollte ihn wohl richtig führen außer Allah? Wollt ihr euch da nicht ermahnen lassen?

25. Und sie sprechen: »Es gibt nichts als dies unser Leben hienieden; wir sterben und wir leben, und nichts als die Zeit vernichtet uns.« Jedoch sie haben kein Wissen davon; sie vermuten bloß.

26. Und wenn ihnen Unsere deutlichen Zeichen vorgetragen

werden, so ist ihr Einwand nur der, daß sie sagen: »Bringt unsere Väter (zurück), wenn ihr wahrhaftig seid.«

27. Sprich: »Allah gibt euch Leben und läßt euch drauf sterben; dann wird Er euch versammeln zum Tage der Auferstehung; daran ist kein Zweifel. Allein die meisten Menschen wissen es nicht.

28. Allahs ist die Herrschaft über die Himmel und die Erde; und an dem Tage, wenn die »Stunde« kommen soll, an jenem Tage werden die Lügner zugrunde gehn.

29. Und du wirst jedes Volk knien sehn. Jedes Volk wird zu seinem Buche gerufen werden: »Heute sollt ihr belohnt werden für das, was ihr getan.

30. Das ist Unser Buch; es redet zu euch in Wahrheit. Wir ließen alles aufschreiben, was ihr tatet.«

31. Was nun die betrifft, die glaubten und gute Werke vollbrachten, so wird ihr Herr sie führen in Seine Barmherzigkeit. Das ist die offenbare Glückseligkeit.

32. Doch zu jenen, die ungläubig waren: »Sind euch Meine Zeichen nicht vorgetragen worden? Ihr aber wart hoffärtig, und ihr wurdet ein sündiges Volk.

33. Und als gesprochen wurde: ›Die Verheißung Allahs ist wahr, und über die „Stunde" ist kein Zweifel‹, da spracht ihr: ›Wir wissen nicht, was die „Stunde" ist; wir halten (sie) für einen Wahn, und wir sind nicht überzeugt.‹«

34. Und die bösen Folgen ihres Tuns werden ihnen offenbar werden, und das, worüber sie zu spotten pflegten, soll sie umfangen.

35. Und es wird gesprochen werden: »Heute haben Wir euch vergessen, wie ihr das Eintreffen dieses eures Tags vergaßet. Euer Aufenthalt ist das Feuer, und von Helfern habt ihr keinen.

36. Dies, weil ihr Allahs Zeichen zum Gespött machtet und das Leben in dieser Welt euch betrog.« Drum sollen sie an jenem Tage nicht von dort herausgebracht werden, noch wird ihnen erlaubt sein, wiedergutzumachen.

37. Aller Preis denn sei Allah, dem Herrn der Himmel und dem Herrn der Erde, dem Herrn der Welten!

38. Sein ist die Herrlichkeit in den Himmeln und auf Erden; und Er ist der Allmächtige, der Allweise.

1. Im Namen Allahs, des Gnädigen, des Barmherzigen.

2. Hā Mīm.*

3. Die Offenbarung des Buches ist von Allah, dem Allmächtigen, dem Allweisen.

4. Wir haben die Himmel und die Erde und das, was zwischen beiden ist, nicht anders erschaffen als in Weisheit und auf eine bestimmte Zeit; die aber nicht daran glauben, wovor sie gewarnt wurden, sie wenden sich ab.

5. Sprich:»Wißt ihr, was das ist, was ihr anruft statt Allah? Zeigt mir, was sie von der Erde erschaffen haben. Oder haben sie einen Anteil an den Himmeln? Bringt mir ein Buch herbei, das vor diesem (offenbart worden), oder eine Spur von Wissen, wenn ihr wahrhaftig seid.«

6. Und wer ist irrender als jene, die statt zu Allah zu solchen beten, die sie nicht erhören werden bis zum Tage der Auferstehung und die ihres Gebets nicht achten?

7. Und wenn die Menschen versammelt werden, werden sie ihre Feinde sein und ihre Anbetung verleugnen.

8. Und wenn ihnen Unsere deutlichen Zeichen vorgetragen werden, sagen die Ungläubigen von der Wahrheit, wenn sie zu ihnen kommt:»Das ist offenkundige Zauberei.«

9. Sagen sie:»Er hat es erdichtet«? Sprich:»Wenn ich es erdichtet habe, ihr könnt mir nichts nützen wider Allah. Er weiß am besten, in was für Reden ihr euch ergeht. Er genügt als Zeuge zwischen mir und euch. Und Er ist der Allverzeihende, der Barmherzige.«

10. Sprich:»Ich bin keine neue Erscheinung unter den Gesandten, und ich weiß nicht, was mit mir oder mit euch geschehen wird. Ich folge bloß dem, was mir offenbart ward; und ich bin nur ein aufklärender Warner.«

11. Sprich:»Saget mir, wenn dies von Allah ist, und ihr lehnt es ab, und ein Zeuge** von den Kindern Israels hat Zeugnis abgelegt von jemandem wie er. Er hat geglaubt, ihr aber seid allzu hoffärtig!« Allah weist dem ungerechten Volk nicht den Weg.

12. Und die Ungläubigen sagen von den Gläubigen:»Wäre er

---

 * Der Preiswürdige, der Erhabene!
** Moses.

(der Koran) etwas Gutes, sie hätten ihn nicht vor uns erlangt.«
Und da sie sich nicht leiten lassen durch ihn, sagen sie: »Dies ist
eine alte Lüge.«

13. Und vor ihm war schon das Buch Moses', Führung und
Barmherzigkeit; und dies hier ist ein Buch der Bestätigung in
arabischer Sprache, die zu warnen, die freveln, und eine frohe
Botschaft denen, die Gutes tun –

14. Die da sprechen: »Unser Herr ist Allah«, und danach fest
bleiben –, keine Furcht soll über sie kommen, noch sollen sie
trauern.

15. Sie sind des Gartens Bewohner; darin sollen sie weilen auf
immer: eine Belohnung für das, was sie zu tun pflegten.

16. Wir haben dem Menschen Güte gegen seine Eltern zur
Pflicht gemacht. Seine Mutter trug ihn mit Schmerzen, und mit
Schmerzen gebar sie ihn. Und ihn zu tragen und ihn zu entwöh-
nen erfordert dreißig Monate, bis dann, wenn er seine Vollkraft
erlangt und vierzig Jahre erreicht hat, er spricht: »Mein Herr,
sporne mich an, dankbar zu sein für Deine Gnade, die Du mir
und meinen Eltern erwiesen hast, und Rechtes zu wirken, das
Dir wohlgefallen mag. Und laß mir meine Nachkommenschaft
rechtschaffen sein. Siehe, ich wende mich zu Dir; und ich bin
einer der Gottergebenen.«

17. Das sind die, von denen Wir die guten Werke annehmen, die
sie getan, und deren üble Werke Wir übersehen – unter den Bewohnern des Gartens, in Erfüllung der wahrhaftigen Verheißung, die ihnen verheißen ward.

18. Der aber zu seinen Eltern spricht: »Pfui über euch! Verkündet ihr mir, daß ich auferstehen soll, obwohl Geschlechter schon
vor mir dahingegangen sind?« Und sie rufen beide zu Allah um
Hilfe (und sprechen): »Wehe dir, glaube! denn die Verheißung
Allahs ist wahr.« Er aber antwortet: »Das sind nichts als Fabeln
der Alten.«

19. So sind die, gegen welche der Spruch (der Strafe) fällig ward,
zusammen mit den Scharen der Dschinn und der Menschen, die
vor ihnen hingingen. Fürwahr, sie sind die Verlierenden gewesen.

20. Und für alle sind Stufen gemäß dem, was sie tun, auf daß Er

ihnen ihre Taten voll vergelte; und kein Unrecht soll ihnen widerfahren.

21. Und an dem Tage, wenn die Ungläubigen dem Feuer ausgesetzt werden: »Ihr habt eure guten Dinge im Leben hienieden aufgezehrt, und ihr hattet Genuß daran. Heute nun sollt ihr mit der Strafe der Schmach belohnt werden, weil ihr hoffärtig wart auf Erden ohne alles Recht, und weil ihr Empörer wart.«

22. Und gedenke des Bruders der ʼĀd, da er sein Volk warnte bei den windgewellten Sandhügeln – und Warner sind schon vor ihm gewesen und nach ihm – (und sprach): »Dienet Allah allein, denn ich fürchte für euch die Strafe am Großen Tag.«

23. Sie sprachen: »Bist du zu uns gekommen, um uns von unseren Göttern abwendig zu machen? So bring über uns, was du uns androhst, wenn du der Wahrhaftigen einer bist.«

24. Er sprach: »Das Wissen (darüber) ist einzig bei Allah. Ich richte euch nur das aus, womit ich gesandt ward, jedoch ich sehe, ihr seid ein unwissendes Volk.«

25. Dann aber, als sie sahen, wie es sich ihren Tälern näherte gleich einer Wolke, sprachen sie: »Das ist eine Wolke, die uns Regen geben wird.« »Nein, es ist vielmehr das, was ihr zu beschleunigen trachtetet – ein Wind, in dem eine schmerzliche Strafe ist.

26. Er wird alles zerstören nach dem Befehl seines Herrn.« Und am Morgen wurden sie so, daß nichts mehr blieb als ihre Wohnungen. Also belohnen Wir das schuldige Volk.

27. Wir hatten ihnen Gewalt gegeben über das, worüber Wir euch keine gegeben haben; und Wir hatten ihnen Ohren und Augen und Herzen gegeben. Aber weder ihre Ohren noch ihre Augen noch ihre Herzen nützten ihnen im geringsten, da sie die Zeichen Allahs leugneten; und das, worüber sie zu spotten pflegten, fiel auf sie.

28. Wir haben bereits Städte rings um euch zerstört; und Wir haben die Zeichen von allen Seiten gezeigt, damit sie sich bekehren.

29. Warum haben ihnen denn die nicht geholfen, die sie sich zu Göttern genommen hatten statt Allah (und die sie Ihm) nahe bringen sollten? Nein, sie entglitten ihnen. Das war ihre Lüge und was sie zu erfinden pflegten.

30. Und (gedenke der Zeit) da Wir eine Schar Dschinn dir zuwandten, die den Koran zu vernehmen wünschten; und als sie in seiner Gegenwart waren, sprachen sie: »Schweiget (und höret zu)«, und als er zu Ende war, kehrten sie warnend zurück zu ihrem Volk.

31. Sie sprachen: »O unser Volk, wir haben ein Buch gehört, das nach Moses herabgesandt ward, das bestätigend, was schon vor ihm da ist; es leitet zur Wahrheit und zu dem geraden Weg.

32. O unser Volk, höret auf Allahs Rufer und glaubet an Ihn. Er wird euch eure Sünden vergeben und euch vor qualvoller Strafe schützen.

33. Und wer nicht auf Allahs Rufer hört, der kann nicht auf Erden entrinnen, noch kann er Beschützer haben außer Ihm. Solche sind in offenkundigem Irrtum.«

34. Haben sie nicht gesehen, daß Allah, Der die Himmel und die Erde erschuf und nicht müde ward durch ihre Erschaffung, auch vermag, die Toten lebendig zu machen? Ja, wahrlich, Er vermag alle Dinge zu tun.

35. Und an dem Tage, wenn die Ungläubigen dem Feuer ausgesetzt werden: »Ist dies nicht die Wahrheit?« Sie werden sprechen: »Ja, bei unserem Herrn.« Er wird sprechen: »So kostet nun die Strafe dafür, daß ihr ungläubig wart.«

36. Gedulde dich denn, wie es die Gesandten taten, die standhaft waren und hochgesinnt; und sei nicht in Hast ihretwegen.[80] An dem Tage, an dem sie das schauen, was ihnen angedroht ward, wird ihnen sein, als hätten sie nur eine Stunde von einem Tag verweilt. Eine Ermahnung! und niemand soll vernichtet werden als das frevelnde Volk.

1. Im Namen Allahs, des Gnädigen, des Barmherzigen.

2. Diejenigen, die ungläubig sind und abwendig machen vom Wege Allahs – deren Werke macht Er zunichte.

3. Die aber gläubig sind und gute Werke tun und an das glauben, was auf Mohammad herabgesandt ward – und es ist die Wahrheit von ihrem Herrn –, denen nimmt Er ihre Sünden hinweg und bessert ihren Stand.

4. Dies, weil jene, die ungläubig sind, dem Falschen folgen; die aber gläubig sind, folgen der Wahrheit vor ihrem Herrn. Also beschreibt Allah den Menschen ihren Zustand.

5. Wenn ihr (in der Schlacht) auf die stoßet, die ungläubig sind, trefft (ihre) Nacken; und wenn ihr sie so überwältigt habt, dann schnüret die Bande fest. Hernach dann entweder Gnade oder Lösegeld, bis der Krieg seine Waffen niederlegt. Das ist so. Und hätte Allah es gewollt, Er hätte sie Selbst strafen können, aber Er wollte die einen von euch durch die andern prüfen. Und diejenigen, die auf Allahs Weg getötet werden – nie wird Er ihre Werke zunichte machen.

6. Er wird ihnen zum Sieg verhelfen und ihren Stand bessern

7. Und sie ins Paradies führen, das Er ihnen zu wissen getan hat.

8. O die ihr glaubt, wenn ihr Allahs (Sache) helft, so wird Er euch helfen und euch fest Fuß fassen lassen.

9. Die aber ungläubig sind – wehe ihnen! Er wird ihre Werke zunichte machen.

10. Dies, weil sie hassen, was Allah herniedergesandt hat; so machte Er ihre Werke fruchtlos.

11. Sind sie nicht auf der Erde umhergereist, um zu sehen, wie das Ende derer war, die vor ihnen waren? Allah richtete sie zugrunde, und für die Ungläubigen ist das gleiche wie ihnen bestimmt.

12. Das ist, weil Allah der Beschützer derer ist, die glauben; die Ungläubigen aber haben keinen Beschützer.

13. Allah wird jene, die glauben und gute Werke tun, in Gärten führen, die Ströme durchfließen; die aber ungläubig sind, die genießen und fressen wie das Vieh, und das Feuer wird ihre Wohnstatt sein.

14. Und wie so manche Stadt, mächtiger als deine Stadt, die dich

austrieb, haben Wir schon zerstört; und sie hatten keinen Helfer!

15. Sollte denn der, der sich auf einen klaren Beweis von seinem Herrn stützt, gleich denen sein, denen das Übel ihres Tuns schön gemacht wurde und die ihren bösen Gelüsten folgen?

16. Ein Gleichnis von dem Paradiese, den Rechtschaffenen verheißen: Darin sind Ströme von Wasser, das nicht verdirbt, und Ströme von Milch, deren Geschmack sich nicht ändert, und Ströme von Wein, köstlich für die Trinkenden, und Ströme geläuterten Honigs. Und darin werden sie Früchte aller Art haben und Vergebung von ihrem Herrn. Können sie wohl denen gleich sein, die im Feuer weilen und denen siedendes Wasser zu trinken gegeben wird, das ihre Eingeweide zerreißt?

17. Und unter ihnen sind einige, die auf dich hören, doch wenn sie von dir fortgehen, sagen sie jenen, denen das Wissen gegeben ward: »Was hat er da soeben gesagt?« Diese sind es, deren Herzen Allah versiegelt hat und die ihren bösen Gelüsten folgen.

18. Denen aber, die rechtgeleitet sind, mehrt Er die Führung und verleiht ihnen Rechtschaffenheit.

19. Sie warten nur auf die »Stunde«, daß sie plötzlich über sie komme. Die Zeichen dafür sind schon eingetroffen. Doch was wird ihr Erinnern ihnen nützen, wenn sie über sie gekommen ist?

20. Wisse drum, daß es keinen Gott gibt außer Allah, und bitte um Vergebung für deine Fehler und für die gläubigen Männer und die gläubigen Frauen. Allah kennt die Stätte eures Aus- und Eingehns und die Stätte eurer Rast.

21. Und die da glauben, sprechen: »Warum wird keine Sure herabgesandt?« Doch wenn eine entscheidende Sure herabgesandt wird und es ist darin von Kampf die Rede, dann siehst du die, in deren Herzen Krankheit ist, dich anschauen mit dem Blicke eines, der ob des Todes von Ohnmacht befallen wird. Verderben denn auf sie!

22. Gehorsam und ein gutes Wort (wäre besser für sie). Und wenn die Sache beschlossen ist, dann wäre es für sie am besten, sie würden Allah treu bleiben.

23. Wolltet ihr denn, indem ihr euch (vom Kampf) abwendet,

Verderben im Land haben und die Verwandtschaftsbande zerschneiden?

24. Diese sind es, die Allah verflucht, so daß Er sie taub macht und ihre Blicke blendet.

25. Wollen sie also nicht über den Koran nachdenken, oder ist's, daß die Herzen unter ihren Schlössern sind?

26. Jene, die den Rücken kehren, nachdem ihnen der Weg sichtbar ward, Satan hat sie getäuscht und ihnen falsche Hoffnungen eingegeben.

27. Dies, weil sie zu denen, die das hassen, was Allah herniedersandte, sprachen: »Wir wollen euch in einigen Sachen folgen.« Und Allah kennt ihre Heimlichkeiten.

28. Wie aber, wenn die Engel ihre Seelen dahinnehmen im Tode und sie aufs Gesicht und den Rücken schlagen?

29. Dies, weil sie dem folgten, was Allah erzürnte, und haßten, was Ihm wohlgefällig war. So machte Er ihre Werke zunichte.

30. Wähnen etwa die, in deren Herzen Krankheit ist, Allah werde ihren geheimen Groll nicht ans Licht bringen?

31. Und wenn Wir es wollten, Wir könnten sie dir zeigen, so daß du sie an ihren Merkmalen erkennen würdest. Und du sollst sie gewiß am Klang der Rede erkennen. Und Allah kennt euer Tun.

32. Wir wollen euch sicherlich prüfen, bis Wir diejenigen unter euch ausscheiden, die (für die Sache Gottes) streiten und standhaft sind. Und Wir wollen die Tatsachen über euch bekanntmachen.

33. Jene, die ungläubig sind und die abwendig machen von Allahs Weg und sich dem Gesandten widersetzen, nachdem ihnen der Weg sichtbar geworden, sie werden Allah in nichts schaden; doch Er wird ihre Werke fruchtlos machen.

34. O die ihr glaubt, gehorchet Allah und gehorchet dem Gesandten und vereitelt nicht eure Werke!

35. Wahrlich, jene, die ungläubig sind und die abwendig machen von Allahs Weg und dann als Ungläubige sterben – ihnen wird Allah gewiß nicht verzeihen.

36. So ermattet nicht, damit ihr nicht nach Frieden rufen müßt; denn ihr sollt obsiegen. Allah ist mit euch, und Er wird euch eure Taten nicht schmälern.

37. Das Leben in dieser Welt ist nur ein Spiel und ein Scherz, und wenn ihr gläubig seid und euch vor Übel hütet, so wird Er euch euren Lohn geben und wird nicht euer Gut von euch verlangen.

38. Sollte Er es von euch verlangen und euch drängen, ihr würdet geizig sein, und Er würde euren geheimen Groll ans Licht bringen.

39. Siehe, ihr seid diejenigen, die berufen sind, in Allahs Weg zu spenden; doch unter euch sind manche, die geizig sind. Und wer geizig ist, der geizt nur gegen sich selber; denn Allah ist der Unbedürftige, und ihr seid Bedürftige. Und wenn ihr den Rücken kehrt, so wird Er ein anderes Volk an eure Stelle setzen; und sie werden nicht gleich euch sein.

1. Im Namen Allahs, des Gnädigen, des Barmherzigen.

2. Wir haben dir einen offenkundigen Sieg gewährt.

3. Auf daß Allah dich schirme gegen deine Fehler, vergangene und künftige, und daß Er Seine Gnade an dir vollende und dich leite auf den geraden Weg;

4. Und daß Allah dir helfe mit mächtiger Hilfe.

5. Er ist es, Der die Ruhe in die Herzen der Gläubigen niedersandte, damit sie Glauben hinzufügen ihrem Glauben – und Allahs sind die Heerscharen der Himmel und der Erde, und Allah ist allwissend, allweise –,

6. Daß Er die gläubigen Männer und die gläubigen Frauen einführe in Gärten, durch die Ströme fließen, ewig darin zu weilen, und daß Er ihre Missetaten von ihnen nehme – und das ist vor Allah die höchste Glückseligkeit –

7. Und die Heuchler und Heuchlerinnen und die Götzendiener und Götzendienerinnen strafe, die schlimme Gedanken über Allah hegen. Auf solche wird ein böses Unheil niederfallen; Allah zürnte ihnen, und Er hat sie von Sich gewiesen und hat die Hölle für sie bereitet. Und eine üble Bestimmung ist das.

8. Allahs sind die Heerscharen der Himmel und der Erde; und Allah ist allmächtig, allweise.

9. Wir haben dich als Zeugen gesandt und als Bringer froher Botschaft und als Warner,

10. Auf daß ihr an Allah und Seinen Gesandten glaubet und daß ihr ihm helfet und ihn ehret und Ihn preiset morgens und abends.

11. Die dir Treue schwören, Allah nur schwören sie Treue; die Hand Allahs ist über ihren Händen. Wer daher den Eid bricht, bricht ihn zum Schaden seiner eignen Seele; wer aber das hält, wozu er sich gegen Allah verpflichtet hat, dem wird Er gewaltigen Lohn zuerkennen.

12. Diejenigen unter den Wüstenarabern, die zurückblieben*, werden zu dir sprechen: »Unsere Besitztümer und unsere Familien hielten uns beschäftigt, drum bitte um Verzeihung für uns.« Sie sprechen mit ihren Zungen, was nicht in ihren Herzen ist. Sprich: »Wer vermag etwas für euch bei Allah, wenn Er euch

---

* Bei der Schlacht von Tabuk.

Schaden oder Nutzen zudenkt? Nein, Allah ist wohl kundig dessen, was ihr tut.

13. Nein, ihr wähntet, daß der Gesandte und die Gläubigen nimmermehr zu ihren Familien zurückkehren würden, und das wurde euren Herzen wohlgefällig gemacht, und ihr hegtet einen bösen Gedanken, und ihr wart ein verderbtes Volk.«

14. Und jene, die nicht an Allah und Seinen Gesandten glauben – für die Ungläubigen haben Wir ein flammendes Feuer bereitet.

15. Und Allahs ist das Königreich der Himmel und der Erde. Er verzeiht, wem Er will, und straft, wen Er will, und Allah ist allverzeihend, barmherzig.

16. Diejenigen, die zurückblieben, werden sagen, wenn ihr auszieht, leichte Beute zu nehmen: »Erlaubt uns, euch zu folgen.« Sie möchten Allahs Spruch ändern. Sprich: »Ihr sollt uns nicht folgen. Also hat Allah zuvor gesprochen.« Dann werden sie sagen: »Nein, aber ihr beneidet uns.« Das nicht, jedoch sie verstehen nur wenig.

17. Sprich zu den Wüstenarabern, die zurückblieben: »Ihr sollt gegen ein Volk von gewaltigen Kriegern aufgerufen werden; ihr sollt sie bekämpfen, bis sie sich ergeben. Dann, wenn ihr gehorcht, wird Allah euch schönen Lohn geben; doch wenn ihr den Rücken kehrt, wie ihr ihn zuvor gekehrt habt, so wird Er euch bestrafen mit qualvoller Strafe.«

18. Kein Tadel trifft den Blinden, noch trifft ein Tadel den Lahmen, noch trifft ein Tadel den Kranken (wenn sie nicht ausziehen). Und wer Allah und Seinem Gesandten gehorcht, den wird Er in Gärten führen, durch die Ströme fließen; doch wer den Rücken kehrt, den wird Er strafen mit schmerzlicher Strafe.

19. Allah war wohl zufrieden mit den Gläubigen, da sie dir Treue gelobten unter dem Baum*, und Er wußte, was in ihren Herzen war, dann senkte Er die Ruhe auf sie und belohnte sie mit einem Sieg**, der nahe zur Hand war,

20. Und viel Beute, die sie machen sollen. Und Allah ist allmächtig, allweise.

---

* Bei Hudaibiya.
** Bei Chaibar.

21. Allah hat euch viel Beute verheißen, die ihr machen sollt, und einstweilen hat Er euch dies gegeben und hat die Hände der Menschen von euch abgehalten**, daß es ein Zeichen für die Gläubigen sei und daß Er euch leite auf den geraden Weg.
22. Und einen andern (Sieg), den ihr noch nicht zu erlangen vermochtet, doch Allah hat ihn in Seiner Macht. Und Allah ist mächtig über alle Dinge.
23. Und wenn die Ungläubigen euch bekämpft hätten*, sie hätten gewiß den Rücken gekehrt: dann hätten sie weder Beschützer noch Helfer finden können.
24. Solches ist Allahs Vorgehen, wie es zuvor gewesen; und nie wirst du in Allahs Vorgehen einen Wandel finden.
25. Und Er ist es, Der ihre Hände von euch abhielt und eure Hände von ihnen in dem Tale von Mekka, nachdem Er euch Sieg über sie gegeben. Und Allah sieht alles, was ihr tut.
26. Sie sind es, die ungläubig waren und euch fernhielten von der Heiligen Moschee und das Opfer verhinderten, seine Opferstätte zu erreichen. Und wäre es nicht um die gläubigen Männer und die gläubigen Frauen gewesen, die ihr nicht kennt und die ihr vielleicht unwissentlich niedergetreten hättet, so daß euch ihrethalben ein Unrecht hätte zugerechnet werden können (Er hätte euch erlaubt zu kämpfen, so aber tut Er es nicht), auf daß Allah in Seine Gnade führe, wen Er will. Wären sie getrennt gewesen, Wir hätten sicherlich jene unter ihnen (den Mekkanern), die ungläubig waren, mit schmerzlicher Strafe gestraft.
27. Als die Ungläubigen in ihren Herzen Parteilichkeit hegten, die Parteilichkeit der Zeit der Unwissenheit, senkte Allah auf Seinen Gesandten und auf die Gläubigen Seine Ruhe und ließ sie festhalten an dem Grundsatz der Gerechtigkeit, und wohl hatten sie Anspruch darauf und waren seiner würdig. Und Allah weiß alle Dinge.
28. Wahrlich, Allah hat Seinem Gesandten das Traumgesicht erfüllt: Ihr würdet gewißlich, so Allah will, in die Heilige Moschee eintreten in Sicherheit, mit geschorenem Haupt oder mit kurzgeschnittenem Haar; ihr würdet keine Furcht haben. Doch

---

* Bei Hudaibiya.

Er wußte, was ihr nicht wußtet; und Er hat (euch), außer diesem, einen Sieg bestimmt, der nahe zur Hand ist.

29. Er ist es, Der Seinen Gesandten geschickt hat mit der Führung und der Religion der Wahrheit, daß Er sie siegreich mache über jede andere Religion. Und Allah genügt als Bezeuger.

30. Mohammad ist der Gesandte Allahs. Und die mit ihm sind, hart sind sie wider die Ungläubigen, doch gütig gegeneinander. Du siehst sie sich beugen, sich niederwerfen im Gebet, Huld erstrebend von Allah und (Sein) Wohlgefallen. Ihre Merkmale sind auf ihren Gesichtern: die Spuren der Niederwerfungen. Das ist ihre Beschreibung in der Thora. Und ihre Beschreibung im Evangelium ist*: gleich dem ausgesäten Samenkorn, das seinen Schößling treibt, dann ihn stark werden läßt; dann wird er dick und steht fest auf seinem Halm, den Sämännern zur Freude – daß Er die Ungläubigen in Wut entbrennen lasse bei ihrem (Anblick). Allah hat denen unter ihnen, die glauben und gute Werke tun, Vergebung verheißen und gewaltigen Lohn.

---

* Vgl. Matt. 13: 3–9.

1. Im Namen Allahs, des Gnädigen, des Barmherzigen.

2. O die ihr glaubt, seid nicht dreist vor Allah und Seinem Gesandten, sondern fürchtet Allah. Wahrlich, Allah ist allhörend, allwissend.

3. O die ihr glaubt, erhebt nicht eure Stimmen über die Stimme des Propheten und sprecht nicht so laut zu ihm, wie ihr laut zueinander redet, auf daß eure Werke nicht eitel werden, ohne daß ihr es merkt.

4. Diejenigen, die ihre Stimmen vor dem Gesandten Allahs senken, sie sind es, deren Herzen Allah zur Gerechtigkeit geläutert hat. Für sie ist Verzeihung und ein großer Lohn.

5. Jene aber, die dich von außerhalb der Wohnräume rufen – die meisten von ihnen sind bar der Einsicht.

6. Wenn sie sich geduldeten, bis du zu ihnen herauskämest, so wäre es besser für sie. Doch Allah ist allverzeihend, barmherzig.

7. O die ihr glaubt, wenn ein Ruchloser euch eine Kunde bringt, prüft (sie) nach, damit ihr nicht anderen Leuten in Unwissenheit ein Unrecht zufügt und hernach bereuen müßt, was ihr getan.

8. Und wisset, daß der Gesandte Allahs unter euch ist. Würde er in so manchen Dingen sich nach euren Wünschen richten, ihr würdet sicherlich ins Unglück geraten; jedoch Allah hat euch den Glauben lieb gemacht und ihn schön geschmückt in euren Herzen, und Er hat euch Unglauben, Widerspenstigkeit und Widersetzlichkeit verabscheuenswert gemacht. Das sind jene, die der rechten Bahn folgen

9. Durch die Gnade und die Huld Allahs. Und Allah ist allwissend, allweise.

10. Wenn zwei Parteien der Gläubigen miteinander streiten, dann stiftet Frieden unter ihnen; wenn aber eine von ihnen sich gegen die andere vergeht, so bekämpft die Partei, die sich verging, bis sie zu Allahs Befehl zurückkehrt. Kehrt sie zurück, dann stiftet Frieden zwischen ihnen nach Gerechtigkeit, und handelt billig. Wahrlich, Allah liebt die billig Handelnden.

11. Die Gläubigen sind ja Brüder. Stiftet drum Frieden zwischen euren Brüdern und nehmet Allah zu eurem Beschützer, auf daß euch Barmherzigkeit erwiesen werde.

12. O die ihr glaubt! lasset nicht ein Volk über das andere spotten, vielleicht sind diese besser als jene; noch Frauen (eines Vol-

kes) über Frauen (eines andern Volkes), vielleicht sind diese
besser als jene. Und verleumdet einander nicht und gebet einander nicht Schimpfnamen. Schlimm ist das Wort: Ungehorsam
nach dem Glauben; und wer nicht abläßt, das sind die Frevler.
13. O die ihr glaubt! vermeidet häufigen Argwohn, denn mancher Argwohn ist Sünde. Und belauert nicht und führt nicht
üble Nachrede übereinander. Würde wohl einer von euch gerne
das Fleisch seines toten Bruders essen? Sicherlich würdet ihr es
verabscheuen. So fürchtet Allah. Wahrlich, Allah ist langmütig,
barmherzig.
14. O ihr Menschen, Wir haben euch von Mann und Weib erschaffen und euch zu Völkern und Stämmen gemacht, daß ihr
einander kennen möchtet. Wahrlich, der Angesehenste von
euch ist vor Allah der, der unter euch der Gerechteste ist. Siehe,
Allah ist allwissend, allkundig.
15. Die Wüstenaraber sprechen: »Wir glauben.« Sprich: »Ihr
glaubet nicht; saget vielmehr: ›Wir haben den Islam angenommen‹, denn der Glaube ist noch nicht eingezogen in eure Herzen.« Wenn ihr aber Allah gehorcht und Seinem Gesandten, so
wird Er euch nichts verringern von euren Werken. Allah ist allvergebend, barmherzig.
16. Die Gläubigen sind nur jene, die an Allah und Seinen Gesandten glauben und dann nicht zweifeln, sondern mit ihrem
Besitz und ihrer Person für Allahs Sache streiten. Das sind die
Wahrhaften.
17. Sprich: »Wollt ihr Allah über eure Religion belehren, während Allah doch alles kennt, was in den Himmeln und was auf
Erden ist, und Allah alle Dinge weiß?«
18. Sie halten es dir als eine Gnade vor, daß sie den Islam angenommen haben. Sprich: »Haltet mir eure Annahme des Islams
nicht als eine Gnade gegen mich vor. Vielmehr hat Allah euch
eine Gnade erwiesen, indem Er euch zu dem Glauben geleitet
hat, wenn ihr wahrhaftig seid.«
19. Allah kennt die Geheimnisse der Himmel und der Erde; und
Allah sieht alles, was ihr tut.

1. Im Namen Allahs, des Gnädigen, des Barmherzigen.

2. Qāf.* Beim hocherhabenen Koran!

3. Aber sie staunen, daß zu ihnen ein Warner gekommen ist aus ihrer Mitte. Und die Ungläubigen sprechen: »Das ist eine wunderliche Sache.

4. Wie! wenn wir tot sind und zu Staub geworden (sollen wir wieder zum Leben erweckt werden)? Das ist eine Wiederkehr von weit her.«

5. Wir wissen wohl, was die Erde von ihnen verzehrt, und bei Uns ist ein Buch, das alles aufbewahrt.

6. Nein, sie verwarfen die Wahrheit, als sie zu ihnen kam, und nun sind sie in einem Zustand der Verwirrung.

7. Haben sie nicht zum Himmel über ihnen emporgeschaut, wie Wir ihn erbaut und geschmückt und wie makellos er ist?

8. Und die Erde – Wir haben sie ausgebreitet und feste Berge darauf gesetzt; und Wir ließen auf ihr von jeglicher schönen Art Paare hervorsprießen,

9. Zur Aufklärung und Ermahnung für jeden Diener, der sich bekehrt.

10. Und vom Himmel senden Wir Wasser hernieder, das voll des Segens ist, und bringen damit Gärten hervor und Korn zum Ernten,

11. Und schlanke Palmen mit übereinanderstehenden Fruchtknöpfen.

12. Als eine Versorgung für die Diener; und Wir beleben damit ein totes Land. Also wird die Auferstehung sein.

13. Schon vor ihnen leugneten das Volk Noahs und das Volk des Brunnens und die Thamūd,

14. Und die 'Ād, und Pharao und die Brüder des Lot,

15. Und die Waldbewohner** und das Volk von Tubba.*** Alle diese verwarfen die Gesandten. Darum ward Meine Drohung wirksam.

16. Sind Wir denn durch die erste Schöpfung ermüdet? Nein, aber sie sind in Unklarheit über die neue Schöpfung.

---

  * Der Allmächtige!
  ** Der Wald zwischen Jemen und Palästina, in der Nähe von Midian.
*** Ein Name der Könige von Jemen.

17. Wahrlich, wir erschufen den Menschen, und Wir wissen alles, was sein Fleisch ihm zuflüstert; denn Wir sind ihm näher als die Halsader.

18. Wenn die zwei aufnehmenden (Engel) niederschreiben, zur Rechten sitzend und zur Linken,

19. Kein Wort bringt er hervor, ohne daß neben ihm ein Wächter wäre, stets bereit (es aufzuzeichnen).

20. Und die Trunkenheit des Todes wird sicherlich kommen: »Das ist's, dem du zu entrinnen suchtest.«

21. Und es wird in die Posaune gestoßen werden: »Dies ist der Tag der Drohung.«

22. Und jede Seele wird kommen, mit ihr wird ein Treiber sein und ein Zeuge.

23. »Du warst dessen achtlos; nun haben Wir deinen Schleier von dir genommen, und scharf ist dein Blick heute.«

24. Und sein Gefährte wird sprechen: »Hier, was ich (von dem Verzeichnis) bereit habe.«

25. »Werfet, ihr beide, in die Hölle einen jeden undankbaren Feind (der Wahrheit),

26. Den Behindrer des Guten, den Übertreter, den Zweifler,

27. Der einen andern Gott setzte neben Allah. Werfet denn, ihr beide, ihn in die schreckliche Pein!«

28. Sein Gefährte wird sprechen: »O unser Herr, ich verführte ihn nicht zur Empörung, sondern er selbst ging zu weit in die Irre.«

29. Er wird sprechen: »Streitet nicht vor Mir, wo Ich euch die Warnung im voraus gesandt hatte.

30. Das Wort wird bei Mir nicht abgeändert, und ich bin in nichts ungerecht gegen die Diener.«

31. An jenem Tage werden Wir zur Hölle sprechen: »Bist du angefüllt?«, und sie wird antworten: »Gibt es noch mehr?«

32. Und das Paradies wird den Gerechten nahe gebracht werden, nicht länger fern.

33. »Das ist's, was euch verheißen ward – für jeden, der stets (Gott) zugewandt und wachsam war,

34. Der den Gnadenreichen fürchtete im geheimen und mit reuigem Herzen (zu Ihm) kam.

35. Gehet darin ein in Frieden. Dies ist der Tag der Ewigkeit.«

36. Sie werden darin haben, was immer sie begehren, und bei Uns ist noch weit mehr.

37. Doch wie so manche Völker haben Wir schon vor ihnen vertilgt, die stärker waren als sie an Macht! (Als die Strafe kam) suchten sie rings in den Landen. War da ein Zufluchtsort?

38. Hierin ist wahrlich eine Ermahnung für den, der ein Herz hat oder der Gehör gibt und aufmerksam ist.

39. Wahrlich, Wir erschufen die Himmel und die Erde und das, was zwischen beiden ist, in sechs Zeiten, und keine Ermüdung rührte Uns an.

40. Ertrage drum in Geduld, was sie sprechen, und verherrliche deinen Herrn mit Seiner Lobpreisung vor Aufgang der Sonne und vor dem Untergang;

41. Auch in einem Teile der Nacht lobpreise Ihn, und nach jedem Gebet.

42. Und höre zu! der Tag, wenn der Rufer rufen wird von naher Stätte,

43. Der Tag, wenn sie in Wahrheit den Posaunenstoß hören werden, das wird der Tag des Hervorkommens (aus den Gräbern) sein.

44. Wahrlich, Wir Selbst geben Leben und Tod, und zu Uns ist die Heimkehr.

45. An dem Tage, wenn sich die Erde ihretwegen spalten wird (und sie hervorgehen werden) in Hast – das wird ein Versammeln sein, ganz leicht für Uns.

46. Wir wissen am besten, was sie sprechen; und du bist nicht (berufen), sie irgend zu zwingen. Ermahne drum durch den Koran den, der Meine Drohung fürchtet.

1. Im Namen Allahs, des Gnädigen, des Barmherzigen.

2. Bei den (Winden), die (die Wolken) heftig wegwehen,

3. Dann die Last (des Regens) tragen,

4. Dann leicht dahinwehen,

5. Und schließlich den Befehl ausführen,

6. Wahrlich, was euch verheißen wird, ist wahr,

7. Und das Gericht wird ganz sicherlich eintreffen.

8. Bei dem Himmel voll von Pfaden,

9. Wahrlich, ihr seid in widerspruchsvolle Rede verwickelt.

10. Der allein wird von der (Wahrheit) abwendig gemacht, der abwendig gemacht werden sollte.

11. Verflucht seien die Erzeuger von Lügengespinsten,

12. Die achtlos sind in Unwissenheit.

13. Sie fragen: »Wann wird der Tag des Gerichtes sein?«

14. Es wird der Tag sein, an dem sie im Feuer gepeinigt werden.

15. »Kostct nun eure Pein. Das ist's, was ihr zu beschleunigen wünschtet.«

16. Die Gerechten aber werden inmitten von Gärten und Quellen sein,

17. Empfangend, was ihr Herr ihnen geben wird, weil sie, vordem, Gutes zu tun pflegten.

18. Sie schliefen nur einen kleinen Teil der Nacht;

19. Und vor Tagesanbruch suchten sie stets Vergebung;

20. Und in ihrem Vermögen war ein Anteil für den, der bat, wie für den, der es nicht konnte.

21. Und auf Erden sind Zeichen für jene, die fest im Glauben sind,

22. Und in euch selber. Wollt ihr denn nicht sehen?

23. Und im Himmel ist eure Versorgung, und das, was euch verheißen wird.

24. Darum, bei dem Herrn des Himmels und der Erde, dies ist gewißlich wahr, eben wie (es wahr ist) daß ihr redet.

25. Ist die Geschichte von Abrahams geehrten Gästen nicht zu dir gedrungen?

26. Da sie bei ihm eintraten und sprachen: »Frieden!«, sprach er: »Frieden!« (Es waren) alles fremde Leute.

27. Und er ging stillschweigend zu den Seinen und brachte ein gemästetes Kalb.

28. Und er setzte es ihnen vor. Er sprach: »Wollt ihr nicht essen?«

29. Es erfaßte ihn Furcht vor ihnen. Sie sprachen: »Fürchte dich nicht.« Dann gaben sie ihm die Nachricht von einem weisen Sohn.

30. Da kam seine Frau heran, scheu, und sie schlug ihr Angesicht und sprach: »Ein unfruchtbares altes Weib!«

31. Sie sprachen: »Das ist so, aber dein Herr hat's gesprochen. Siehe, Er ist er Allweise, der Allwissende.«

32. (Abraham) sprach: »Wohlan, was ist euer Auftrag, ihr Boten?«

33. Sie sprachen: »Wir sind zu einem sündigen Volke entsandt worden,

34. Auf daß wir Steine von Ton auf sie niedersenden,

35. Bezeichnet von deinem Herrn für die Ruchlosen.«

36. Und Wir ließen alle die Gläubigen, die dort waren, fortgehen,

37. Allein Wir fanden dort nur ein Haus von den Gottergebenen.

38. Und Wir hinterließen darin ein Zeichen für jene, die die qualvolle Strafe fürchten.

39. Und (ein weiteres Zeichen) in Moses, da Wir ihn zu Pharao sandten mit offenkundigem Beweis.

40. Da wandte er sich zu seiner Säule (Tempel) und sprach: »Ein Zauberer oder ein Wahnsinniger!«

41. So faßten Wir ihn und seine Heerscharen und warfen sie ins Meer; und er ist zu tadeln.

42. Und (ein Zeichen war) in den 'Ād, da Wir den verheerenden Wind wider sie sandten.

43. Er ließ nichts von allem, was er heimsuchte, zurück, ohne daß er es gleich einem vermoderten Knochen gemacht hätte.

44. Und (ein Zeichen war) in den Thamūd, da zu ihnen gesprochen ward: »Laßt es euch eine Weile gutgehn.«

45. Doch sie trotzten dem Befehl ihres Herrn. So ereilte sie der Donnerschlag, eben da sie schauten;

46. Und sie vermochten nicht (wieder) aufzustehn, noch fanden sie Hilfe.

47. Und vordem (vertilgten Wir) das Volk Noahs; denn sie waren ein widerspenstiges Volk.

48. Und den Himmel haben Wir erbaut mit (Unseren) Kräften, und Unsere Kräfte sind wahrlich gewaltig.

49. Und die Erde haben Wir ausgebreitet, und wie schön breiten Wir aus!

50. Und von jeglichem Ding haben Wir Paare erschaffen, auf daß ihr euch vielleicht doch besinnen möchtet.

51. Fliehet darum zu Allah. Ich bin euch von Ihm ein aufklärender Warner.

52. Und setzet nicht einen andern Gott neben Allah. Ich bin euch von Ihm ein aufklärender Warner.

53. So auch kam zu denen vor ihnen kein Gesandter, ohne daß sie gesprochen hätten: »Ein Zauberer oder ein Wahnsinniger!«

54. Haben sie es etwa einander vermacht? Sie sind vielmehr (alle) ein widerspenstiges Volk.

55. So kehre dich ab von ihnen; und dich soll kein Tadel treffen.

56. Doch fahre fort, zu ermahnen, denn Ermahnung nützt denen, die glauben mögen.

57. Und Ich habe die Dschinn und die Menschen nur darum erschaffen, daß sie Mir dienen.

58. Ich wünsche keine Versorgung von ihnen, noch wünsche Ich, daß sie Mich speisen.

59. Allah allein ist der große Versorger, der Allmächtige, der Starke.

60. Und für jene, die Unrecht tun, ist ein Los wie das Los ihrer Gefährten; möchten sie Mich darum nicht bitten (die Strafe) zu beschleunigen.

61. Wehe also denen, die ungläubig sind, ihres Tages wegen, der ihnen angedroht ist!

1. Im Namen Allahs, des Gnädigen, des Barmherzigen.

2. Bei dem Berge Tūr;

3. Und bei dem Buch*, das geschrieben

4. Auf feinem, ausgebreitetem Pergament;

5. Und bei dem vielbesuchten Haus**;

6. Und bei (seinem) erhöhten Dach;

7. Und beim geschwellten Ozean***;

8. Die Strafe deines Herrn trifft sicher ein.

9. Keinen gibt es, der sie abzuwenden vermöchte

10. Am Tage, da der Himmel furchtbar schwanken wird

11. Und die Berge sich vom Platze bewegen werden.

12. Wehe also an jenem Tage denen, die die Wahrheit verwerfen,

13. Die sich mit eitler Rede vergnügen.

14. Am Tage, da sie ins Feuer der Hölle gestoßen werden mit Gewalt:

15. »Das ist das Feuer, das ihr zu leugnen pflegtet.

16. Ist dies wohl Zauberwerk, oder seht ihr tatsächlich nicht?

17. Geht nun dort ein; und ob ihr euch geduldig erweist oder ungeduldig, es wird für euch gleich sein. Ihr werdet nur für das belohnt, was ihr getan.«

18. Die Gerechten werden in Gärten und in Glückseligkeit sein,

19. Genießend die Gaben, die ihr Herr ihnen bescheren wird; und ihr Herr wird sie vor der Pein des Feuers bewahren.

20. »Esset und trinket und wohl bekomm's, um dessentwillen, was ihr zu tun pflegtet.«

21. Gelehnt werden sie sein auf gereihten Ruhekissen. Und Wir werden sie mit schönen, großäugigen Mädchen vermählen.

22. Und diejenigen, die glauben und deren Nachkommen ihnen im Glauben folgen, mit denen wollen Wir ihre Nachkommen vereinen. Und Wir werden ihnen ihre Werke nicht im geringsten schmälern. Jedermann ist ein Pfand für das, was er gewirkt hat.

---

  * Koran.
 ** Ka'ba.
*** Die Lehren des Korans.

23. Und Wir werden ihnen eine Fülle von Früchten und Fleisch bescheren, wie sie es nur wünschen mögen.

24. Dort werden sie einander einen Becher reichen von Hand zu Hand, worin weder Eitelkeit noch Sünde ist.

25. Und unter ihnen werden ihre Jünglinge aufwartend die Runde machen, gleich wohlbehüteten Perlen.

26. Und sie werden sich fragend einer an den andern wenden.

27. Sie werden sprechen:»Wahrlich, früher, unter unseren Angehörigen waren wir besorgt.

28. Doch Allah ist uns gnädig gewesen und hat uns vor der Pein des sengenden Winds bewahrt.

29. Wir pflegten vormals zu Ihm zu beten. Er ist der Gütige, der Barmherzige.

30. Ermahne drum; durch die Gnade deines Herrn bist du weder ein Wahrsager noch ein Besessener.

31. Sprechen sie etwa:»(Er ist) ein Dichter; wir wollen das Unheil abwarten, das die Zeit über ihn bringen wird«?

32. Sprich:»Wartet nur! Ich bin mit euch unter den Wartenden.«

33. Ist es ihr Verstand, der ihnen solches anbefiehlt, oder sind sie ein widerspenstiges Volk?

34. Sprechen sie:»Er hat es erdichtet«? Nein, aber sie wollen nicht glauben.

35. Laß sie denn eine Rede gleich dieser vorbringen, wenn sie die Wahrheit sprechen!

36. Sind sie wohl für nichts erschaffen worden, oder sind sie gar selbst die Schöpfer?

37. Schufen sie die Himmel und die Erde? Nein, aber sie haben keine Gewißheit.

38. Haben sie die Schätze deines Herrn zu eigen, oder sind sie die Hüter?

39. Haben sie eine Leiter, auf der sie lauschen können? Dann möge ihr Lauscher einen deutlichen Beweis beibringen.

40. Hat Er wohl Töchter, und ihr habt Söhne?

41. Verlangst du einen Lohn von ihnen, so daß sie mit einer Schuldenlast beladen sind?

42. Besitzen sie das Ungesehene, so daß sie (es) niederschreiben?

43. Beabsichtigen sie eine List? Aber wider die Ungläubigen werden Listen geschmiedet.

44. Haben sie einen Gott statt Allah? Hoch erhaben ist Allah über all das, was sie anbeten!

45. Und sähen sie ein Stück von der Wolke niederfallen, sie würden sprechen: »Aufgeschichtete Wolken.«

46. So laß sie allein, bis sie ihrem Tag begegnen, an dem sie ohnmächtig werden sollen,

47. Dem Tag, an dem ihre List ihnen nichts nützen wird – noch wird ihnen Hilfe kommen.

48. Und für jene, die freveln, ist eine Strafe außer dieser. Jedoch die meisten von ihnen wissen es nicht.

49. So harre geduldig auf den Befehl deines Herrn, denn du bist vor Unseren Augen; und verherrliche deinen Herrn mit Seiner Lobpreisung, wenn du aufstehst,

50. Und auch in einem Teil der Nacht preise Ihn und beim Erblassen der Sterne.

1. Im Namen Allahs, des Gnädigen, des Barmherzigen.

2. Beim Siebengestirn, wenn es sinkt,

3. Euer Gefährte (Mohammad) ist weder verirrt, noch ist er im Unrecht,

4. Noch spricht er aus Begierde.

5. Es ist eine Offenbarung nur, die offenbart wird.

6. Der an Kräften Mächtige hat ihn gelehrt,

7. Dessen Macht sich wiederholt offenbart; sodann setzte Er Sich (auf den Thron);

8. Und Er ist am obersten Horizont.

9. Dann näherte er* sich (Gott); dann stieg Er herab (zu dem Propheten),

10. So daß er zur Sehne von zwei Bogen wurde oder noch näher.

11. Und Er offenbarte Seinem Diener, was Er offenbarte.

12. Das Herz (des Propheten) hielt Wahrheit dem, was er sah.

13. Wollt ihr da mit ihm streiten über das, was er sah?

14. Und er sah es (auch) bei einem andern Herabsteigen,

15. Beim fernsten Lotusbaum,

16. Neben dem der Garten der Wohnstatt ist.

17. Als den Lotusbaum überflutete, was (ihn) überflutete,

18. Da wankte der Blick nicht, noch schweifte er ab.

19. Wahrlich, er hatte eines der größten Zeichen seines Herrn gesehen.

20. »Ihr aber, habt ihr Lāt** und Uzzā** betrachtet,

21. Und Manāt**, die dritte, die eine andere ist?

22. Wie! sollten euch die Knaben sein und Ihm die Mädchen?

23. Das wäre wahrhaftig eine unbillige Verteilung.

24. Es sind nur Namen, die ihr euch ausgedacht habt – ihr und eure Väter –, für die Allah keinerlei Ermächtigung hinabgesandt hat.« Sie folgen einem bloßen Wahn und dem Wunsche (ihres) Ichs, obwohl doch Weisung von ihrem Herrn zu ihnen kam.

25. Kann der Mensch denn haben, was er nur wünscht?

26. Aber Allahs ist die künftige und diese Welt.

27. Und so mancher Engel ist in den Himmeln, dessen Fürbitte

---

* Der Prophet Mohammad.
** Göttinnen der vorislamischen Zeit.

nichts nützen wird, es sei denn, nachdem Allah Erlaubnis gegeben hat, wem Er will und wer Ihm beliebt.

28. Solche, die nicht ans Jenseits glauben, die benennen die Engel mit weiblichen Namen;

29. Jedoch sie haben kein Wissen hiervon. Sie folgen einem bloßen Wahn; und der Wahn vermag nichts gegen die Wahrheit.

30. Drum wende dich ab von dem, der Unserer Ermahnung den Rücken kehrt und nichts begehrt als das Leben in dieser Welt.

31. Das ist die Summe ihres Wissens. Wahrlich, dein Herr kennt den recht wohl, der von Seinem Wege abirrt, und Er kennt auch jenen wohl, der den Weg befolgt.

32. Und Allahs ist, was in den Himmeln und was auf Erden ist, auf daß Er denen, die Böses tun, ihren Lohn gebe für das, was sie gewirkt, und daß Er die, die Gutes tun, mit dem Allerbesten belohne,

33. Jene, die die schlimmsten Sünden und Schändlichkeiten meiden, bis auf leichte Vergehen – wahrlich, deines Herrn Verzeihung ist weit umfassend. Er kennt euch sehr wohl (von der Zeit her), da Er euch aus der Erde hervorbrachte und da ihr Keimlinge wart in eurer Mütter Schoß. Drum erklärt euch nicht selber als rein. Ihm ist am besten kund, wer sich vor Bösem hütet.

34. Siehst du den, der sich abkehrt

35. Und wenig gibt und kargt?

36. Hat er wohl Kenntnis des Verborgenen, daß er es sehen könnte?

37. Oder ist ihm nicht erzählt worden, was in den Büchern Moses' steht,

38. Und Abrahams, der (die Gebote) hielt?

39. Daß keine Lasttragende die Last einer andern tragen soll,

40. Und daß der Mensch nichts empfangen soll, als was er erstrebt,

41. Und daß sein Streben bald gesehn werden wird.

42. Dann wird er dafür belohnt werden mit dem vollsten Lohn.

43. Und daß zu deinem Herrn die endgültige Heimkehr ist,

44. Und daß Er es ist, Der lachen macht und weinen,

45. Und daß Er es ist, Der Tod und Leben gibt,

46. Und daß Er die zwei Geschlechter schafft, männlich und weiblich,

47. Aus einem Samentropfen, da er vergossen wird,

48. Und daß Ihm eine zweite Schöpfung obliegt,

49. Und daß Er allein reich macht und arm macht,

50. Und daß Er der Herr des Sirius ist,

51. Und daß Er die einstigen 'Ād vernichtete

52. Und die Thamūd, und keinen verschonte;

53. Und vordem das Volk Noahs – führwahr, sie waren höchst ungerecht und widerspenstig –,

54. Und Er stürzte die verderbten Städte (des Volkes von Lot) um,

55. Daß sie bedeckte, was* (sie) bedeckte.

56. Welche von deines Herrn Wohltaten willst du denn bestreiten?

57. Dies ist ein Warner von der gleichen Art wie die früheren Warner.

58. Die »Stunde« naht.

59. Keiner außer Allah kann sie abwenden.

60. Wundert ihr euch gar über diese Ankündigung?

61. Und lacht ihr und weint nicht?

62. Und wollt ihr achtlos bleiben?

63. Fallt lieber nieder vor Allah und verehret (Ihn).

---

* Das Strafgericht Gottes.

1. Im Namen Allahs, des Gnädigen, des Barmherzigen.

2. Die »Stunde« ist nah, und der Mond[81] ist entzwei gespalten.

3. Doch wenn sie ein Zeichen sehn, wenden sie sich ab und sagen: »Ein ewiges Zauberwerk.«

4. Sie leugnen und folgen ihren bösen Gelüsten. Doch jedem Ding ist eine Zeit bestimmt.

5. Und schon kamen zu ihnen Botschaften, worin eine Warnung war –

6. Vollendete Weisheit; allein selbst die Warnungen richteten (bei ihnen) nichts aus.

7. Drum wende dich ab von ihnen. Am Tage, da der Rufer (sie) rufen wird zu schlimmem Geschehen.

8. Da werden sie hervorkommen aus den Gräbern mit niedergeschlagenen Blicken, als wären sie weithin zerstreute Heuschrecken,

9. Entgegenhastend dem Rufer. Die Ungläubigen werden sprechen: »Das ist ein schrecklicher Tag.«

10. Vor ihnen schon leugnete das Volk Noahs; ja, sie leugneten Unseren Diener und sprachen: »Ein Wahnsinniger, verstoßen!«

11. Da betete er zu seinem Herrn: »Ich bin überwältigt, so hilf Du (mir).«

12. So öffneten Wir die Tore des Himmels dem sich ergießenden Wasser,

13. Und aus der Erde ließen Wir Quellen hervorbrechen, so begegneten sich die Gewässer zu einem beschlossenen Zweck,

14. Und Wir trugen ihn auf einem Gefüge aus Planken und Nägeln.*

15. Es trieb dahin unter Unseren Augen: eine Belohnung für ihn, der verworfen worden war.

16. Und Wir machten es zu einem Zeichen für alle Zeit. Ist also einer, der ermahnt sein mag?

17. Wie war denn Meine Strafe und Meine Warnung!

18. Wir haben den Koran leicht gemacht, danach zu handeln. Ist also einer, der ermahnt sein mag?

19. Die 'Ād leugneten. Wie war dann Meine Strafe und Meine Warnung!

---

* D. h. Boot.

20. Wir sandten wider sie einen wütenden Sturmwind zu einer unseligen, unvergeßlichen Zeit,

21. Der Menschen fortriß, als wären sie Schäfte von schon entwurzelten Palmen.

22. Ja, wie war Meine Strafe und Meine Warnung!

23. Wir haben den Koran leicht gemacht, danach zu handeln. Ist also einer, der ermahnt sein mag?

24. Die Thamūd verleugneten (ebenfalls) die Warner.

25. Und sie sprachen: »Wie! ein Mensch aus unserer Mitte, ein einzelner, dem sollen wir folgen? Dann wären wir wahrlich im Irrtum und in brennender Pein.

26. Ist die Ermahnung ihm (allein) gegeben worden von uns allen? Nein, er ist ein prahlerischer Lügner.«

27. »Morgen werden sie erfahren, wer der prahlerische Lügner ist!

28. Wir werden die Kamelstute als eine Prüfung für sie schicken. Drum beobachte sie (o Sāleh) und sei geduldig.

29. Und verkünde ihnen, daß das Wasser zwischen ihnen geteilt ist, (also) soll jede Trinkzeit innegehalten werden.«

30. Doch sie riefen ihren Gefährten, und er packte (sie) und schnitt (ihr) die Sehnen durch.

31. Wie war da Meine Strafe und Meine Warnung!

32. Wir entsandten wider sie einen einzigen Schall, und sie wurden wie dürre, zertretene Stoppeln.

33. Wir haben den Koran leicht gemacht, danach zu handeln. Ist also einer, der ermahnt sein mag?

34. Das Volk des Lot verleugnete (ebenfalls) die Warner.

35. Da sandten Wir einen Steinregen über sie, ausgenommen die Familie des Lot, die Wir erretteten im Morgengrauen,

36. Als eine Gnade von Uns. Also belohnen Wir den, der dankbar ist.

37. Und er hatte sie in der Tat vor Unserer Strafe gewarnt, sie aber stritten doch mit den Warnern.

38. Und sie versuchten listig, ihn von seinen Gästen abzuhalten. Daher blendeten Wir ihre Augen (und sprachen): »Kostet nun Meine Strafe und Meine Warnung.«

39. Und in der Morgenfrühe ereilte sie eine dauernde Strafe.

40. »So kostet nun Meine Strafe und Meine Warnung.«

41. Wir haben den Koran leicht gemacht, danach zu handeln. Ist also einer, der ermahnt sein mag?

42. Zu dem Volke Pharaos kamen (ebenfalls) die Warner.

43. Sie aber verwarfen alle Unsere Zeichen. Darum erfaßten Wir sie mit dem Griff eines Mächtigen, Allgewaltigen.

44. Sind die Ungläubigen unter euch (den Mekkanern) etwa besser als jene? Oder habt ihr Freispruch in den Schriften?

45. Sprechen sie wohl: »Wir sind eine siegreiche Schar«?

46. Die Scharen werden alle in die Flucht geschlagen werden, und sie werden den Rücken kehren.*

47. Nein, die »Stunde« ist die ihnen gesetzte Zeit; und die »Stunde« wird fürchterlich sein und bitter.

48. Die Sünder werden im Irrtum und in brennender Pein sein.

49. Am Tage, da sie ins Feuer geschleift werden samt ihren Anführern: »Fühlet die Berührung der Hölle.«

50. Wir haben ein jegliches Ding nach Maß geschaffen.

51. Und unser Befehl wird (vollzogen) mit einem einzigen (Worte) gleich dem Blinzeln des Auges.

52. Und wir haben bereits Leute wie ihr vertilgt. Doch ist auch nur einer, der ermahnt sein mag?

53. Und alles, was sie getan haben, steht in den Büchern.

54. Und alles Kleine und Große ist niedergeschrieben.

55. Die Rechtschaffenen werden inmitten von Gärten und Strömen sein,

56. Auf dem ewigen Platz, beim allmächtigen König.

---

* Prophezeiung über die Schlacht von Ahzāb.

1. Im Namen Allahs, des Gnädigen, des Barmherzigen.

2. Er ist der Gnadenreiche,

3. Der den Koran gelehrt hat.

4. Er hat den Menschen erschaffen.

5. Er hat ihm klare Rede gegeben.

6. Die Sonne und der Mond (laufen ihre Bahn) nach dem Maße,

7. Und die Gräser und Bäume ergeben sich demütig (Seinem Willen).

8. Und den Himmel wölbte Er in der Höhe und bestimmte das Maß,

9. Daß ihr das Maß nicht überschreiten möget.

10. So macht gerechtes Maß und kürzt das Maß nicht.

11. Und Er hat die Erde für die Schöpfung gemacht;

12. In ihr sind Früchte und Palmen mit Knospenbüscheln,

13. Und Korn in Hülsen und duftende Blumen.

14. Welche der Wohltaten eures Herrn wollt ihr beide* da leugnen?

15. Er hat den Menschen aus trockenem Lehm erschaffen, der klingt (und ausschaut) wie ein Tongefäß.

16. Und die Dschinn schuf Er aus der Flamme des Feuers.

17. Welche der Wohltaten eures Herrn wollt ihr beide da leugnen?

18. Der Herr der beiden Osten und der Herr der beiden Westen!

19. Welche der Wohltaten eures Herrn wollt ihr beide da leugnen?

20. Er hat freien Lauf gelassen den beiden Gewässern, die (einst) einander begegnen werden.

21. Zwischen ihnen ist eine Scheidewand, so daß sie nicht ineinanderlaufen können.

22. Welche der Wohltaten eures Herrn wollt ihr beide da leugnen?

23. Perlen kommen aus beiden hervor und Korallen.

24. Welche der Wohltaten eures Herrn wollt ihr beide da leugnen?

---

* Menschen und Dschinn.

25. Und Sein sind die hohen Schiffe auf dem Meer, die gleich Bergen ragen.

26. Welche der Wohltaten eures Herrn wollt ihr beide da leugnen?

27. Alles, was auf (Erden) ist, wird vergehen.

28. Aber es bleibt das Angesicht deines Herrn – der Herr der Majestät und der Ehre.

29. Welche der Wohltaten eures Herrn wollt ihr beide da leugnen?

30. Ihn bitten alle, die in den Himmeln und auf Erden sind. Jeden Augenblick offenbart Er Sich in neuem Glanz.

31. Welche der Wohltaten eures Herrn wollt ihr beide da leugnen?

32. Bald werden Wir Uns mit euch befassen, ihr beiden Mächte!

33. Welche der Wohltaten eures Herrn wollt ihr beide da leugnen?

34. O Versammlung von Dschinn und Menschen! wenn ihr imstande seid, über die Grenzen der Himmel und der Erde hinauszugehen, dann gehet. Doch ihr werdet nicht imstande sein zu gehen, außer mit Ermächtigung.

35. Welche der Wohltaten eures Herrn wollt ihr beide da leugnen?

36. Entsandt werden soll wider euch eine Feuerflamme und ein Qualm, dann werdet ihr beide nicht obsiegen.

37. Welche der Wohltaten eures Herrn wollt ihr beide da leugnen?

38. Und wenn der Himmel sich spaltet und rosig wird gleich rotem Leder –

39. Welche der Wohltaten eures Herrn wollt ihr beide da leugnen?

40. An jenem Tage wird weder Mensch noch Dschinn nach seiner Sünde befragt werden.

41. Welche der Wohltaten eures Herrn wollt ihr beide da leugnen?

42. Die Schuldigen werden erkannt werden an ihren Merkmalen, und erfaßt werden sie an ihren Stirnlocken und Füßen.

43. Welche der Wohltaten eures Herrn wollt ihr beide da leugnen?

44. Das ist die Hölle, die die Schuldigen leugnen,

45. Zwischen ihr und siedend heißem Wasser werden sie die Runde machen.

46. Welche der Wohltaten eures Herrn wollt ihr beide da leugnen?

47. Für den aber, der sich vor der Gegenwart seines Herrn fürchtet, werden zwei Gärten sein –

48. Welche der Wohltaten eures Herrn wollt ihr beide da leugnen? –,

49. Mit vielerlei (Bäumen).

50. Welche der Wohltaten eures Herrn wollt ihr beide da leugnen?

51. In beiden werden zwei fließende Brunnen sein.

52. Welche der Wohltaten eures Herrn wollt ihr beide da leugnen?

53. Darinnen wird es jegliche Art Frucht in Paaren geben.

54. Welche der Wohltaten eures Herrn wollt ihr beide da leugnen?

55. Sie werden ruhen auf Kissen, deren Futter dicker Brokat ist. Und die Früchte der beiden Gärten werden nahe zur Hand sein.

56. Welche der Wohltaten eures Herrn wollt ihr beide da leugnen?

57. Darinnen werden (Keusche) sein mit züchtigem Blick, die weder Mensch noch Dschinn vor ihnen berührt hat –

58. Welche der Wohltaten eures Herrn wollt ihr beide da leugnen? –,

59. Als wären sie Rubine und Korallen.

60. Welche der Wohltaten eures Herrn wollt ihr beide da leugnen?

61. Kann der Lohn für Güte anderes sein als Güte?

62. Welche der Wohltaten eures Herrn wollt ihr beide da leugnen?

63. Und neben diesen beiden sind noch zwei andere Gärten –

64. Welche der Wohltaten eures Herrn wollt ihr beide da leugnen? –,

65. Mit Blattwerk dunkelgrün.

66. Welche der Wohltaten eures Herrn wollt ihr beide da leugnen?

67. Darinnen werden zwei Quellen sein, reichlich Wasser spendende.

68. Welche der Wohltaten eures Herrn wollt ihr beide da leugnen?

69. In beiden werden Früchte sein, und Datteln und Granatäpfel.

70. Welche der Wohltaten eures Herrn wollt ihr beide da leugnen?

71. Darinnen werden (Mädchen) sein, gut und schön –

72. Welche der Wohltaten eures Herrn wollt ihr beide da leugnen? –,

73. Holdselige mit herrlichen schwarzen Augen, wohlbehütet in Zelten –

74. Welche der Wohltaten eures Herrn wollt ihr beide da leugnen? –,

75. Die weder Mensch noch Dschinn vor ihnen berührt hat –

76. Welche der Wohltaten eures Herrn wollt ihr beide da leugnen? –,

77. Ruhend auf grünen Kissen und schönen Teppichen.

78. Welche der Wohltaten eures Herrn wollt ihr beide da leugnen?

79. Segensreich ist der Name deines Herrn, des Herrn der Majestät und Ehre.

1. Im Namen Allahs, des Gnädigen, des Barmherzigen.

2. Wenn das Ereignis eintrifft –

3. Es gibt nichts, das sein Eintreffen verhindern könnte –,

4. Dann wird es (die einen) erniedrigen, (andere) wird es erhöhen.

5. Wenn die Erde heftig erschüttert wird,

6. Und die Berge gänzlich zertrümmert werden,

7. Dann sollen sie zu Staub werden, weithin verstreutem,

8. Und ihr sollt in drei Ränge (gestellt) werden:

9. Die zur Rechten – was (wißt ihr) von denen, die zur Rechten sein werden? –,

10. Die zur Linken – was (wißt ihr) von denen, die zur Linken sein werden? –,

11. Die Vordersten werden die Vordersten sein;

12. Das sind die, die (Gott) nahe sein werden

13. In den Gärten der Wonne.

14. Eine große Schar der Früheren,

15. Und einige wenige der Späteren,

16. Auf durchwobenen Polstern,

17. Lehnend auf diesen, einander gegenüber.

18. Ihnen aufwarten werden Jünglinge, die nicht altern,

19. Mit Bechern und Krügen und Trinkschalen (gefüllt) aus einem fließenden Born –

20. Keinen Kopfschmerz werden sie davon haben, noch werden sie berauscht sein –

21. Und (mit den) Früchten, die sie vorziehen,

22. Und Fleisch vom Geflügel, das sie begehren mögen,

23. Und holdselige Mädchen mit großen, herrlichen Augen,

24. Gleich verborgenen Perlen,

25. Als eine Belohnung für das, was sie zu tun pflegten.

26. Sie werden dort kein eitles Geschwätz noch sündige Rede hören,

27. Nur das Wort: »Frieden, Frieden!«

28. Und die zur Rechten – was (wißt ihr) von denen, die zur Rechten sein werden? –,

29. (Sie werden) unter dornenlosen Lotusbäumen (sein)

30. Und gebüschelten Bananen

31. Und ausgebreitetem Schatten

32. Bei fließenden Wassern
33. Und reichlichen Früchten,
34. Unaufhörlichen, unverbotenen.
35. Und edlen Gattinnen –
36. Wir haben sie als eine wunderbare Schöpfung erschaffen
37. Und sie zu Jungfrauen gemacht,
38. Liebevollen Altersgenossinnen
39. Derer zur Rechten;
40. Eine große Schar der Früheren,
41. Und eine große Schar der Späteren.
42. Und die zur Linken – was (wißt ihr) von denen, die zur Linken sein werden? –,
43. (Sie werden) inmitten von glühenden Winden und siedendem Wasser (sein)
44. Und im Schatten schwarzen Rauches,
45. Weder kühl noch erfrischend.
46. Vor diesem waren sie in der Tat verbraucht durch Üppigkeit
47. Und verharrten in der großen Sünde.[82]
48. Und sie pflegten zu sprechen:»Wie! wenn wir tot sind und zu Staub und Gebeine geworden, sollen wir dann wirklich auferweckt werden?
49. Und unsere Vorväter auch?«
50. Sprich:»Die Früheren und die Späteren
51. Werden alle versammelt werden zur gesetzten Frist eines bestimmten Tags.
52. Dann, o ihr Irregegangenen und Leugner,
53. Essen sollt ihr vom Baume Saqqūm,
54. Und damit die Bäuche füllen,
55. Und darauf von siedendem Wasser trinken,
56. Trinkend wie die durstigen Kamele trinken.«
57. Das wird ihre Bewirtung sein am Tage des Gerichts.
58. Wir haben euch erschaffen. Warum wollt ihr da nicht die Wahrheit zugeben?
59. Habt ihr betrachtet, was ihr ausspritzt?
60. Schafft ihr es, oder sind Wir die Schöpfer?
61. Wir haben bei euch den Tod verordnet, und Wir können nicht daran verhindert werden,

62. Daß Wir an eure Stelle andere bringen gleich euch und daß Wir euch in einen Zustand entwickeln, den ihr nicht kennt.

63. Und ihr kennet doch gewiß die erste Schöpfung. Warum also wollt ihr euch nicht besinnen?

64. Habt ihr betrachtet, was ihr aussäet?

65. Seid ihr es, die ihr es wachsen lasset, oder lassen Wir es wachsen?

66. Wollten Wir es, Wir könnten es alles in Staub verwandeln, dann würdet ihr nicht aufhören, euch zu beklagen:

67. »Wir sind zugrunde gerichtet!

68. Nein, wir sind beraubt.«

69. Habt ihr das Wasser betrachtet, das ihr trinkt?

70. Seid ihr es, die ihr es aus den Wolken niedersendet, oder sind Wir die Sendenden?

71. Wollten Wir es, Wir könnten es bitter machen. Warum also danket ihr nicht?

72. Habt ihr das Feuer betrachtet, das ihr zündet?

73. Seid ihr es, die ihr den Baum dazu hervorbrachtet, oder sind Wir die Schöpfer?

74. Wir haben ihn zur Ermahnung erschaffen und zum Nutzen für die Wanderer durch Wildernisse.

75. Drum preise den Namen deines Herrn, des Großen.

76. Ich schwöre beim Herabschießen der Sterne –

77. Und fürwahr, das ist ein großer Schwur, wenn ihr es nur wüßtet –,

78. Daß dies wahrlich ein erhabener Koran ist,

79. In einem verborgenen Buche.

80. Keiner kann es berühren, außer den Gereinigten –

81. Eine Offenbarung vom Herrn der Welten.

82. Und ihr wolltet gegenüber dieser (göttlichen) Verkündigung scheinheilig sein?

83. Und daß ihr (sie) leugnet, macht ihr das zu eurem täglichen Brot?

84. Warum wohl, wenn (die Seele des Sterbenden) zur Kehle steigt

85. Und ihr in jenem Augenblick zuschaut –

86. Und Wir sind ihm näher als ihr, nur daß ihr nicht sehet –,

87. Warum wohl, wenn ihr nicht zur Rechenschaft gezogen werden sollt,

88. Zwingt ihr sie nicht zurück, wenn ihr wahrhaftig seid?

89. Wenn er nun zu denen gehört, die (Gott) nahe sind,

90. Dann (wird er) Glück (genießen) und Duft (der Seligkeit) und einen Garten der Wonne.

91. Und wenn er zu denen gehört, die zur Rechten sind,

92. (Wird ihm ein:) »Friede sei mit dir, der du zu denen zur Rechten gehörst!«

93. Wenn er aber zu den Leugnern, Irregegangenen gehört,

94. Dann (wird ihm) eine Bewirtung mit siedendem Wasser

95. Und Brennen in der Hölle

96. Wahrlich, dies ist die Wahrheit selbst.

97. Lobpreise darum den Namen deines Herrn, des Großen.

1. Im Namen Allahs, des Gnädigen, des Barmherzigen.

2. Was in den Himmeln und was auf Erden ist, verkündet die Herrlichkeit Allahs, und Er ist der Allmächtige, der Allweise.

3. Sein ist das Königreich der Himmel und der Erde. Er gibt Leben und Tod, und Er vermag alle Dinge zu tun.

4. Er ist der Erste und der Letzte, der Sichtbare und der Verborgene, und Er ist der Wisser aller Dinge.

5. Er ist es, Der die Himmel und die Erde erschuf in sechs Zeiten, dann setzte Er Sich auf den Thron. Er weiß, was in die Erde eingeht und was aus ihr hervorkommt, was vom Himmel niederkommt und was zu ihm aufsteigt. Und Er ist mit euch, wo immer ihr sein mögt. Und Allah sieht alles, was ihr tut.

6. Sein ist das Königreich der Himmel und der Erde; und zu Allah werden alle Dinge zurückgebracht.

7. Er läßt die Nacht eintreten in den Tag und den Tag eintreten in die Nacht; und Er ist der Kenner all dessen, was in den Herzen ist.

8. Glaubet an Allah und Seinen Gesandten und spendet von dem, wovon Er euch zu Erben gemacht hat. Und jenen unter euch, die glauben und spenden, wird großer Lohn.

9. Was ist euch, daß ihr nicht an Allah glaubt, obwohl der Gesandte euch aufruft, an euren Herrn zu glauben, und Er hat bereits von euch ein Versprechen abgenommen, wenn ihr Gläubige seid?

10. Er ist es, Der deutliche Zeichen hinabsendet auf Seinen Diener, damit Er euch aus den Finsternissen ins Licht führe. Und fürwahr, Allah ist gegen euch gütig, barmherzig.

11. Was ist euch, daß ihr nicht spendet in Allahs Sache, obwohl die Erbschaft der Himmel und der Erde Allah gehört? Die unter euch, die spendeten und kämpften vor dem Sieg, sind nicht gleich. Sie sind höher an Rang als jene, die erst nachher spendeten und kämpften. Allen aber verhieß Allah Gutes. Und Allah ist wohl kundig dessen, was ihr tut.

12. Wer ist es, der Allah ein stattliches Darlehen geben will? Er wird es ihm um ein Vielfaches mehren, und ihm wird ein großzügiger Lohn.

13. Und (gedenke) des Tags, da du die gläubigen Männer und die gläubigen Frauen sehen wirst, indes (die Strahlen) ihres

Lichts vor ihnen und zu ihrer Rechten hervorbrechen: »Frohe
Botschaft euch heute! – Gärten, durch die Ströme fließen, darin
ihr weilen werdet. Das ist die höchste Glückseligkeit.«

14. Am Tage, wenn die Heuchler und die Heuchlerinnen zu den
Gläubigen sagen werdcn: »Wartet auf uns! Wir wollen ein wenig
von eurem Licht borgen«, da wird (zu ihnen) gesprochen werden: »Kehret zurück und suchet (dort) Licht.« Dann wird zwischen ihnen eine Mauer errichtet werden mit einem Tor darin.
Ihre Innenseite wird Barmherzigkeit sein und ihre Außenseite
Strafe.

15. Sie werden jenen (Gläubigen) zurufen: »Waren wir nicht mit
euch?« Jene werden antworten: »Doch, aber ihr versuchtet
euch selber und wartetet und zweifeltet, und die eitlen Wünsche
betörten euch, bis Allahs Befehl kam. Und der Betrüger belog
euch über Allah.

16. So soll heute kein Lösegeld von euch angenommen werden,
noch von den Ungläubigen. Euer Aufenthalt ist das Feuer; das
ist euer Hort. Und eine schlimme Bestimmung ist es!«

17. Ist nicht für die Gläubigen die Zeit gekommen, daß ihre
Herzen sich demütigen vor der Ermahnung Allahs und vor der
Wahrheit, die herabkam, und daß sie nicht würden wie jene,
denen zuvor die Schrift gegeben und deren Frist verlängert
ward, doch ihre Herzen waren verstockt und viele von ihnen
wurden ungehorsam?

18. Wisset, daß Allah die Erde belebt nach ihrem Tode. Wir
haben euch die Zeichen klar gemacht, auf daß ihr begreifet.

19. Führwahr, die mildtätigen Männer und die mildtätigen
Frauen und jene, die Allah ein stattliches Darlehen geben – es
wird ihnen um ein Vielfaches gemehrt werden, und ihr Lohn
wird ein würdiger sein.

20. Und die an Allah und Seine Gesandten glauben, das sind die
Wahrhaftigen und die Blutzeugen vor ihrem Herrn; sie werden
ihren Lohn und ihr Licht empfangen. Die aber ungläubig sind
und Unsere Zeichen leugnen, das sind die Insassen der Hölle.

21. Wisset, daß das Leben in dieser Welt nur ein Spiel und ein
Tand ist und ein Gepränge und Geprahle unter euch, und ein
Wettrennen um Mehrung an Gut und Kindern. Es gleicht dem
Regen (der Pflanzen hervorbringt), deren Wachstum den Be-

bauer erfreut. Dann verdorren sie, und du siehst sie vergilben; dann zerbröckeln sie in Staub. Und im Jenseits ist strenge Strafe und Vergebung und Wohlgefallen Allahs. Und das Leben in dieser Welt ist nur eine Sache der Täuschung.

22. Wetteifert denn miteinander um die Vergebung eures Herrn und den Garten, dessen Wert gleich dem Werte des Himmels und der Erde ist, bereitet denen, die an Allah und Seine Gesandten glauben. Das ist Allahs Huld; Er gewährt sie, wem Er will. Und Allah ist der Eigner großer Huld.

23. Es geschieht kein Unheil auf Erden oder an euch, das nicht in einem Buch[83] wäre, bevor Wir es ins Dasein rufen – fürwahr, das ist Allah ein leichtes –,

24. Auf daß ihr euch nicht betrübet um das, was euch entging, noch euch überhebet über das, was Er euch gegeben hat. Und Allah liebt keinen der eingebildeten Prahler,

25. Die geizig sind und die Menschen zum Geiz anhalten. Und wer da den Rücken wendet – siehe, Allah ist gewiß dann der Sich Selbst Genügende, der Preiswürdige.

26. Wahrlich, Wir schickten Unsere Gesandten mit klaren Beweisen und sandten mit ihnen das Buch und das Maß herab, auf daß die Menschen Gerechtigkeit üben möchten. Und Wir schufen das Eisen, worin (Kraft zu) gewaltigem Krieg wie auch zu (vielerlei anderen) Nutzen für die Menschheit ist, damit Allah die bezeichne, die Ihm und Seinen Gesandten beistehen, wenngleich ungesehen. Fürwahr, Allah ist stark, allmächtig.

27. Wir entsandten ja auch Noah und Abraham und gaben ihren Nachkommen das Prophetentum und die Schrift. Einige unter ihnen waren auf dem rechten Weg, doch viele unter ihnen waren Empörer.

28. Dann ließen Wir Unsere Gesandten ihren Spuren folgen; und Wir ließen Jesus, den Sohn der Maria, (ihnen) folgen, und Wir gaben ihm das Evangelium. Und in die Herzen derer, die ihm folgten, legten Wir Güte und Barmherzigkeit. Das Mönchstum jedoch, das sie sich erfanden – das schrieben Wir ihnen nicht vor – um das Trachten nach Allahs Wohlgefallen; doch sie befolgten es nicht auf richtige Art. Dennoch gaben Wir denen unter ihnen, die gläubig waren, ihren Lohn, aber viele unter ihnen waren ruchlos.

29. O die ihr glaubt, fürchtet Allah und glaubet an Seinen Gesandten! Er wird euch einen doppelten Anteil von Seiner Barmherzigkeit geben und wird euch ein Licht bereiten, darin ihr
wandeln werdet, und wird euch verzeihen – und Allah ist allverzeihend, barmherzig –,
30. Damit das Volk der Schrift nicht wähne, daß sie (die Muslims) nicht imstande sind, die Huld Allahs zu erlangen. Die
Huld ist in Allahs Hand, auf daß Er sie verleihe, wem Er will.
Und Allah ist der Eigner großer Huld.

1. Im Namen Allahs, des Gnädigen, des Barmherzigen.

2. Allah hat das Wort jener gehört, die bei dir wegen ihres Mannes vorstellig wurde und sich vor Allah beklagte. Und Allah hat euer Gespräch gehört; denn Allah ist allhörend, allsehend.

3. Die unter euch, die ihre Frauen Mütter nennen – sie werden nicht ihre Mütter; ihre Mütter sind einzig jene, die sie geboren haben; und sie äußern da nur Worte, die unziemlich und unwahr sind; doch wahrlich, Allah ist Tilger der Sünden, allverzeihend.

4. Jene nun, die ihre Frauen Mütter nennen und dann zurücknehmen möchten, was sie gesagt – (die Buße dafür) ist die Befreiung eines Sklaven, bevor sie einander berühren. Dies, um euch zu ermahnen. Und Allah ist wohl kundig dessen, was ihr tut.

5. Wer aber keinen findet, dann: zwei Monate hintereinander fasten, bevor sie einander berühren. Und wer es nicht vermag, dann: Speisung von sechzig Armen. Dies, damit ihr euch Allah ergebt und Seinem Gesandten. Das sind die Schranken Allahs; und für die Ungläubigen ist qualvolle Strafe.

6. Diejenigen, die sich Allah und Seinem Gesandten widersetzen, die werden gewiß erniedrigt werden, eben wie die vor ihnen erniedrigt wurden; denn Wir haben bereits deutliche Zeichen herniedergesandt. Und den Ungläubigen wird eine schmähliche Strafe.

7. Am Tage, da Allah sie alle zusammen auferweckt, da wird Er ihnen verkünden, was sie getan. Allah hat Rechnung darüber geführt, während sie es vergaßen. Und Allah ist Zeuge über alle Dinge.

8. Siehst du denn nicht, daß Allah alles weiß, was in den Himmeln ist, und alles, was auf Erden ist? Keine geheime Unterredung zwischen dreien gibt es, bei der Er nicht vierter wäre, noch eine zwischen fünfen, bei der Er nicht sechster wäre, noch zwischen weniger oder mehr als diesen, ohne daß Er mit ihnen wäre, wo immer sie sein mögen. Dann wird Er ihnen am Tage der Auferstehung verkünden, was sie getan. Wahrlich, Allah weiß alle Dinge.

9. Hast du nicht die beobachtet, denen geheime Verschwörung verboten ward und die doch zurückkehren zu dem, was ihnen verboten ward, und sich insgeheim verschwören zu Sünde und

Übertretung und Ungehorsam gegen den Gesandten? Und wenn sie zu dir kommen, so begrüßen sie dich mit dem, womit dich nicht Allah begrüßt hat; bei sich aber sprechen sie: »Warum straft uns Allah nicht für das, was wir (wider ihn) sprechen?« Genügend für sie ist die Hölle, worin sie eingehen werden; und übel ist die Bestimmung!

10. O die ihr glaubt, wenn ihr euch heimlich miteinander beredet, beredet euch nicht zu Sünde und Übertretung und Ungehorsam gegen den Gesandten, sondern beredet euch zu Tugend und Rechtschaffenheit, und fürchtet Allah, zu Dem ihr versammelt werdet.

11. Geheime Verschwörung ist allein von Satan, auf daß er die betrübe, die gläubig sind; doch er kann ihnen nicht den geringsten Schaden zufügen, es sei denn mit Allahs Erlaubnis. Und auf Allah sollen die Gläubigen vertrauen.

12. O die ihr glaubt, wenn in Versammlungen zu euch gesprochen wird: »Macht Platz!« – dann macht Platz; Allah wird ausgiebigen Platz für euch machen. Und wenn gesprochen wird: »Erhebt euch!« – dann erhebt euch; Allah wird die unter euch, die gläubig sind, und die, denen Wissen gegeben ward, in Rängen erhöhen. Und Allah ist wohl kundig dessen, was ihr tut.

13. O die ihr glaubt, wenn ihr euch mit dem Gesandten vertraulich beraten wollt, so schickt Almosen eurer vertraulichen Beratung voraus. Das ist besser für euch und lauterer. Wenn ihr aber nicht (die Möglichkeit dazu) findet, dann ist Allah fürwahr allverzeihend, barmherzig.

14. Seid ihr unruhig in bezug auf das Geben von Almosen vor eurer vertraulichen Beratung? Nun denn, wenn ihr es nicht tut und Allah euch in Seine Barmherzigkeit aufnimmt, dann verrichtet das Gebet und zahlet die Zakāt und gehorchet Allah und Seinem Gesandten. Und Allah ist wohl kundig dessen, was ihr tut.

15. Hast du nicht die gesehen, die sich ein Volk zu Freunden nehmen, dem Allah zürnt? Sie gehören weder zu euch noch zu ihnen, und sie beschwören wissentlich eine Lüge.

16. Allah hat für sie eine strenge Strafe bereitet. Übel ist fürwahr, was sie zu tun pflegen.

17. Sie haben ihre Eide zu einem Schild (für ihre Missetaten) ge-

macht, und sie machen abwendig vom Pfade Allahs; für sie wird darum eine erniedrigende Strafe sein.

18. Weder ihre Reichtümer noch ihre Kinder werden ihnen im geringsten nützen gegen Allah. Sie sind die Bewohner des Feuers; darin müssen sie bleiben.

19. Am Tage, da Allah sie versammeln wird allzumal, da werden sie Ihm schwören, wie sie euch schwören, und sie werden wähnen, sie stünden auf etwas. Horchet! sie sind es sicherlich, die Lügner sind.

20. Satan hat völlige Macht über sie gewonnen und hat sie die Ermahnung Allahs vergessen lassen. Sie sind Satans Partei. Horchet! es ist Satans Partei, die die verlierende ist.

21. Fürwahr jene, die sich Allah und Seinem Gesandten widersetzen, werden unter den Niedrigsten sein.

22. Allah hat verordnet: Sicherlich werde Ich obsiegen, Ich und Meine Gesandten. Wahrlich, Allah ist stark, allmächtig.

23. Du wirst kein Volk finden, das an Allah und an den Jüngsten Tag glaubt, und dabei die liebt, die sich Allah und Seinem Gesandten widersetzen, selbst wenn es ihre Väter wären oder ihre Söhne oder ihre Brüder oder ihre Verwandten. Das sind die, in deren Herzen Allah den Glauben eingeschrieben hat und die Er gestärkt hat mit Seinem eigenen Wort. Er wird sie in Gärten führen, durch die Ströme fließen. Darin werden sie weilen ewiglich. Allah ist wohl zufrieden mit ihnen, und sie sind wohl zufrieden mit Ihm. Sie sind Allahs Partei. Horchet! es ist Allahs Partei, die erfolgreich ist.

1. Im Namen Allahs, des Gnädigen, des Barmherzigen.

2. Alles, was in den Himmeln, und alles, was auf Erden ist, preist Allah; und Er ist der Allmächtige, der Allweise.

3. Er ist es, Der diejenigen von dem Volk der Schrift, die ungläubig waren, austrieb aus ihren Heimstätten bei dem ersten Heerbann. Ihr glaubtet nicht, daß sie hinausziehen würden, und sie dachten, daß ihre Burgen sie beschützen würden gegen Allah. Doch Allah kam[84] über sie, von wo sie es nicht erwarteten, und warf Schrecken in ihre Herzen, so daß sie ihre Häuser zerstörten mit ihren eigenen Händen und den Händen der Gläubigen. So zieht eine Lehre daraus, o die ihr Augen habt.

4. Und wäre es nicht so gewesen, daß Allah für sie Verbannung angeordnet hatte, Er hätte sie sicherlich hienieden bestraft, und im Jenseits wird ihnen die Strafe des Feuers.

5. Dies, weil sie sich Allah widersetzten und Seinem Gesandten; und wer sich Allah widersetzt – wahrlich, dann ist Allah streng im Strafen.

6. Was ihr umgehauen habt an Palmen oder auf ihren Wurzeln stehen ließet, es geschah mit Allahs Erlaubnis und damit Er die Übertreter in Schmach stürze.

7. Und was Allah Seinem Gesandten als Beute von ihnen gegeben hat, ihr habt weder Roß noch Kamel dazu angespornt; aber Allah gibt Seinem Gesandten Gewalt über wen Er will; und Allah vermag alle Dinge zu tun.

8. Was Allah Seinem Gesandten als Beute von den Bewohnern der Städte gegeben hat, das ist für Allah und für den Gesandten und für die nahen Verwandten und die Waisen und die Armen und den Wanderer, damit es nicht bloß bei den Reichen unter euch die Runde mache. Und was euch der Gesandte gibt, nehmt es; und was er euch untersagt, enthaltet euch dessen. Und fürchtet Allah; wahrlich, Allah ist streng im Strafen.

9. (Es ist) für die armen Flüchtlinge, die von ihren Heimstätten und ihren Besitztümern vertrieben wurden, indes sie nach Allahs Huld und Wohlgefallen trachteten und Allah und Seinem Gesandten beistanden. Diese sind die wahrhaft Treuen.

10. Und jene, die vor ihnen in der Stadt wohnten und im Glauben (beharrten), lieben jene, die bei ihnen Zuflucht suchten, und finden in ihrer Brust keinen Wunsch nach dem, was ihnen

gegeben ward, sondern sehen (die Flüchtlinge gern) vor sich selber bevorzugt, auch wenn sie selbst in Dürftigkeit sind. Und wer vor seiner eignen Habsucht bewahrt ist – das sind die Erfolgreichen.

11. Und die nach ihnen kamen, sprechen: »Unser Herr, vergib uns und unseren Brüdern, die uns im Glauben vorangingen, und lasse in unseren Herzen keinen Groll gegen die Gläubigen. Unser Herr! Du bist fürwahr gütig, barmherzig.«

12. Hast du nicht die beobachtet, die Heuchler sind? Sie sprechen zu ihren Brüdern, die ungläubig sind unter dem Volk der Schrift: »Wenn ihr vertrieben werdet, so werden wir sicherlich mit euch ziehen, und wir werden nie jemandem gegen euch gehorchen; und wenn ihr angegriffen werdet, so werden wir euch sicherlich helfen.« Doch Allah ist Zeuge, daß sie gewißlich Lügner sind.

13. Wenn sie vertrieben werden, sie würden nie mit ihnen ausziehen; und wenn sie angegriffen werden, sie würden ihnen niemals helfen. Und helfen sie ihnen schon, so werden sie sicherlich den Rücken wenden; und dann sollen sie (selbst) keine Hilfe finden.

14. Wahrlich, sie hegen größere Furcht vor euch in ihren Herzen als vor Allah. Dies, weil sie ein Volk sind, das nicht begreift.

15. Sie würden euch nicht bekämpfen – nicht einmal alle zusammen –, außer in befestigten Städten oder hinter Mauern, (obgleich) ihre Heldentaten untereinander groß sind. Du würdest denken, sie seien eine Einheit, aber ihre Herzen sind geteilt. Dies, weil sie ein Volk sind, das keine Einsicht hat,

16. Gleich jenen, die kurz vor ihnen die bösen Folgen ihrer Handlungsweise kosteten. Und für sie ist qualvolle Strafe.

17. Gleich Satan, wenn er zu dem Menschen spricht: »Sei ungläubig!«; ist er aber ungläubig, so spricht er: »Ich habe nichts mit dir zu schaffen, denn ich fürchte Allah, den Herrn der Welten.«

18. Und das Ende beider wird sein, daß sie im Feuer sein werden und darin bleiben. Das ist der Lohn der Frevler.

19. O die ihr glaubt, fürchtet Allah; und eine jede Seele schaue nach dem, was sie für morgen vorausschickt. Und fürchtet Allah; Allah ist wohl kundig dessen, was ihr tut.

20. Und seid nicht gleich jenen, die Allah vergaßen und die Er darum ihre eignen Seelen vergessen ließ. Das sind die Übertreter.

21. Nicht gleich sind die Bewohner des Feuers und die Bewohner des Gartens. Es sind die Bewohner des Gartens, die erfolgreich sind.

22. Hätten Wir diesen Koran auf einen Berg herabgesandt, du hättest gesehen, wie er sich demütigte und sich spaltete aus Furcht vor Allah. Solche Gleichnisse stellen Wir für die Menschen, auf daß sie sich besinnen.

23. Er ist Allah, außer Dem es keinen Gott gibt, der Wisser des Ungesehenen und des Sichtbaren. Er ist der Gnädige, der Barmherzige.

24. Er ist Allah, außer Dem es keinen Gott gibt, der König, der Heilige, der Eigner des Friedens, der Gewährer von Sicherheit, der Beschützer, der Allmächtige, der Verbesserer, der Majestätische. Hoch erhaben ist Allah über all das, was sie anbeten!

25. Er ist Allah, der Schöpfer, der Bildner, der Gestalter. Sein sind die schönsten Namen. Alles, was in den Himmeln und auf Erden ist, preist Ihn, und Er ist der Allmächtige, der Allweise.

1. Im Namen Allahs, des Gnädigen, des Barmherzigen.

2. O die ihr glaubt, nehmt euch nicht Meinen Feind und euren Feind zu Freunden, ihnen Liebe erbietend, da sie doch die Wahrheit leugnen, die zu euch gekommen ist, und den Gesandten und euch selbst austreiben, weil ihr an Allah, euren Herrn, glaubt. Wenn ihr ausgezogen seid zum Kampf für Meine Sache und im Trachten nach Meinem Wohlgefallen, sendet ihr ihnen insgeheim Botschaften der Liebe, wenn Ich doch am besten weiß, was ihr verhehlt und was ihr offenbart. Und wer unter euch das tut, der ist sicherlich abgeirrt vom geraden Weg.

3. Wenn sie die Oberhand über euch gewinnen, dann werden sie sich gegen euch als Feinde betragen und ihre Hände und ihre Zungen zum Bösen gegen euch ausstrecken; und sie wünschen inständig, daß ihr ungläubig würdet.

4. Weder eure Bande der Blutsverwandtschaft noch eure Kinder werden euch am Tage der Auferstehung im geringsten nützen. Er wird zwischen euch entscheiden. Und Allah sieht alles, was ihr tut.

5. Ihr habt bereits ein vortreffliches Beispiel an Abraham und denen mit ihm, da sie zu ihrem Volke sprachen: »Wir haben nichts mit euch zu schaffen noch mit dem, was ihr statt Allah anbetet. Wir verwerfen euch. Und zwischen uns und euch ist offenbar für immer Feindschaft und Haß entstanden, bis ihr an Allah glaubt, und an Ihn allein« – abgesehen von Abrahams Wort zu seinem Vater: »Ich will gewiß für dich um Verzeihung bitten, obwohl ich nicht die Macht habe, bei Allah für dich etwas auszurichten.« (Sie beteten:) »Unser Herr, in Dich setzen wir unser Vertrauen, und zu Dir kehren wir reuig um, und zu Dir ist zuletzt die Einkehr.

6. Unser Herr, mache uns nicht zum Stein des Anstoßes für die Ungläubigen, und vergib uns, unser Herr, denn Du, und Du allein, bist der Allmächtige, der Allweise.«

7. Wahrlich, ihr habt an ihnen ein vortreffliches Beispiel, (und so) ein jeder, der Allah fürchtet und den Jüngsten Tag. Und wer sich abwendet – fürwahr, Allah ist der Sich Selbst Genügende, der Preiswürdige.

8. Vielleicht wird Allah Liebe setzen zwischen euch und denen

unter ihnen, mit denen ihr in Feindschaft lebt; denn Allah ist allmächtig und Allah ist allverzeihend, barmherzig.

9. Allah verbietet euch nicht, gegen jene, die euch nicht bekämpft haben des Glaubens wegen und euch nicht aus euren Heimstätten vertrieben haben, gütig zu sein und billig mit ihnen zu verfahren; Allah liebt die Billigkeit Zeigenden.

10. Allah verbietet euch nur, mit denen, die euch bekämpft haben des Glaubens wegen und euch aus euren Heimstätten vertrieben und (anderen) geholfen haben, euch zu vertreiben, Freundschaft zu machen. Und wer mit ihnen Freundschaft macht – das sind die Missetäter.

11. O die ihr glaubt, wenn gläubige Frauen als Flüchtlinge zu euch kommen, so prüfet sie. Allah weiß am besten, wie es um ihren Glauben bestellt ist. Wenn ihr sie dann gläubig erfindet, so schicket sie nicht zu den Ungläubigen zurück. Diese Frauen sind ihnen nicht erlaubt, noch sind sie diesen Frauen erlaubt. Jedoch zahlet (ihren ungläubigen Ehemännern) das zurück, was sie (für sie) ausgegeben haben. Und es ist keine Sünde für euch, sie zu heiraten, wenn ihr ihnen ihre Mitgift gegeben habt. Und haltet nicht am Eheband mit den ungläubigen Frauen fest, sondern verlangt das zurück, was ihr (für sie) ausgegeben habt, und laßt (die Ungläubigen) zurückverlangen, was sie (für sie) ausgegeben haben. Das ist Allahs Gebot. Er richtet zwischen euch. Und Allah ist allwissend, allweise.

12. Und wenn irgendwelche von euren Frauen von euch zu den Ungläubigen fortgehen, dann gebt, wenn ihr (bei den Ungläubigen) Beute machet, jenen (Gläubigen), deren Frauen fortgegangen sind, das gleiche von dem, was sie (für ihre Frauen) ausgegeben hatten. Und fürchtet Allah, an Den ihr glaubt.

13. O Prophet! wenn gläubige Frauen zu dir kommen und dir den Treueid leisten, daß sie Allah nichts zur Seite stellen werden und daß sie weder stehlen noch Ehebruch begehen noch ihre Kinder töten noch eine Verleumdung vorbringen werden, die sie selbst wissentlich ersonnen, noch dir ungehorsam sein werden in dem, was recht ist, dann nimm ihren Treueid an und bitte Allah um Vergebung für sie. Wahrlich, Allah ist allvergebend, barmherzig.

14. O die ihr glaubt, schließt nicht Freundschaft mit einem Volke, dem Allah zürnt; denn sie sind völlig am Jenseits verzweifelt, gerade so, wie die Ungläubigen an denen verzweifelt sind, die in den Gräbern sind.

1. Im Namen Allahs, des Gnädigen, des Barmherzigen.

2. Was in den Himmeln und was auf Erden ist, preist Allah; und Er ist der Allmächtige, der Allweise.

3. O die ihr glaubt, warum sagt ihr, was ihr nicht tut?

4. Höchst hassenswert ist es vor Allah, daß ihr sagt, was ihr nicht tut.

5. Allah liebt diejenigen, die für Seine Sache kämpfen, (in Schlachtordnung) gereiht, als wären sie ein mit Blei gelöteter, festgefügter Bau.

6. Und (gedenke der Zeit) da Moses zu seinem Volke sprach: »O mein Volk, warum kränkt ihr mich, da ihr doch wisset, daß ich Allahs Gesandter an euch bin?« Wie sie nun eine krumme Richtung nahmen, da ließ Allah ihre Herzen krumm werden, denn Allah weist nicht dem widerspenstigen Volk den Weg.

7. Und (gedenke der Zeit) da Jesus, Sohn der Maria, sprach: »O ihr Kinder Israels, ich bin Allahs Gesandter an euch, Erfüller dessen, was von der Thora vor mir ist, und Bringer der frohen Botschaft von einem Gesandten, der nach mir kommen wird. Sein Name wird Ahmad sein.« Und als er zu ihnen kam mit deutlichen Zeichen, sprachen sie: »Das ist offenkundiger Betrug.«

8. Wer aber könnte ärgeren Frevel begehn, als wer wider Allah die Lüge erdichtet, und er selbst zum Islam aufgefordert wird? Allah weist nicht dem Volk der Frevler den Weg.

9. Sie möchten Allahs Licht auslöschen mit ihren Mündern, doch Allah wird Sein Licht vollkommen machen, auch wenn die Ungläubigen es hassen.

10. Er ist es, Der Seinen Gesandten geschickt hat mit der Führung und der Religion der Wahrheit, auf daß Er sie obsiegen lasse über alle Religionen, auch wenn die Götzendiener es hassen.

11. O die ihr glaubt, soll Ich euch einen Handel ansagen, der euch vor qualvoller Strafe retten wird?

12. Ihr sollt an Allah glauben und an Seinen Gesandten und sollt streiten für Allahs Sache mit eurem Gut und eurem Blut. Das ist besser für euch, wenn ihr es nur wüßtet.

13. Er wird euch eure Sünden vergeben und euch in Gärten füh-

ren, durch die Ströme fließen, und in entzückende Wohnungen in den Gärten der Ewigkeit. Das ist die höchste Glückseligkeit.

14. Und (Er wird) noch eine andere (Huld bescheren), die ihr liebt: Hilfe von Allah und nahen Sieg. So künde frohe Botschaft den Gläubigen.

15. O die ihr glaubt, seid Allahs Helfer, wie Jesus, Sohn der Maria, zu den Jüngern sprach: »Wer sind meine Helfer für Allah?« Die Jünger sprachen: »Wir sind Allahs Helfer.« So glaubte ein Teil von den Kindern Israels, während ein Teil ungläubig blieb. Da verliehen Wir denen, die glaubten, Stärke gegen ihren Feind, und sie wurden siegreich.

1. Im Namen Allahs, des Gnädigen, des Barmherzigen.

2. Was in den Himmeln ist und was auf Erden, preist Allah, den Herrscher, den Heiligen, den Allmächtigen, den Allweisen.

3. Er ist es, Der unter den Analphabeten einen Gesandten erweckt hat aus ihrer Mitte, ihnen Seine Zeichen vorzutragen und sie zu reinigen und sie die Schrift und die Weisheit zu lehren, wiewohl sie zuvor in offenkundigem Irrtum gewesen waren,

4. Und unter den anderen von ihnen, die sich ihnen noch nicht zugesellt haben. Er ist der Allmächtige, der Allweise.

5. Das ist Allahs Huld; Er gewährt sie, wem Er will; und Allah ist der Herr großer Huld.

6. Das Gleichnis derer, denen die Thora auferlegt wurde, und die ihr dann nicht nachlebten, ist wie das Gleichnis eines Esels, der Bücher trägt. Übel steht es um Leute, die Allahs Zeichen leugnen. Und Allah weist dem Volk der Frevler nicht den Weg.

7. Sprich: »O die ihr Juden seid, wenn ihr meint, ihr wäret die Freunde Allahs unter Ausschluß der andern Menschen, dann wünschet euch den Tod, wenn ihr wahrhaftig seid.«

8. Doch sie werden sich ihn niemals wünschen, um dessentwillen, was ihre Hände ihnen vorausgeschickt haben. Und Allah kennt die Frevler recht wohl.

9. Sprich: »Der Tod, vor dem ihr flieht, wird euch sicherlich ereilen. Dann werdet ihr zu Dem zurückgebracht werden, Der das Verborgene und das Sichtbare kennt, und Er wird euch verkünden, was ihr zu tun pflegtet.«

10. O die ihr glaubt, wenn der Ruf zum Gebet am Freitag erschallt, dann eilet zum Gedenken Allahs und lasset den Handel ruhn. Das ist besser für euch, wenn ihr es nur wüßtet.

11. Und wenn das Gebet beendet ist, dann zerstreut euch im Land und trachtet nach Allahs Gnadenfülle und gedenket Allahs häufig, auf daß ihr Erfolg habt.

12. Doch wenn sie eine Ware sehen oder ein Spiel, dann brechen sie sogleich dazu auf und lassen dich stehen. Sprich: »Was bei Allah ist, das ist besser als Spiel und Ware, und Allah ist der beste Versorger.«

1. Im Namen Allahs, des Gnädigen, des Barmherzigen.

2. Wenn die Heuchler zu dir kommen, sagen sie: »Wir bezeugen, daß du in Wahrheit der Gesandte Allahs bist.« Und Allah weiß, daß du in Wahrheit Sein Gesandter bist, jedoch Allah bezeugt, daß die Heuchler gewißlich Lügner sind.

3. Sie haben sich aus ihren Eiden einen Schild gemacht; so machen sie abwendig vom Wege Allahs. Schlimm ist wahrlich das, was sie zu tun pflegen.

4. Dies, weil sie glaubten und hernach ungläubig wurden. So ist ein Siegel auf ihre Herzen gesetzt worden, also daß sie nicht verstehen.

5. Und wenn du sie siehst, so gefallen dir ihre Gestalten; und wenn sie sprechen, horchst du auf ihre Rede. Sie sind, als wären sie aufgerichtete Holzklötze. Sie glauben, jeder Schrei sei wider sie. Sie sind der Feind, drum hüte dich vor ihnen. Allahs Fluch über sie! Wie werden sie abgewendet!

6. Und wenn zu ihnen gesprochen wird: »Kommt her, der Gesandte Allahs will für euch um Verzeihung bitten«, dann wenden sie ihre Köpfe zur Seite, und du siehst, wie sie sich in Hochmut abkehren.

7. Es ist ihnen gleich, ob du für sie um Verzeihung bittest oder nicht für sie um Verzeihung bittest. Allah wird ihnen nie verzeihen; Allah weist dem widerspenstigen Volk nicht den Weg.

8. Sie sind es, die sprechen: »Spendet nicht für die, die mit dem Gesandten Allahs sind, damit sie sich zerstreuen (und ihn verlassen)«, während doch die Schätze der Himmel und der Erde Allahs sind; allein die Heuchler verstehen es nicht.

9. Sie sprechen: »Wenn wir nach Medina zurückkehren, dann wird der Angesehenste sicherlich den Geringsten daraus vertreiben«, obwohl das Ansehen nur Allah und Seinem Gesandten und den Gläubigen gebührt; allein die Heuchler wissen es nicht.

10. O die ihr glaubt, lasset euer Vermögen und eure Kinder euch nicht vom Gedenken an Allah abhalten. Und wer das tut – das sind die Verlierenden.

11. Und spendet von dem, was Wir euch gegeben haben, bevor einen von euch der Tod ereilt und er spricht: »Mein Herr! wenn

Du mir nur Aufschub gewähren wolltest auf eine kleine Weile, dann würde ich Almosen geben und der Rechtschaffenen einer sein.«

12. Nie aber wird Allah einer Seele Aufschub gewähren, wenn ihre Frist um ist; und Allah kennt wohl, was ihr tut.

1. Im Namen Allahs, des Gnädigen, des Barmherzigen.

2. Was in den Himmeln ist und was auf Erden, preist Allah; Sein ist das Königreich und Sein das Lob, und Er vermag alle Dinge zu tun.

3. Er ist es, Der euch erschaffen hat, aber einige unter euch sind Ungläubige und einige unter euch sind Gläubige; und Allah sieht, was ihr tut.

4. Er schuf die Himmel und die Erde in Weisheit, und Er gestaltete euch und machte eure Gestalt schön, und zu Ihm ist die Heimkehr.

5. Er weiß, was in den Himmeln und auf Erden ist, und Er weiß, was ihr verhehlt und was ihr offenbart; und Allah kennt alles, was in den Herzen ist.

6. Ist nicht die Geschichte zu euch gedrungen von denen, die zuvor ungläubig waren? So kosteten sie die bösen Folgen ihres Betragens, und ihnen wird qualvolle Strafe.

7. Dies, weil ihre Gesandten zu ihnen kamen mit klaren Beweisen. Sie aber sprachen: »Sollen Sterbliche uns den Weg weisen?« Also glaubten sie nicht und wandten sich ab, doch Allah bedurfte (ihrer) nicht; und Allah ist Sich Selbst genügend, preiswürdig.

8. Die da ungläubig sind, wähnen, sie würden nicht auferweckt werden. Sprich: »Doch, bei meinem Herrn, ihr werdet gewißlich auferweckt werden; dann wird euch gewißlich verkündet werden, was ihr getan. Und das ist Allah ein leichtes.«

9. Drum glaubet an Allah und Seinen Gesandten und an das Licht, das Wir herniedergesandt haben. Und Allah kennt wohl, was ihr tut.

10. Der Zeitpunkt, da Er euch versammeln wird am Tage der Versammlung, das wird der Tag gegenseitigen Verlustes (und Gewinns) sein. Und wer an Allah glaubt und das Rechte tut – Er wird seine Übel von ihm nehmen und wird ihn in Gärten führen, durch die Ströme fließen, darin zu weilen auf immer. Das ist die höchste Glückseligkeit.

11. Die aber ungläubig sind und Unsere Zeichen verwerfen, die sollen die Bewohner des Feuers sein, darin müssen sie bleiben; und eine schlimme Bestimmung ist das!

12. Kein Unglück trifft ein, außer mit Allahs Erlaubnis. Und

wer an Allah glaubt – Er leitet sein Herz. Und Allah weiß alle Dinge.

13. So gehorchet Allah und gehorchet dem Gesandten. Doch wenn ihr euch abkehrt, dann ist die Pflicht Unseres Gesandten nur die deutliche Verkündigung.

14. Allah! es gibt keinen Gott außer Ihm; und in Allah sollen die Gläubigen Vertrauen haben.

15. O die ihr glaubt, wahrlich, unter euren Frauen und Kindern sind welche, die euch feind sind, so hütet euch vor ihnen. Und wenn ihr vergeßt und Nachsicht übt und verzeiht, dann ist Allah allverzeihend, barmherzig.

16. Eure Reichtümer und eure Kinder sind nur eine Versuchung; doch bei Allah ist großer Lohn.

17. So fürchtet Allah, soviel ihr nur könnt, und höret und gehorchet und spendet: es wird für euch selbst besser sein. Und wer vor seiner eignen Habsucht bewahrt ist – das sind die Erfolgreichen.

18. Wenn ihr Allah ein stattliches Darlehen gewährt, so wird Er es euch um ein Vielfaches vermehren und wird euch vergeben; denn Allah ist erkenntlich, langmütig,

19. Wisser des Verborgenen und des Sichtbaren, der Allmächtige, der Allweise.

1. Im Namen Allahs, des Gnädigen, des Barmherzigen.
2. O Prophet! wenn ihr euch von Frauen trennt*, so trennt euch von ihnen für ihre vorgeschriebene Frist, und berechnet die Frist; und fürchtet Allah, euren Herrn. Vertreibt sie nicht aus ihren Häusern, noch sollen sie (selbst) fortgehen, es sei denn, sie begehen offenkundige Unsittlichkeit. Das sind die Schranken Allahs; und wer Allahs Schranken übertritt, der sündigt wider sich selbst. Du weißt nicht, vielleicht wird Allah späterhin etwas Neues geschehen lassen.
3. Dann, wenn ihre Frist um ist, nehmt sie in Güte zurück oder trennt euch in Güte von ihnen und rufet zwei rechtliche Leute aus eurer Mitte zu Zeugen; und laßt es ein wahrhaftiges Zeugnis vor Allah sein. Das ist eine Mahnung für den, der an Allah und an den Jüngsten Tag glaubt. Und dem, der Allah fürchtet, wird Er einen Ausweg bereiten,
4. Und wird ihn versorgen, von wannen er es nicht erwartet. Und für den, der auf Allah vertraut, ist Er Genüge. Wahrlich, Allah wird Seine Absicht durchführen. Für alles hat Allah ein Maß bestimmt.
5. Wenn ihr im Zweifel seid (über) jene eurer Frauen, die keine monatliche Reinigung mehr erhoffen, (dann wisset, daß) ihre Frist drei Monate ist, und (das gleiche gilt für) die, die noch keine Reinigung hatten. Und für die Schwangeren soll ihre Frist so lange währen, bis sie sich ihrer Bürde entledigt haben. Und dem, der Allah fürchtet, wird Er Erleichterung verschaffen in seinen Angelegenheiten.
6. Das ist Allahs Gebot, das Er euch herabgesandt hat. Und wer Allah fürchtet – Er wird seine Übel von ihm nehmen und ihm seinen Lohn erweitern.
7. Lasset sie (während der Frist) in den Häusern wohnen, in denen ihr wohnt, gemäß euren Mitteln; und tut ihnen nichts zuleide in der Absicht, es ihnen schwerzumachen. Und wenn sie schwanger sind, so bestreitet ihren Unterhalt, bis sie sich ihrer Bürde entledigt haben. Und wenn sie (das Kind) für euch säugen, gebt ihnen ihren Lohn und beratet euch freundlich mitein-

---

* Vgl. Anmerkung 19.

ander; wenn ihr aber (damit) Verlegenheit füreinander schafft, dann soll eine andere (das Kind) für den (Vater) säugen.

8. Jener, der Fülle hat, soll aus seiner Fülle aufwenden; und der, dessen Mittel beschränkt sind, soll aufwenden gemäß dem, was ihm Allah gegeben hat. Allah fordert von keiner Seele über das hinaus, was Er ihr gegeben hat. Allah wird nach Bedrängnis bald Erleichterung schaffen.

9. Wie so manche Stadt widersetzte sich dem Befehl ihres Herrn und Seiner Gesandten, und Wir zogen sie streng zur Rechenschaft und straften sie mit harter Strafe!

10. So kostete sie die bösen Folgen ihres Betragens, und das Ende ihres Betragens war Untergang.

11. Allah hat für sie eine strenge Strafe bereitet; so fürchtet Allah, o ihr Leute von Verstand, die ihr glaubt. Allah hat euch fürwahr eine Ermahnung herniedergesandt –

12. Einen Gesandten, der euch die deutlichen Zeichen Allahs vorträgt, auf daß er jene, die glauben und gute Werke tun, aus den Finsternissen ans Licht führe. Und wer an Allah glaubt und recht handelt, den wird Er in Gärten führen, durch die Ströme fließen, darin zu weilen auf immer. Allah hat ihm fürwahr eine treffliche Versorgung gewährt.

13. Allah ist es, Der sieben Himmel erschuf und von der Erde eine gleiche Zahl. Der (göttliche) Befehl steigt nieder in ihre Mitte, auf daß ihr erfahret, daß Allah alle Dinge zu tun vermag und daß Allah alle Dinge mit Wissen umfaßt.

1. Im Namen Allahs, des Gnädigen, des Barmherzigen.

2. O Prophet! warum untersagst du (dir) das, was Allah dir erlaubt hat? Suchst du deinen Frauen zu gefallen? Und Allah ist allverzeihend, barmherzig.

3. Allah hat in der Tat euch die Lösung eurer Eide erlaubt, und Allah ist euer Beschützer; und Er ist der Allwissende, der Allweise.

4. Als der Prophet einer seiner Frauen einen Vorfall anvertraute und sie ihn dann ausplauderte und Allah ihm davon Kunde gab, da ließ er (sie) einen Teil davon wissen, und verschwieg einen Teil. Und als er es ihr vorhielt, da sprach sie: »Wer hat dir dies gesagt?« Er sprach: »Der Allwissende, der Allkundige hat es mir gesagt.«

5. Wenn ihr beide euch reuig Allah zuwendet, so sind eure Herzen bereits (dazu) geneigt. Doch wenn ihr euch gegenseitig gegen ihn unterstützt, wahrlich, dann ist Allah sein Helfer und Gabriel und die Rechtschaffenen unter den Gläubigen; und außerdem sind die Engel (seine) Helfer.

6. Vielleicht wird sein Herr ihm, wenn er sich von euch scheidet, an eurer Statt bessere Frauen geben, gottergebene, gläubige, gehorsame, reuige, fromme, fastende – Witwen und Jungfrauen.

7. O die ihr glaubt, rettet euch und die Euren vor einem Feuer, dessen Brennstoff Menschen und Steine sind, darüber Engel gesetzt sind, streng, gewaltig, die Allah nicht ungehorsam sind in dem, was Er ihnen befiehlt, sondern alles vollbringen, was sie geheißen werden.

8. O die ihr ungläubig seid, bringt heute keine Entschuldigungen vor. Ihr werdet nur für das belohnt, was ihr zu tun pflegtet.

9. O die ihr glaubt, wendet euch zu Allah in aufrichtiger Reue. Vielleicht wird euer Herr eure Übel von euch nehmen und euch in Gärten führen, durch die Ströme fließen, am Tage, da Allah den Propheten nicht zuschanden machen wird, noch jene, die mit ihm glauben. Ihr Licht wird vor ihnen hereilen und auf ihrer Rechten. Sie werden sprechen: »Unser Herr, mache unser Licht für uns vollkommen und vergib uns, denn Du vermagst alle Dinge zu tun.«

10. O Prophet! streite wider die Ungläubigen und die Heuchler;

493

und sei streng gegen sie. Ihr Aufenthalt ist die Hölle, und eine üble Bestimmung ist das!

11. Allah legt denen, die ungläubig sind, das Beispiel vor von Noahs Frau und von Lots Frau. Sie standen unter zwei Unserer rechtschaffenen Diener, doch sie handelten ungetreu an ihnen. Drum nützten sie* ihnen nichts wider Allah, und es ward gesprochen: »Gehet ihr beide ein ins Feuer zusammen mit denen, die eingehn!«

12. Und Allah legt denen, die glauben, das Beispiel von Pharaos Frau vor, da sie sprach: »Mein Herr! baue mir ein Haus bei Dir im Garten und befreie mich von Pharao und seinem Werk und befreie mich von dem Volk der Frevler!«

13. Und der Maria, der Tochter Imrāns, die ihre Keuschheit bewahrte – drum hauchten Wir ihm von Unserem Geist ein –, und sie glaubte an die Worte ihres Herrn und an Seine Schriften und war der Gehorsamen eine.

---

* Ihre Ehemänner.

1. Im Namen Allahs, des Gnädigen, des Barmherzigen.

2. Segensreich ist Der, in Dessen Hand die Herrschaft ist; und Er vermag alle Dinge zu tun.

3. Der den Tod erschaffen hat und das Leben, daß Er euch prüfe, wer von euch der Beste ist im Handeln; und Er ist der Allmächtige, der Allverzeihende,

4. Der sieben Himmel im Einklang erschaffen hat. Keinen Fehler kannst du in der Schöpfung des Gnadenreichen sehen. So wende den Blick: siehst du irgendeinen Mangel?

5. So wende den Blick abermals und abermals: dein Blick wird nur zu dir zurückkehren, ermüdet und geschwächt.

6. Fürwahr, Wir haben den untersten Himmel mit Lampen geschmückt, und Wir haben sie zu einem Mittel zur Vertreibung der Teufel gemacht, und für sie haben Wir die Strafe des flammenden Feuers bereitet.

7. Und für jene, die nicht an ihren Herrn glauben, ist die Strafe der Hölle, und eine üble Bestimmung ist das!

8. Wenn sie hineingeworfen werden, dann werden sie sie brüllen hören, indes sie aufschäumt.

9. Fast möchte sie bersten vor Wut. Sooft eine Schar hineingeworfen wird, werden ihre Wächter sie fragen: »Ist denn kein Warner zu euch gekommen?«

10. Sie werden sprechen: »Doch, sicherlich, es kam ein Warner zu uns, aber wir schalten (ihn) einen Lügner und sprachen: ›Allah hat nichts herabgesandt; ihr seid bloß in schwerem Irrtum.‹«

11. Sie werden sprechen: »Hätten wir nur zugehört oder Verstand gehabt, wir wären nicht unter den Bewohnern des flammenden Feuers gewesen.«

12. So werden sie ihre Sünden bekennen; doch fern sind die Bewohner des flammenden Feuers (der Gnade).

13. Wahrlich, diejenigen, die ihren Herrn im geheimen fürchten, werden Vergebung und großen Lohn erhalten.

14. Und ob ihr euer Wort verbergt oder es offen verkündet, Er kennt die innersten Gedanken der Herzen.

15. Kennt denn Der nicht, Der erschaffen? Er ist scharfsinnig, allwissend.

16. Er ist es, Der die Erde für euch dienstfertig gemacht hat;

wandert also auf ihren Wegen und genießet Seine Versorgung. Und zu Ihm wird die Auferstehung sein.

17. Fühlt ihr euch sicher vor Dem, Der im Himmel ist, daß Er nicht die Erde euch verschlingen läßt, wenn sie, siehe, zu beben beginnt?

18. Fühlt ihr euch sicher vor Dem, Der im Himmel ist, daß Er nicht einen Sturmwind gegen euch schickt? Dann werdet ihr wissen, wie Meine Warnung war!

19. Und schon leugneten jene, die vor ihnen waren; wie war dann (die Folge) Meiner Verleugnung!

20. Haben sie nicht die Vögel über sich gesehen, wie sie ihre Flügel breiten und sie dann einziehen? Keiner hält sie zurück als der Gnadenreiche. Wahrlich, Er sieht alle Dinge.

21. Oder wer ist es, der ein Heer für euch sein kann, euch beizustehen, gegen den Gnadenreichen? Die Ungläubigen sind in Täuschung nur.

22. Oder wer ist es, der euch versorgen wird, wenn Er Seine Versorgung zurückhält? Nein, aber sie verharren in Trotz und in Widerwillen.

23. Wie! ist der, der gebückt auf seinem Gesicht einhergeht, besser geleitet als jener, der aufrecht wandelt auf dem geraden Weg?

24. Sprich: »Er ist es, Der euch ins Dasein rief und Der euch Ohren und Augen und Herzen gab; (aber) wenig ist es, was ihr Dank wisset!«

25. Sprich: »Er ist es, Der euch mehrte auf Erden, und zu Ihm werdet ihr versammelt werden.«

26. Und sie sprechen: »Wann wird diese Verheißung (sich erfüllen), wenn ihr wahrhaftig seid?«

27. Sprich: »Das Wissen (darum) ist bei Allah allein, und ich bin nur ein aufklärender Warner.«

28. Doch wenn sie es nahe sehen, dann werden die Gesichter derer, die ungläubig sind, verzerrt sein, und es wird gesprochen werden: »Das ist's, was ihr zu verlangen pfleget.«

29. Sprich: »Sagt an, wenn Allah mich vernichten sollte und die mit mir sind, oder wenn Er uns Barmherzigkeit erweisen sollte, wer wird die Ungläubigen vor qualvoller Strafe schützen?«

30. Sprich: »Er ist der Gnadenreiche; an Ihn glauben wir und auf Ihn vertrauen wir. Ihr werdet bald erfahren, wer in offenkundigem Irrtum ist.«
31. Sprich: »Sagt an, wenn euer Wasser versickern würde, wer könnte euch dann fließendes Wasser bringen?«

1. Im Namen Allahs, des Gnädigen, des Barmherzigen.

2. Beim Tintenfaß und bei der Schreibfeder und bei dem, was sie schreiben,

3. Du bist, durch die Gnade deines Herrn, kein Wahnsinniger.

4. Und für dich ist ganz sicherlich nicht endender Lohn bestimmt.

5. Und du besitzest ganz sicherlich hohe moralische Eigenschaften.

6. Also wirst du sehen und sie werden sehen,

7. Wer von euch der Besessene ist.

8. Fürwahr, dein Herr weiß am besten, wer von Seinem Wege abirrt, und Er kennt auch am besten die Rechtgeleiteten.

9. Drum richte dich nicht nach den Wünschen der Leugner.

10. Sie möchten, daß du entgegenkommend wärest, dann würden (auch) sie entgegenkommend sein.

11. Und füge dich nicht irgendeinem verächtlichen Schwüremacher,

12. Verleumder, einem, der herumgeht, üble Nachrede zu verbreiten,

13. Hinderer des Guten, Übertreter, Sünder,

14. Schlechten Benehmens, dazu treulos,

15. Nur weil er Reichtümer und Kinder besitzt.

16. Wenn ihm Unsere Zeichen vorgetragen werden, so spricht er: »Fabeln der Alten!«

17. Wir wollen ihn auf der Nase brandmarken.

18. Wir prüfen sie, wie Wir die Eigentümer eines Gartens prüften, als sie schworen, sie würden sicherlich seine (ganze) Frucht am Morgen pflücken.

19. Und sie machten keinen Vorbehalt.*

20. Dann kam eine Heimsuchung über ihn von deinem Herrn, während sie schliefen.

21. Und der Morgen fand ihn wie einen verwüsteten (Garten).

22. Dann riefen sie am Morgen einander zu:

23. »Geht in der Frühe hinaus zu eurem Acker, wenn ihr ernten möchtet.«

---

* D. h. sie sprachen nicht: »So Gott will!«

24. Und sie machten sich auf und redeten dabei flüsternd miteinander:

25. »Gegen euch darf ihn heute kein Armer betreten.«

26. Und sie gingen in der Frühe mit dem festen Vorsatz, geizig zu sein.

27. Doch als sie ihn sahen, sprachen sie: »Fürwahr, wir sind verloren!

28. Nein, wir sind beraubt.«

29. Der Beste unter ihnen sprach: »Habe ich euch nicht gesagt: ›Warum preist ihr nicht (Gott)?‹«

30. (Nun) sprachen sie: »Preis sei unserem Herrn! Gewiß, wir sind Frevler gewesen.«

31. Dann wandten sich einige von ihnen an die anderen, indem sie sich wechselseitig Vorwürfe machten.

32. Sie sprachen: »Weh uns! wir waren fürwahr widerspenstig.

33. Vielleicht wird unser Herr uns einen besseren (Garten) zum Tausch für diesen geben; wir flehen demütig zu unserem Herrn.«

34. So ist die Strafe. Und fürwahr, die Strafe des Jenseits ist schwerer. Wenn sie es nur wüßten!

35. Für die Gerechten sind Gärten der Wonne bei ihrem Herrn.

36. Sollten Wir etwa die Muslims wie die Schuldigen behandeln?

37. Was ist euch? Wie urteilt ihr!

38. Habt ihr ein Buch, worin ihr leset,

39. Daß ihr danach alles erhalten sollt, was ihr wünscht?

40. Oder habt ihr Gelöbnisse von Uns, bindend bis zum Tage der Auferstehung, daß alles für euch ist, was ihr befehlt?

41. Frage sie, wer von ihnen dafür bürgen mag.

42. Oder haben sie Götter? So sollen sie ihre Götter herbeibringen, wenn sie die Wahrheit reden.

43. Am Tage, da deine Trübsal kommen wird und sie aufgefordert werden, sich anbetend niederzuwerfen, werden sie es nicht können;

44. Ihre Blicke werden niedergeschlagen sein, (und) Schande wird sie bedecken; denn sie waren aufgefordert worden, sich anbetend niederzuwerfen, als sie gesund und wohlbehalten waren (doch sie gehorchten nicht).

45. Laß Mich allein mit denen, die dies (Unser) Wort verwerfen.

Wir werden sie Schritt um Schritt einholen, von wo, wissen sie nicht.

46. Und Ich gebe ihnen Frist; denn Mein Plan ist fest.

47. Verlangst du einen Lohn von ihnen, so daß sie sich von der Schuldenlast bedrückt fühlen?

48. Ist das Verborgene bei ihnen, so daß sie (es) niederschreiben können?

49. So warte geduldig auf den Befehl deines Herrn, und sei nicht gleich dem Genossen des Fisches (Jonas)[85], da er (seinen) Herrn anrief, indes er von Kummer erfüllt war.

50. Hätte ihn nicht Gnade von seinem Herrn erreicht, er wäre sicherlich an einen öden Strand geworfen worden, und er wäre geschmäht worden.

51. Doch sein Herr erwählte ihn und machte ihn zu einem der Rechtschaffenen.

52. Und jene, die ungläubig sind, möchten dich gerne zu Fall bringen mit ihren (zornigen) Blicken, wenn sie die Ermahnung hören; und sie sagen: »Er ist gewiß verrückt!«

53. Nein, es ist nichts anderes als eine Ehre für alle Welten.

1. Im Namen Allahs, des Gnädigen, des Barmherzigen.
2. Das Unvermeidliche!
3. Was ist das Unvermeidliche?
4. Wie kannst du wissen, was das Unvermeidliche ist?
5. Die Thamūd sowohl wie die 'Ād glaubten nicht an das dräuende Unheil.
6. Dann, was die Thamūd anlangt, so wurden sie durch einen fürchterlichen Schall vernichtet.
7. Und was die 'Ād anlangt, so wurden sie durch einen gewaltigen Sturmwind vernichtet,
8. Den Er sieben Nächte und acht Tage lang ununterbrochen gegen sie wüten ließ, so daß du das Volk niedergestreckt darin hättest liegen sehn können, als wären sie hohle Schäfte von Palmbäumen.
9. Siehst du von ihnen einen übrig?
10. Und Pharao und die vor ihm waren und die umgestürzten Städte waren großen Frevels schuldig;
11. Und sie waren widerspenstig gegen den Gesandten ihres Herrn, darum erfaßte Er sie mit drosselndem Griff.
12. Siehe, als die Wasser schwollen, da trugen Wir euch in der Arche,
13. Daß Wir sie zu einem Mahnmal für euch machten, und daß bewahrende Ohren sie bewahren möchten.
14. Und wenn in die Posaune gestoßen wird mit einem einzigen Stoß
15. Und die Erde samt den Bergen emporgehoben und dann niedergeschmettert wird mit einem einzigen Schlag:
16. An jenem Tage wird das Ereignis eintreffen.
17. Und der Himmel wird sich spalten, denn an jenem Tage wird er brüchig werden.
18. Und die Engel werden zu seinen Seiten stehen, und acht (Engel) werden an jenem Tage den Thron deines Herrn über sich tragen.
19. An jenem Tage werdet ihr (Gott) vorgeführt werden – keines eurer Geheimnisse wird verborgen bleiben.
20. Was dann den anlangt, dem sein Buch (der Rechenschaft) in die Rechte gegeben wird, so wird er sprechen: »Wohlan, leset mein Buch.

21. Traun, ich wußte, daß ich meiner Rechenschaft begegnen würde.«

22. So wird er ein erfreuliches Leben haben,

23. In einem hohen Garten,

24. Dessen Früchte leicht erreichbar sind.

25. »Esset und trinket in Gesundheit für das, was ihr in den vergangenen Tagen gewirkt.«

26. Was aber den anlangt, dem sein Buch (der Rechenschaft) in die Linke gegeben wird, so wird er sprechen: »O wäre mir doch mein Buch nicht gegeben worden!

27. Und hätte ich doch nie erfahren, was meine Rechenschaft ist!

28. O hätte doch der Tod (mit mir) ein Ende gemacht!

29. Mein Besitz hat mir nichts genützt.

30. Meine Macht ist von mir gegangen.«

31. »Ergreifet ihn und fesselt ihn,

32. Dann werft ihn in die Hölle.

33. Dann stoßt ihn in eine Kette, deren Länge siebzig Ellen ist;

34. Denn er glaubte nicht an Allah, den Großen,

35. Und forderte nicht auf zur Speisung des Armen.

36. Keinen Freund hat er drum hier heute

37. Und keine Nahrung außer Blut, mit Wasser gemischt,

38. Das nur die Sünder essen.«

39. Nein, Ich schwöre bei dem, was ihr seht,

40. Und bei dem, was ihr nicht seht,

41. Daß dies fürwahr das Wort eines ehrenhaften Gesandten ist.

42. Es ist nicht das Werk eines Dichters; wenig ist's, was ihr glaubt.

43. Noch ist es die Rede eines Wahrsagers; wenig ist's, was ihr bedenket.

44. (Es ist) eine Offenbarung vom Herrn der Welten.

45. Und hätte er irgendwelche Aussprüche in Unserem Namen ersonnen,

46. Wir hätten ihn gewiß bei der Rechten gefaßt,

47. Und ihm dann die Herzader durchschnitten.

48. Und keiner von euch hätte (Uns) von ihm abhalten können.

49. Wahrlich, es ist eine Ermahnung für die Gottesfürchtigen.

50. Und Wir wissen fürwahr, daß einige unter euch Leugner sind,

51. Und fürwahr, es ist ein Bedauern für die Ungläubigen.

52. Und fürwahr, es ist die Wahrheit selbst.

53. Darum preise den Namen deines Herrn, des Großen!

1. Im Namen Allahs, des Gnädigen, des Barmherzigen.
2. Ein Fragender fragt nach der Strafe, die da treffen wird
3. Die Ungläubigen – es kann sie keiner abwehren –
4. Von Allah, dem Hohen.
5. Die Engel und der Geist steigen zu Ihm in einem Tag, dessen Maß fünfzigtausend Jahre sind.
6. Gedulde dich drum in geziemender Geduld.
7. Sie wähnen, er sei ferne;
8. Aber Wir sehen, er ist nahe.
9. Am Tage, da der Himmel wie geschmolzenes Erz sein wird
10. Und die Berge wie farbige Wollflocken,
11. Und ein Freund nicht nach einem Freunde fragen wird.
12. Sie werden in Sehweite zueinander gebracht werden, und der Schuldige würde sich wohl loskaufen von der Strafe jenes Tages mit seinen Kindern
13. Und seiner Gattin und seinem Bruder
14. Und seiner Verwandtschaft, die ihn beherbergt hat,
15. Und allen, die auf Erden sind insgesamt, ob es ihn nur retten wollte.
16. Doch nein! wahrlich, es ist eine Feuerflamme –
17. Die Kopfhaut gänzlich abziehend.
18. Den wird sie rufen, der den Rücken kehrt und sich abwendet
19. Und (Reichtum) aufhäuft und (damit) geizt.
20. Wahrlich, der Mensch ist aus Ungeduld geschaffen;
21. Wenn ihn Schlimmes trifft, ist er voller Klage,
22. Doch wenn ihm Gutes widerfährt, ist er knausrig.
23. Nicht so sind die, die beten
24. Und bei ihrem Gebet verharren,
25. Und die, in deren Reichtum ein bestimmter Anteil ist
26. Für den Bittenden sowohl wie für den, der es nicht kann.
27. Und die, die den Tag des Gerichts für wahr und wirklich erklären,
28. Und die, die vor der Strafe ihres Herrn zagen –
29. Wahrlich, die Strafe ihres Herrn ist nicht, wovor man sicher sein könnte –,
30. Und die, die ihre Sinnlichkeit im Zaum halten,
31. Es sei denn mit ihren Gattinnen oder denen, die ihre Rechte besitzt, denn da sind sie nicht zu tadeln,

32. Die aber mehr als das suchen, sind Übertreter.

33. Und die, die das ihnen Anvertraute und ihren Vertrag halten,

34. Und die, die aufrichtig sind in ihrem Zeugnis,

35. Und die, die ihr Gebet getreulich verrichten.

36. Diese sind es, die in den Gärten sein werden, hoch geehrt.

37. Was aber ist denen, die ungläubig sind, daß sie auf dich zugelaufen kommen

38. Von rechts und links, gruppenweise gesondert?

39. Hofft jeder einzelne von ihnen wohl, den Garten der Wonne zu betreten?

40. Nimmermehr! Wir erschufen sie aus dem, was sie wissen.

41. Aber nein! Ich schwöre beim Herrn des Ostens* und des Westens*, daß Wir imstande sind,

42. Bessere als sie an ihre Stelle zu setzen, und keiner kann Uns hindern.

43. So laß sie nur in eitler Rede sich ergehen und sich vergnügen, bis sie ihrem Tag begegnen, der ihnen angedroht ward,

44. Dem Tag, da sie aus ihren Gräbern hervorkommen werden in Hast, als eilten sie zu einem Ziel.

45. Ihre Augen werden niedergeschlagen sein; Schmach wird sie bedecken. Das ist der Tag, der ihnen angedroht ward.

---

* Auf arabisch in Mehrzahl.

1. Im Namen Allahs, des Gnädigen, des Barmherzigen.
2. Wir sandten Noah zu seinem Volk (und sprachen): »Warne dein Volk, bevor über sie eine schmerzliche Strafe kommt.«
3. Er sprach: »O mein Volk! wahrlich, ich bin euch ein aufklärender Warner,
4. Daß ihr Allah dienet und Ihn fürchtet und mir gehorchet.
5. Er wird euch eure Sünden vergeben und euch Aufschub gewähren bis zu einer bestimmten Frist. Wahrlich, Allahs Frist, wenn sie herankommt, kann nicht verschoben werden – wenn ihr es nur wüßtet!«
6. Er sprach: »Mein Herr, ich habe mein Volk gerufen bei Nacht und bei Tag,
7. Doch mein Rufen hat nur ihre Abwendung verstärkt.
8. Sooft ich sie rief, daß Du ihnen vergeben möchtest, steckten sie ihre Finger in die Ohren und hüllten sich in ihre Gewänder und verharrten (im Frevel) und wurden allzu hochfahrend.
9. Dann rief ich sie offen auf.
10. Dann predigte ich ihnen öffentlich, und ich redete zu ihnen insgeheim,
11. Und ich sprach: ›Suchet eures Herrn Verzeihung, denn Er ist allverzeihend.
12. Er wird Regen für euch herniedersenden in Fülle
13. Und wird euch mit Glücksgütern und Kindern stärken und wird euch Gärten bescheren und für euch Flüsse schaffen.
14. Was ist euch, daß ihr von Allah nicht Weisheit und Gesetztheit erwartet,
15. Da Er euch doch in verschiedenen Stufen und verschiedenen Formen erschaffen hat?
16. Habt ihr nicht gesehen, wie Allah sieben Himmel in vollkommenem Einklang geschaffen hat,
17. Und den Mond in sie gesetzt hat als ein Licht und die Sonne gemacht hat zu einer Lampe?
18. Und Allah hat euch aus der Erde wachsen lassen wie eine Pflanzung.
19. Dann wird Er euch wieder in sie zurückkehren lassen, und Er wird euch hervorbringen in (neuer) Geburt.
20. Und Allah hat die Erde für euch zu einem weit offenen Bette gemacht,

506

21. Auf daß ihr auf ihren breiten Straßen ziehen möget.‹«

22. Noah sprach: »Mein Herr, sie haben mir nicht gehorcht und sind einem gefolgt, dessen Reichtum und Kinder nur seinen Verlust gemehrt haben.

23. Und sie haben einen schrecklichen Plan entworfen.

24. Und sie sprechen (zueinander): ›Verlasset eure Götter auf keine Weise. Und verlasset weder Wadd noch Suwā' noch Jagūth und Ja'ūq und Nasr.‹

25. Und sie haben viele verführt; drum mehre die Frevler in nichts als im Irrtum.«

26. Ob ihrer Sünden wurden sie ertränkt und in ein Feuer gebracht. Und sie konnten keine Helfer für sich finden gegen Allah.

27. Und Noah sprach: »Mein Herr, laß im Lande (auch) nicht einen einzigen von den Ungläubigen;

28. Denn wenn Du sie lässest, so werden sie nur Deine Diener verführen und werden nur eine tief frevlerische (Nachkommenschaft) von hartnäckigen Ungläubigen zeugen.

29. Mein Herr, vergib mir und meinen Eltern und dem, der mein Haus gläubig betritt, und den gläubigen Männern und den gläubigen Frauen; und mehre die Frevler in nichts als in der Vernichtung.«

1. Im Namen Allahs, des Gnädigen, des Barmherzigen.

2. Sprich:»Es ward mir offenbart, daß eine Schar der Dschinn zuhörte; sie sprachen: ›Fürwahr, wir haben einen wunderbaren Koran gehört,

3. Der zur Rechtschaffenheit leitet; so haben wir an ihn geglaubt, und wir werden unserem Herrn nie jemanden zur Seite stellen.

4. Und die Majestät unseres Herrn ist hoch erhaben. Er hat Sich weder Gattin noch Sohn zugesellt.

5. Und die Toren unter uns pflegten abscheuliche Lügen wider Allah zu äußern.

6. Und wir hatten angenommen, weder Menschen noch Dschinn würden je eine Lüge über Allah sprechen.

7. Und freilich pflegten einige Leute unter den gewöhnlichen Menschen bei einigen Leuten unter den Dschinn Schutz zu suchen, so daß sie (letztere) in ihrer Bosheit bestärkten;

8. Und freilich dachten sie, ebenso wie ihr denkt, Allah würde nie einen (Propheten) erwecken.

9. Und wir suchten den Himmel, doch wir fanden ihn mit starken Wächtern und schießenden Sternen erfüllt.

10. Und wir pflegten auf einigen seiner Sitze zu sitzen, um zu lauschen. Wer aber jetzt lauscht, der findet einen schießenden Stern für sich auf der Lauer.

11. Wir wissen nicht, ob Böses für die beabsichtigt ist, die auf Erden sind, oder ob ihr Herr Gutes für sie im Sinne hat.

12. Manche unter uns sind solche, die recht handeln, und manche unter uns sind weit davon entfernt; wir sind Sekten, die verschiedene Wege gehen.

13. Und wir wissen, daß wir auf keine Weise Allah auf Erden zuschanden machen können, noch können wir Ihm durch Flucht entrinnen.

14. Als wir von der Führung vernahmen, da glaubten wir an sie. Und wer an seinen Herrn glaubt, der fürchtet weder Einbuße noch Unrecht.

15. Und manche unter uns sind Gottergebene, und manche

unter uns sind vom rechten Wege abgewichen.‹« Und die sich ergeben – diese haben den rechten Weg gesucht.

16. Die aber vom rechten Wege abweichen, sie werden Brennstoff der Hölle sein.

17. Wenn sie den (rechten) Pfad einhalten, dann werden Wir ihnen Wasser zu trinken geben in Fülle,

18. Um sie dadurch zu prüfen. Wer sich dann abwendet von der Ermahnung seines Herrn – Er wird ihn in eine zunehmende Strafe stoßen.

19. Alle Stätten der Anbetung sind Allahs; so rufet niemanden an neben Allah.

20. Und wenn ein Diener Allahs aufsteht, zu Ihm zu beten, dann umdrängen sie ihn, daß sie ihn fast erdrücken.

21. Sprich: »Ich rufe einzig meinen Herrn an, und ich stelle Ihm niemanden zur Seite.«

22. Sprich: »Ich habe nicht die Macht, euch Schaden zuzufügen oder Nutzen.«

23. Sprich: »Fürwahr, keiner kann mich vor Allah beschützen, noch kann ich eine Zuflucht finden außer Ihm.

24. (Mein Amt ist) nur die Übermittlung (der Offenbarung) von Allah und Seiner Botschaften.« Und die sich Allah widersetzen und Seinem Gesandten, für die ist das Feuer der Hölle, darin sie bleiben sollen auf lange Zeit.

25. Wenn sie dann das sehen werden, was ihnen angedroht ward, so werden sie erfahren, wer schwächer ist an Helfern und geringer an Zahl.

26. Sprich: »Ich weiß nicht, ob das, was euch angedroht ward, nahe ist, oder ob mein Herr eine lange Frist dafür angesetzt hat.«

27. Kenner des Verborgenen – Er enthüllt keinem Seine Geheimnisse,

28. Außer allein dem, den Er erwählt, nämlich einem Gesandten. Und dann läßt Er eine Schutzwache vor ihm schreiten und hinter ihm,

29. Damit Er wisse, daß sie (Seine Gesandten) die Botschaften ihres Herrn verkündet haben. Er umfaßt alles, was bei ihnen ist, und Er führt Buch über alle Dinge.

1. Im Namen Allahs, des Gnädigen, des Barmherzigen.

2. O du Verhüllter!

3. Erhebe dich und verbringe die Nacht im Gebet, stehend, bis auf ein kleines –

4. Die Hälfte davon, oder verringere es ein wenig,

5. Oder füge ein wenig hinzu – und sprich den Koran langsam und besinnlich.

6. Fürwahr, Wir legen dir da ein Wort auf, das gewichtig ist.

7. Wahrlich, die Nachtwache ist die beste Zeit zur Selbstzucht und zur Erreichung von Aufrichtigkeit in Wort.

8. Du hast ja gewiß während des Tages eine lange Beschäftigung.

9. So gedenke des Namens deines Herrn und weihe dich Ihm ausschließlich.

10. Herr des Ostens und des Westens – es gibt keinen Gott außer Ihm; drum nimm Ihn zum Beschützer.

11. Und ertrage in Geduld alles, was sie reden; und scheide dich von ihnen in geziemender Art.

12. Und laß Mich allein mit denen, die die Wahrheit verwerfen und in Üppigkeit und Behagen leben; und gewähre ihnen eine kleine Frist.

13. Bei Uns sind schwere Fesseln und ein rasendes Feuer

14. Und erstickende Speise und schmerzliche Strafe,

15. Am Tage, da die Erde und die Berge erbeben und die Berge Haufen von rinnendem Sand werden sollen.

16. Wahrlich, Wir haben euch einen Gesandten geschickt, der ein Zeuge ist über euch, wie Wir zu Pharao einen Gesandten schickten.

17. Doch Pharao widersetzte sich dem Gesandten, drum erfaßten Wir ihn mit schrecklichem Griff.

18. Wie wollt ihr euch, wenn ihr ungläubig seid, wohl schützen vor einem Tag, der Kinder greis macht?

19. (Dem Tage) da der Himmel sich spalten wird! Seine Verheißung muß in Erfüllung gehn.

20. Dies ist fürwahr eine Ermahnung. So nehme nun, wer da will, den Weg zu seinem Herrn.

21. Dein Herr weiß fürwahr, daß du im Gebete stehst fast zwei Drittel der Nacht, und (manchmal) eine Hälfte oder ein Drittel

davon, und ein Teil derer, die mit dir sind (tun auch so). Und Allah bestimmt das Maß der Nacht und des Tages. Er weiß, daß ihr es nicht werdet bestimmen können, darum hat Er Sich euch in Gnade zugewandt. Traget denn so viel vom Koran vor, wie (euch) leichtfällt. Er weiß, daß einige unter euch sein werden, die krank sind, und andere, die im Lande umherreisen, nach Allahs Gnadenfülle strebend, und wieder andere, die für Allahs Sache kämpfen. So traget von ihm das vor, was (euch) leichtfällt, und verrichtet das Gebet und zahlet die Zakāt und leihet Allah ein stattliches Darlehen. Und was ihr an Gutem für eure Seelen vorausschicket, ihr werdet es bei Allah finden; es wird besser und größer sein an Lohn. Und bittet Allah um Verzeihung. Wahrlich, Allah ist allverzeihend, barmherzig.

1. Im Namen Allahs, des Gnädigen, des Barmherzigen.
2. O du in den Mantel Gehüllter!
3. Erhebe dich und warne.
4. Deinen Herrn verherrliche.
5. Dein Herz läutere.
6. Meide den Götzendienst.
7. Und erweise nicht Huld, indem du Mehrung suchst.
8. Und dulde standhaft um deines Herrn willen;
9. Denn, wenn in die Posaune gestoßen wird,
10. Der Tag wird ein schwerer Tag sein,
11. Für die Ungläubigen alles eher als leicht.
12. Laß Mich allein mit dem, den Ich geschaffen,
13. Und dem Ich Besitz in Fülle verlieh,
14. Und Söhne, die immer da waren,
15. Und für den Ich alle Bequemlichkeit bereitete.
16. Dennoch wünscht er, daß Ich noch mehr gebe.
17. Mitnichten! denn er ist feindselig gewesen gegen Unsere Zeichen.
18. Aufbürden will Ich ihm bald schreckliche Mühsal.
19. Siehe, er sann und er wog!
20. Verderben über ihn! Wie wog er!
21. Verderben über ihn abermals! Wie wog er!
22. Dann schaute er,
23. Dann runzelte er die Stirn und blickte verdrießlich,
24. Dann wandte er sich ab und war hoffärtig
25. Und sprach: »Das ist nichts als Zauberei, die weitergetragen wird;
26. Das ist nur Menschenwort.«
27. Bald werde Ich ihn ins Feuer der Hölle werfen.
28. Und wie kannst du wissen, was Höllenfeuer ist?
29. Es verschont nichts und läßt nichts übrig;
30. Es versengt das Gesicht.
31. Über ihm sind neunzehn,
32. Und Wir haben einzig und allein Engel zu Hütern des Feuers gemacht. Und Wir setzten ihre Anzahl nicht fest, außer zur Prüfung derer, die ungläubig sind, auf daß die, denen das Buch gegeben ward, Gewißheit erreichen, und die, die gläubig sind, an Glauben zunehmen, und die, denen die Schrift gegeben ward,

und die Gläubigen nicht zweifeln, und die, in deren Herzen Krankheit ist, und die Ungläubigen sprechen: »Was meint Allah mit diesem Gleichnis?« Also erklärt Allah zum Irrenden, wen Er will, und führt richtig, wen Er will. Keiner kennt die Heerscharen deines Herrn als Er allein. Dies ist nur eine Ermahnung für den Menschen.

33. Nein, bei dem Mond,

34. Und bei der Nacht, wenn sie sich entfernt,

35. Und bei der Morgendämmerung, wenn sie scheint,

36. Wahrlich, es ist eine der größten (Heimsuchungen) –

37. Eine Warnung für den Menschen,

38. Für den unter euch, der vorwärts schreiten oder zurückbleiben will.

39. Jede Seele ist ein Pfand für das, was sie verdient hat;

40. Ausgenommen die zur Rechten,

41. In Gärten einander befragend

42. Nach den Sündern:

43. »Was hat euch in das Feuer der Hölle gebracht?«

44. Sie werden sprechen: »Wir waren nicht unter denen, die beteten,

45. Noch speisten wir die Armen.

46. Und wir ergingen uns in eitlem Geschwätz mit den Schwätzern.

47. Und wir pflegten den Tag des Gerichtes zu leugnen,

48. Bis der Tod uns ereilte.«

49. Drum wird ihnen die Fürsprache der Fürsprecher nicht nützen.

50. Was ist ihnen denn, daß sie sich von der Ermahnung abwenden,

51. Als wären sie erschreckte Esel,

52. Die vor einem Löwen flüchten?

53. Nein, jedermann von ihnen wünscht, es möchten ihm offene Tafeln der Offenbarung gegeben werden.

54. Keineswegs! wahrlich, sie fürchten nicht das Jenseits.

55. Keineswegs! wahrlich, dies ist eine Ermahnung.

56. So möge, wer da will, ihrer gedenken.

57. Und sie werden sich nicht ermahnen lassen, bis Allah so will. Ihm gebührt die Ehrfurcht, und Er ist Eigner der Vergebung.

1. Im Namen Allahs, des Gnädigen, des Barmherzigen.
2. Nein! Ich rufe zum Zeugen den Tag der Auferstehung.
3. Nein! Ich rufe zum Zeugen die sich selbst anklagende Seele.
4. Wähnt der Mensch, daß Wir seine Gebeine nicht sammeln werden?
5. Fürwahr, Wir sind imstande, (sogar) seine Fingerspitzen zusammenzufügen.
6. Doch der Mensch wünscht, Sündhaftigkeit vor sich vorauszuschicken.
7. Er fragt: »Wann wird der Tag der Auferstehung sein?«
8. Wenn das Auge geblendet ist,
9. Und der Mond sich verfinstert,
10. Und die Sonne und der Mond vereinigt werden.
11. An jenem Tage wird der Mensch sprechen: »Wohin nun fliehen?«
12. Nein! keine Zuflucht!
13. (Nur) zu deinem Herrn wird an jenem Tage die Rückkehr sein.
14. Verkündet wird dem Menschen an jenem Tage, was er vorausgesandt und was er zurückgelassen hat.
15. Nein, der Mensch ist Zeuge wider sich selber,
16. Auch wenn er Entschuldigungen vorbringt.
17. Rühre nicht deine Zunge mit dieser (Offenbarung), sie zu beschleunigen.
18. Uns obliegt ihre Sammlung und ihre Lesung.
19. Drum, wenn Wir sie lesen, folge ihrer Lesung;
20. Dann obliegt Uns ihre Erläuterung.
21. Nein, ihr aber, ihr liebt das Gegenwärtige
22. Und vernachlässigt das Jenseits.
23. Manche Gesichter werden an jenem Tage leuchtend sein,
24. Und zu ihrem Herrn schauen;
25. Und manche Gesichter werden an jenem Tage gramvoll sein,
26. Denn sie ahnen, daß ein schreckliches Unglück ihnen demnächst widerfahren soll.
27. Ja! wenn (die Seele eines Sterbenden) zur Kehle emporsteigt
28. Und gesprochen wird: »Wer ist der Zauberer (der ihn rette)?«;

29. Und er weiß, daß es (die Stunde des) Scheidens ist
30. Und Todespein auf Todespein gehäuft wird;
31. Zu deinem Herrn wird an jenem Tage das Treiben sein.
32. Denn er spendete nicht und betete nicht,
33. Sondern er leugnete und wandte sich ab;
34. Dann ging er zu seiner Sippe mit stolzem Gang.
35. »Wehe dir denn! wehe!
36. Und abermals wehe dir! und nochmals wehe!«
37. Wähnt der Mensch etwa, er solle ganz ungebunden bleiben?
38. War er nicht ein Tropfen fließenden Samens, der verspritzt ward?
39. Dann wurde er ein Blutklumpen, dann bildete und vervollkommnete Er (ihn).
40. So schuf Er aus ihm ein Paar, den Mann und das Weib.
41. Und da sollte Er nicht imstande sein, die Toten ins Leben zu rufen?

1. Im Namen Allahs, des Gnädigen, des Barmherzigen.

2. Wahrlich, es kam über den Menschen eine Zeit, da er nichts Nennenswertes war.

3. Wir erschufen den Menschen aus einem Mischtropfen, auf daß Wir ihn prüfen möchten; dann gaben Wir ihm Gehör und Gesicht.

4. Wir haben ihm den Weg gezeigt, ob er nun dankbar oder undankbar sei.

5. Wahrlich, Wir haben für die Ungläubigen Ketten, eiserne Nackenfesseln und ein flammendes Feuer bereitet.

6. Die Gerechten aber trinken aus einem Becher, dem Kampfer beigemischt ist –

7. Eine Quelle, von der die Diener Allahs trinken, und die sie hervorsprudeln lassen in reichlichem Sprudel.

8. Sie vollbringen das Gelübde, und sie fürchten einen Tag, dessen Übel sich weithin ausbreitet.

9. Und sie geben Speise, aus Liebe zu Ihm, dem Armen, der Waise und dem Gefangenen,

10. (Indem sie sprechen:) »Wir speisen euch nur um Allahs willen. Wir begehren von euch weder Lohn noch Dank.

11. Wir fürchten von unserem Herrn einen Tag des Finsterblikkens und des Unheils.«

12. Drum wird Allah sie vor dem Übel jenes Tags bewahren und ihnen Freude und Glück bescheren.

13. Und Er wird sie für ihre Standhaftigkeit belohnen mit einem Garten und seidnen (Gewändern),

14. Darin auf erhöhten Sitzen lehnend, werden sie dort weder Gluthitze noch Eiseskälte erfahren.

15. Und seine Schatten werden dicht über ihnen sein, und seine gebüschelten Früchte werden leicht erreichbar gemacht.

16. Und Trinkgefäße aus Silber werden unter ihnen kreisen, und Pokale von Glas,

17. (Durchsichtig wie) Glas, doch aus Silber, und sie werden ihren Umfang bemessen nach dem Maß.

18. Und es wird ihnen dort ein Becher zu trinken gereicht werden, dem Ingwer beigemischt ist –

19. Eine Quelle darinnen, Salsabīl geheißen.

20. Und es werden ihnen dort Jünglinge aufwarten, die kein

Alter berührt. Wenn du sie siehst, du hältst sie für Perlen, verstreute;

21. Und wenn du dort in irgendeine Richtung schauest, so wirst du Glückseligkeit und ein großes Reich erblicken.

22. An ihnen werden Gewänder sein von feiner, grüner Seide und schwerem Brokat. Sie werden mit silbernen Spangen geschmückt sein. Und ihr Herr wird sie mit einem reinen Trank laben.

23. »Das ist euer Lohn, und euer Bemühen ist angenommen worden.«

24. Wahrlich, Wir Selbst haben dir den Koran stückweise offenbart.

25. So warte geduldig auf den Befehl deines Herrn und gehorche keinem, der ein Sünder oder ein Ungläubiger unter ihnen ist.

26. Und gedenke des Namens deines Herrn am Morgen und am Abend.

27. Und während der Nacht wirf dich nieder vor Ihm und preise Seine Herrlichkeit einen langen Teil der Nacht hindurch.

28. Fürwahr, diese lieben das Gegenwärtige und setzen den unvermeidlichen Tag hintan.

29. Wir haben sie erschaffen und stark gemacht ihre Beschaffenheit; und wenn Wir wollen, Wir können andere ihresgleichen an ihre Stelle setzen.

30. Wahrlich, dies ist eine Ermahnung. So möge, wer da will, einen Weg zu seinem Herrn nehmen.

31. Und ihr wollt, weil Allah will. Wahrlich, Allah ist allwissend, allweise.

32. Er läßt, wen Er will, in Seine Barmherzigkeit eingehen, und für die Frevler hat Er qualvolle Strafe bereitet.

1. Im Namen Allahs, des Gnädigen, des Barmherzigen.
2. Bei denen, die gute Gedanken in die Herzen senden,
3. Und bei den stürmischen Wallungen, die stürmen,
4. Und bei den Kräften, die stets (die Wahrheit) verbreiten,
5. Und dann zwischen (Gut und Böse) unterscheiden,
6. Und dann die Ermahnung überall tragen,
7. Zu entschuldigen oder zu warnen.
8. Wahrlich, was euch verheißen ward, muß sich erfüllen.
9. Wenn dann die Sterne erlöschen
10. Und (die Pforten des) Himmels sich öffnen,
11. Und wenn die Berge hinweggeblasen sind
12. Und die Gesandten zu ihrer vorbestimmten Zeit gebracht werden –
13. Für welchen Tag sind (diese Geschehnisse) aufgeschoben worden?
14. Für den Tag der Entscheidung.
15. Und wie kannst du wissen, was der Tag der Entscheidung ist! –
16. Wehe an jenem Tag den Leugnern!
17. Haben Wir nicht die Früheren vernichtet?
18. Nun lassen Wir die Späteren ihnen folgen.
19. So verfahren Wir mit den Schuldigen.
20. Wehe an jenem Tag den Leugnern!
21. Schufen Wir euch nicht aus einer verächtlichen Flüssigkeit,
22. Die Wir an sichere Stätte brachten,
23. Für eine bewußte Frist?
24. So bemaßen Wir. Wie trefflich ist Unsere Bemessung!
25. Wehe an jenem Tag den Leugnern!
26. Haben Wir die Erde nicht gemacht, zu halten
27. Die Lebenden und die Toten?
28. Und Wir setzten in sie hohe Berge und gaben euch süßes Wasser zu trinken.
29. Wehe an jenem Tag den Leugnern!
30. »Gehet nun hin zu dem, was ihr nicht glaubtet.
31. Gehet hin zu einem Schatten, der drei Wandlungen hat,
32. Der keine Erleichterung bietet noch vor der Flamme schützt!«
33. Siehe, sie wirft Funken empor gleich Türmen,

34. Als wären sie Kamele von hellgelber Farbe.
35. Wehe an jenem Tag den Leugnern!
36. Das ist ein Tag, da sie nicht (fähig sein werden zu) sprechen,
37. Noch wird ihnen erlaubt sein, Entschuldigungen vorzubringen.
38. Wehe an jenem Tag den Leugnern!
39. »Dies ist der Tag der Entscheidung. Wir haben euch und die Früheren versammelt.
40. Habt ihr nun eine List, so brauchet sie wider Mich.«
41. Wehe an jenem Tag den Leugnern!
42. Die Gerechten werden inmitten von Schatten und Quellen sein,
43. Und Früchten, wie sie sich wünschen.
44. »Esset und trinkt in Gesundheit, um dessentwillen, was ihr getan.«
45. So fürwahr lohnen Wir denen, die Gutes tun.
46. Wehe an jenem Tag den Leugnern!
47. »Esset und ergötzt euch (auf Erden) eine kleine Weile. Gewiß, ihr seid die Schuldigen.«
48. Wehe an jenem Tag den Leugnern!
49. Und wenn zu ihnen gesprochen wird: »Beuget euch!«, sie beugen sich nicht.
50. Wehe an jenem Tag den Leugnern!
51. An welches Wort, nach diesem, wollen sie denn glauben?

1. Im Namen Allahs, des Gnädigen, des Barmherzigen.
2. Wonach befragen sie einander?
3. Nach dem großen Ereignis,
4. Über das sie uneinig sind.
5. Nein! sie werden es bald erfahren.
6. Und abermals nein! sie werden es bald erfahren.
7. Haben Wir nicht die Erde zu einem Bette gemacht,
8. Und die Berge zu Pflöcken?
9. Und Wir haben euch in Paaren erschaffen,
10. Und Wir haben euch den Schlaf zur Ruhe gemacht
11. Und die Nacht zu einer Hülle
12. Und den Tag zum Erwerb des Unterhalts.
13. Und Wir haben über euch sieben starke (Himmel) erbaut;
14. Und Wir haben eine hellbrennende Lampe gemacht.
15. Und Wir senden aus den Regenwolken Wasser in Strömen hernieder,
16. Auf daß Wir damit Korn und Kraut hervorbringen mögen
17. Und üppige Gärten.
18. Fürwahr, der Tag der Entscheidung ist festgesetzt;
19. Der Tag, da in die Posaune gestoßen wird und ihr kommt in Scharen,
20. Und der Himmel öffnet sich und wird (wie) Tore,
21. Und die Berge schwinden dahin und werden zur Luftspiegelung.
22. Wahrlich, die Hölle ist ein Hinterhalt –
23. Ein Heim für die Widerspenstigen,
24. Die auf endlose Zeit darin bleiben müssen.
25. Sie werden dort weder Erquickung noch Getränk kosten,
26. Es sei denn siedendes Wasser und stinkende Flüssigkeit:
27. Eine angemessene Belohnung.
28. Sie fürchteten keine Rechenschaft
29. Und verwarfen gänzlich Unsere Zeichen.
30. Und jegliches Ding haben Wir in einem Buche aufgezeichnet.
31. »Kostet drum (die Strafe); Wir werden euch nicht anders mehren als in der Pein.«
32. Wahrlich, für die Rechtschaffenen ist Glückseligkeit –
33. Gärten, umhegte, und Rebenberge.

34. Und Jungfrauen, Altersgenossinnen,
35. Und übervolle Schalen.
36. Dort hören sie weder eitles Gerede noch Lüge.
37. Eine Belohnung von deinem Herrn – eine Gabe entsprechend (ihren Werken) –,
38. Dem Herrn der Himmel und der Erde und alles dessen, was zwischen den beiden ist, dem Gnadenreichen. Sie werden nicht vermögen, Ihn anzureden.
39. Am Tage, da der Geist und die Engel in Reihen stehen, da werden sie nicht sprechen dürfen, ausgenommen der, dem der Gnadenreiche es erlaubt und der nur das Rechte redet.
40. Jener Tag kommt gewiß. So möge, wer da will, bei seinem Herrn Einkehr halten.
41. Wahrlich, Wir haben euch gewarnt vor einer Strafe, die nah bevorsteht: einem Tage, da der Mensch erblicken wird, was seine Hände vorausgeschickt haben, und der Ungläubige sprechen wird: »O wäre ich doch Staub!«

1. Im Namen Allahs, des Gnädigen, des Barmherzigen.
2. Bei den mit aller Macht (zur Wahrheit) Ziehenden,
3. Und bei denen, die (ihre) Knoten fest binden,
4. Und den schnell einher Schwebenden,
5. Dann bei den Voraneilenden und Übertreffenden,
6. Dann bei den die Sachen Lenkenden.
7. Am Tage, wenn die bebende (Erde) schwanken wird,
8. (Und) ein zweites (Beben) drauf folgt,
9. Herzen werden an jenem Tage zittern,
10. Und ihre Augen werden niedergeschlagen sein.
11. Sie sprechen: »Sollen wir wirklich in unseren früheren Zustand zurückgebracht werden?
12. Wie! selbst wenn wir verwestes Gebein sind?«
13. Sie sprechen: »Das wäre dann eine verlustbringende Wiederkehr.«
14. Es wird nur ein einziger Schrei der Drohung sein,
15. Und siehe, sie werden sich (alle) zusammen im Freien scharen.
16. Ist die Kunde von Moses zu dir gedrungen?
17. Da sein Herr ihn im heiligen Tale Tuwā rief:
18. »Geh hin zu Pharao, denn er ist widerspenstig,
19. Und sprich: ›Willst du dich nicht reinigen?
20. Und ich werde dich zu deinem Herrn führen, auf daß du dich fürchtest.‹«
21. So zeigte er ihm das große Zeichen,
22. Er aber leugnete und blieb ungehorsam,
23. Dann kehrte er den Rücken, um zu streiten.
24. Er sammelte (sein Volk) und rief auf,
25. Und sprach: »Ich bin euer höchster Herr.«
26. Da erfaßte ihn Allah zur Strafe für jene und diese Welt.
27. Hierin ist wahrlich eine Lehre für den, der fürchtet.
28. Seid ihr denn schwerer zu erschaffen oder der Himmel, den Er gebaut?
29. Er hat seine Höhe gehoben und dann ihn vollkommen gemacht.
30. Und Er machte seine Nacht finster und ließ sein Tageslicht hervorgehen;
31. Und währenddessen breitete Er die Erde aus.

32. Und Er brachte ihr Wasser aus ihr hervor und ihr Weideland.

33. Und die Berge, sie festigte Er –

34. Als eine Versorgung für euch und für euer Vieh.

35. Doch wenn das große Unheil kommt,

36. Der Tag, da der Mensch sich (all) das ins Gedächtnis zurückrufen wird, was er erstrebt,

37. Und die Hölle aufgedeckt wird für den, der sieht.

38. Dann, was den angeht, der trotzt,

39. Und der das Leben hienieden vorzieht,

40. Brennendes Feuer soll fürwahr (seine) Wohnstatt sein.

41. Was aber den anlangt, der das Stehen vor seinem Herrn fürchtet und die eigne Seele von niedrem Gelüst abhält,

42. So wird der Garten sicherlich (seine) Wohnstatt sein.

43. Sie fragen dich wegen der »Stunde«: »Wann kommt sie wohl?«

44. Doch was hast du mit ihrer Verkündung zu schaffen?

45. Das endgültige Wissen darum ist allein deinem Herrn (vorbehalten).

46. Du bist nur ein Warner für den, der sie fürchtet.

47. Am Tage, an dem sie sie schauen (da wird es sein), als hätten sie (in der Welt) nicht länger geweilt als einen Abend oder den Morgen darauf.

1. Im Namen Allahs, des Gnädigen, des Barmherzigen.
2. Er runzelte die Stirn und wandte sich ab,
3. Weil ein blinder Mann zu ihm kam.
4. Was aber läßt dich wissen? Vielleicht wünscht er, sich zu reinigen,
5. Oder er möchte der Lehre lauschen, und die Lehre möchte ihm nützlich sein.
6. Was den anlangt, der gleichgültig ist,
7. Dem widmest du Aufmerksamkeit,
8. Wiewohl du nicht verantwortlich bist, wenn er sich nicht reinigen will.
9. Aber der, der in Eifer zu dir kommt,
10. Und der (Gott) fürchtet,
11. Den vernachlässigst du.
12. Nein! wahrlich, dies ist eine Ermahnung –
13. So möge, wer da will, seiner achthaben –,
14. Auf ehrwürdigen Blättern,
15. Erhabenen, lauteren,
16. In den Händen von Schreibern,
17. Edlen, tugendhaften.
18. Verderben auf den Menschen! Wie undankbar ist er!
19. Woraus erschafft Er ihn?
20. Aus einem Samentropfen! Er erschafft ihn und gestaltet ihn;
21. Den Weg dann macht Er leicht für ihn,
22. Dann läßt Er ihn sterben und bestimmt ihm ein Grab;
23. Dann, wenn Er will, erweckt Er ihn wieder.
24. Nein! er hat nicht getan, was Er ihm gebot.
25. So betrachte der Mensch doch seine Nahrung:
26. Wie Wir Wasser in Fülle ausgießen,
27. Dann die Erde in Spalten zerteilen,
28. Und Korn in ihr wachsen lassen
29. Und Reben und Gemüse,
30. Und den Ölbaum und die Dattelpalme,
31. Und dichtbepflanzte Gärten, ummauerte,
32. Und Obst und Gras,
33. Versorgung für euch und für euer Vieh!
34. Doch wenn der betäubende Ruf kommt,
35. Am Tage, da der Mensch seinen Bruder flieht,

36. Und seine Mutter und seinen Vater,
37. Und seine Gattin und seine Söhne,
38. Jedermann wird an jenem Tage Sorge genug haben, daß er (anderer) nicht achtet.
39. An jenem Tage werden manche Gesichter strahlend sein,
40. Heiter, freudig!
41. Und andere Gesichter, an jenem Tage, werden staubbedeckt sein,
42. Finsternis wird sie verhüllen.
43. Das sind die Ungläubigen, die Frevler.

1. Im Namen Allahs, des Gnädigen, des Barmherzigen.

2. Wenn die Sonne verhüllt ist,

3. Und wenn die Sterne betrübt sind,

4. Und wenn die Berge fortgeblasen werden,

5. Und wenn die hochschwangeren Kamelstuten verlassen werden,

6. Und wenn wildes Getier versammelt wird,

7. Und wenn die Meere (ineinander) hinfließen,

8. Und wenn die Menschen einander nahe gebracht werden.

9. Und wenn nach dem lebendig begrabenen Mädchen gefragt wird:

10. »Für welches Verbrechen ward es getötet?«

11. Und wenn Schriften weithin verbreitet werden,

12. Und wenn der Himmel aufgedeckt wird,

13. Und wenn das Feuer angefacht wird,

14. Und wenn der Garten nahe gebracht wird,

15. Dann wird jede Seele wissen, was sie gebracht.

16. Nein! Ich rufe die Planeten zu Zeugen – die rückläufigen,

17. Die voraneilenden und die sich verbergenden –,

18. Und die Nacht, wenn sie vergeht,

19. Und die Morgenröte, wenn sie zu atmen beginnt,

20. Daß dies in Wahrheit das (offenbarte) Wort eines edlen Gesandten ist,

21. Eines Mächtigen – eingesetzt bei dem Herrn des Thrones –,

22. Dem man dort gehorcht, Vertrauenswürdigen.

23. Und euer Gefährte ist nicht toll.

24. Denn er sah Ihn fürwahr am hellen Horizont.

25. Und er ist nicht geizig in Sachen des Verborgenen.

26. Noch ist dies das Wort Satans, des Verstoßenen.

27. Wohin also wollt ihr gehen?

28. Dies ist ja nur eine Ermahnung für alle Welten,

29. Für die unter euch, die recht wandeln wollen,

30. Dieweil ihr nicht anders wollt, als wie Allah will, der Herr der Welten.

1. Im Namen Allahs, des Gnädigen, des Barmherzigen.
2. Wenn der Himmel sich spaltet,
3. Und wenn die Sterne zerstreut sind,
4. Und wenn die Meere entströmen werden,
5. Und wenn die Gräber aufgerissen sind,
6. Dann wird die Seele wissen, was sie getan und was sie unterlassen hat.
7. O Mensch, was hat dich kühn gemacht gegen deinen gnadenvollen Herrn,
8. Der dich erschuf und dann dich vollendete und gestaltete?
9. In der Form, die Ihm beliebte, hat Er dich gebildet.
10. Nein, ihr leugnet das Gericht.
11. Jedoch es sind fürwahr Wächter über euch,
12. Ehrwürdige Verzeichner,
13. Die wissen, was ihr tut.
14. Wahrlich, die Rechtschaffenen werden in der Wonne sein
15. Und die Frevler in der Hölle.
16. Sie werden dort eingehen am Tage des Gerichts;
17. Und sie werden nicht imstande sein, daraus zu entrinnen.
18. Und was lehrt dich wissen, was der Tag des Gerichts ist?
19. Und wiederum, was lehrt dich wissen, was der Tag des Gerichts ist?
20. Der Tag, da keine Seele etwas für eine andere Seele zu tun vermag! Und der Befehl an jenem Tage ist Allahs.

1. Im Namen Allahs, des Gnädigen, des Barmherzigen.

2. Wehe den kurzes Maß Gebenden!

3. Die, wenn sie sich von den Leuten zumessen lassen, volles Maß verlangen;

4. Wenn sie ihnen jedoch ausmessen oder auswägen, dann verkürzen sie es.

5. Wissen solche nicht, daß sie auferweckt werden sollen

6. Zu einem Großen Tag,

7. Dem Tag, da die Menschheit vor dem Herrn der Welten stehen wird?

8. Nein! das (Sünden-)Verzeichnis der Frevler ist in Sidschīn.*

9. Und was lehrt dich wissen, was Sidschīn ist? –

10. Ein geschriebenes Buch.

11. Wehe an jenem Tage den Leugnern!

12. Die den Tag des Gerichts leugnen.

13. Und es leugnet ihn keiner als ein jeder sündhafter Übertreter,

14. (Der) wenn ihm Unsere Zeichen vorgetragen werden, spricht: »Fabeln der Alten!«

15. Nein, jedoch das, was sie zu wirken pflegten, hat auf ihre Herzen Rost gelegt.

16. Nein, sie werden an jenem Tage gewiß von ihrem Herrn getrennt sein.

17. Dann werden sie fürwahr in die Hölle eingehen.

18. Und es wird gesprochen werden: »Dies ist's, was ihr zu leugnen pflegtet!«

19. Nein! das Verzeichnis der Rechtschaffenen ist gewißlich in 'Illijun.

20. Und was lehrt dich wissen, was 'Illijun ist? –

21. Ein geschriebenes Buch.

22. Die Erwählten (Gottes) werden es schauen.

23. Wahrlich, die Tugendhaften werden in Wonne sein.

24. Auf hohen Pfühlen werden sie zuschauen.

25. Erkennen wirst du auf ihren Gesichtern den Glanz der Seligkeit.

26. Ihnen wird gegeben ein reiner, versiegelter Trank,

---

* Wörtlich: ewig.

27. Dessen Siegel Moschus ist – und dies mögen die Begehrenden erstreben –,

28. Und es wird ihm Tasnīm beigemischt sein:

29. Ein Quell, aus dem die Erwählten trinken werden.

30. Die Sünder pflegten über die zu lachen, die glaubten;

31. Und wenn sie an ihnen vorübergingen, blinzelten sie einander zu;

32. Und wenn sie zu den Ihren zurückkehrten, kehrten sie frohlockend zurück;

33. Und wenn sie sie sahen, sprachen sie: »Das sind fürwahr die Irregegangenen!«

34. Aber sie sind nicht als Wächter über sie gesandt.

35. Heute drum sind es die Gläubigen, die über die Ungläubigen lachen werden.

36. Auf hohen Pfühlen werden sie zuschauen.

37. Wird den Ungläubigen nicht vergolten, was sie zu tun pflegten?

1. Im Namen Allahs, des Gnädigen, des Barmherzigen.

2. Wenn der Himmel birst;

3. Und seinem Herrn horcht – und (das) ist ihm Pflicht –,

4. Und wenn die Erde sich dehnt,

5. Und auswirft, was in ihr ist, und leer wird;

6. Und ihrem Herrn horcht – und (das) ist ihr Pflicht –,

7. O Mensch, du mühst dich hart um deinen Herrn, so sollst du Ihm begegnen.

8. Was nun den anlangt, dem sein Buch (der Rechenschaft) in seine Rechte gegeben wird,

9. So wird er bald ein leichtes Gericht haben,

10. Und wird frohgemut zu den Seinen zurückkehren.

11. Was aber den anlangt, dem sein Buch hinter seinem Rücken gegeben wird,

12. So wird er sich bald Vernichtung herbeiwünschen,

13. Und wird in ein flammendes Feuer eingehen.

14. Gewiß, er lebte glücklich dahin unter seinen Angehörigen.

15. Er dachte bestimmt, daß er nie (zu Gott) zurückkehren würde.

16. Ja! wahrlich, sein Herr sieht ihn wohl.

17. Doch nein! Ich rufe das abendliche Zwielicht zum Zeugen,

18. Und die Nacht und was sie verhüllt,

19. Und den Mond, wenn er voll wird,

20. Daß ihr sicherlich von einem Zustand in den andern versetzt werden sollt.

21. Was also ist ihnen, daß sie nicht glauben,

22. Und wenn ihnen der Koran vorgetragen wird, sie sich nicht niederwerfen?

23. Im Gegenteil, die da ungläubig sind, verwerfen (ihn).

24. Und Allah weiß am besten, was sie verbergen.

25. Drum verkünde ihnen schmerzliche Strafe.

26. Die aber, die glauben und gute Werke tun, ihrer ist unendlicher Lohn.

1. Im Namen Allahs, des Gnädigen, des Barmherzigen.

2. Beim Himmel mit den Burgen,

3. Und beim verheißenen Tag,

4. Und beim Zeugen und beim Bezeugten,

5. Vernichtet sind die Leute des Grabens –

6. Des Feuers voll von Brennstoff –,

7. Wie sie daran saßen

8. Und bezeugten, was sie den Gläubigen antaten.

9. Und sie haßten sie aus keinem andern Grund, als weil sie an Allah glaubten, den Allmächtigen, den Preiswürdigen,

10. Des das Königreich der Himmel und der Erde ist; und Allah ist Zeuge aller Dinge.

11. Jene nun, welche die gläubigen Männer und die gläubigen Frauen verfolgen und dann nicht bereuen – für sie ist die Strafe der Hölle, und für sie ist die Strafe des Brennens.

12. Doch jene, die glauben und gute Werke tun – für sie sind Gärten, durch die Ströme fließen. Das ist die höchste Glückseligkeit.

13. In Wahrheit, deines Herrn Erfassung ist furchtbar.

14. Er ist es, Der erschafft und wiederkehren läßt;

15. Und Er ist der Allverzeihende, der Liebreiche*;

16. Der Herr des Throns, der Hocherhabene;

17. Bewirker alles dessen, was Er will.

18. Ist nicht die Geschichte von den Heerscharen zu dir gedrungen,

19. Von Pharao und den Thamūd?

20. Nein, aber die Ungläubigen verharren im Leugnen.

21. Und Allah umfaßt sie von allen Seiten.

22. Nein, es ist der hocherhabene Koran,

23. Auf einer wohlverwahrten Tafel.

1. Im Namen Allahs, des Gnädigen, des Barmherzigen.
2. Bei dem Himmel und dem Morgenstern –
3. Und was lehrt dich wissen, was der Morgenstern ist?
4. Ein Stern von durchdringender Helligkeit –,
5. Keine Seele gibt es, die nicht einen Wächter über sich hätte.
6. Möge der Mensch denn betrachten, woraus er erschaffen.
7. Erschaffen ward er aus einem sich ergießenden Wasser,
8. Das zwischen den Lenden und den Rippen hervorkommt.
9. Gewiß, Er vermag ihn wieder zu erwecken
10. Am Tage, wenn die Geheimnisse enthüllt werden.
11. Dann wird er keine Kraft und keinen Helfer haben.
12. Bei der Wolke, die Regen um Regen sendet,
13. Und der Erde, die sich spaltet (durch die Pflanzen),
14. Dieser (Koran) ist wahrlich ein entscheidendes, letztes Wort.
15. Es ist kein Spiel.
16. Sie schmieden einen Plan,
17. Auch Ich schmiede einen Plan.
18. Drum gönne den Ungläubigen Zeit. Überlasse sie auf eine Weile sich selbst.

1. Im Namen Allahs, des Gnädigen, des Barmherzigen.
2. Preise den Namen deines Herrn, des Höchsten,
3. Der da erschafft und vollendet,
4. Und Der bestimmt und leitet,
5. Der die Weide hervorbringt,
6. Und sie dann schwarz verdorren läßt.
7. Wir werden dich (den Koran) lehren, und du wirst (ihn) nicht vergessen,
8. Es sei denn, was Allah will. Fürwahr, Er kennt, was offen ist und was verborgen.
9. Und Wir werden es dir leichtmachen.
10. Ermahne also; gewiß, Ermahnung frommt.
11. Der da fürchtet, wird (sie) beachten;
12. Doch der Ruchlose wird sie meiden –
13. Er, der ins große Feuer eingehen soll.
14. Dann wird er darinnen weder sterben noch leben.
15. Wahrlich, der wird Erfolg haben, der sich reinigt,
16. Und des Namens seines Herrn gedenkt und betet.
17. Ihr aber bevorzugt das Leben in dieser Welt,
18. Wiewohl das Jenseits besser ist und bleibender.
19. Dies ist fürwahr dasselbe, was in den früheren Schriften steht,
20. Den Schriften Abrahams und Moses'.

1. Im Namen Allahs, des Gnädigen, des Barmherzigen.

2. Ist zu dir die Kunde von der überwältigenden (Heimsuchung) gedrungen?

3. (Manche) Gesichter werden an jenem Tage niedergeschlagen sein;

4. Sich abarbeitend, müde,

5. Werden sie in ein schreckliches Feuer eingehen;

6. Getränkt sollen sie werden aus einem siedenden Quell;

7. Keine Speise sollen sie erhalten als das trockene, bittere, dornige Kraut,

8. Das nicht nährt und nicht den Hunger stillt.

9. (Und manche) Gesichter werden an jenem Tage fröhlich sein,

10. Wohlzufrieden mit ihrer Mühe,

11. In einem hohen Garten,

12. In dem du keine müßige Rede hören wirst;

13. In dem eine strömende Quelle ist,

14. In dem erhöhte Ruhebetten sind,

15. Und Becher hingestellt,

16. Und Kissen gereiht,

17. Und feine Teppiche ausgebreitet.

18. Wie! wollen sie nicht die Wolken* betrachten, wie sie erschaffen sind,

19. Und den Himmel, wie er erhöht ist,

20. Und die Berge, wie sie aufgerichtet sind,

21. Und die Erde, wie sie hingebreitet ist?

22. Ermahne drum; denn du bist nur ein Ermahner;

23. Du bist nicht Wächter über sie.

24. Jener aber, der sich abkehrt und im Unglauben verharrt,

25. Ihn wird Allah mit der schwersten Strafe strafen.

26. Zu Uns ist ihre Heimkehr,

27. Alsdann obliegt Uns ihre Rechenschaft.

---

* Oder: Kamele.

1. Im Namen Allahs, des Gnädigen, des Barmherzigen.
2. Bei der Morgendämmerung,
3. Und den zehn Nächten,
4. Und beim Geraden und Ungeraden,
5. Und der Nacht, wenn sie vergeht;
6. Hierin ist wahrlich ausreichender Beweis für einen Verständigen.
7. Hast du nicht gesehen, wie dein Herr mit den 'Ād verfuhr,
8. Dem Volk von Iram, Besitzer von hohen Burgen,
9. Dergleichen nicht erschaffen ward in (anderen) Städten,
10. Und den Thamūd, die die Felsen aushieben im Tal,
11. Und Pharao, dem Herrn von gewaltigen Zelten?
12. Die frevelten in den Städten,
13. Und viel Verderbnis darin stifteten.
14. Drum ließ dein Herr die Peitsche der Strafe auf sie fallen.
15. Wahrlich, dein Herr ist auf der Wacht.
16. Wenn sein Herr den Menschen prüft, indem Er ihn ehrt und Gnaden auf ihn häuft, dann spricht er:»Mein Herr hat mich geehrt.«
17. Wenn Er ihn aber prüft, indem Er ihm seine Versorgung verkürzt, dann spricht er: »Mein Herr hat mich erniedrigt.«
18. Nein, doch ihr ehrt nicht die Waise
19. Und treibet einander nicht an, den Armen zu speisen,
20. Und ihr verzehrt das Erbe (anderer) ganz und gar,
21. Und ihr liebt den Reichtum mit unmäßiger Liebe.
22. Nein, wenn die Erde zu Staub zermalmt wird;
23. Und dein Herr kommt und (auch) die Engel, in Reihen gereiht;
24. Und die Hölle nahe gebracht wird an jenem Tage. An jenem Tage wird der Mensch eingedenk sein, aber was wird ihm dann sein Gedenken frommen?
25. Er wird sprechen: »O hätte ich doch im voraus für (dieses) mein Leben Vorsorge getroffen!«
26. Keiner kann strafen, wie Er an jenem Tage strafen wird.
27. Und keiner bindet so fest, wie Er festbinden wird.
28. (Doch) du, o beruhigte Seele,
29. Kehre zurück zu deinem Herrn, befriedigt in (Seiner) Zufriedenheit!
30. So tritt denn ein unter Meine Diener,
31. Und tritt ein in Meinen Garten!

1. Im Namen Allahs, des Gnädigen, des Barmherzigen.
2. Nein, aber Ich schwöre bei dieser Stadt* –
3. Und du wirst diese Stadt betreten –
4. Und bei dem Vater und dem Kind,
5. Wahrlich, Wir haben den Menschen zu einem Stande des Kampfes erschaffen.
6. Meint er, niemand habe Macht über ihn?
7. Er spricht: »Ich habe viel Gut aufgewendet.«
8. Meint er, niemand sehe ihn?
9. Haben Wir ihm nicht zwei Augen zugeteilt
10. Und eine Zunge und zwei Lippen?
11. Dann haben Wir ihm die beiden Heerstraßen (zu Gut und Böse) gewiesen,
12. Doch er unternahm das Erklimmen nicht.
13. Und was lehrt dich wissen, was das Erklimmen ist?
14. Die Befreiung eines Sklaven,
15. Oder die Speisung an einem Tage der Hungersnot
16. Einer nahverwandten Waise,
17. Oder eines Armen, der sich im Staube wälzt.
18. Wiederum, er sollte zu denen gehören, die glauben und einander ermahnen zur Geduld und einander ermahnen zur Barmherzigkeit.
19. Diese werden zur Rechten sein.
20. Die aber nicht an Unsere Zeichen glauben, sie werden zur Linken sein.
21. Rings um sie wird ein umschließendes Feuer sein.

---

* Mekka.

1. Im Namen Allahs, des Gnädigen, des Barmherzigen.

2. Bei der Sonne und bei ihrem Glanz,

3. Und bei dem Mond, wenn er ihr folgt,

4. Und bei dem Tag, wenn er sie enthüllt,

5. Und bei der Nacht, wenn sie sie bedeckt,

6. Und bei dem Himmel und seiner Erbauung,

7. Und bei der Erde und ihrer Ausbreitung,

8. Und bei der Seele und ihrer Vollendung –

9. Er gewährte ihr den Sinn für das, was für sie unrecht und was für sie recht ist.

10. Wahrlich, wer sie lauterer werden läßt, der wird Erfolg haben;

11. Und wer sie in Verderbnis hinabsinken läßt, der wird zuschanden.

12. Die Thamūd leugneten die Wahrheit in ihrem Trotz.

13. Als der Schlechteste unter ihnen aufstand,

14. Da sprach der Gesandte Allahs: »Haltet euch fern von der Kamelstute Allahs und von ihrer Tränke!«

15. Jedoch sie verwarfen ihn und schnitten ihr die Sehnen durch, darum vernichtete ihr Herr sie gänzlich für ihre Sünde und machte (die Vernichtung) allen gleich.

16. Und Er fürchtet die Folgen nicht.

1. Im Namen Allahs, des Gnädigen, des Barmherzigen.
2. Bei der Nacht, wenn sie überschattet,
3. Und bei dem Tag, wenn er strahlend erscheint,
4. Und bei der Erschaffung von Mann und Weib,
5. Fürwahr, eure Aufgabe ist in der Tat verschieden.
6. Jener aber, der gibt und sich vor Unrecht hütet
7. Und an das Beste glaubt,
8. Wir wollen es ihm leichtmachen.
9. Jener aber, der geizt und gleichgültig ist
10. Und das Beste leugnet,
11. Ihm wollen Wir den Weg zur Drangsal leichtmachen.
12. Und sein Reichtum soll ihm nichts nützen, wenn er zugrunde geht.
13. Wahrlich, Uns obliegt die Führung;
14. Und Unser ist die kommende wie diese Welt.
15. Darum warne Ich euch vor einem flammenden Feuer,
16. Keiner soll dort eingehen als der Bösewicht,
17. Der da leugnet und den Rücken kehrt.
18. Doch weit ferne von ihm wird der Gerechte sein,
19. Der seinen Reichtum dahingibt, um sich zu läutern.
20. Und er schuldet keinem eine Gunst, die zurückgezahlt werden müßte;
21. Dennoch (gibt er seinen Reichtum hin) im Trachten nach dem Wohlgefallen seines Herrn, des Höchsten.
22. Und bald wird Er (mit ihm) wohlzufrieden sein.

1. Im Namen Allahs, des Gnädigen, des Barmherzigen.
2. Beim Vormittage,
3. Und bei der Nacht, wenn sie am stillsten ist,
4. Dein Herr hat dich nicht verlassen, noch ist Er böse.
5. Wahrlich, jede (Stunde), die kommt, wird besser für dich sein als die, die (ihr) vorausging.
6. Und fürwahr, dein Herr wird dir geben, und du wirst wohlzufrieden sein.
7. Fand Er dich nicht als Waise und gab (dir) Obdach?
8. Er fand dich irrend (in deiner Sehnsucht nach Ihm) und führte (dich) richtig.
9. Und Er fand dich in Armut und machte (dich) reich.
10. Darum bedrücke nicht die Waise,
11. Und schilt nicht den Bettler,
12. Und erzähle von der Gnade deines Herrn.

1. Im Namen Allahs, des Gnädigen, des Barmherzigen.
2. Haben Wir dir nicht deine Brust erschlossen,
3. Und dir abgenommen deine Last,
4. Die dir den Rücken niederwuchtete,
5. Und haben Wir (nicht) deinen Ruf erhöht?
6. Also, wahrlich, kommt mit der Drangsal die Erleichterung,
7. Wahrlich, mit der Drangsal kommt die Erleichterung.
8. Wenn du nun entlastet bist, mühe dich eifrig.
9. Und deinem Herrn widme dich ganz.

1. Im Namen Allahs, des Gnädigen, des Barmherzigen.

2. Bei der Feige und dem Ölbaum,

3. Und bei dem Berg Sinai,

4. Und bei dieser Stadt des Friedens,

5. Wahrlich, Wir haben den Menschen in schönstem Ebenmaß erschaffen.

6. (Wirkt er) dann aber (Böses), so verwerfen Wir ihn als den Niedrigsten der Niedrigen.

7. Doch so sind die nicht, die glauben und gute Werke üben; denn ihrer ist unendlicher Lohn.

8. Wer kann also dich leugnen nach (diesem Wort) über das Weltgericht?

9. Ist Allah nicht der Größte der Richter?

1. Im Namen Allahs, des Gnädigen, des Barmherzigen.
2. Lies im Namen deines Herrn, Der erschuf,
3. Erschuf den Menschen aus einem Klumpen Blut.
4. Lies! denn dein Herr ist der Allgütige,
5. Der (den Menschen) lehrte durch die Feder,
6. Den Menschen lehrte, was er nicht wußte.
7. Keineswegs! wahrlich, der Mensch ist widerspenstig,
8. Weil er sich unabhängig wähnt.
9. Wahrlich, zu deinem Herrn ist die Rückkehr.
10. Hast du nicht den gesehen, der da wehrt
11. (Unserem) Diener, wenn er betet?
12. Wohlan, wenn er (der Diener) auf dem rechten Weg ist,
13. Oder zur Gerechtigkeit auffordert!
14. Wohlan, wenn er ungläubig ist und den Rücken kehrt,
15. Weiß er nicht, daß Allah (ihn) sieht?
16. Nein, wenn er nicht abläßt, so werden Wir ihn gewißlich bei der Stirnlocke ergreifen,
17. Der lügenden, sündigen Stirnlocke.
18. Mag er dann seine Mitverschworenen rufen,
19. Wir werden (Unsere) Wache auch herbeirufen.
20. Nein, gehorche ihm nicht, sondern wirf dich nieder und nahe dich (Gott).

1. Im Namen Allahs, des Gnädigen, des Barmherzigen.
2. Wahrlich, Wir sandten ihn (den Koran) hernieder in der Nacht Al-Qadr.*
3. Und was lehrt dich wissen, was die Nacht Al-Qadr ist?
4. Die Nacht Al-Qadr ist besser als tausend Monde.
5. In ihr steigen die Engel herab und der Geist nach dem Gebot ihres Herrn – mit jeder Sache.
6. Friede währt bis zum Anbruch der Morgenröte.

1. Im Namen Allahs, des Gnädigen, des Barmherzigen.
2. Die ungläubig sind unter dem Volk der Schrift und den Götzendienern, konnten (von ihrem Irrtum) nicht eher befreit werden, als bis ein deutlicher Beweis zu ihnen kam:
3. Ein Gesandter von Allah, der (ihnen) die reinen Schriften vorliest,
4. Worinnen die ewigen Gebote sind.
5. Und die, denen die Schrift gegeben ward, waren nicht eher gespalten, als nachdem der deutliche Beweis zu ihnen gekommen war.
6. Und doch war ihnen nichts anderes befohlen, als Allah zu dienen, in lauterem Gehorsam gegen Ihn und aufrechtem Glauben, und das Gebet zu verrichten und die Zakāt zu zahlen. Und das ist der beständige Glaube.
7. Wahrlich, jene, die ungläubig sind unter dem Volk der Schrift und den Götzendienern, werden im Feuer der Hölle sein, um darin zu bleiben. Sie sind die schlechtesten Geschöpfe.
8. Die aber glauben und gute Werke üben, sie sind die besten Geschöpfe.
9. Ihr Lohn ist bei ihrem Herrn: Gärten der Ewigkeit, von Strömen durchflossen; darin werden sie weilen auf immer. Allah ist mit ihnen wohlzufrieden und sie wohlzufrieden mit Ihm. Das ist für den, der seinen Herrn fürchtet.

---

* Nacht des Schicksals.

1. Im Namen Allahs, des Gnädigen, des Barmherzigen.
2. Wenn die Erde erschüttert wird,
3. Und die Erde ihre Lasten herausgibt,
4. Und der Mensch spricht: »Was ist ihr?«
5. An jenem Tage wird sie ihre Geschichten erzählen;
6. Weil Sich dein Herr in bezug auf sie offenbart hat.
7. An jenem Tage werden die Menschen in zerstreuten Gruppen hervorkommen, damit ihnen ihre Werke gezeigt werden.
8. Wer auch nur eines Stäubchens Gewicht Gutes tut, der wird es dann schauen,
9. Und wer auch nur eines Stäubchens Gewicht Böses tut, der wird es dann schauen.

1. Im Namen Allahs, des Gnädigen, des Barmherzigen.
2. Bei den schnaubenden Rennern,
3. Feuerfunken schlagenden,
4. Frühmorgens anstürmenden,
5. Und damit Staub aufwirbelnden,
6. Und dadurch in die Mitte (der Feinde) eindringenden –
7. Wahrlich, der Mensch ist undankbar gegen seinen Herrn;
8. Wahrlich, er bezeugt es selber;
9. Wahrlich, er ist zäh in der Liebe zum Besitz.
10. Weiß er denn nicht, daß wenn der Inhalt der Gräber bloßgelegt wird,
11. Und das, was in den Herzen ist, offenbar wird,
12. Daß ihr Herr (allein) an jenem Tage sie am besten kennt?

1. Im Namen Allahs, des Gnädigen, des Barmherzigen.
2. Die Katastrophe!
3. Was ist die Katastrophe?
4. Und was lehrt dich wissen, was die Katastrophe ist? –
5. An einem Tage, da die Menschen glcich verstreuten Motten sein werden,
6. Und die Berge wie Streichwolle werden.
7. Dann wird der, dessen Waage schwer ist,
8. Ein angenehmes Leben genießen.
9. Der aber, dessen Waage leicht ist,
10. Die Hölle wird seine Mutter sein.
11. Und was lehrt dich wissen, was das ist? –
12. Ein rasendes Feuer.

1. Im Namen Allahs, des Gnädigen, des Barmherzigen.
2. Der Wettstreit um die Mehrung lenkt euch ab,
3. Bis ihr die Gräber erreicht.
4. Nein! ihr werdet es bald erfahren.
5. Wiederum nein! ihr werdet es bald erfahren.
6. Nein! wüßtet ihr's nur mit gewissem Wissen,
7. Ihr müßtet die Hölle (schon in diesem Leben) sehen.
8. Ja doch, ihr sollt sie sicherlich sehen mit dem Auge der Gewißheit.
9. Dann, an jenem Tage, werdet ihr über die Glücksgüter befragt werden.

1. Im Namen Allahs, des Gnädigen, des Barmherzigen.
2. Bei der (flüchtigen) Zeit,
3. Wahrlich, der Mensch ist in einem Zustande des Verlusts,
4. Außer denen, die glauben und gute Werke tun und einander zur Wahrheit mahnen und einander zum Ausharren mahnen.

1. Im Namen Allahs, des Gnädigen, des Barmherzigen.
2. Wehe jedem Lästerer, Verleumder,
3. Der Reichtum zusammengeschart hat und ihn berechnet Mal um Mal.
4. Er wähnt, sein Reichtum habe ihn unsterblich gemacht.
5. Nein! er wird sicherlich bald in das Verzehrende geschleudert werden.
6. Und was lehrt dich wissen, was das Verzehrende ist? –
7. Das Feuer Allahs, das entzündete,
8. Das über die Herzen hinwegzüngelt.
9. Es wird sich wölben über ihnen
10. In ausgestreckten Säulen.

1. Im Namen Allahs, des Gnädigen, des Barmherzigen.
2. Hast du nicht gesehen, wie dein Herr mit den Besitzern des Elefanten verfuhr?
3. Machte Er nicht ihren Anschlag zunichte?
4. Und Er sandte Schwärme von Vögeln wider sie,
5. Die (ihr Aas fraßen und) sie herumwarfen gegen Steine von Ton;
6. Und Er machte sie gleich abgeweideten Halmen.

1. Im Namen Allahs, des Gnädigen, des Barmherzigen.
2. Wegen der Vorliebe der Quraisch,
3. Ihrer Vorliebe für Reisen im Winter und Sommer,
4. Sollten sie den Herrn dieses Hauses verehren,
5. Der sie gespeist hat gegen Hunger und sie sicher gemacht vor Furcht.

1. Im Namen Allahs, des Gnädigen, des Barmherzigen.
2. Hast du den nicht gesehen, der die Religion lügenhaft nennt?
3. Das ist der, der die Waise verstößt
4. Und nicht zur Speisung des Armen antreibt.
5. So wehe denen, die Gebete sprechen,
6. Doch ihres Gebetes uneingedenk sind,
7. Die nur gesehen sein wollen
8. Und die kleinen Dienste nicht erweisen.

1. Im Namen Allahs, des Gnädigen, des Barmherzigen.
2. Wahrlich, Wir haben dir Fülle des Guten gegeben;
3. So bete zu deinem Herrn und opfere.
4. Fürwahr, es ist dein Feind, der ohne Nachkommenschaft sein soll.

1. Im Namen Allahs, des Gnädigen, des Barmherzigen.
2. Sprich: »O ihr Ungläubigen!
3. Ich verehre nicht das, was ihr verehret,
4. Noch verehrt ihr das, was ich verehre.
5. Und ich will das nicht verehren, was ihr verehret;
6. Noch wollt ihr das verehren, was ich verehre.
7. Euch euer Glaube, und mir mein Glaube.«

1. Im Namen Allahs, des Gnädigen, des Barmherzigen.
2. Wenn Allahs Hilfe kommt und der Sieg
3. Und du die Menschen scharenweise in die Religion Allahs eintreten siehst,
4. Dann lobpreise du deinen Herrn und bitte Ihn um Vergebung. Wahrlich, Er wendet Sich oft mit Gnade.

1. Im Namen Allahs, des Gnädigen, des Barmherzigen.
2. Die beiden Hände von Abū Lahab werden vergehen, und er wird vergehen.
3. Sein Reichtum und was er erworben hat, soll ihm nichts nützen.
4. Bald wird er in ein flammendes Feuer eingehen;
5. Und sein Weib (ebenfalls), die arge Verleumderin.
6. Um ihren Hals wird ein Strick von gewundenen Palmenfasern sein.

1. Im Namen Allahs, des Gnädigen, des Barmherzigen.
2. Sprich: »Er ist Allah, der Einzige;
3. Allah, der Unabhängige und von allen Angeflehte.
4. Er zeugt nicht und ward nicht gezeugt;
5. Und keiner ist Ihm gleich.«

1. Im Namen Allahs, des Gnädigen, des Barmherzigen.
2. Sprich: »Ich nehme meine Zuflucht beim Herrn der Morgendämmerung,
3. Vor dem Übel dessen, was Er erschaffen,
4. Und vor dem Übel der Nacht, wenn sie sich verbreitet,
5. Und vor dem Übel derer, die auf die Knoten blasen (um sie
zu lösen),
6. Und vor dem Übel des Neiders, wenn er neidet.«

1. Im Namen Allahs, des Gnädigen, des Barmherzigen.
2. Sprich: »Ich nehme meine Zuflucht beim Herrn der Menschen,
3. Dem König der Menschen,
4. Dem Gott der Menschen,
5. Vor dem Übel des schleichenden Einflüsterers –
6. Der da einflüstert in die Herzen der Menschen –
7. Unter den Dschinn und den Menschen.«

ANMERKUNGEN

1 Die beiden arabischen Wörter für *gnädig* und *barmherzig* entstammen der gemeinsamen Wurzel *rhm* mit dem Bedeutungsinhalt von Barmherzigkeit. *Rahmān* (gnädig) ist eine Form der Intensität; bei Gott gibt es keine Grenzen der Gnade und Barmherzigkeit, Er spendet sie unaufgefordert und ohne Verdienst des Empfängers.
Die zweite Form, *Rahim* (barmherzig), spricht von der wiederholten Handlung: Gott ist nicht nur einmal barmherzig, sondern immer wieder, sofern diese Eigenschaft angerufen wird. Denn im Unterschied zur ersten Form stellt die zweite Form jene Barmherzigkeit Gottes dar, die wir durch unsere eigenen Anstrengungen auf uns lenken. Als *Rahmān* stellt uns Gott die Schätze der Natur zur Verfügung, als *Rahim* segnet Er unser Gebet und unsere Arbeit.
2 Die erste, aus sieben Versen bestehende Sure des Korans, *Al-Fāteha,* ist das wichtigste und in jeder Hinsicht vollkommene muslimische Gebet. Zunächst beschreibt das Gebet die vier grundlegenden Attribute Gottes, in deren weiterer Entfaltung die übrigen Eigenschaften Gottes bestehen. Diese vier Hauptattribute Gottes sind: *Rabbul-Ālamin, Rahmān, Rahim* und *Mālik-e-jaumiddin.*
Das erste Attribut bezeichnet Gott als Schöpfer, Erhalter, Entwickler und Förderer des Alls. Vor allem ist Er der *Rabb* der Welten, d. h., Er läßt allen Völkern und Nationen – auch den unbekannten und noch unerforschten Welten – Seine Fürsorge und Seinen Beistand gleichmäßig angedeihen. Und darum ist nur Gott allein der Verehrung durch die Geschöpfe würdig. Wer sich der Fürsorge Gottes entzieht, verliert jede Hoffnung auf ein vollkommenes Leben.
Das zweite Attribut, *Rahmān,* und das dritte *Rahim* sind bereits unter Anmerkung 1 erläutert worden. Das vierte Attribut, *Meister des Gerichtstages,* erinnert den Menschen daran, daß er für seine Taten Rechenschaft abzulegen hat, und mahnt ihn, sich auf den Letzten Tag vorzubereiten.
Nach der Aufzählung der Hauptattribute weist das Gebet den Menschen darauf hin, daß nur Gott anbetungswürdig ist und allein bei Ihm Hilfe zu suchen ist. Das wird im Satz *Führe uns auf den geraden Weg* ausgedrückt. Dieses Sätzchen ist so gehaltvoll, daß es alle erdenklichen Bedürfnisse des Menschen umfaßt. Was immer wir tun, soll im Einklang mit dem geraden Weg sein, und dieser gerade Weg wird im nachfolgenden Vers näher beschrieben: der Weg jener, die

Gottes Gnade empfangen haben und sich nachher nicht Seinen Zorn zugezogen haben, indem sie entweder übermütig wurden oder sich zu stolz gegenüber den anderen gebärdeten. Der Muslim will vor diesen beiden Fehlentwicklungen geschützt sein, darum fleht er nicht nur um die Gnade Gottes und den geraden Weg, sondern er möchte, daß Gottes Schutz ihn immer begleite.

Diese Sure zeigt auch, wie man zu Gott beten soll: Zunächst vergegenwärtigt man sich die Attribute Gottes, dann bekennt man seine Treue zu Gott und erklärt, daß man gänzlich von Gott abhängig ist. Dann legt man Ihm seine Bitten vor, ist sich aber wohl bewußt, daß einem der Mißbrauch der Gnaden Gottes des göttlichen Schutzes berauben könnte.

3 *Iblis* ist ein Name, der oft mit Satan identisch ist.

4 *Zakāt* ist eine Steuer auf Bargeld, Vermögen usw. (von einer bestimmten Höhe an), das während zwölf Monaten im Besitz des Betreffenden bleibt, ohne gebraucht zu werden. Sie wird von den Wohlhabenden zugunsten der Bedürftigen erhoben.

5 Das arabische Wort für *beugen* heißt Gott anbeten, ohne irgendein anderes Wesen in den Gottesdienst einzubeziehen.

6 Tötet eure bösen Gelüste durch Rechtschaffenheit und Frömmigkeit.

7 *Manna* ist der Honigtau, und *Salwa* ist ein weißlicher Vogel, der Wachtel ähnlich.

8 *Rāinā* und *Unzurnā* sind zwei Wörter, die im Grunde genommen das gleiche bedeuten: »Schaue auf uns!« oder: »Wie bitte?« als Höflichkeitsform. Mit einer kleinen Verschiebung des Akzents bedeutet das erste »eingebildeter Narr«.

9 Arabisch für Richtung; das Wort steht für die Richtung, nach der sich der Muslim beim Gebet richtet (Südost in Europa), und bedeutet auch die *Ka'ba* zu Mekka.

10 *Al-Safā* und *Al-Marwa* sind zwei Hügel in Mekka, in der Nähe der *Ka'ba*.

11 Die Kleine Pilgerfahrt, die im Gegensatz zur Großen Pilgerfahrt nicht an einen bestimmten Zeitpunkt gebunden ist, sondern zu jeder Zeit vollzogen werden kann.

12 *Koran:* was oft gelesen wird, die Heilige Schrift des Islams.

13 Die Große Pilgerfahrt nach Mekka, die jedes Jahr im zwölften Monat des Mondjahres stattfindet.

14 Ein Tal in der Nähe von Mekka, wo der Pilger den letzten Teil des Pilgerfahrtstages verbringt.

15 Ein kleiner Hügel zwischen Mekka und Arafāt.

16 Das arabische Wort *Chär* bedeutet rechtmäßig erworbenes Vermögen, das reichlich vorhanden ist.

17 Das betreffende Wort im arabischen Text, *Afw,* bedeutet: a) das Beste, b) das Entbehrliche, c) die nichtverlangte Spende. Im Vers 216 wird die Frage nach der Art, hier die Frage in bezug auf die Menge (»das Entbehrliche«) des zu spendenden Vermögens beantwortet. Der Koran wählt ein Wort zur Beantwortung dieser Frage, das je nach den persönlichen Verhältnissen des Spendenden sich an verschiedene Kategorien Menschen richtet. Für die Schwächeren gilt, das spenden, was sie ohne weiteres entbehren können, damit sie durch ihre übertriebene Spende später nicht in finanzielle Bedrängnis geraten und sich beklagen. Die Stärkeren im Glauben sollen das Beste spenden. Schließlich besagt das Wort *Afw,* daß man sich an Spenden auf dem Pfade Gottes so gewöhnen sollte, daß man den Bedürftigen ohne Verlangen spendet.

18 Der Koran betont an verschiedenen Stellen, daß die den Frauen zustehenden Rechte respektiert werden müssen.

19 Die Bestimmungen des Islams über die Ehescheidung seien im folgenden kurz dargestellt. Der Islam betrachtet Ehe und Scheidung als wichtige Faktoren im Gesellschaftsleben, die nicht nur die Ehepartner und ihre nächsten Angehörigen, sondern das ganze soziale Gefüge beeinflussen. Wenn alle Möglichkeiten, einen Ehezwist zu schlichten, erwogen und erschöpft worden sind, dann ist die Scheidung, die Auflösung des Ehevertrags, vorgesehen. Voraussetzung ist, daß eine der Parteien, Mann oder Frau, die Ehegemeinschaft unter keinen Umständen weiterführen will. Die Ehescheidung ist also erlaubt – auf Verlangen des Mannes oder der Frau –, aber sie wird als unerwünscht betrachtet. Deshalb empfiehlt der Islam bei den ersten Anzeichen eines Ehezerwürfnisses der Versöhnung dienende Maßnahmen (4: 129). Erweisen sich als fruchtlos, dann wird ein Schiedsgericht eingesetzt, das aus Vertretern der beiden Parteien besteht (4: 36). Erst wenn auch das Schiedsgericht den Streit nicht zu schlichten vermag, kann die Scheidung eingeleitet werden.

Will sich zum Beispiel der Ehemann scheiden lassen, dann hat er zweimal eine Scheidungserklärung abzugeben. Die erste Erklärung darf nicht während der monatlichen Reinigung seiner Frau erfolgen. Außerdem ist sie nur gültig, wenn in der Zeit zwischen dem Ende der Reinigung und der Erklärung kein Verkehr stattgefunden hat. Nach dieser ersten, vorläufigen Scheidungserklärung wird eine Wartefrist von einem Monat eingeschaltet, um dem Ehepaar Gelegenheit und Muße zu einer allfälligen Versöhnung zu geben. Beharrt der Ehemann nun weiterhin auf der Scheidung, dann muß er, einen Monat nach der ersten, eine zweite Scheidungserklärung abgeben, die, falls nicht zurückgezogen wird, drei Monate nach der ersten Erklärung in Rechtskraft erwächst und die unwiderrufliche Scheidung herbeiführt. Diese Erklärungen erfolgen unter Zeugen. Der Mann darf nichts vom Frauenvermögen zurückbehalten; auch die bei der Eheschließung vereinbarte Morgengabe muß, falls das nicht schon geschehen ist, der Frau ausgehändigt werden.

Erfolgt die Scheidung auf Begehren der Frau, ohne daß den Ehemann ein Verschulden trifft – worüber das Gericht entscheidet –, dann hat sie auf die Morgengabe zu verzichten. Auch diese Bestimmung soll einen voreiligen und unüberlegten Schritt verhindern. Um einer leichtfertigen Scheidungspraxis vorzubeugen, ist eine besondere Bestimmung geschaffen worden, die die Wiederverheiratung geschiedener Eheleute erschweren soll. Geschiedene Eheleute können sich nur dann wieder verheiraten, wenn die Frau unterdessen von ihrem zweiten Mann geschieden worden ist. (Vgl. auch 65: 2–8.)

Diese Vorschriften, die wir hier nur in den wesentlichsten Zügen wiedergegeben haben, bildeten vor bald 1400 Jahren eine revolutionäre Neuerung, denn zu jener Zeit gab es kaum irgendwelche Rechte der Frau. Sie können heute ohne weiteres in ein Staatsgesetz umgewandelt, näher beschrieben und unter Berücksichtigung der Grundideen unseren Verhältnissen angepaßt werden.

20 Für die Witwen ist die Wartefrist vor der Wiederverheiratung vier Monate und zehn Tage.

21 Es handelt sich um Stellen im Koran, die bereits in früheren Schriften enthaltene Lehren wiedergeben.

22 Bezieht sich auf die Schlacht bei *Badr,* in der 313 schlechtbewaffnete Muslims ein wohlausgerüstetes Heer von Mekkanern schlugen.

23 Gruppen aus zwei Stämmen, Banu, Maslma *(Chasradsch),* und Banu Hartha *(Aus).*

24 Wörtlich: der Vollmond. Eine Ortschaft zwischen Mekka und Medina. Die *Badr*-Schlacht wurde hier geschlagen.

25 Arabisch: *Sadīd,* d. h. recht und wahr, ohne Krümme oder Hehl.

26 *Unziemliches* steht für Anstiftung von Streit, Unruhe usw.

27 Gemeint ist eine Handlungsweise, die darauf abzielt, den eigenen Ehepartner in den Augen anderer Leute herabzusetzen. Auch der Frau steht bei den Gerichten das Klagerecht zu.

28 Hier bezieht sich *Unreinheit* auf den Zustand nach dem Geschlechtsverkehr.

29 An beiden Stellen ist von den Heuchlern die Rede, die sich als gute

30 Muslims ausgaben, im Ernstfall aber die Sache der Muslims an den Feind verrieten.

31 Auch hier ist die Rede von den Heuchlern.

32 Es handelt sich um die Gläubigen, die trotz Verfolgung unter der Herrschaft der Ungläubigen lebten und nicht auswanderten.

33 *Kalāla* ist eine Person, die weder Eltern noch Kinder hinterläßt.

34 *Ka'ba* ist das älteste Haus Gottes, das sich in Mekka befindet.

35 Eine Kamelstute, von den heidnischen Arabern einem ihrer Götter geweiht, nachdem sie zehn Junge geworfen hatte.

36 Eine Kamelstute, die von den heidnischen Arabern als Opfer für einen ihrer Götter freigelassen wurde, nachdem sie fünf Junge geworfen hatte.

37 Eine Ziege, die von den heidnischen Arabern ebenfalls freigelassen wurde, nachdem sie gleichzeitig Männchen und Weibchen geworfen hatte.

38 Ein Kamelhengst, von den heidnischen Arabern nicht geritten und nicht geschoren, nachdem er zehn Junge gezeugt hatte.

39 Das Verdienst als solches gibt keinen Anspruch auf das Paradies; dazu ist auch die Gnade Gottes vonnöten.

40 Mit den »Scharen« werden eine Karawane und ein bewaffneter Heerzug, beide der feindlichen Mekkaner, bezeichnet. »Ohne Stachel« bezieht sich auf die Karawane.

41 *Befleckung* ist die Angst. Der Vers spricht von der *Badr*-Schlacht. Das Gelände, auf dem die Muslims ihren Aufmarsch vollzogen, war sandig; die Mekkaner hingegen lagerten auf glattem Boden. Der Regen machte den Boden unter den Mekkanern schlüpfrig, die Muslims aber auf dem sandigen Boden waren nicht behindert im Manövrieren.

42 Während der Schlacht bei *Badr* wurden die Muslims von den Mekkanern sehr bedrängt. Da warf der Prophet eine Handvoll Sand gegen die Mekkaner, und ein plötzlich anhebender starker Wind wehte den Gegnern den Sand in die Augen.

43 Die Muslims sollen sich nur so lange mit den Waffen verteidigen, wie die Ungläubigen ihnen die freie Ausübung ihrer Religion verwehren.

44 Der Kriegsgefangene soll sich durch Lösegeld die Freiheit erwerben können.

45 Erste Pilgerfahrt unter muslimischer Herrschaft im zweiten Jahr nach dem Fall von Mekka.

46 Eine Ortschaft, etwa 30 km südöstlich von Mekka entfernt. Hier wurde im 8. Jahr der muslimischen Zeitrechnung (Hidschra) eine

wichtige Schlacht zwischen den Muslims und gewissen heidnischen Stämmen Arabiens geschlagen.

47 Auch diese Stelle betrifft die Kriegszeiten. Kampf gilt nur jenen Angreifern, die die Muslims mit Gewalt von ihrem Glauben abbringen wollten.

48 Die Heiden verschoben zuweilen einen heiligen Monat, um in dieser Zeit ungestraft, wie sie annahmen, rauben und plündern zu können. Die dadurch entstehende Ungleichheit in der Länge der Jahre wurde hernach durch gewisse Manipulationen korrigiert.

49 Bei der Flucht aus Mekka nach Medina war der Prophet von Abū Bakr begleitet.

50 Unter den Medinern waren Heuchler, die eine Moschee erbauten, nicht für den Gottesdienst, sondern für ihre geheimen Zusammenkünfte, in denen sie sich gegen die wahrhaften Muslims verschworen. Der Anführer, Abū Āmir, hoffte, den römischen Kaiser auf seine Seite zu bringen. Seine Ränke führten zu einem Krieg zwischen den Muslims und den Römern, bei welchem die Muslims den Sieg davontrugen.

51 Einige Heuchler, aber auch drei Muslims waren aus Fahrlässigkeit nicht zur Stelle, als die Schlacht bei *Tabuk* ausgetragen wurde. Während der Prophet die Heuchler nicht weiter beachtete, verhängte er eine Strafe über die drei Muslims.

52 Auch hier sind die Gegner des Islams gemeint, die sich mit den Muslims im Kriegszustand befanden.

53 Vgl. Vers 7: 157: »Meine Barmherzigkeit umfaßt jedes Ding.«

54 Oder: Eure Begehrlichkeit nach irdischen Gütern wird euch Schaden zufügen.

55 Bezieht sich auf die erste Sure des Korans, *Al-Fāteha*. Das arabische Wort für »wiederholten« bedeutet auch, daß die sieben Verse der *Fāteha* die vollkommenste Lobpreisung Gottes enthalten, darum sind sie zum wichtigsten Teil des täglichen Gebets erkoren worden. Noch eine andere Bedeutung: Diese Verse beleuchten die Beziehung zwischen dem Schöpfer und der Schöpfung aufs schönste. (Vgl. auch Anmerkung 2.)

56 Der babylonische König Nebukadnezar II. eroberte Jerusalem 587 v. Chr. (Vgl. 2. Könige 25.)

57 Bezieht sich auf Kyros, der Babylon zerstörte und ein geheimes Abkommen mit den Israeliten schloß (vgl. Nehemia 1. und 2. Kapitel).

58 Der Vers richtet sich an die Christen, die nicht an das göttliche Attribut *Rahmān* glauben, weil es im Widerspruch steht zum Glaubenssatz des Sühnopfers.

59 Bei diesen Höhlen handelt es sich um die römischen Katakomben, die den Frühchristen Zuflucht vor ihren Verfolgern boten. Sie sind geräumig und dunkel, nur selten dringt Licht hinein.

60 Es handelt sich um den Feldzug, den Kyros gegen seine Feinde im Westen unternahm.

61 *Ort des Sonnenuntergangs* bezieht sich auf das Schwarze Meer, das die nordwestliche Grenze von Kyros' Reich bildete.

62 Hier ist die Rede von der zweiten Expedition des Kyros, die ihn nach dem Osten führte.

63 Das heißt nicht, daß auch die Gläubigen zeitweilig in die Hölle kommen werden. Jedoch wird die irdische Welt als Hölle für die Gläubigen bezeichnet, da sie hienieden den Verfolgungen durch die Ungläubigen ausgesetzt sind. (Vgl. auch 21: 102, 103 und 92: 16−19.)

64 Das arabische *Wudd* bedeutet »Liebe, die wie ein Keil in das Herz eindringt« und ist in sittlich-religiösem Sinn zu verstehen. So ist die Liebe Gottes zu den Menschen, und so sollte die Liebe des Menschen zu Gott und die Liebe der Menschen zueinander sein.

65 Dieses Wort ist eine Verkündigung, deren Inhalt hervorgeht aus dem Vers 7: 157: »Meine Barmherzigkeit umfaßt jedes Ding.«

66 Günstiger Wind beschleunigte die Heimfahrt der Handelsschiffe im Dienste Salomos.

67 Das arabische Wort für Regen, *Samā,* bedeutet auch Himmel. Die himmlische Strafe, die verschiedene Formen annehmen kann, kommt nicht ohne die Erlaubnis Gottes.

68 Arabisch *Al-Furqān,* einer der Namen des Korans, indem er zwischen Falsch und Wahr unterscheidet.

69 Eine Prophezeiung über den Verlauf des Krieges zwischen den Römern und den Persern. Die Muslims erhielten die Kunde über die Erfüllung dieser Prophezeiung bei der Schlacht von *Badr.* Nach einer anderen Deutung wird hier vorausgesagt, daß die Römer nach einem ersten Sieg geschlagen werden, und zwar von den Muslims, wie es der Fall war unter Omar.

70 Die *Stunde* bedeutet das endgültige Gericht über ein Volk.

71 Diese Entscheidung ist die Niederlage der Ungläubigen schon in dieser Welt, erwähnt bereits in den Versen 22 und 27.

72 Der Prophet hatte den Sklaven Zaid freigelassen und als Sohn angenommen. Um den sozialen Stand des ehemaligen Sklaven in den Augen der Öffentlichkeit zu heben, verheiratete er seinen Adoptivsohn mit einer Adligen, Zainab. Später nahm der Prophet Zainab zur Frau, die unterdessen von Zaid geschieden worden war. Mit dieser Heirat wurde eine alte Sitte abgeschafft, wonach angenommene

Söhne als Blutsverwandte ihres Adoptivvaters betrachtet wurden (vgl. 33: 5, 6).

73 Das Gebiet, das von Salomos Handelsflotte befahren· wurde, erstreckte sich von Antakije im Westen bis zum Persischen Golf im Osten.

74 Der Nachfolger Salomos mißbrauchte seine Regierungsgewalt (vgl. 1. Könige, Kap. 12).

75 Die Küste zwischen Palästina und Arabien gehörte Salomo; sein Reich erstreckte sich von Aden über den Persischen Golf bis zur arabischen Küste. Nachdem das Reich aufgelöst und die Ortschaften zerstört worden waren, war das Reisen sehr beschwerlich.

76 *Il-Jāsin,* Mehrzahl von Il-Jās (Elias). Nach den jüdischen und islamischen Schriften gibt es drei Personen dieses Namens: Elias, der vor Moses kam, Johannes, der in der Prophezeiung Elias genannt worden war, und Elias der Letzten Tage, der vor dem Erscheinen des Verheißenen Messias kommen sollte.

77 Der Koran enthält Lehren, die zum Teil den früheren Schriften ähnlich sind, aber auch solche, die sonst nirgends zu finden sind.

78 Der Koran wird die Mutter aller religiösen Schriften genannt.

79 Die Taten des Menschen hinterlassen Spuren, die erst am Letzten Tag sichtbar werden. Anderswo heißt es: »An dem Tage, wo ihre Zungen und ihre Hände und ihre Füße wider sie zeugen werden von dem, was sie getan« (24: 25). (Vgl. auch 36: 66.)

80 Der Prophet soll den Ungläubigen nicht eine rasche Strafe herbeiwünschen.

81 Der Mond war bei den Arabern ein Zeichen der Regierung, der Herrschaft. Der Vers besagt, daß der Untergang des arabischen Staates nahe sei.

82 Diese Sünde ist *Schirk,* d. h. Gleichstellung anderer Wesen mit Gott. (Vgl. auch 18: 5 und 19: 89–94.)

83 Das heißt nicht, daß Belohnung und Bestrafung vorbestimmt sind. Dem Menschen sind seine Taten anheimgestellt, aber er muß die Folgen tragen, die im Einklang mit den bestehenden Gesetzen Gottes stehen.

84 In der Ausdrucksweise des Korans bedeutet das Kommen Gottes und der Engel die Niedersendung Seiner Strafe.

85 Jonas hatte für die Zerstörung seines Volkes gebetet. In diesem Vers wird dem Propheten gesagt, daß er es nicht Jonas gleichtun, sondern alles in Geduld ertragen und warten solle.

Uta Ranke-Heinemann

»Wer sich informieren will, für den liefert Uta Ranke-Heinemann eine Unmenge von Material. Ihr Angriff richtet sich gegen die gegenwärtigen Sexualvorstellungen der katholischen Kirche. Und da liegt noch viel im Argen.« **Süddeutsche Zeitung**

19/817

Eunuchen für das Himmelreich
Katholische Kirche und Sexualität
Ergänzte Neuausgabe
19/705

Nein und Amen
Mein Abschied vom traditionellen Christentum
Ergänzte Neuausgabe
19/817

Ulrich
Wickert

19/862

Und Gott schuf Paris
19/858

*Der Ehrliche ist der
Dumme*
Über den Verlust der Werte
19/401

Frankreich
Die wunderbare Illusion
19/661

Das Wetter
01/9763

*Über den letzten Stand
der Dinge*
01/10575

*Vom Glück,
Franzose zu sein*
Unglaubliche Geschichten aus
einem unbekannten Land
19/748

Donnerwetter
Allerletzte Meldungen vom
Tage
19/787

Ihr seid die Macht!
Politik für die nächste
Generation
19/862

Zeit zu handeln
Den Werten einen Wert geben
19/873

HEYNE‹

Bücher gegen das Vergessen

Eine Auswahl:

Laurence Rees
Die Nazis
Eine Warnung der Geschichte
Mit einem Vorwort von
Ian Kershaw
19/743

Johannes Leeb
„Wir waren Hitlers Eliteschüler"
Ehemalige Zöglinge der
NS-Ausleseschulen brechen
ihr Schweigen
19/704

Eugen Kogon
Der SS-Staat
Das System der deutschen
Konzentrationslager
19/9

**Ulrike Leutheusser
(Hrsg.)**
Hitler und die Frauen
19/874

Martha Schad
Frauen gegen Hitler
Schicksale im
Nationalsozialismus
19/844

19/844

HEYNE ‹